GREEN NOTE

血液内科グリーンノート

[第2版]

木崎昌弘 編著

埼玉医科大学副学長，埼玉医科大学総合医療センター血液内科教授

中外医学社

執筆者（執筆順）

別所正美　埼玉医科大学 学長，埼玉医科大学病院血液内科 特任教授

海老原康博　埼玉医科大学国際医療センター臨床検査医学 教授

三ツ橋雄之　慶應義塾大学医学部臨床検査医学

百瀬修二　埼玉医科大学総合医療センター病理部 准教授

増田　渉　埼玉医科大学総合医療センター病理部

田丸淳一　埼玉医科大学総合医療センター病理部 教授

石川真穂　埼玉医科大学国際医療センター造血器腫瘍科 講師

岡村大輔　埼玉医科大学国際医療センター造血器腫瘍科 助教

得平道英　地域医療機能推進機構埼玉メディカルセンター血液内科

前田智也　埼玉医科大学国際医療センター造血器腫瘍科 講師

山口健太郎　慶應義塾大学医学部内科学教室（血液）

片岡圭亮　慶應義塾大学医学部内科学教室（血液）教授

富川武樹　埼玉医科大学総合医療センター血液内科 客員講師

久慈一英　埼玉医科大学国際医療センター放射線科（核医学科）教授

木村勇太　埼玉医科大学総合医療センター血液内科

高橋直樹　埼玉医科大学国際医療センター造血器腫瘍科 教授

永沼　謙　埼玉医科大学総合医療センター血液内科

木崎昌弘　埼玉医科大学 副学長，埼玉医科大学総合医療センター血液内科 教授

森　毅彦　東京医科歯科大学医学部血液内科 教授

髙橋健夫　埼玉医科大学総合医療センター放射線科 教授
川村隆之　埼玉医科大学総合医療センター感染症科・感染制御科
岡　秀昭　埼玉医科大学総合医療センター総合診療内科・感染症科 教授
岡田義昭　埼玉医科大学病院輸血・細胞移植部 准教授
石田　明　埼玉医科大学国際医療センター輸血・細胞移植科 教授
阿南朋恵　埼玉医科大学総合医療センター血液内科
田中佑加　大手前病院血液内科
山本晃士　埼玉医科大学総合医療センター輸血細胞医療部 教授
髙橋康之　埼玉医科大学総合医療センター血液内科
松田　晃　埼玉医科大学国際医療センター造血器腫瘍科 教授
麻生範雄　埼玉医科大学国際医療センター造血器腫瘍科 教授
照井康仁　埼玉医科大学病院血液内科 教授
塚崎邦弘　埼玉医科大学国際医療センター造血器腫瘍科 教授
中村裕一　埼玉医科大学病院血液内科 教授
渡部玲子　国際医療福祉大学医学部 准教授
脇本直樹　埼玉医科大学病院血液内科 准教授
宮川義隆　埼玉医科大学病院総合診療内科 教授
多林孝之　埼玉医科大学総合医療センター血液内科 准教授

改訂の序

この度,「血液内科グリーンノート」を4年ぶりに改訂しました. 本書は, 日常診療の現場で役に立つ実践的な手引き書として, 2017年に初版が発刊されました. 血液診療のポイントをわかりやすく記載することを原則とした本書は,「臨床の現場で全力で活躍する」全国の血液内科の先生方に活用していただき好評を得ました. 以来, 4年が経過し血液診療の進歩は加速度的に進んでいます. 血液内科は, もともと進歩の早い領域ですが, 分子レベルでの病態解明の進歩とともに新規治療薬もどんどん導入され, 日本血液学会より出版されている「造血器腫瘍診療ガイドライン」も2020年4月には「2018年版補訂版」が出版され, 多くの造血器腫瘍の治療アルゴリズムが新たになりました.

このような4年間の進歩に対応すべく, 本書は埼玉医科大学に属する3病院（大学病院, 総合医療センター, 国際医療センター）の血液診療に従事する先生方を中心に, 最新の血液診療のエッセンスを全国の施設で活用できるように工夫を凝らして執筆していただきました. 血液診療の基本は, 形態学的診断や画像診断を確実に行い, 検査データを正確に判断することで疾患の診断を確定し, エビデンスのしっかりとした適切な治療を選択することです. そのため, 今回の改訂では初版と同様に診断に必要な血球形態像や組織像, そして多くの画像所見をふんだんに取り入れ, 診療に必要な検査の解釈も具体的に記載しました. 特に, 進歩が著しいゲノム解析研究の情報の活かし方についても言及いたしました. 各疾患には, まず「まとめ」で全体像を把握し, 図を多用することで診断や治療の全体が把握できるようにするとともに, 代表的な治療法については「処方例」として具体的に記載しました．さらに，巻末には，最新の代表的造血器腫瘍の治療レジメンを記載するとともに，診療に役立つように体表面積換算表に加えて，血液診療に必要なアプリ集や CTCAE 最新版の利用の仕方についても掲載しました．

本書は，実際の臨床現場で役に立つことを念頭に書かれた血液診療の実践マニュアルです．そのため，常時携帯できるようなコンパクトなサイズを目指しましたが，ここ数年の血液診療の進歩に伴う情報量は膨大であり，執筆された先生方の想いも大きく，予想以上に大部な書籍となりました．

血液診療に従事されている先生方は，本当に忙しい毎日を過ごされているかと思います．加えて，コロナ禍の現在にあっては，「自らが感染しない，患者に感染させない」ことを念頭に日々緊張の連続かと思います．しかし，いついかなる時でも私どもは患者にベストな医療を提供する責務があります．本書が，そのような全力で血液疾患に立ち向かっている先生方のお役に立ち，座右の書として活用されることを願ってやみません．

最後に，多忙な中に執筆いただいた先生方に心より感謝申し上げます．

2021 年 6 月

木崎　昌弘

序文

この度, 血液診療の実践的なマニュアルである「血液内科グリーンノート」を発刊することになりました. 血液疾患は多岐にわたり, 急速な病態解析研究の進歩により, その疾患概念や診断, 治療法は大きく変わってきました. このような中にあって, われわれ臨床医は絶えず最新の情報に基づいて, 患者さんに対しては最善の治療を実践しなくてはなりません. こうした背景の中で, 日常診療の現場で役立つ実践的な手引書として本書は企画されました.

本書は, 埼玉医科大学三病院血液内科（大学病院, 総合医療センター, 国際医療センター）および慶應義塾大学病院血液内科において実際に行なわれている診療内容をベースに, 多くの施設で広く実践できるようにさまざまな工夫をいたしました. 血液疾患の診断に必要な血球の形態像や組織像, 種々の画像所見をふんだんに取り入れ, 多くの検査所見の解釈も具体的に記載しました. 各疾患については「まとめ」に続いて簡潔な記述とともに, 代表的な治療法については「処方例」として具体的に記述し, 血液疾患の診断や治療法を具体的にわかりやすく記述するようにしました. また, 巻末には代表的な造血器腫瘍の治療レジメンや体表面積換算表などを収めることで読者の便宜を図りました.

コンパクトでわかりやすく実践的なマニュアルを目指した本書ですが, 執筆者が全力で立ち向かったために予定よりやや大部になってしまいました. ただ, その部分は, 疾患の理解により役立つ内容や, 日常診療でのちょっとした「コツ」のようなものが記載されており, 読者の皆様のお役に立つことと確信しています. 外来や病棟で血液診療の臨床の現場で忙しく活躍されている先生方に，本書が座右の書として愛され，そして活用されることを願っています．

最後に忙しい中に本書の執筆をお願いした先生方には心より御礼申し上げます．

2017 年 9 月

第 79 回日本血液学会学術集会の
準備に追われつつ教授室にて

木崎　昌弘

目　次

Ⅰ．血液内科を目指す若い先生方へ

Ⅱ．造血の仕組みと造血因子の基本

Ⅲ．血液疾患の診断に必要な形態アトラス

Ⅳ．血液診療に必要な検査とその解釈

V. 主要な徴候の鑑別診断

VI. 造血器腫瘍に対して必要な治療総論

Ⅶ. 疾患各論

VIII. 実践に役立つ造血器腫瘍治療レジメン

I

血液内科を目指す
若い先生方へ

血液内科の勧め

内科にはいくつかのサブスペシャリティーがありますが，その中でも血液内科は，患者さんの診断から治療までの全プロセスに内科医が中心的に関与できる，いわば最も内科らしい内科ではないかと思います．たとえば，ある訴えをもった患者さんが来院したとしましょう．型通り，医療面接，身体診察と進み，鑑別診断を考えながら必要な検査を選択していくわけですが，血液疾患が疑われる場合に行われることの多い骨髄検査は，実施，標本作製，検鏡，診断，そのすべてのプロセスで血液内科医が中心的な役割を果たします．リンパ節あるいは他の臓器の生検が必要な場合も，外科系の医師に摘出や採取を依頼することになりますが，その後の標本の処理から診断までのプロセスには，病理の医師とともに，主治医である血液内科医の役割が欠かせません．診断が確定した後の治療は，化学療法，免疫抑制療法，分子標的療法，幹細胞移植，補助療法としての輸血，感染症に対する予防と治療など，様々ですが，その全てのプロセスで血液内科医が主役を果たします．また，患者さんには，循環器系，呼吸器系，内分泌・代謝系など，多彩な合併症を伴うことも多く，血液内科医にはこれらの合併症への十分な理解も求められます．換言すれば，診断から治療までの全てが，血液内科医の肩にかかっているといっても過言ではなく，血液内科は，内科医が大きな「やりがい」を感じることのできる診療科の一つだと思います．もちろん，血液疾患は重篤な病態を呈するものが多く，主治医の判断が患者さんの生命予後と密接に関係する場合も少なくないため，その責任は重いのも事実です．したがって，患者さんやご家族の期待に応えて常に最新，最善の医療を提供するためにも，日々，新たな情報を収集し，自分の臨床力をブラッシュアップしていくことが必要となります．このことは，血液内科医が自分の成長と進歩を実感できることにつながり，「やりがい」を生み出すもとになります．

血液内科で特筆すべき点の一つとして，日常の診療と医学の研究が密接に結びついていることがあると思います．血液内科では，病気の本体である細胞や組織などの検査材料を，採血，骨髄穿刺，リンパ節生検などの一般的な検査手技によって比較的容易に採取することができます．以前は，採取した検体の検査として，形態学的観察や細胞遺伝学的分析が主として行われてきましたが，最近では分子生物学や遺伝子医学の進歩によって分子レベルや遺伝子レベルの高度な検査が日常的に行われるようになりました．さらに，これらの検体を患者さんの同意や倫理審査委員会の承認を得て，研究に役立てることも可能です．つまり，血液内科は，日常診療と医学研究との距離が極めて近い診療科であり，「bench to bed」あるいは「bed to bench」が日常的に実践されおり，研究成果が臨床に直ちに還元されるとともに臨床の知見が研究に還元される診療科といえます．このことを如実に示す例が慢性骨髄性白血病と Philadelphia 染色体の話です．Philadelphia 染色体は慢性骨髄性白血病の患者さんにみられる染色体異常として，1960 年に Nowell と Hungerford によって発見されました．がんの特異的染色体異常として初めて報告されたもので，以降，さまざまながんにおける特異的染色体異常が発見される契機となりました．また，Philadelphia 染色体の本体は，22 番染色体と 9 番染色体の相互転座であることが 1973 年に Rowley によって明らかにされました．その後，この染色体転座の結果生じる bcr/abl という融合遺伝子の産物であるチロシンキナーゼが造血幹細胞の無制限な増殖を誘発することによって慢性骨髄性白血病が発症することが明らかになり，この酵素活性を抑える分子標的薬としてイマチニブが開発されました．イマチニブを始めとするチロシンキナーゼ阻害薬の出現が慢性骨髄性白血病の治療と患者さんの予後を一変させたこと，そしてイマチニブの開発がさまざまながんに対する分子標的療法薬の開発に先鞭をつけたことは，皆さんもご存じのとおりです．このように，診療と研究が密接に関係し，相互に刺激し合って病態の解明や新たな治療法の開発に至った例は，血液内科領域には少なくありません．血液幹細胞に関する研究を出発点とする幹細胞移植療法や造血因子の臨床応用などもそれに含まれるでしょう．

私事になって恐縮ですが，私は学生時代から細胞生物学に興味があって，基礎医学の研究室に出入りしていました．卒業後は基礎に進むか臨床に進むか迷いましたが，一度は臨床経験をしたいとの思いから内科に進みました．内科研修の修了後，恩師の勧めで血液内科に入ったのですが，臨床のかたわら，当時としては最先端の造血因子の研究にもかかわることができました．良き師と仲間に恵まれ，先端的な開発企業との共同研究の機会を得て，エリスロポエチンや顆粒球コロニー刺激因子の基礎研究から臨床応用までのプロセスに関与することができ，基礎の研究成果が実地診療に還元され，患者さんの役に立つまでの，大変エキサイティングな時代を過ごすことができました．

血液内科は，はじめに述べたように，内科の中の内科といっても過言ではないくらい，臨床的な実力，特に各科横断的な総合力が求められる診療科です．それだけではなく，研究の機会に恵まれることも多く，「将来，研究もしてみたい」という思いのある方にも最適な診療科ではないかと思います．このように，血液内科は臨床志向の方にとっても，研究志向の方にとっても，あるいは臨床と研究の両者に興味のある方にとっても，ぜひお薦めしたい診療科だと思います．

本書は，血液内科の診療を学ぶうえで欠かすことのできない基礎知識，病態把握，治療の組み立て，患者ケアなどのポイントを簡明に解説し，実際の臨床現場で役立つ実践的な内容をめざすマニュアルです．本書を手にとった皆さんが，血液内科で充実した研修を積むとともに，血液内科の醍醐味を味わっていただければ幸いです．

〈別所正美〉

II

造血の仕組みと
造血因子の基本

I 血液内科を目指す若い先生方へ
II 造血の仕組みと造血因子の基本
III 血液疾患の診断に必要な形態アトラス
IV 血液診療に必要な検査とその解釈
V 主要な徴候の鑑別診断
VI 造血器腫瘍に対して必要な治療総論
VII 疾患各論
VIII 実践に役立つ造血器腫瘍治療レジメン

造血の仕組みと造血因子の基本

まとめ

- 造血幹細胞は骨髄の微小環境である造血幹細胞ニッチに存在し，自己複製と前駆細胞を経て成熟細胞への増殖・分化により一生涯の造血は維持されている.
- 胎児期には一次造血と二次造血があり，胎児の発達に伴って造血臓器が移動する.
- ヒトでは CD34 は造血幹細胞のマーカーである.
- 造血因子は血液細胞に与える作用から臨床応用がされ，治療に役立っている.

血球の産生・分化

- 血液中には種々な血球が存在している．その寿命は赤血球では約 120 日，好中球では半日以内，血小板では 7～10 日である．ヒトでは毎日赤血球を 1.5×10^{10} 個，白血球を 6.0×10^{10} 個，血小板を 1.5×10^{10} 個を産生していると考えられている．これらの血球は造血幹細胞（hematopoietic stem cell: HSC）という共通の母細胞から骨髄で生産され，増殖・分化し，各種造血前駆細胞（progenitor）の段階を経て最終的には成熟血球へと分化していく[1)]図 1.

胎児期造血

- ほ乳類の造血の特徴は，胎児期では造血臓器が胎児の発達に伴って移動することである．ヒトでは胎生 5 カ月までは肝臓で赤血球造血が行われているが，その後，骨の中に骨髄部分が形成され，骨髄が造血の中心となっていく図 2.

一次造血

- 一次造血は赤血球造血が主であり，胎児型ヘモグロビンであるζグロビン，εグロビンを持つ有核赤血球のみに分化する前駆細胞のみで維持されている．γグロビンも一次造血から産生されるが，生後 6 カ月ぐらいでほとんど産生されなくなる．一次造血の赤血球造血は造血因子であるエリスロポエチン依存的ではない.

JCOPY 498-22507

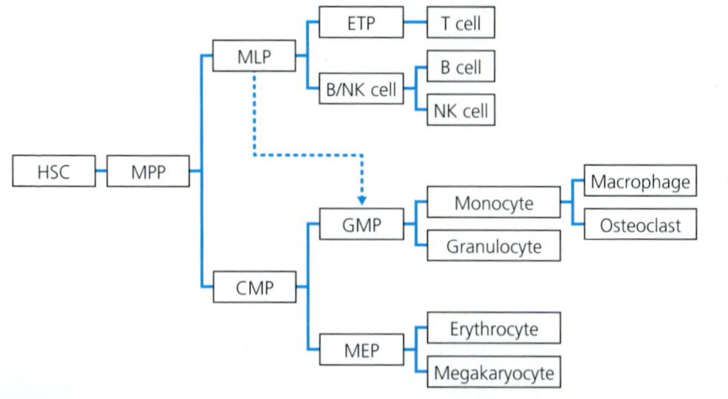

図 1　造血幹細胞の分化

造血幹細胞は分化するに従い，自己複製能と多分化能を失い最終的には特定の系統の機能を持った成熟細胞へ分化する．略称については本文参照.
（Doulatov S, et al. Cell Stem Cell. 2012; 10: 120-36[1] より改変）

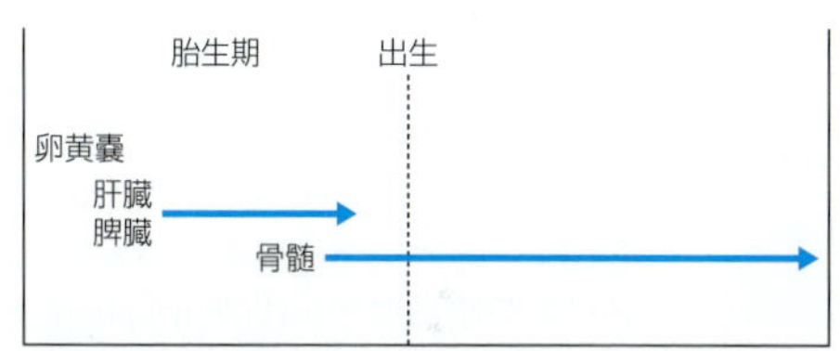

図 2　造血場所の移動

胎生期から造血場所は移動している.

二次造血

- 二次造血では赤血球は脱核し，成人型ヘモグロビンであるβグロビン，δグロビンを有している．βグロビン，δグロビンは二次造血のみで産生される．αグロビンは一次造血から産生され二次造血でも産生されつづける．二次造血の赤血球造血にはエリスロポエチンは必要である．また，自己複製能と多分化能を持つ造血幹細胞やリンパ球は一次造血では存在せず，二次造血においてはじめて出現する.

造血幹細胞

- 造血幹細胞は，自己複製能（細胞分裂により自己と同じ能力を有する細胞を複製する能力）と多分化能（すべての血球細胞に分化できる性質）を有することで，一生にわたる血球産生を可能にしている．定常状態では造血幹細胞は骨髄の中の造血微小環境である造血幹細胞ニッチ（niche）に存在しており，細胞周期上の静止期（G0 期）にある．

造血幹細胞ニッチ

- 造血幹細胞は骨髄の骨芽細胞や血管内皮細胞，間葉系幹細胞が形成する造血幹細胞ニッチに存在している．ニッチ形成細胞には造血幹細胞の静止期に必要な angiopoietin-1（Ang-1），造血幹細胞の維持に必須の stem cell factor（SCF）や C-X-C motif ligand 12（CXCL12）を発現している．造血幹細胞ニッチの局在としては骨芽細胞が静止期の造血幹細胞の維持において重要である（osteoblastic niche）との報告や骨髄内血管周囲にも造血幹細胞が局在することから，血管内皮細胞がニッチとして機能している（vascular niche）との報告もある．両者は別々に存在するのではなく，一連としてニッチを形成しているとも考えられているが，未解明な部分も多い[2]．

造血幹細胞の分化[1] 図 1

- 造血幹細胞から分化した多能性前駆細胞（multipotent progenitors: MPP）は自己複製能を失っているが多分化能は有している細胞であり，ここから骨髄系共通前駆細胞（common myeloid progenitors: CMP）とリンパ系前駆細胞（multiple lymphoid progenitors: MLP）とに分化する．CMP は巨核球 / 赤血球前駆細胞（megakaryocyte/erythrocyte progenitors: MEP）と顆粒球 / マクロファージ系前駆細胞（granulocyte/macrophage progenitors: GMP）に分化し，それぞれ最終的に巨核球・血小板 / 赤血球，顆粒球 / マクロファージに分化する．MLP は初期前駆 T 細胞（early T cell progenitor: ETP）と前駆 B/NK 細胞に分化し，それぞれ T 細胞，B 細胞と NK 細胞に分化する．また，MLP は骨髄球系細胞への分化能を有している．
- 実際に骨髄穿刺を行った場合に同定できる細胞は，骨髄球系は骨髄芽球（myeloblast），前骨髄球（promyelocyte），骨髄球（myelocyte），後骨髄球（metamyelocyte），桿状核好中球（stab neutrophil），分葉核好中球（segmented neutrophil）であり，この順に成熟する． 赤血球系は前赤芽球（proerythroblast），好塩基性赤芽球（basophilic erythroblast），多染性赤芽球（polychromatophilic erythroblast），正染性赤芽球

表1 白血球表面抗原

細胞の種類	発現している抗原（下線は代表的なマーカー）
T細胞	CD2, CD3, CD5, CD7, TCR$\alpha\beta$, CD4またはCD8
B細胞	CD19, CD20, CD22, cyCD79a, κまたはλ
NK細胞	CD2, CD7, CD16, CD56, CD57
単球	CD13, CD14, CD33, CD4弱陽性
好中球	CD13, CD33, MPO
赤血球	GP-A(CD235a)
造血幹細胞	CD34

(orthochromatic erythroblast)，網状赤血球（reticulocyte）と成熟し，最終的に脱核した赤血球となる．巨核球系は巨核芽球（megakaryoblast），前巨核球（promegakaryocyte）の順に成熟するが，他の血液細胞と異なり成熟後も骨髄にとどまる．リンパ球や単球も骨髄で形成されるで，その成熟過程を形態から区別するのは困難である．

白血球表面抗原

・造血細胞の表面にはさまざまな細胞表面分子が発現しており，分化段階によりその発現パターンが異なる．フローサイトメトリーを用いて細胞の表面抗原を同定することで，その細胞の系統や分化段階が識別できる 表1 ．ヒトではCD34は造血幹細胞のマーカーである．例えば，末梢血幹細胞移植のための末梢血幹細胞採取では，患者体重あたり2×10^8個のCD34陽性細胞を確保することを目安に採取している．また，最近の研究では，lineage抗原陰性（Lin^-）$CD34^+CD38^-CD90^+CD45RA^-CD49f^+$分画がヒト造血幹細胞に最も近いとされている[3)]．

造血因子

・造血幹細胞の増殖・分化を誘導するサイトカインを造血因子としている．造血幹細胞からさまざまな細胞への増殖・分化のためには複数の造血因子が作用しており，最終的な各系統への分化には働く造血因子はそれぞれの系統で異なる．1）造血幹細胞から前駆細胞に作用するSCF，fms-like tyrosine kinase 3 ligand（FL）やinterleukin（IL）-6などのlineage-nonspecific early-acting factor，2）前駆細胞に作用するIL-3や顆粒球・マクロファージコロニー刺激因子（granulocyte

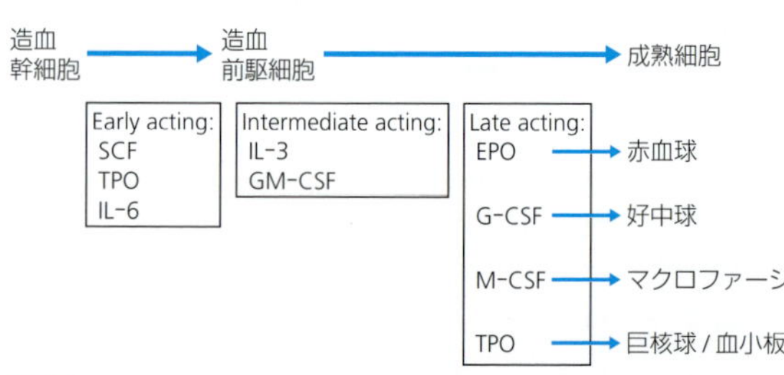

図 3　細胞の各分化段階において増殖・分化に関わる造血因子

細胞の分化段階に従い，作用する造血因子は 3 つのグループに分けられる．最終分化段階では各系統に特異的な造血因子が必要である．

macrophage colony-stimulating factor：GM-CSF）などの lineage-nonspecific intermediate-acting factor と，3）各系統に最終的に分化させるエリスロポエチン（erythropoietin：EPO），顆粒球コロニー刺激因子（granulocyte colony-stimulating factor：G-CSF）やトロンボポエチン（TPO）などの lineage-specific late-acting factor に分類される．トロンボポエチン（thrombopoietin: TPO）は early-acting factor としての作用も有している．造血幹細胞の増殖・分化は単独の造血因子では支持されず，これらを組み合わせることが必要であることが示されている 図 3．

- 造血因子は recombinant で製造され，治療にも用いられている．

EPO

- 主に腎臓尿細管近傍間質細胞でつくられ，赤芽球前駆細胞の増殖・分化を促進する．貧血，低酸素状態で低酸素応答性転写因子（hypoxia-inducible factor-1α：HIF-1α）が活性化され，EPO の遺伝子発現が亢進され，赤芽球系前駆細胞に作用し，赤血球への増殖・分化を促進する．
- さまざまな貧血(特に腎性貧血)の治療に利用される．

G-CSF

- 活性化リンパ球，線維芽細胞，血管内皮細胞が主に G-CSF を産生しており，G-CSF は好中球前駆細胞の増殖・分化を促進させる．
- G-CSF 投与は抗がん薬による化学療法後の好中球減

少症時の好中球回復促進を目的として用いられる.

- 骨髄にある造血幹細胞の末梢血中への動員作用を有していることから，G-CSF を投与して末梢血幹細胞採取が行われている．造血幹細胞の末梢血への動員のメカニズムは，G-CSF の造血幹細胞への直接的な作用ではないとされ，増加した好中球から放出されたエラスターゼやカセプシン G などプロテアーゼの作用により，骨髄ニッチでの造血幹細胞とニッチ形成細胞との結合が外れるためとの報告[4]や骨細胞ネットワークの関与と考えられている[5]が，未解明なことも多い.
- G-CSF 投与後に造血幹細胞が末梢血に動員されない poor responder が少数いるため，最近では，G-CSF と CXCR4 ケモカイン受容体拮抗薬（plerixafor）との併用による末梢血幹細胞採取も行われている.

TPO

- 肝臓や骨髄で産生される．巨核球前駆細胞の分化を促進し，血小板を増加させる．当初は血小板増加作用を期待されたが，投与により中和抗体産生が起こり，逆に血小板減少をきたしたため，開発が中止された．このため，TPO 受容体を介した TPO 受容体作動薬（エルトロンボパグ，ロミプロスチム）が開発され，TPO 受容体作動薬投与により，血小板増加が確認されたため，現在では，慢性特発性血小板減少性紫斑病や一部の再生不良性貧血に対して保険適用となっている.

GM-CSF

- 造血幹細胞の顆粒球，マクロファージ，樹状細胞への増殖・分化を促進する．GM-CSF 投与により樹状細を増加させ，制御性 T 細胞（regulatory T cell）増殖を介した慢性 GVHD に対する治療が考えられているが，実現されていない．近年，肺胞蛋白症に対する GM-CSF の吸入療法の効果が日本から報告された[6].

参考文献

1）Doulatov S, Notta F, Laurenti E, et al. Hematopoiesis: a human perspective. Cell Stem Cell. 2012; 10: 120-36.
2）Kumar S, Geiger H. HSC niche biology and HSC expansion ex vivo. Trends Mol Med. 2017; 23: 799-819.
3）Chaurasia P, Gajzer DC, Schaniel C, et al. Epigenetic reprogramming induces the expansion of cord blood stem cells. J Clin Invest. 2014; 124: 2378-95.
4）Petit I, Szyper-Kravitz M, Nagler A, et al. G-CSF induces stem cell mobilization by decreaseing bone marrow SDF-

1 and up-regulating CXCR4. Nat Immunol. 2002; 3: 687-94.
5) Asada N, Katayama Y, Sato M, et al. Matrix-embedded osteocytes regulate mobilization of hematopoietic stem/progenitor cells. Cell Stem Cell. 2013; 12: 737-47.
6) Tazawa R, Ueda T, Abe M, et al. Inhaled GM-CSF for pulmonary alveolar proteinosis. N Engl J Med. 2019; 381: 923-32.

〈海老原康博〉

III

血液疾患の診断に必要な形態アトラス

1 末梢血・骨髄塗抹標本

まとめ

・末梢血および骨髄塗抹標本の観察では正常細胞の形態を正しく理解しておく必要がある.
・診断には芽球の比率や疾患ごとの特徴的な細胞形態を適正に評価することが必要となる.

末梢血塗抹標本

- 正常末梢血の細胞成分は白血球（6 種類），赤血球および血小板である.
- 細胞形態の観察には普通染色（ライト・ギムザ染色あるいはメイ・ギムザ染色）を用いる.

1）正常末梢血に見られる白血球 図1

- 好中球は核が分葉（通常 3～5 分葉）を示す分葉核球と，分葉を認めない桿状核球が区別される．細胞質には微細な顆粒が認められ，薄桃色調に観察される.
- 好酸球は好中球よりもやや大きく，細胞質に橙色で粒の大きな顆粒が認められる.
- 好塩基球は好中球よりもやや小型の細胞で，特徴的な黒紫色の顆粒が認められる.
- 単球は比較的大型の細胞であり，細胞質は広く青灰色調を呈し，湾曲した核を有することが多い.
- リンパ球は比較的小型～やや大型で類円形の核を有する細胞である．細胞質に顆粒を有するものも認められる（顆粒リンパ球）.

2）白血球の異常所見 図2

- 末梢血中に反応性細胞や幼若細胞，腫瘍細胞など病態を反映する細胞が出現することがあり，診断のための重要な所見となる.
- 重症感染症などでは好中球に中毒性顆粒（粗大で赤みの強い顆粒）やデーレ小体（薄青色に染色される細胞質の小領域）が見られることがある.
- ウイルス感染などでは反応性リンパ球(異型リンパ球)が見られることがある. 反応性リンパ球は好塩基性(青色）の細胞質を有する大型化したリンパ球であり，形

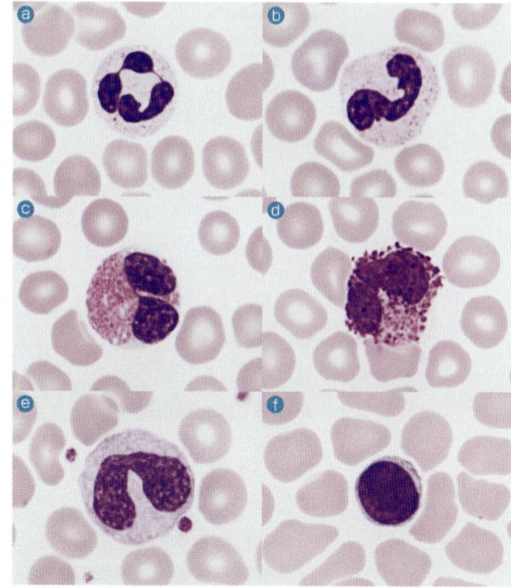

図1 正常末梢血に見られる白血球（末梢血塗抹標本，ライト・ギムザ染色）

ⓐ 好中球（分葉核球），ⓑ 好中球（桿状核球）
ⓒ 好酸球，ⓓ 好塩基球
ⓔ 単球，ⓕ リンパ球

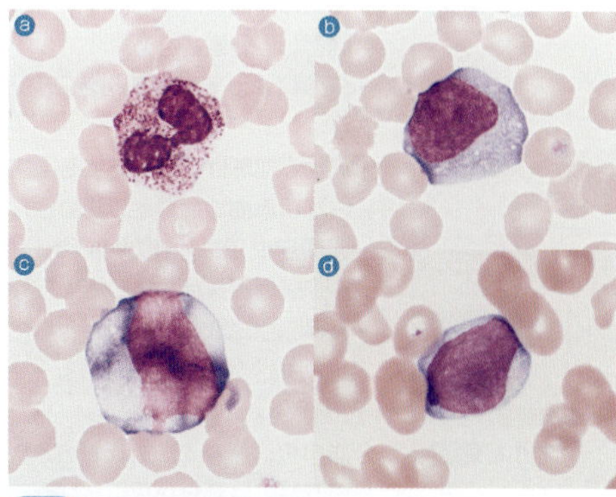

図2 白血球の異常所見（末梢血塗抹標本，ライト・ギムザ染色）

ⓐ 好中球（中毒性顆粒），ⓑ 反応性リンパ球（1）
ⓒ 反応性リンパ球（2），ⓓ 芽球（骨髄異形成症候群）

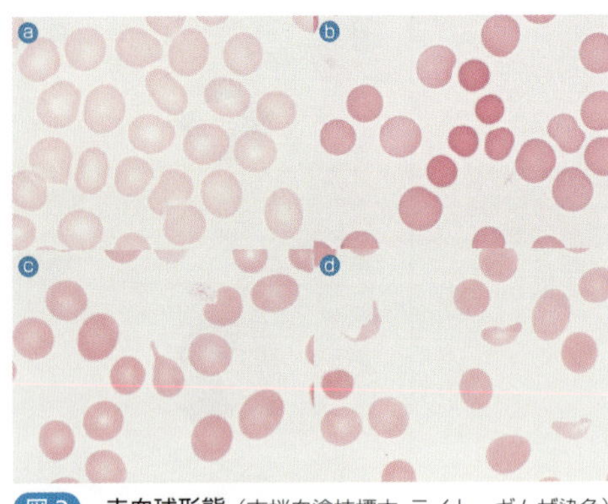

図3 **赤血球形態**（末梢血塗抹標本，ライト・ギムザ染色）
a 赤血球（正常），b 球状赤血球
c 涙滴赤血球，d 破砕赤血球

態的にはやや多彩である．
- 骨髄異形成症候群では異形成を示す好中球や芽球が認められることがある．
- 急性白血病では芽球が，悪性リンパ腫ではリンパ腫細胞が出現することがある．
- 病態により幼若顆粒球や有核赤血球（赤芽球）の出現を認めることもある．

3）赤血球 図3

- 正常の赤血球は中心部が薄く染まる核のない円形の細胞として観察される．
- 病態によって特徴的な赤血球形態を呈するものがある．
- 球状赤血球は小型で球状を呈する赤血球であり，遺伝性球状赤血球症などで認められる．
- 涙滴赤血球は片側が伸び出した涙滴状の赤血球であり，骨髄線維症などで認められる．
- 破砕赤血球は小さく断片化した赤血球であり，DIC や TTP/HUS などで認められる．

4）血小板 図4

- 血小板は直径 2～3 μm 程度の核のない細胞であり，細胞質には顆粒が認められる．
- 血小板の産生が亢進している場合や，一部の先天性の血小板減少症，造血器腫瘍などの後天性の病態で大型の血小板（4 μm 以上）が出現することがあり，赤血

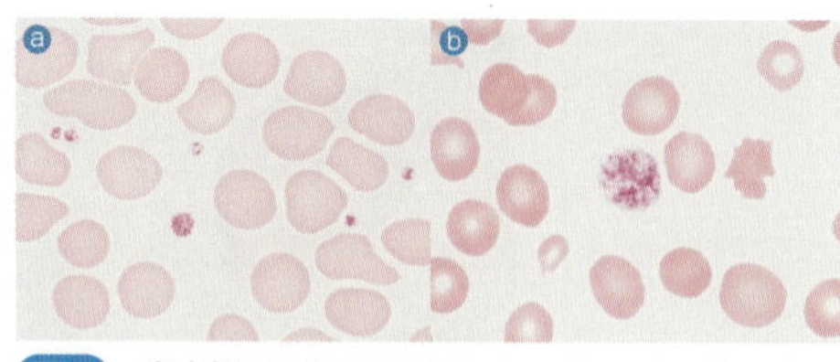

図4　**血小板**（末梢血塗抹標本，ライト・ギムザ染色）
ⓐ血小板（正常），ⓑ巨大血小板

球のサイズを超える大きさの血小板（巨大血小板）が見られることもある．

5）末梢血塗抹標本の観察法

- ウェッジ法で作成された塗抹標本では，標本の引き終わりから少し内側で，細胞が均一に分散し，重なったり潰れたりしない視野を中心に観察する．また，標本の辺縁部分や引き終わりの視野に大型の細胞や細胞集簇が見られることもあるため，必要に応じて確認する．
- 強拡大視野にて細胞形態を評価し，形態異常や異常細胞の有無を確認する．細胞分類を行う場合には 100 細胞あるいは 200 細胞をカウントして，比率を求める．

骨髄塗抹標本

- 骨髄穿刺検査により採取された骨髄血から骨髄塗抹標本を作成する．
- 形態観察には普通染色を用いるが，診断のためには特殊染色が有用である．

1）塗抹標本の染色

- 普通染色：ライト・ギムザ染色あるいはメイ・ギムザ染色により細胞形態を観察する．
- ペルオキシダーゼ染色：骨髄球系細胞に陽性となる．芽球の帰属評価に有用である．
- エステラーゼ染色：特異的エステラーゼは顆粒球系に陽性となる（通常は青色に染色）．非特異的エステラーゼは単球系に陽性となるが（通常は茶色に染色），フッ化ナトリウム（NaF）で阻害される．エステラーゼ二重染色ではこれらを同時に染色する．
- 鉄染色：鉄芽球および環状鉄芽球の評価に用いる．MDS の診断に必要となる．
- PAS 染色：好中球や巨核球に陽性となる．赤芽球が

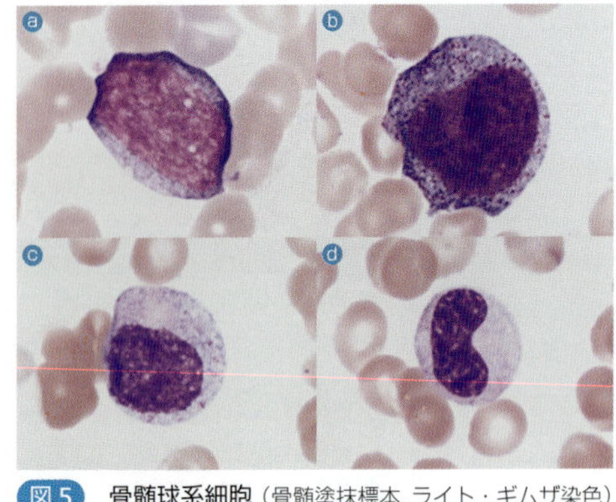

図 5　骨髄球系細胞（骨髄塗抹標本，ライト・ギムザ染色）
ⓐ 骨髄芽球，ⓑ 前骨髄球
ⓒ 骨髄球，ⓓ 後骨髄球

PAS 陽性を示すときは異形成を疑う．

2）正常骨髄に見られる細胞

- 骨髄塗抹標本上には造血 3 系統（骨髄球系・赤芽球系・巨核球系）とリンパ球・形質細胞のほか，マクロファージなどの細胞が認められる．
- 骨髄球系細胞は骨髄芽球，前骨髄球，骨髄球，後骨髄球と成熟し，好中球系では桿状核球および分葉核球へと成熟する．幼若型の好酸球，好塩基球も見られ，単球も認められる 図 5．
- 赤芽球は前赤芽球から好塩基性赤芽球，多染性赤芽球，正染性赤芽球の各成熟段階を経て成熟し，脱核して赤血球となる 図 6．
- 巨核球は大型の細胞で核は分葉し顆粒を有する．血小板の付着を認めることがある 図 7．

3）異形成

- 骨髄塗抹標本を観察する際には異形成の有無に注意する．代表的な異形成を示す 図 8, 9．
- 好中球では偽ペルゲル異常のほか，顆粒形成不全（脱顆粒）も重要な異形成所見である．
- 赤芽球の異形成として巨赤芽球様変化や核崩壊像，環状鉄芽球がある．
- 微小巨核球は巨核球の代表的な異形成であり，前骨髄球以下の大きさの巨核球である．低分葉核や分離多核巨核球も重要な異形成である．

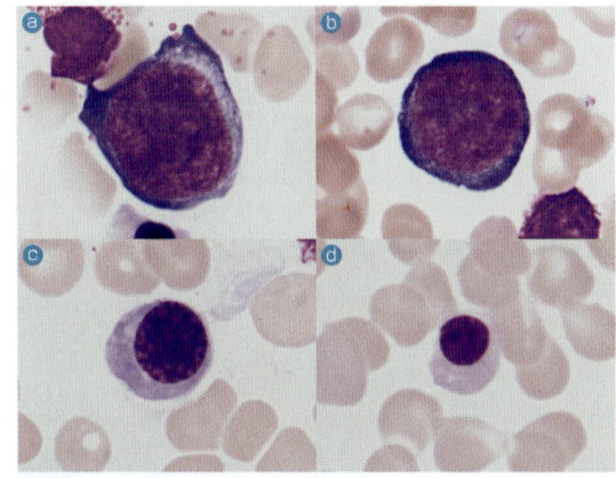

図6 **赤芽球系細胞**（骨髄塗抹標本，ライト・ギムザ染色）
ⓐ 前赤芽球，ⓑ 好塩基性赤芽球
ⓒ 多染性赤芽球，ⓓ 正染性赤芽球

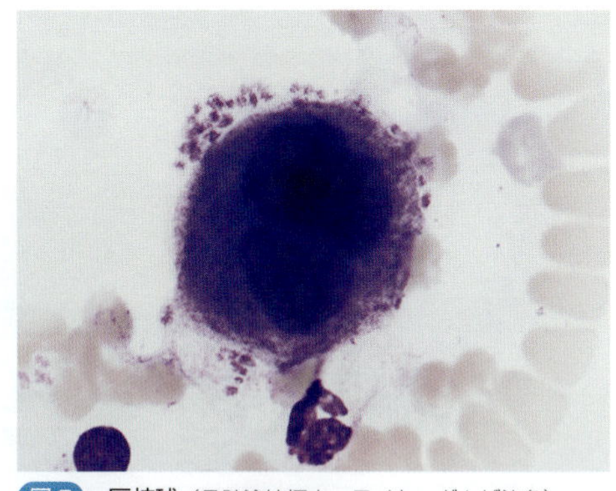

図7 **巨核球**（骨髄塗抹標本，ライト・ギムザ染色）

4）骨髄塗抹標本の観察法 図10

- 観察部位：主な観察部位は末梢血塗抹標本と同様に標本の引き終わりから少し内側で細胞があまり重ならずに均一に分散している領域であり，形態観察や分類に適する．一方，巨核球などの大型細胞や大型の腫瘍細胞，腫瘍細胞の集簇などは標本の引き終わりと辺縁部分に見られることが多いため必ず確認する．弱拡大視野で広く観察した後に強拡大視野で詳細に観察を進める．
- 細胞密度と M/E 比：骨髄細胞の増生の程度を評価する．正常を正形成，増加を過形成，減少を低形成とす

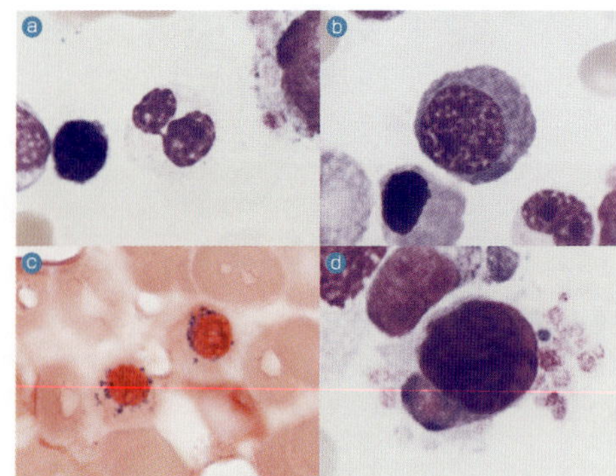

図8 異形成を示す細胞 1（骨髄塗抹標本 ライト・ギムザ染色・鉄染色）

ⓐ 好中球（偽ペルゲル異常），ⓑ 赤芽球（巨赤芽球様変化）
ⓒ 環状鉄芽球（鉄染色），ⓓ 微小巨核球

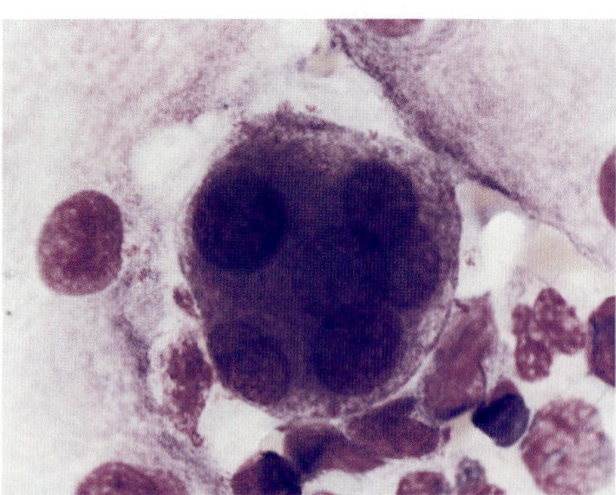

図9 異形成を示す細胞 2（骨髄塗抹標本 ライト・ギムザ染色）

分離多核巨核球

る．骨髄球系細胞（myeloid）と赤芽球系細胞（erythroid）の比率（M/E 比）は正常では 2〜3：1 に保たれているが，病態によって変化する．

- 巨核球：巨核球は塗抹標本上で 10〜50 個程度見られる場合に正常数とする．標本の引き終わりに多いため，弱拡大で該当する視野を中心に観察して数と形態を評価する．

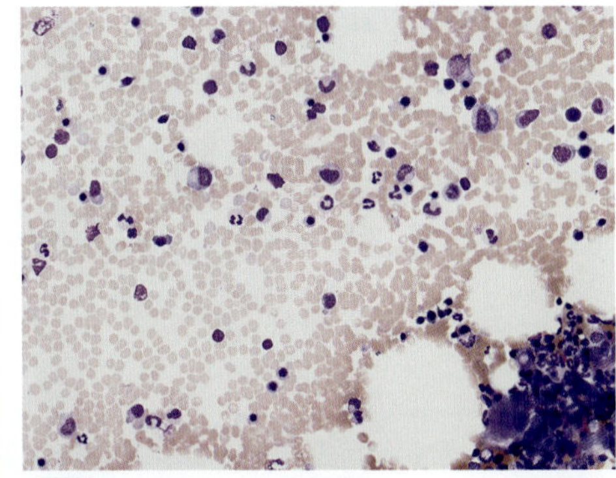

図 10 正形成の骨髄(骨髄塗抹標本 ライト・ギムザ染色)

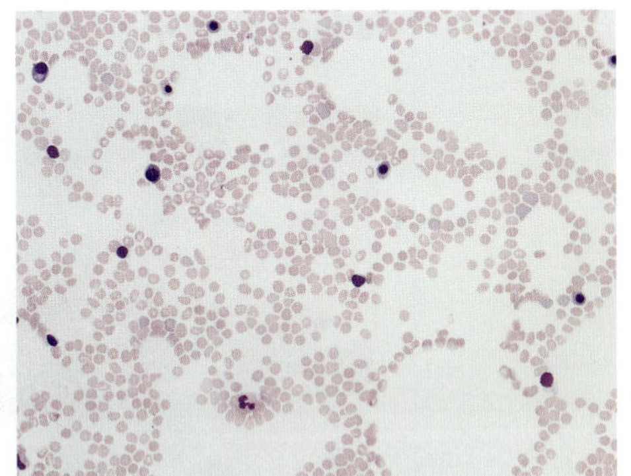

図 11 再生不良性貧血（AA）(骨髄塗抹標本, ライト・ギムザ染色)

- 細胞形態: 強拡大視野にて個々の細胞を評価する. 系統ごとに各成熟段階の細胞を確認し, 異形成の有無, 芽球や異常細胞の有無および比率などを判定し, 診断的評価を行う. 分類カウントを実施する場合には 500 細胞あるいは 1000 細胞をカウントし, 分類および比率の算定を行う.

血液疾患症例

1）再生不良性貧血（AA）図 11

- 再生不良性貧血では高度の低形成性骨髄を呈する.
- 各系統の細胞は減少しているが, 異形成は見られず, 芽球の増加も認めない.

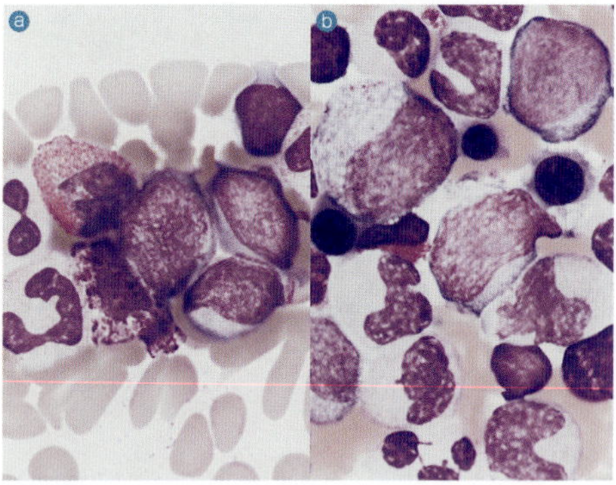

図 12　**慢性骨髄性白血病（CML）**（末梢血塗抹標本 / 骨髄塗抹標本，ともにライト・ギムザ染色）

ⓐ 末梢血，ⓑ 骨髄

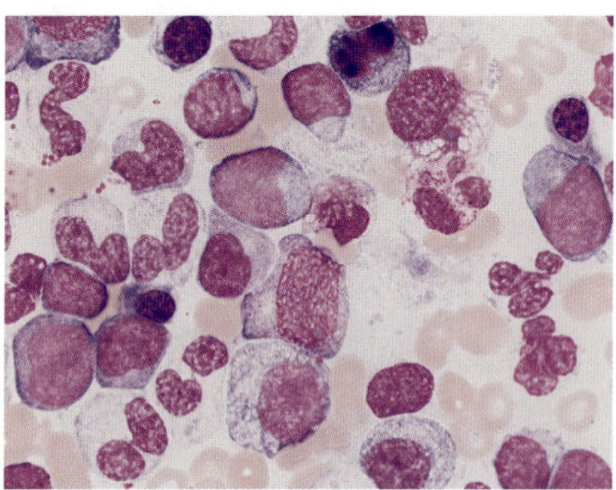

図 13　**骨髄異形成症候群（MDS）**（骨髄塗抹標本，ライト・ギムザ染色）

2）慢性骨髄性白血病（CML）図 12

- 末梢血では白血球は増加し，幼若顆粒球の出現や好塩基球の増加が認められる．
- 骨髄は顆粒球系優位の高度過形成性骨髄を呈する．巨核球も増加することが多い．

3）骨髄異形成症候群（MDS）図 13

- 骨髄異形成症候群（MDS-EB-2）の骨髄である．
- 本例では偽ペルゲル異常や顆粒消失など骨髄球系の異形成が目立ち，芽球も増加している．

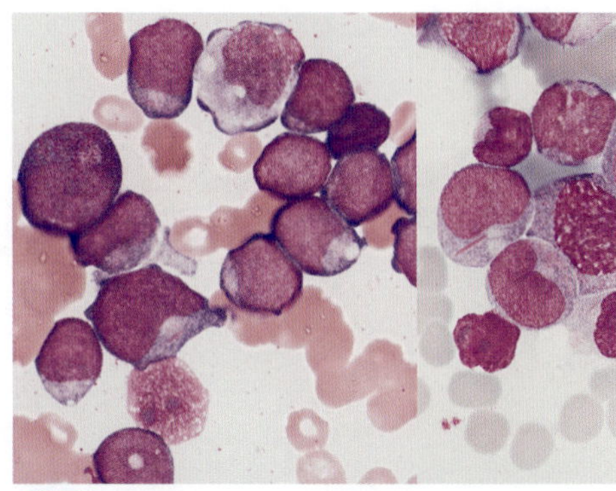

図 14 t(8;21) を伴う急性骨髄性白血病 (AML)（骨髄塗抹標本，ライト・ギムザ染色）

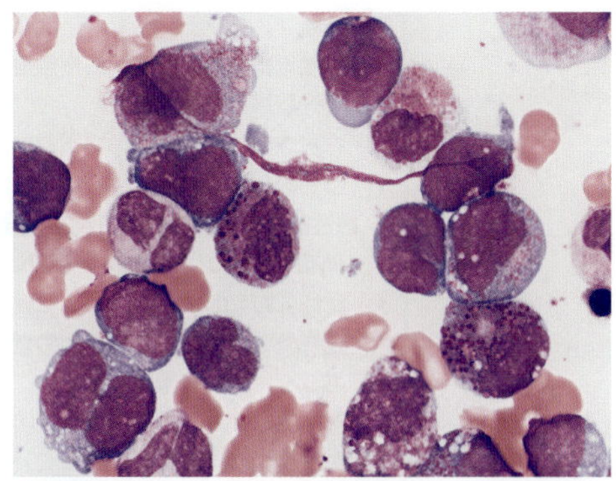

図 15 inv16 を伴う急性骨髄性白血病 (AML)（骨髄塗抹標本，ライト・ギムザ染色）

4）急性骨髄性白血病（AML）図 14

a. 急性骨髄性白血病　t(8;21) を伴う AML

- t(8;21)(q22;q22.1);*RUNX1–RUNX1T1* を伴う AML である．
- 成熟型の AML（FAB 分類 AML: M2 相当）の所見を示すことが多く，芽球には長く両端の尖った特徴的な Auer 小体を認めることがある．
- 細胞質の顆粒異常や偽ペルゲル異常など好中球系に異形成を認めることがある．

b. 急性骨髄性白血病　inv(16) を伴う AML 図 15

- inv(16)(p13.1;q22); *CBFB–MYH11* を伴う AML で

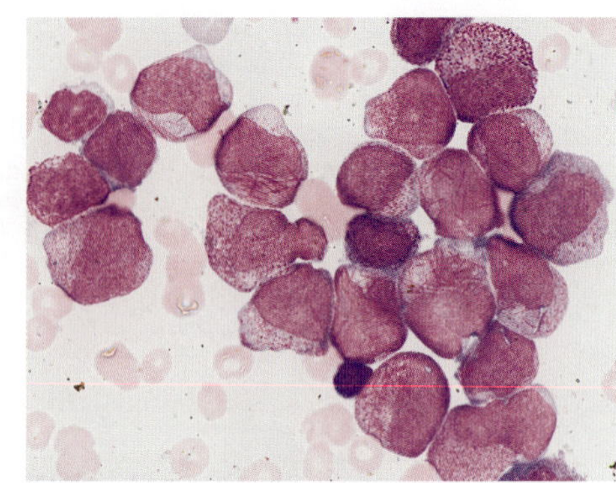

図 16　**急性前骨髄球性白血病（APL）**（骨髄塗抹標本，ライト・ギムザ染色）

ある．

- 急性骨髄単球性白血病の形態を示すことが多く，骨髄で好酸球の増加を伴う．
- 好酸球には赤紫色調の特徴的な色調の異常顆粒を有するものが見られる．

c. 急性前骨髄球性白血病（APL） 図 16

- *PML-RARA* の再構成を認め，染色体異常として t(15;17)(q24.1;q21.1) が認められる．
- 前骨髄球相当の白血病細胞の増生が認められ，ペルオキシダーゼは強陽性を示す．
- 細胞質に多数の顆粒を有する白血病細胞が認められ，Auer 小体を複数有するファゴット細胞も見られる．

d. 急性骨髄性白血病　未熟型（FAB 分類 AML: M1 相当） 図 17

- 過形成性骨髄で芽球の増生を認め，成熟型の細胞は少数である．
- 芽球はペルオキシダーゼ染色陽性である（写真右）．

e. 急性骨髄単球性白血病（FAB 分類 AML: M4 相当） 図 18

- 骨髄系と単球系の形質を示す芽球の増生が認められ，ペルオキシダーゼは陽性である．
- エステラーゼ染色では特異的および非特異的エステラーゼそれぞれに，あるいは同時に陽性を示す（写真右）．

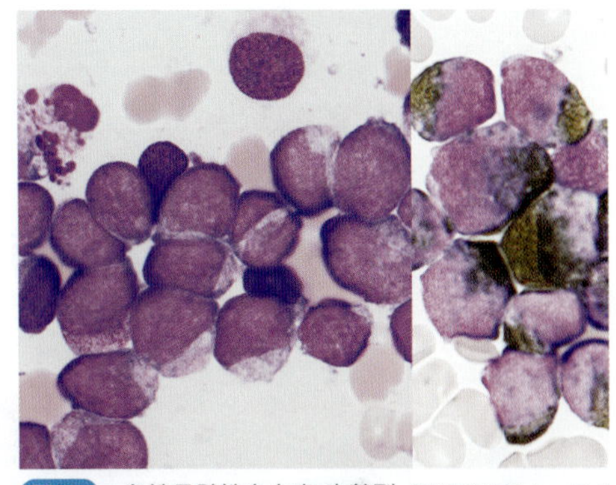

図17 **急性骨髄性白血病 未熟型**（骨髄塗抹標本，ライト・ギムザ染色・ペルオキシダーゼ染色）

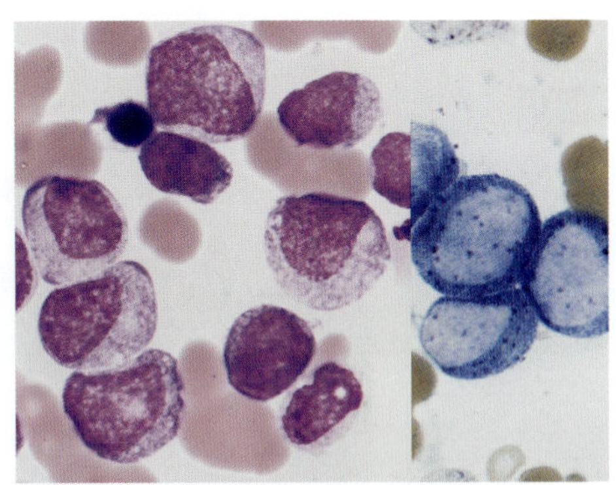

図18 **急性骨髄単球性白血病**（骨髄塗抹標本，ライト・ギムザ染色・エステラーゼ二重染色）

f. 急性単芽球性白血病（FAB 分類 AML: M5a 相当）

図19

- 大型で N/C 比の低い芽球（単芽球）の増生が見られ，ペルオキシダーゼは陰性が多い.
- 単芽球を含む単球系細胞は非特異的エステラーゼ染色にて陽性を示す（写真右）.

g. 急性巨核芽球性白血病（FAB 分類 AML: M7 相当）

図20

- 急性巨核芽球性白血病は巨核球系の芽球が増加する白血病である.

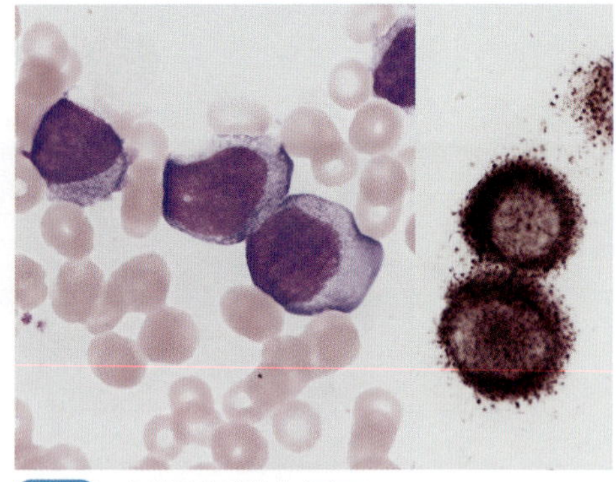

図19 **急性単芽球性白血病**（骨髄塗抹標本，ライト・ギムザ染色・非特異的エステラーゼ染色）

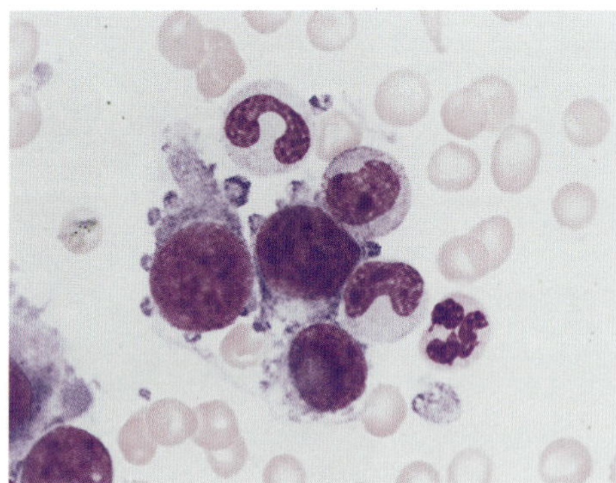

図20 **急性巨核芽球性白血病**（骨髄塗抹標本，ライト・ギムザ染色）

- 芽球の細胞質には半球状の突起（bleb）の形成を認めることがある．

5）急性リンパ芽球性白血病（ALL）図21

- 比較的小型で N/C 比の高い芽球（リンパ芽球）の増生が認められる．
- 急性リンパ芽球性白血病の芽球はペルオキシダーゼ陰性である（写真右）．

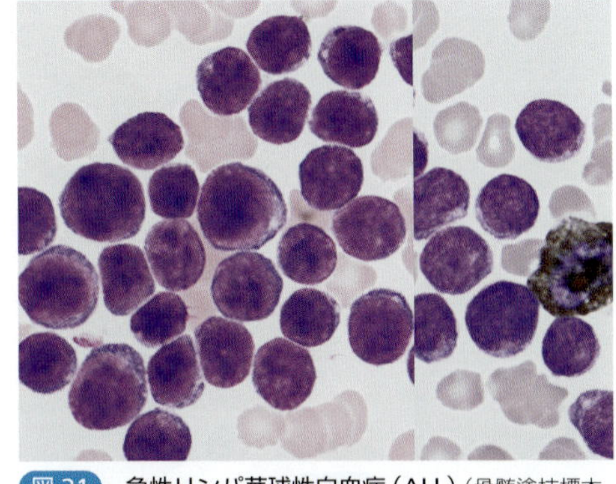

図21 **急性リンパ芽球性白血病（ALL）**（骨髄塗抹標本，ライト・ギムザ染色・ペルオキシダーゼ染色）

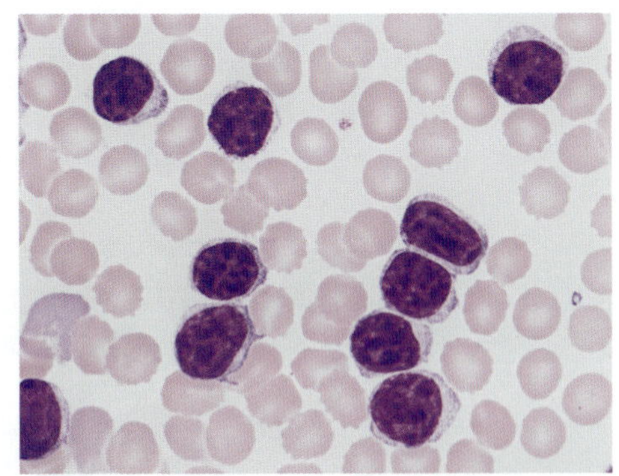

図22 **慢性リンパ性白血病（CLL）**（骨髄塗抹標本，ライト・ギムザ染色）

6）慢性リンパ性白血病（CLL） 図22

- CLL では成熟型のリンパ球の増生が認められる．
- CLL のリンパ球は核クロマチンの凝集が比較的目立つ（ブロックパターン）．

7）多発性骨髄腫（MM） 図23

- 異型性を示す形質細胞（骨髄腫細胞）の増生が認められる．
- 骨髄腫細胞の核は幼若で核小体を有することが多く，2 核～多核も認められる．

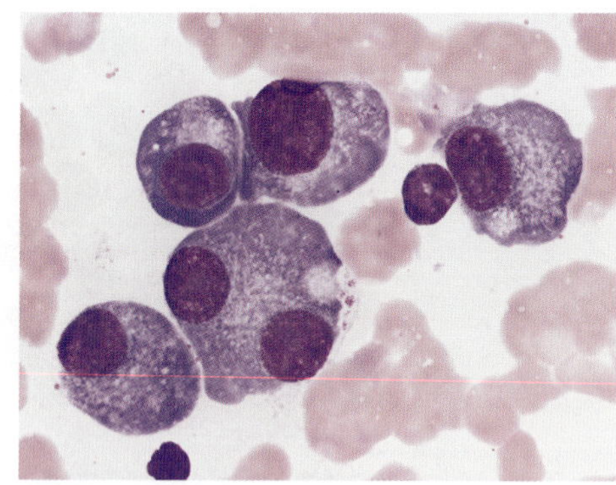

図23 **多発性骨髄腫（MM）**（骨髄塗抹標本，ライト・ギムザ染色）

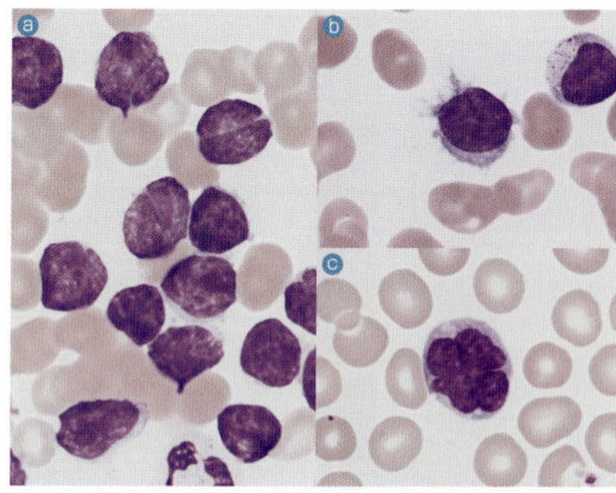

図24 **濾胞性リンパ腫（FL，ⓐ），有毛細胞白血病（HCL，ⓑ），成人T細胞白血病（ATL，ⓒ）**（骨髄塗抹標本，ライト・ギムザ染色）

8）悪性リンパ腫の骨髄浸潤 図24, 25

- 濾胞性リンパ腫（FL）ではN/C比が高く核膜に切れ込みを有するリンパ腫細胞が特徴的である．
- 有毛細胞白血病（HCL）ではヘアリーセル，成人T細胞白血病（ATL）ではフラワーセルが特徴的である．
- びまん性大細胞型B細胞性リンパ腫（DLBCL）では大型で核小体明瞭，細胞質好塩基性のリンパ腫細胞が見られることが多い．
- バーキットリンパ腫（BL）のリンパ腫細胞は強塩基

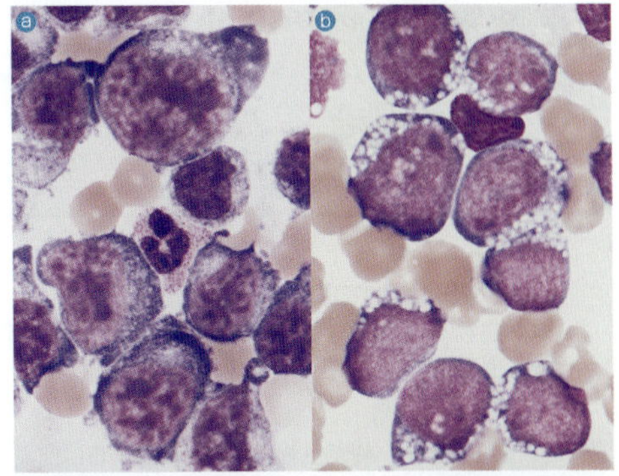

図 25 びまん性大細胞型 B 細胞性リンパ腫（DLBCL, ⓐ）とバーキットリンパ腫（BL, ⓑ）（骨髄塗抹標本，ライト・ギムザ染色）

性の細胞質に明瞭な小空胞が特徴的である．

参考文献

1）Swerdlow SH, Campo E, Harris NL, et al. WHO classification of tumors of haematopoietic and lymphoid tissues. IARC; 2017.

〈三ツ橋雄之〉

Ⅰ 血液内科を目指す若い先生方へ
Ⅱ 造血の仕組みと造血因子の基本
Ⅲ 血液疾患の診断に必要な形態アトラス
Ⅳ 血液診療に必要な検査とその解釈
Ⅴ 主要な徴候の鑑別診断
Ⅵ 造血器腫瘍に対して必要な治療総論
Ⅶ 疾患各論
Ⅷ 実践に役立つ造血器腫瘍治療レジメン

2 骨髄生検

まとめ

・骨髄生検は血液系疾患の診断のみならず，悪性腫瘍の転移や全身疾患の検索のために行われる．

概要

骨髄生検を含めた骨髄検査は血液系疾患の診断のみならず，悪性腫瘍の転移や全身疾患の検索を目的として，通常後腸骨棘で行われる．

正常の骨髄組織は，造血細胞を主体とした細胞髄とともに脂肪・血管・細網組織や骨梁などから構成されている 図1 ．骨髄生検では骨髄穿刺では観察し得ない骨梁を含む骨髄組織全体を観察することができる．

目的

1）骨髄生検の評価法

- 細胞密度：ただし年齢によって比率は変わる．生後は脂肪のほとんどみられない細胞髄 図1 ．年齢とともに脂肪の比率が高くなる．
- 巨核球数
- 骨髄細胞像：顆粒球系および赤芽球系の比率，分化傾向の評価など．巨核球はその絶対数の評価ならびに異型性など．
- 異常細胞や感染性因子の同定など．
- 線維化の有無 表1

2）骨髄生検で行われる染色 図1

- ヘマトキシンエオジン（Hematoxylin-Eosin：HE）染色：病理組織標本における基本的な染色 図1 ⓐ，ⓑ．
- ギムザ（Giemsa）染色：骨髄塗抹標本では標準的な染色法であるが，骨髄生検標本でも顆粒球系の細胞分化の識別の点から有用性が高い．また肥満細胞や形質細胞の同定が可能である 図1 ⓒ．
- エステラーゼ染色：Naphthol-AS-D chloroacetate esterase（NASDE）と a-naphtylbutyrate esterase（NBE）の 2 種類があるが，骨髄生検標本では顆粒球系を他系統などからの区別を目的とするため NASDE 染色が行われる 図1 ⓓ．

表1　骨髄線維化の半定量的評価法

MF-0	錯走しないまばらな線状の細網線維（正常の骨髄に相当）
MF-1	主に血管周囲に，多くの錯走を伴った細網線維の疎なネットワークの構築
MF-2	高度な錯走を伴った，びまん性かつ緻密な細網線維の増生．時に，局所的な膠原線維束や骨硬化を伴う
MF-3	高度な錯走を伴ったびまん性かつ緻密な細網線維の増生とともに太い膠原線維の増生を認める．しばしば骨硬化を伴う．

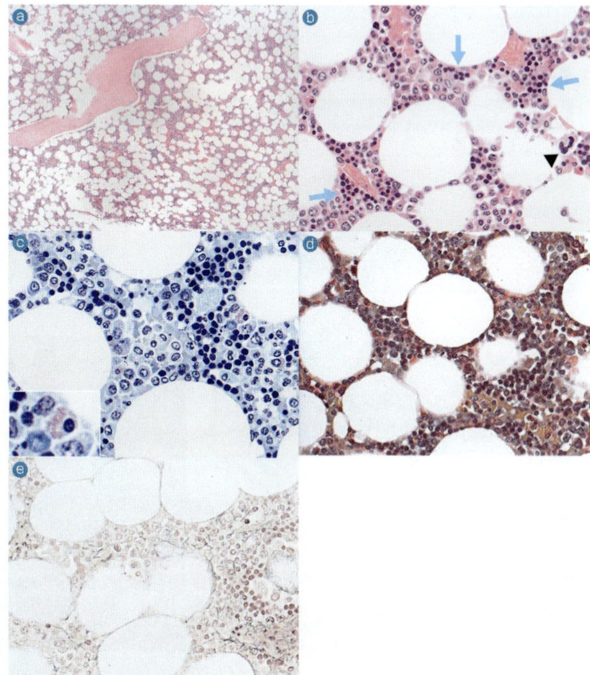

図1　正常の骨髄生検

ⓐ Hematoxylin-Eosin（HE）染色による正常の骨髄像．骨梁間の骨髄には脂肪細胞とともに造血細胞が観察され，実質：脂肪＝1:1.5 程度の正形成骨髄．ⓑ 骨髄球系とともに，赤芽球島（矢印）や巨核球（矢頭）がみられる．ⓒ Giemsa 染色では，核の性状がよくわかる．また赤紫色の顆粒をもつ肥満細胞もみられる（inset）．ⓓ Naphthol-AS-D chloroacetate esterase（NASDE）染色で骨髄球系が赤く発色されている．ⓔ鍍銀染色．細網線維が黒色，膠原線維が赤紫色に染められる．正常の骨髄組織では細網線維や膠原線維の増生はみられない．

- 鍍銀染色：線維化などに伴って増生する細網線維を描出する 図1 ⓔ.
- 鉄染色：ベルリンブルー染色にて組織内に沈着した鉄や血球内の鉄顆粒を検出する．MDS などでみられる環状鉄芽球の観察もできる
- 免疫組織染色：また生検標本では塗抹標本と違って，多数の標本作成が可能となるため，免疫組織染色がしばしば行われる．骨髄診断に有用な代表的な抗体の一覧を 表2 に記す．

表2　骨髄診断に有用な染色や抗体

陽性細胞	抗体
造血幹細胞抗原	CD34，KIT
赤芽球系	Spectrin，Glycophorin A,
巨核球系	CD41，CD42a，CD61,
顆粒球系	MPO，CD33
単球系	CD14，CD68（PG-M1），CD163

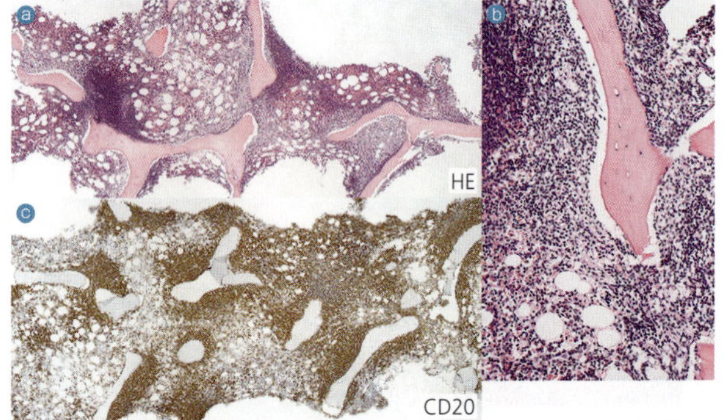

図2　リンパ腫の骨髄浸潤

骨梁周囲に淡い好塩基性の細胞の増生がみられる（ⓐ）．骨梁周囲に小型のリンパ球の浸潤が認められる（ⓑ）．免疫組織染色にて骨梁周囲に CD20（B 細胞のマーカー）陽性の細胞が浸潤しているのがわかる（ⓒ）．本症例は濾胞性リンパ腫の骨髄浸潤像で，濾胞性リンパ腫ではしばしば骨梁にそってリンパ腫細胞の浸潤が認められる．

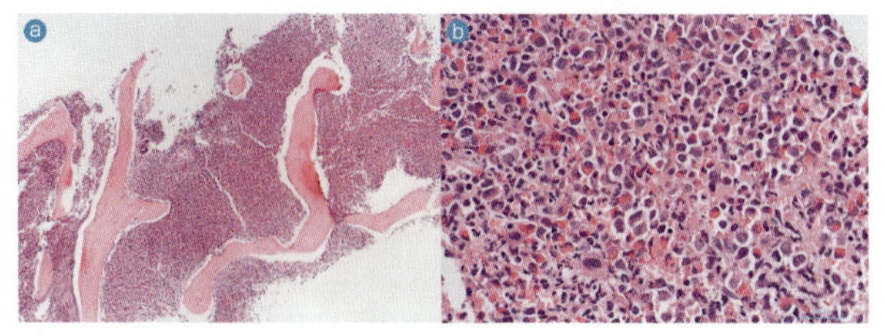

図3　慢性骨髄性白血病（CML）

脂肪細胞のほとんどみられない過形成性骨髄．顆粒球系の増加が目立つ（a）．成熟した顆粒球とともに骨髄系の芽球も目立つ（b）．

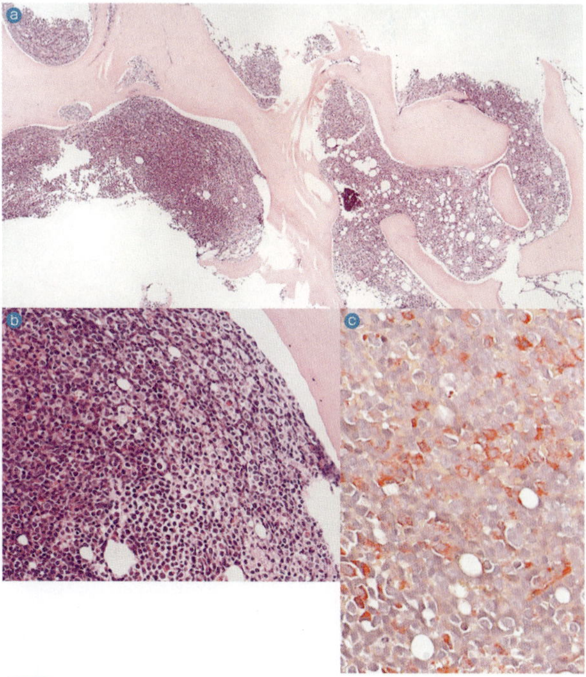

図4　急性骨髄性白血病

脂肪細胞の乏しい過形成性骨髄（a）．N/C 比の高い骨髄芽球が増殖している．比較的豊かな細胞質を有する（b）．NASDE 染色で，一部幼若な骨髄芽球が陽性を示している（c）．

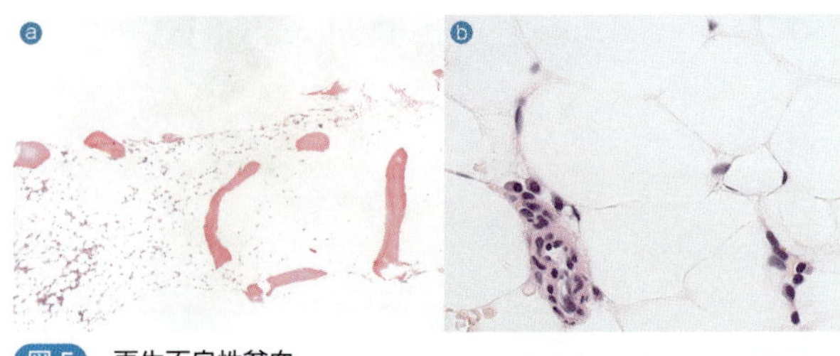

図5　再生不良性貧血

細胞成分の乏しい脂肪髄（ⓐ）．拡大すると，形質細胞やリンパ球浸潤の集簇巣が散見される（ⓑ）．

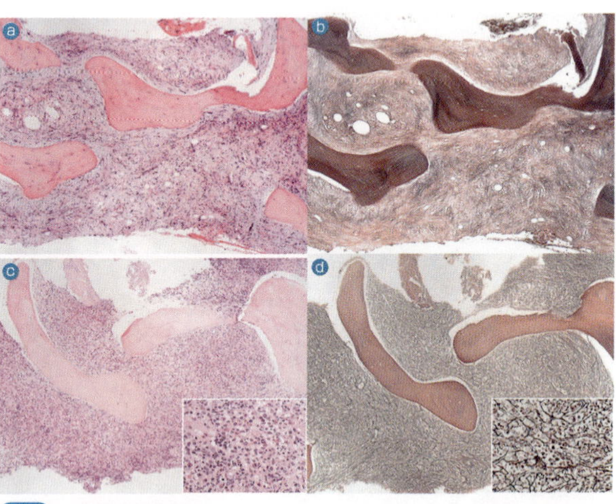

図6　骨髄増殖性腫瘍

ⓐ高度の線維化を背景に異型細胞の増生を認める骨髄組織．ⓑ鍍銀染色では，細網線維とともに膠原線維の増生が目立つ．ⓒ脂肪細胞の見られない細胞髄で，異型細胞の密な増生が見られる（inset）．ⓓ鍍銀染色では細網線維の増生が目立つが，膠原線維は見られない．鍍銀線維が腫瘍細胞を胞巣状に取り囲み増生している（inset）．

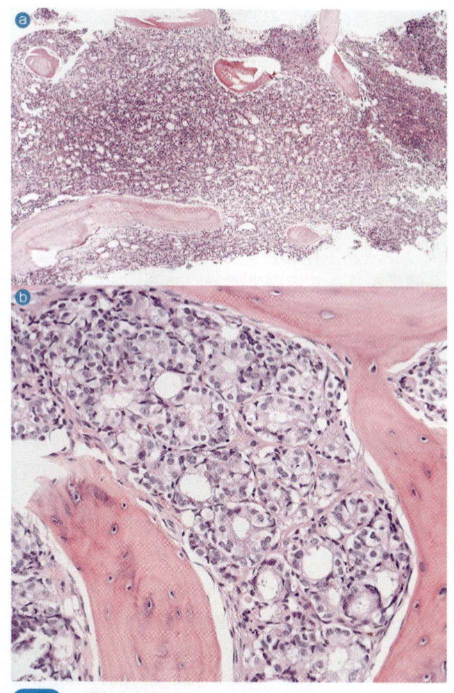

図7 がんの転移

骨髄内に脂肪組織および造血細胞ははっきりしない（ⓐ）．拡大では腺管構造を示す異型細胞の増殖巣が認められ，がんの転移が疑われた（ⓑ）．

参考文献

1）浅野茂隆，内山 卓，池田康夫，監修．三輪血液病学第3版．東京：文光堂；2006.
2）菊池昌弘，阿南建一，大島孝一．骨髄病理アトラス．東京：文光堂；2003.
3）定平吉都．わかりやすい骨髄病理診断学．東京：西村書店；2008.
4）宮内 潤，泉二登志子，編．骨髄疾患診断アトラス―血球形態と骨髄病理．東京：中外医学社；2010.
5）Thiele J, Kvasnicka HM, Teffei A, et al. Primary myelofibrosis. In：Swerdlow SH, Campo E, Harris NL, et al, editors. WHO Classification of Tumours of Haematopoietic and Lymphoid Tissues. 4th ed. Lyon：IARC；2008. p44-7.

〈百瀬修二〉

3 リンパ節生検アトラス

まとめ

- リンパ節生検の目的は，悪性リンパ腫をはじめとするリンパ節腫大をきたす疾患の診断である．
- 悪性リンパ腫は，生検されたリンパ節の病理組織診断を基本に，フローサイトメトリー，染色体分析や遺伝子異常の所見を加味して総合的に診断される．

リンパ節生検の目的

- リンパ節生検は，リンパ節腫大をきたすさまざまな疾患を確定診断するために行われる．リンパ節腫大をきたす疾患のうち，特に悪性リンパ腫の病理組織診断が最も重要である．悪性リンパ腫の分類は，分子生物学の進歩とともにKiel分類からREAL分類，さらにWHO分類へと変遷を遂げてきた．最新のWHO分類は，腫瘍の病理組織像にとどまらず，腫瘍細胞の免疫形質や染色体異常，遺伝子異常といった分子生物学的特徴を加味した診断基準に基づいている[1]．このような分子病理学的基準に基づく病理組織診断を行うために，生検によって摘出されたリンパ節は目的に応じて適切に分割される．通常はリンパ節の中心を含む最大割面を中性緩衝ホルマリン固定して病理組織診断に用い，リンパ節の中心部以外を新鮮かつ清潔な状態でフローサイトメトリー，染色体分析および遺伝子検索に用いる[2-5]．

リンパ節の肉眼画像と病理組織画像

- 悪性リンパ腫の病理組織診断の鑑別や組織所見の詳細は成書を参照されたい[1-3]．このアトラスは代表的な疾患について，固定前のリンパ節の肉眼画像と各疾患の特徴的な病理組織画像（HE染色標本，免疫組織化学）を提示する．

JCOPY 498-22507

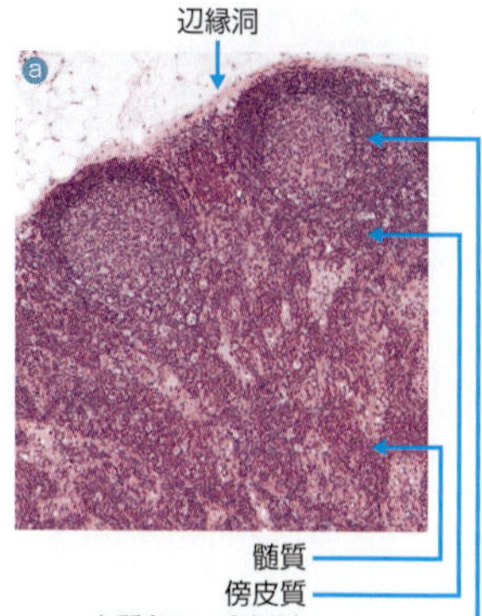

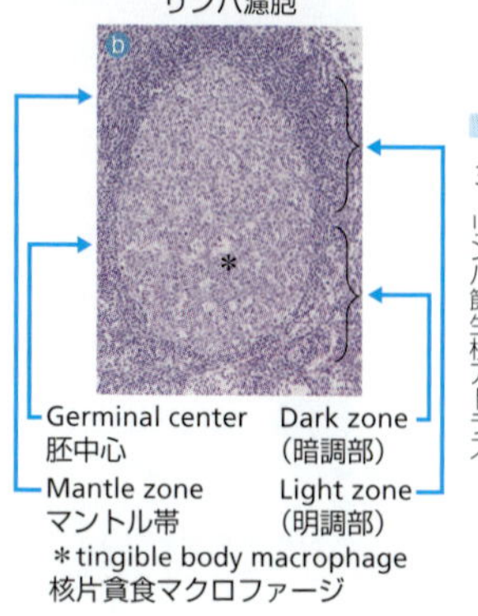

図1　正常リンパ節

ⓐ HE 染色標本画像．リンパ節は皮質，傍皮質，髄質からなり，皮質には複数のリンパ濾胞がみられる．リンパ節の被膜には輸入リンパ管が入りこみ，辺縁洞となる．

ⓑ HE 染色標本画像．皮質のリンパ濾胞はマントル帯と胚中心から構成される．なお，腹部などの表在以外では最外層に marginal zone を認める．胚中心には被膜側の明調部とその対側の暗調部があり，暗調部の明るい細胞は核片を貪食したマクロファージである（*）．

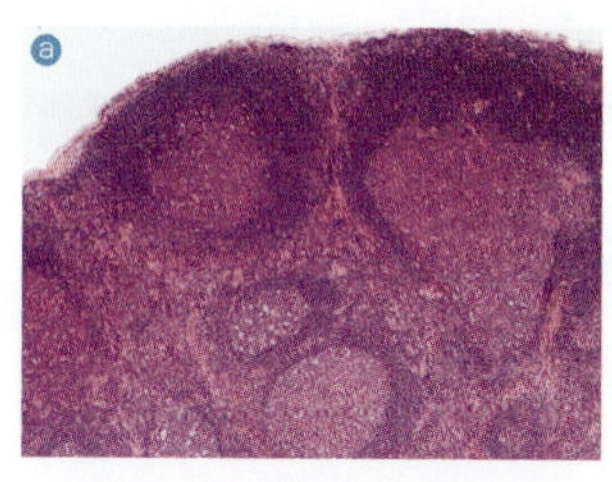

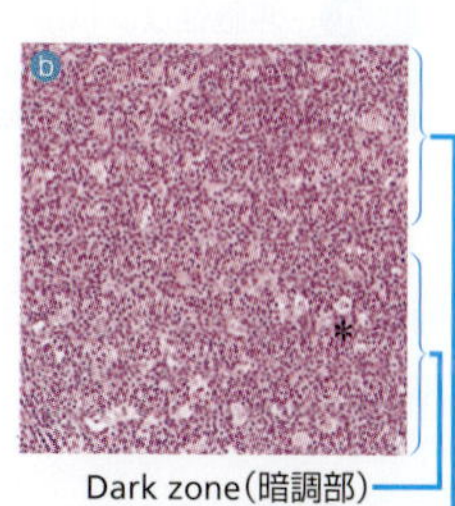

図2　反応性濾胞過形成

ⓐ HE 染色標本画像．マントル帯は被膜側に厚く，胚中心を含むリンパ濾胞が観察される．胚中心において，明調部と暗調部の極性は保たれている．

ⓑ HE 染色標本画像．胚中心には核片を貪食した明るい tingible body macrophage が観察され，非腫瘍性の濾胞であることがわかる．

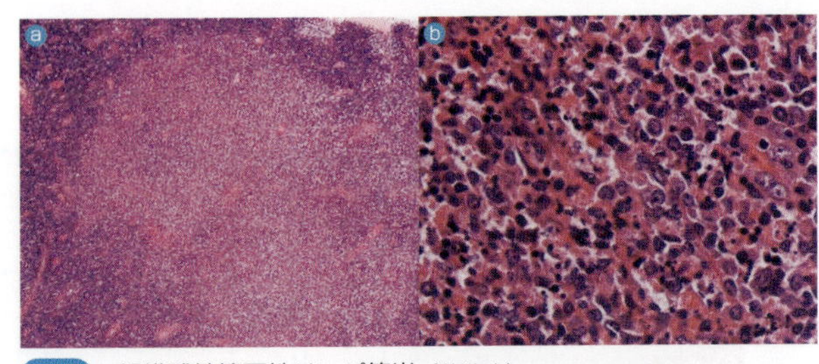

図 3 組織球性壊死性リンパ節炎（菊池病）

ⓐ HE 染色標本画像．皮質や傍皮質において地図状の壊死が観察される．

ⓑ HE 染色標本画像．壊死部には組織球とともに多数の断片状の核塵をみる．好中球浸潤は乏しい．

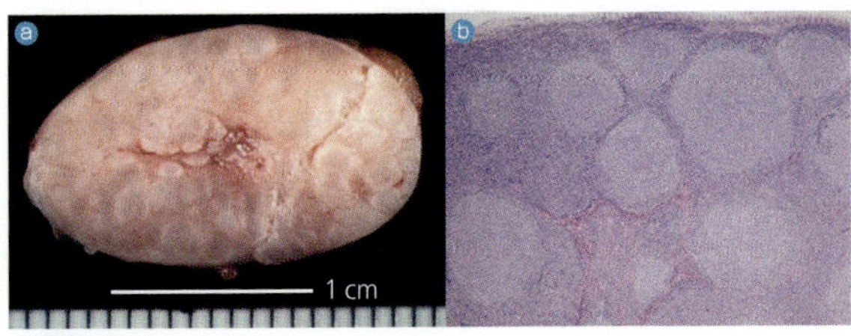

図 4 濾胞性リンパ腫

ⓐ 肉眼画像．肉眼的にも多数のリンパ濾胞の構造が明瞭である．

ⓑ HE 染色標本画像．比較的均一な濾胞構造が多数観察される．濾胞内の胚中心に tingible body macrophage を欠いている点が反応性濾胞過形成と異なる．マントル帯が不明瞭で，胚中心における明調部，暗調部の極性も消失している．

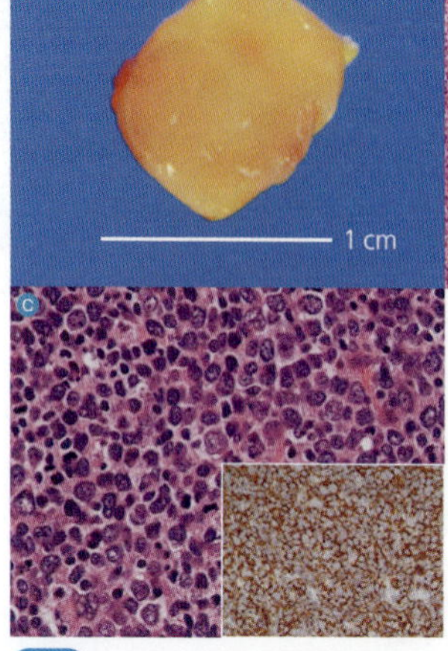

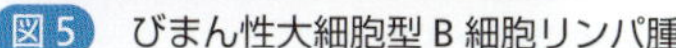

図5 びまん性大細胞型 B 細胞リンパ腫

ⓐ 肉眼画像．白色で光沢があり，魚肉様と形容される質感を示す．
ⓑ HE 染色標本画像．リンパ節の被膜外に異型的なリンパ球の浸潤をみる．
ⓒ HE 染色標本画像．びまん性に大型の異型的なリンパ球が増殖している．
Inset：CD20 免疫組織化学．大型の異型性を有するリンパ球は細胞膜に CD20 陽性を示す．

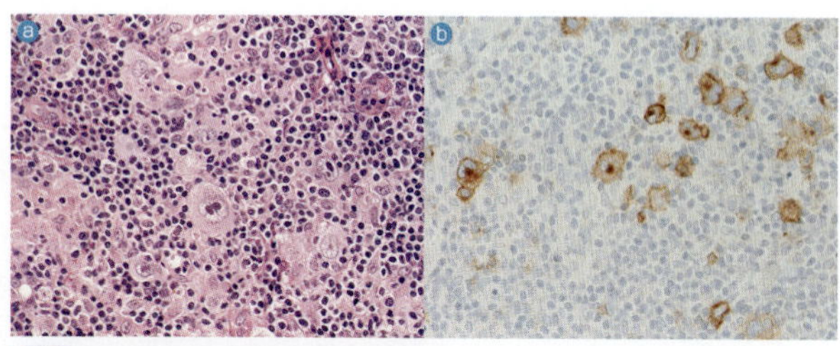

図6 古典的 Hodgkin リンパ腫

ⓐ HE 染色標本画像．多彩な炎症性細胞を背景に，大型で絶対数の少ない Hodgkin/Reed-Sternberg 細胞の増生をみる．単核の Hodgkin 細胞，2 核以上の多核の Reed-Sternberg 細胞を認める．
ⓑ CD30 免疫組織化学．Hodgkin/Reed-Sternberg 細胞は，細胞膜と Golgi 野に CD30 陽性を示す．

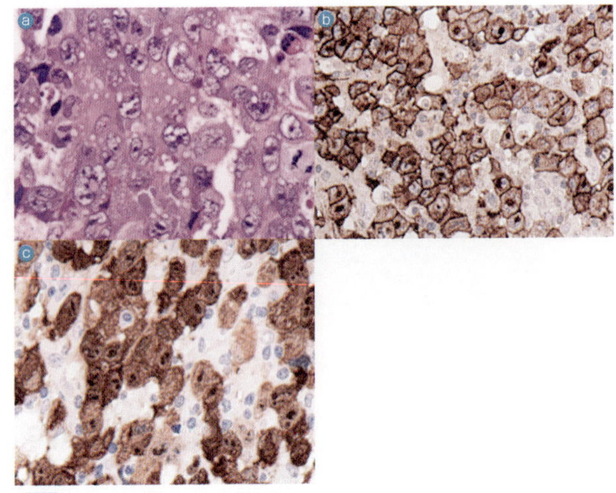

図7　ALK 陽性未分化大細胞型リンパ腫

ⓐ HE 染色標本画像．多形性が目立ち，相互接着性を示す異型性を有するリンパ球が腎形，馬蹄形の核を有する．

ⓑ CD30 免疫組織化学．腫瘍性リンパ球の細胞膜，細胞質，Golgi 野に CD30 陽性を認める．

ⓒ ALK 免疫組織化学．腫瘍性リンパ球の細胞質，核に ALK 陽性を認める．これは，t(2;5) 転座の症例である．

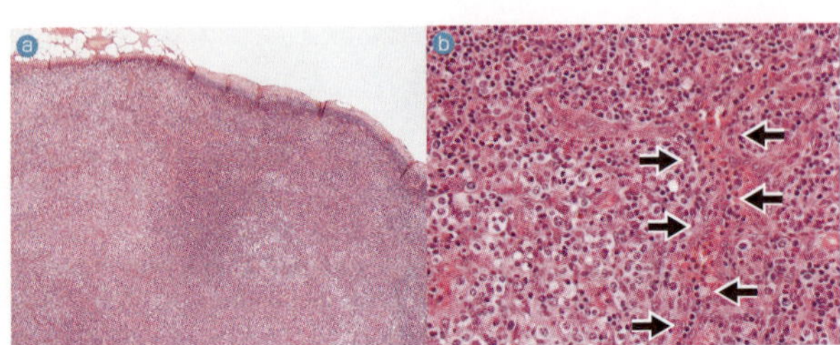

図8　血管免疫芽球性 T 細胞リンパ腫

ⓐ HE 染色標本画像．濾胞を含むリンパ節本来の構造は消失し，明るく抜けた領域がみられる．この領域は腫瘍性である．

ⓑ HE 染色標本画像．明るく抜けた領域では，樹枝状に分岐する高内皮細静脈（矢印）の周囲に，胞体の明るい腫瘍細胞（clear cell/pale cell）が集簇している．

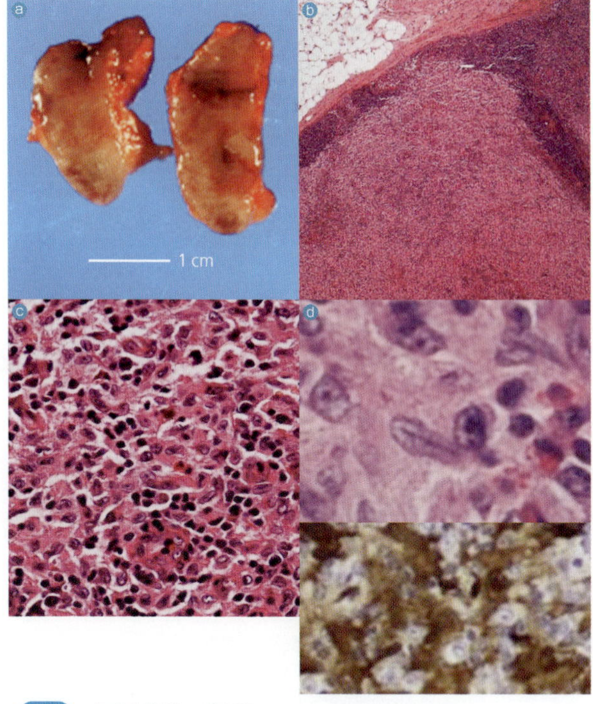

図9 皮膚病性リンパ節症

ⓐ 肉眼画像．リンパ節は腫大し，暗褐色を示す．脂肪滴やヘモジデリン，メラニン色素の沈着の程度により，種々の色調を呈する．

ⓑ HE 染色標本画像．リンパ濾胞が消失し，傍皮質に明るい結節部がみられる．

ⓒ HE 染色標本画像．傍皮質の明るい結節内には，メラニンを貪食した組織球や Langerhans 細胞などの抗原提示細胞の増生がみられる．

ⓓ HE 染色標本画像と S-100 タンパク免疫組織化学．Langerhans 細胞は S-100 タンパク陽性である．

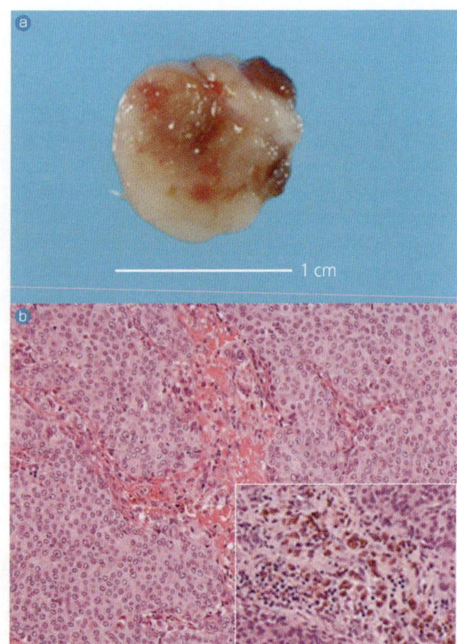

図 10　乳癌リンパ節転移

ⓐ 肉眼画像．灰白色を呈する腫大したリンパ節で，一部に赤褐色部をみる．

ⓑ HE 染色標本画像．腫瘍部の組織を示す．乳癌細胞の増生と出血をみる．Inset：ヘモジデリン沈着．

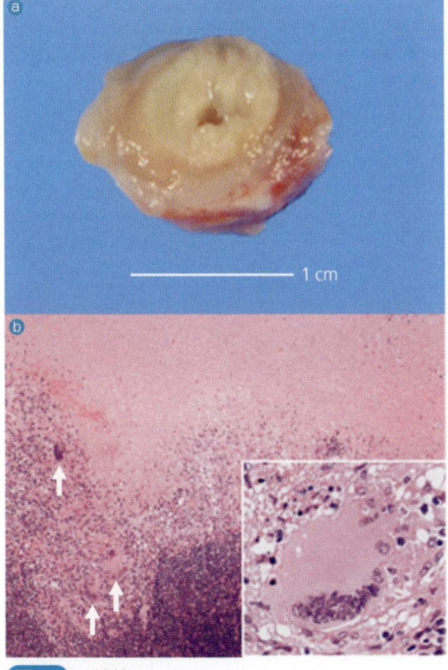

図 11　結核

ⓐ 肉眼画像．中心に淡黄色を呈する乾酪壊死がみられる．

ⓑ HE 染色標本画像．上側に乾酪壊死があり，この凝固壊死の周囲に多核巨細胞（矢印）を含む類上皮細胞肉芽腫が帯状にみられる．Inset：Langhans 型多核巨細胞．

参考文献

1）Swerdlow SH, Campo E, Harris NL, et al, editors. WHO classification of tumours of heaematopietic and lymphoid tissues. 4th ed. Revised ed. Lyon：International Agency for Research on Cancer：2017.

2）Ioachim HL, Medeiros LJ, editors. IOACHIM's Lymph Node Pathology. 4th ed. Philadelphia：Lippincott Williams & Wilkins；2009.

3）中村栄男, 他編. リンパ腫アトラス. 第 5 版. 東京：文光堂；2018.

4）田丸淳一．リンパ節生検時期, 方法, 部位の選択．日本臨床. 2015；73：302-5.

5）伊豆津宏二，田丸淳一．リンパ節生検．In：木崎昌弘, 編．カラーテキスト血液病学．第 2 版．東京：中外医学社；2013. p.122-31.

〈増田　渉・田丸淳一〉

IV

血液診療に必要な検査とその解釈

1 骨髄検査（穿刺，生検）

まとめ

・骨髄の状態を顕微鏡下で観察することができる．得られた検体により，分子遺伝学的手法を用いた検査が可能であり，より多くの情報が入手できる．
・検査を安全に行うため，病歴や病状，血液検査の結果，体格などを事前に把握する．
・検査の目的により骨髄穿刺と骨髄生検の手法を使い分ける．
・診療上，これらの検査は必修事項であり，理解を深めることに大きな意義がある．

検査の特徴

1）骨髄穿刺

• 骨髄穿刺針を用いて骨髄液を吸引する．
• 骨髄有核細胞数や巨核球の算定，塗抹標本作製により，骨髄像の評価や個々の細胞形態の観察が可能となる．
• 骨髄血でクロット標本を作製することにより，病理組織学的検査も可能である．
• 採取した骨髄検体を用いて，細胞表面抗原解析検査，染色体検査，FISH 検査，遺伝子検査などの解析を行うことができる．

2）骨髄生検

• 骨髄生検針を用いて骨皮質や骨梁を含む骨髄組織片を採取する．
• 骨髄細胞密度や造血細胞の分布パターン，造血組織の構成要素（線維化や膠様変性の有無，非造血細胞の集簇の有無）の評価に適する．
• 種々の免疫組織化学的染色を用いた評価が可能である．
• 異常細胞の骨髄浸潤は穿刺検査のみでは確認が難しく，生検により評価が可能となることも多い．

表1　骨髄穿刺・生検検査の目的・適応

❶ 造血能に異常を認める場合の原因精査
❷ 造血器腫瘍を含めた血液疾患の診断，病期，治療方針の検討，治療効果判定
❸ 固形腫瘍の骨髄移転有無の評価
❹ 骨髄感染症の診断（粟粒結核，リーシュマニア症，マラリアなど）
❺ 代謝疾患の診断（ゴーシェ病，ニーマンピック病）

検査の目的・適応

- 目的・適応は多岐にわたる[1]（表1）.
- 表1 ❶，❷は血液内科医が日常的に対応する病態である．❸，❹は時折，他科からの依頼やコンサルテーションにより検査を考慮するケースがある．❺は経験することはまれである．
- 穿刺と生検をともに行うことにより，補完的な情報が得られる．
- 病態によっては骨髄穿刺のみで十分に検査目的を達成できる場合もある．
- 穿刺吸引で骨髄血が採取不能であることを “dry tap” という．骨髄造血障害を疑うものの dry tap である場合や，低形成骨髄の場合には骨髄生検を行うべきである．
- 末梢血に腫瘍細胞が多く出現している場合には，細胞表面抗原解析検査や染色体検査，遺伝子検査は末梢血検体で代用可能である．

検査前に術者が確認すべきこと

① 検査の目的
目的により検査項目が変わる可能性がある．

② 検査の妥当性
末梢血検査のみで評価十分な場合もあるため，骨髄評価を行うべき病態であるか検討する．

③ 血小板数低下 / 機能異常，凝固系検査値異常，Disseminated intravascular coagulation（DIC）の有無
- 白血病などの造血器腫瘍を疑う場合は，DIC であっても注意深く骨髄穿刺を施行する．DIC を伴う固形腫瘍を疑う場合は一般的には検査は行わない．
- 検査合併症やリスクを低減するため，事前に血小板輸血や新鮮凍結血漿の輸注を行うべきか検討する．
- 検査後の安静時間は，血小板数低下や凝固異常を伴う場合には，より長時間とすることが望ましい．．
- 後出血のリスクが高い場合には，検査部位の観察を

どの程度注意深く続けるか検討する.

④ 局所麻酔薬（リドカイン）アレルギー歴の有無

- 局所麻酔薬（リドカイン）によるアレルギーの発症頻度は 1%以下と低い.
- 過去のアレルギー歴を申告された場合，実際は迷走神経反射や心因性反応，添加物に対するアレルギーなどが混在している可能性がある.
- アレルギー歴の申告がある際や初回の局所麻酔時は，注意深く観察を行う必要がある.

⑤ 抗血小板薬，抗凝固薬の服用の有無

- 服用している場合は，穿刺部の止血困難や血腫などが生じやすくなる可能性がある.
- 血液疾患の診断は急を要することが多いため，大半は休薬期間を設けることが困難である.
- 服用下に検査を行う場合，起こり得るデメリットについて事前に説明する必要がある．一方，休薬下に検査を行う場合にもデメリットを説明する必要がある.

⑥ 体型，体格（皮下脂肪厚）

- 皮下脂肪が少ない場合は，皮膚への局所麻酔の時点で骨膜にも穿刺針の先端が当たり，皮膚および骨膜への疼痛が一度に生じる可能性がある．段階的に局所麻酔を行うよう配慮する.
- 皮下脂肪が厚い場合は，穿刺点の解剖学的位置把握が困難となることがある．なるべく浅く，安全に穿刺できる部位を探す．穿刺点近傍で四方に局所麻酔薬を浸潤させ，安全域を確認する.
- 骨髄穿刺の際，ストッパーを上限にセットしても骨に到達しない場合は，部位を胸骨に変更するか検討する.

⑦ 骨の硬さ・脆さの推測

- 多発性骨髄腫を疑う例では，骨髄穿刺の部位は腸骨とする（胸骨は不可）．ほか，栄養状態不良や検査部位へ放射線照射歴がある例などでも，まるで段ボールに穿刺針を刺入するような感覚ほどに骨が軟らかいことがあるため，極めて慎重に進める.
- 原発性骨髄線維症を疑う例や骨髄線維化を有する例では，コンクリートに穿刺針を刺入するような感覚で，強い力を要することがある.

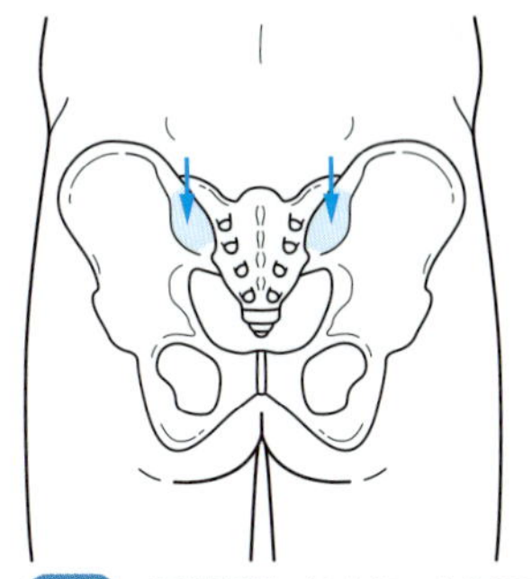

図1 穿刺部位（青色部：上後腸骨稜）

準備する物品

・骨髄穿刺針（小宮式穿刺針，ディスポーザブル針），骨髄生検針（Jamshidi 式生検針，ディスポーザブル針），5 mL シリンジ，ヘパリン加 5 mL シリンジ，スライドガラス（特殊染色を含めた必要枚数），引きガラス，時計皿，ドライヤー，培養液入り検体提出容器，ホルマリン固定液，消毒薬，局所麻酔薬，ガーゼ，滅菌手袋，ガウン

方法

1）骨髄穿刺

① 触診にて上後腸骨稜を確認する 図1．穿刺点を決め体表面にマーキングする．

② 穿刺部周囲の皮膚消毒を行う．消毒面を乾燥させる間にガウン，滅菌手袋を着用する．

③ 穿刺部に滅菌ドレープ（穴あき）をかける．

④ マーキング部位で皮膚，皮下組織，骨膜に順次麻酔をする．この時，術者は局所麻酔穿刺針で骨までの距離を把握する．

⑤ 骨までの距離＋3 mm 程度にストッパーをセットし，穿刺部に垂直に注意深く刺入する．針先端部が骨に達したら，左右に回転させつつ穿刺針を押し進める．次第に穿刺針に固定感が生じ，骨髄腔内まで進むと術者が手を離しても穿刺針は自立する（骨が脆い場合はこの限りでない）．近年，穿刺針，生検針ともにディスポーザブル製品を使用することもある．切れ味が良く，骨髄腔内へ刺入する感覚がわかりにくいことがあるため慣れが必要である．

⑥ 内針を抜き，抗凝固薬を吸っていない 5 mL シリンジを装着し，骨髄血を 0.3 mL 程度，一気に吸引し採取する．あらかじめ，患者に一瞬避けられない疼痛が生じることを説明し，吸引のタイミングを合わせる．初回の検体は，骨髄有核細胞数，巨核球数などの細胞数算定用に一部を抗凝固薬入りスピッツに分注する．残りは時計皿へ移し，ベッドサイドですぐに塗抹標本作製にとりかかる．時計皿に残った骨髄血は，濾紙ですくい取りホルマリン固定クロット標本とし，病理組織学的検査に供する．初回の骨髄血は凝固しやすいため，臨床検査技師や医師などと共同で速やかに検体処理を行うことが望ましい．作製した塗抹標本はその場で冷風ドライヤーにて風乾固定する．

⑦ 細胞表面抗原解析検査や染色体検査，遺伝子検査などに検体を提出する場合は，新たにヘパリン加 5 mL シリンジを装着し，続けて骨髄血を吸引する．検体量が多く必要な場合は，末梢血混入を避けるためシリンジを何本かに分けて採取する．

⑧ 穿刺針を引き抜き，穿刺部をしばらく用手的に圧迫する．皮膚消毒後，ガーゼで保護し仰臥位とする．腸骨穿刺の場合は自身の体重で圧迫止血を図り，胸骨穿刺の場合は穿刺部に 1 kg の砂嚢を載せ上から圧迫する．安静時間は，30 分から 1 時間程度の間で病状を考慮して指示を出す．検査終了後や安静時間中に，患者の容体に変化がないか確認する．凝固異常がある場合には後出血に注意する．

⑨ dry tap の際は，穿刺部位を変更し再度吸引を試みる．それでも吸引不能の際は，必要に応じて骨髄生検へ切り替える．

2）骨髄生検

• 検査部位は腸骨とする．胸骨で生検は行わない．骨髄穿刺の方法①～④までと検査終了後の⑧の手順は，骨髄生検時も同様である．

①～④ 1）骨髄穿刺を参照。

⑤ 生検針にはストッパーがないため，術者の人差し指をその代わりとし，穿刺部に垂直に注意深く刺入する．針先端部が骨に達したら，左右に回転させつつ穿刺針を押し進める．

⑥ 生検針先端が骨髄腔内に達したら内針を抜き，外針を

JCOPY 498-22507

回転させながらさらに約 2 cm 押し進める．次に，外針を約 5 mm 戻し，針先端部分の骨髄組織片を切断するため，穿刺点を軸に円を描くように外針を動かす．外針の角度をわずかに変え，再度約 5 mm 押し進め，外針を軽く回転させながら抜去する．

⑦ 付属のプローブを外針先端側から挿入し，採取した組織片を挫滅しないよう清潔野にゆっくり押し出す．骨髄穿刺で dry tap の際は，組織片をスライドガラスに軽く当て，スタンプ標本を作る．組織片をホルマリン固定する．

⑧ 1）骨髄穿刺を参照．

禁忌

- DIC や血友病など，出血傾向が強く認められる病態．
- 白血病を疑う DIC 併存例では，診断のため検査を優先させることが多い．骨髄生検は控える方がよい．

合併症

- 局所麻酔薬によるアレルギーやショック，穿刺部位の出血，血腫，感染症，骨折，穿刺針による周辺臓器の損傷を生じる可能性がある．
- 胸骨穿刺の場合に，穿刺針の胸骨貫通や心大血管穿刺などによる死亡例が報告されている[2-3]．日本血液学会は 2009 年に会員に向けて「成人に対する骨髄穿刺の穿刺部位に関する注意」を通知し[4]，2015 年に再度注意を喚起した．

検査結果の解釈

- 骨髄穿刺では有核細胞数の評価が可能である．巨核球数や骨髄細胞密度の評価はクロット標本でも可能であるが，正確には骨髄生検の方が優れている．
- 骨髄塗抹標本作製後，May-Grünwald-Giemsa 染色，peroxidase 染色，特殊染色を行い，血球の形態学的観察を行う．
- 質のよい塗抹標本を作製するためには十分に乾燥させてから染色を行う．ただし，診断や治療に迅速性が求められる場合には，速やかに染色を行い検鏡する．
- 形態異常の判断には慣れと訓練を要する．「不応性貧血（骨髄異形成症候群）の形態学的異形成に基づく診断確度区分と形態診断アトラス」[5] が理解の助けとなる．
- 骨髄血は細胞表面抗原解析検査，染色体検査，FISH 検査，遺伝子検査などにも使用される（詳細別項参照）．

- 骨髄生検では，組織構築の評価が可能である．免疫組織化学染色検査の追加も行えるため，病理組織学的に詳細な検索ができる．

参考文献

1）Lee SH, Erber WN, Porwit A, et al. ICSH guidelines for the standardization of bone marrow specimens and reports. Int J Lab Hematol. 2008; 30: 349-64.
2）脇本直樹．骨髄穿刺検査の致死的合併症とその対策．内科専門医会誌．2005; 17: 230-4.
3）日本医療安全調査機構．胸骨骨髄穿刺検査時の大血管損傷のリスク．〈http://www.medsafe.jp/activ_alarm/activ_alarm_007.pdf〉
4）日本血液学会．成人に対する骨髄穿刺の穿刺部位に関する注意．〈http://www.jshem.or.jp/uploads/files/former/20150821.pdf〉
5）朝長万左男，松田　晃．編．不応性貧血（骨髄異形成症候群）の形態学的異形成に基づく診断確度区分と形態診断アトラス．〈http://www.jslh.com/jslh/pdf/mds.pdf〉

〈石川真穂〉

2 リンパ節生検

まとめ

- リンパ節腫脹をきたす疾患は感染症，膠原病，悪性腫瘍などさまざまあり，病歴，年齢，身体所見，臨床検査より，悪性リンパ腫などの悪性腫瘍を強く疑い，確定診断が必要な場合に適応となる．
- 生検する前に血液内科医と外科医が連携をして，病理検査の他にフローサイトメトリー，染色体検査や遺伝子検査などの特殊な検査の準備をすることが大切である．
- 生検したリンパ節は正確な診断のために適切に分割および処理する必要があり，得られたリンパ節をどのように扱うかを検査当日までに十分検討しておく必要がある．

目的・適応

- リンパ節腫脹をきたす疾患は感染症，膠原病，悪性腫瘍などがある 表1 ．
- リンパ節生検は病歴，年齢，身体所見，臨床検査より，悪性リンパ腫などの悪性腫瘍を強く疑い，確定診断が必要な場合に適応となる．
- 医療面接では既往歴，家族歴，ペット飼育歴，海外渡航歴，薬剤歴，職業などを詳細に聞く必要がある．
- 身体診察ではリンパ節腫脹の注意深い触診が必要であり，リンパ節腫脹が限局性か多発性か，大きさ，圧痛の有無，硬さ，可動性など注意して診察する．
- 造血器腫瘍では肝脾腫の有無，出血症状の有無にも注意が必要である 表2 ．
- 検査では感染症，反応性，悪性腫瘍などを念頭に置き，白血球数および白血球分画，各種培養，ウイルス抗体価測定を行う．
- 反応性では各種自己抗体，悪性腫瘍では目視による異常リンパ球の有無，腫瘍マーカーなどの検索を行う．
- 胸部 X 線検査にて結核，サルコイドーシスなどによる縦隔や肺門リンパ節腫脹の有無を確認する．深部リンパ節腫脹では CT や超音波検査が必要である．
- 急速なリンパ節腫脹があり，LDH が高値，可溶性

表1 リンパ節腫脹の鑑別疾患

① 感染性	細菌（ブドウ球菌など）
	ウイルス（Epstein-Barr ウイルス，サイトメガロウイルス，麻疹，風疹，HIV など）
	真菌，梅毒など
	結核
	トキソプラズマ
	ネコひっかき病（*Bactonella henselae*）
② 反応性	膠原病（全身性エリテマトーデス，関節リウマチ，シェーグレン症候群など）
	その他（サルコイドーシス，壊死性リンパ節炎（菊池病），川崎病など
	薬剤性（抗けいれん薬など）
③ 腫瘍性	悪性リンパ腫（ホジキンリンパ腫など）
	その他の血液疾患（リンパ性白血病など）
	悪性腫瘍の転移（頭頸部癌，乳癌，肺癌，胃癌など）
④ 脂質代謝異常症	Gaucher 病，Niemann-Pick 病など
⑤ 内分泌疾患	甲状腺機能亢進症，Addison 病など

表2 リンパ節腫脹の鑑別

		感染性		反応性	腫瘍性	
		急性	慢性(結核など)		がんの転移	造血器腫瘍
経過		数日	数日～数週	数週～数カ月	数週～数カ月	数週～数カ月
分布		限局～多発	限局～多発	多発	限局	限局～多発
触診	硬さ	軟	弾性硬	軟	硬	弾性硬
	圧痛	あり	乏しい	乏しい	なし	なし
	可動性	あり	リンパ節相互の癒着あり	あり	なし	なし

IL-2 レセプターが高値の場合には早急にリンパ節生検をする必要がある．

- 慢性のリンパ節腫脹の場合にはリンパ節腫大が 4～6 週以上持続，無痛性，大きさが 2 cm 以上，その他の検査から悪性リンパ腫を強く疑う際にリンパ節生検を行う．
- 若い人で 2 cm 大のリンパ節腫大が 1 つだけある場合などは専門家でも生検のタイミングは迷う場合があ

る.

- 生検する場合には，フローサイトメトリーや遺伝子検査など特殊検査の必要があるため血液内科医にコンサルトし生検することが必要である.
- 結核性リンパ節炎では創部治癒が遅れ，創部から排菌が続くことがあるため適応を慎重に検討する必要がある.
- 悪性リンパ腫の診断のためには生検による病理組織検査は必須であり，治療前に適切な病変より検査を行う必要がある.
- 針生検や穿刺吸引細胞診は上皮性悪性腫瘍（がん）では有用だが，悪性リンパ腫の鑑別や組織型診断には不十分である．悪性リンパ腫の正確な組織型診断のためには, 切除生検・切開生検をなるべく行う必要がある.
- 針生検でも，より太い針で行うほうが正確な組織型診断ができる．21 ゲージ G（内径 0.51±0.03 mm）より細いファインニードル fine needle では少量の細胞しか採取できず，14 ゲージ G（内径 1.69±0.04 mm）～18 ゲージ G（0.82±0.03 mm）程度の太いコアニードル core needle では組織の一部を採取できる.
- 事前に PET-CT を施行してある場合には，異常集積（standardized uptake value: SUV）が高いリンパ節を生検したほうが反応性ではない腫瘍の部位を採取し組織型を診断できることが多い.
- 表在リンパ節腫脹がなく，腹部リンパ節腫大のみの場合にはコアニードルを用いた CT ガイド下生検を行い，コアニードルが不可能な場合には超音波内視鏡穿刺吸引法（endoscopic ultrasonography-fine needle aspiration: EUS-FNA）などを考慮し，どうしても採取が難しい場合には開腹生検が必要になる場合もある．縦隔や肺門リンパ節腫脹のみの場合にはビデオ補助胸腔鏡手術（video assisted thoracic surgery: VATS），経気管支肺生検（transbronchial lung biopsy: TBLB），開胸生検が必要になる場合もある.

準備

- 生検する部位や方法により, 生検する外科医（耳鼻科, 形成外科, 皮膚科, 外科など）との連携が必要である.
- 摘出したリンパ節を全てホルマリンに入れてしまうとフローサイトメトリーや染色体検査などが行えず正確

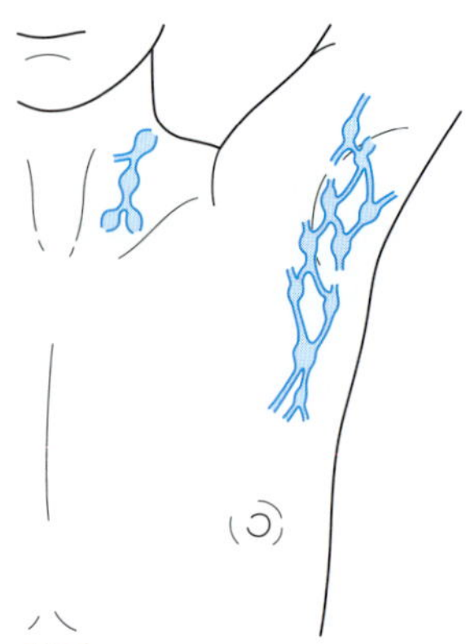

図1 頸部および腋窩リンパ節腫脹

な病型診断はできない．臨床経過や補助検査（HTLV-1など）の結果などを病理医に伝えることも大切である．

- 生検前にアスピリン，direct oral anticoagulants（DOAC）やワルファリンなどの抗凝固薬内服の有無と，disseminated intravascular coagulation（DIC），血友病やアンチトロンビン欠乏症などの凝固系疾患の有無をチェックする必要がある．抗凝固薬の休薬や凝固系疾患の各種ガイドラインに即した事前の対処が必要である．

部位

- 2 cm 以上で最も大きいリンパ節を選ぶ．
- 腋窩リンパ節は脂肪浸潤があり，鼠径リンパ節は非特異的炎症反応が多く診断に困難をきたすことが多いため，全身のリンパ節が腫脹している場合は頸部リンパ節が最も適している．
- 表在と深部リンパ節の両方が腫大している場合には，生検が容易な部位が優先される 図1．
- 可能な限り異常集積 SUV が高いリンパ節を選ぶ．

検体の取扱い

- 全てのリンパ節をホルマリン固定しないように，生検する医師に事前に連絡をとっておく．可能な限り被膜を傷つけることなく，外力で組織を破壊しないように取り出すことが大切である．
- 遺伝子検査などは生きた組織が必要であり，標本材料が乾燥し細胞や核の変形を防ぐため生理食塩液を含ま

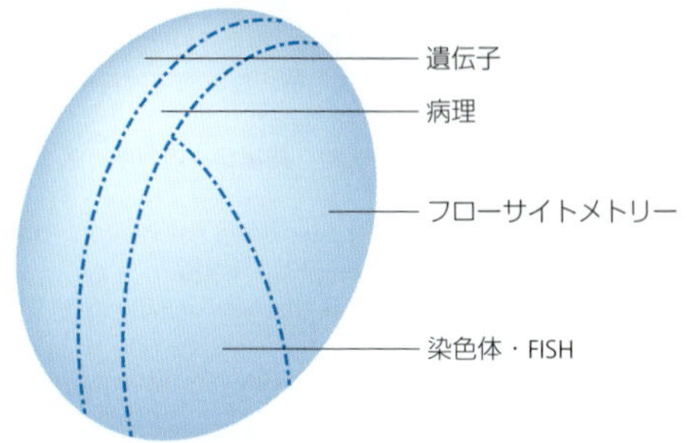

図2 リンパ節検体の分割方法

せて絞った滅菌ガーゼにくるみ，滅菌した容器の上でリンパ節を分割し，それぞれ専用の容器に入れる．

- リンパ節は固定液が十分浸透するように厚さ3〜5 mm程度に分割し，① 最大割面を病理，② フローサイトメトリー，③ 染色体・fluorescence *in situ* hybridization（FISH），④ 遺伝子検査にそれぞれ分割する 図2 ．
- 病理医が正確に形態観察できるように中心部をホルマリン固定に使用する．
- リンパ節を処理するときに割面をスライドグラスに軽く押し当てたスタンプ標本を作製することができる．
- 染色体分析は細胞培養が必要なため，リンパ節の処理は可能な限り無菌的に行う必要がある．

まとめ

- リンパ節生検は悪性リンパ腫の診断に必須の検査である．適応，準備，部位の選択や検体の取り扱い方法を理解し，リンパ節を適切に処理することが大切である．

参考文献

1）日本血液学会，編．造血器腫瘍診療ガイドライン．2018年補訂版．東京：金原出版；2020.
2）中村栄男，大島孝一，竹内賢吾，他編．リンパ腫アトラス．第5版．東京：文光堂；2018.
3）飛内賢正，木下朝博，塚崎邦弘，編．悪性リンパ腫治療マニュアル．改訂第4版．東京：南江堂；2015.
4）東原正明，須永真司．編，血液内科クリニカルスタンダード．第3版．東京：文光堂；2015.

5) 小澤敬也, 坂田洋一, 編. 血液内科診療マニュアル. 第2版改訂新版. 東京: 日本医学館; 2008.
6) 金倉 譲, 編. 臨床血液内科マニュアル. 東京: 南江堂; 2014.
7) 矢﨑義雄, 総編集. 内科学. 第11版. 東京: 朝倉書店; 2017.
8) NCCN Guidelines For Patients. Diffuse Large B cell Lymphoma (2020年度版).
9) NCCN Guidelines For Patients. Follicular Lymphoma (2019年度版).
10) NCCN Guidelines For Patients. Hodgkin Lymphoma (2019年度版).

〈岡村大輔〉

JCOPY 498-22507

3 フローサイトメトリー

まとめ

- フローサイトメトリー法（FCM）とは基本的な原理は，細胞の表面蛋白に結合する抗体を蛍光標識し，その細胞にレーザー光をあて，散乱光の具合や蛍光強度を調べることにより細胞特性を検出する.
- 散乱光のうち，前方散乱光によって細胞の大きさを，側方散乱光によって細胞内の顆粒など内部構造の特性が解析できる
- FCM の臨床的応用として，診断補助，リンパ球サブセット解析，残存病変評価，CD34 陽性細胞測定，自己抗体，細胞死した際に出現する蛋白の検出，DNA 量，遺伝子や細胞周期の同定などがある.
- 白血病の芽球においては CD45 ゲーティング，多発性骨髄腫においては CD38 ゲーティングを用いて，細胞特有に発現しているパターンを認識し細胞同定を行う.

FCM 法とは

- 細胞の性状の判断には細胞形態が重要であり，血液細胞においてはスメアや生検組織によって判断する．しかしながら，造血幹細胞から分化段階を経て成熟する細胞に対して客観的指標をもって判断するには形態だけでは時として困難であり，各段階における細胞の特徴を検出できる方法があるとよい．その 1 つが FCM 法であり，細胞表面における蛋白の検出に優れた方法である[1].
- FCM 法の基本的な原理は，細胞の表面蛋白に結合する抗体を蛍光標識し 図1 Ⓐ，その細胞にレーザー光をあて，放射される散乱光や蛍光強度を調べることにより細胞特性を検出する 図1 Ⓑ．多数の複数種類の細胞が同時に混在するような細胞集団においても解析は可能である．緑色（530 nm 周辺），橙色（585 nm 周辺），および赤色（650 nm 以上）の 3 種類の蛍光色素を検出する装置を用い，散乱光のうち，励起光の進入方向と同方向に放射される前方散乱光（FSC）によって細胞の大きさを，直角方向に放射される側方散

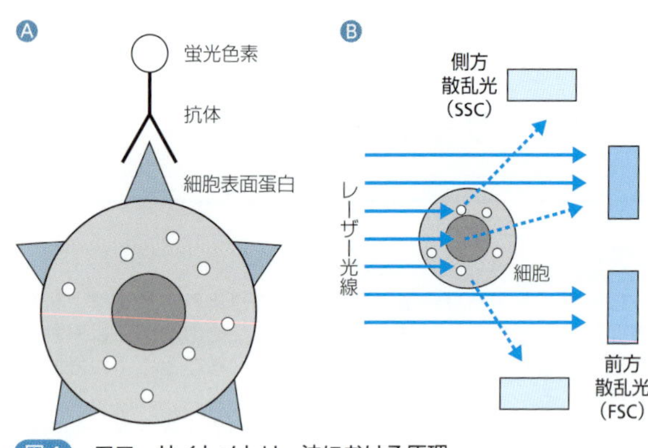

図1　フローサイトメトリー法における原理
細胞表面に存在する蛋白に対する抗体に蛍光色素を標識し，細胞を含む検体の測定を行う．細胞1つひとつのレーザー光線に対する散乱光を計測し，前方散乱光（FSC）は細胞によって反射されない光が計測できるため細胞の大きさが類推できる一方，側方散乱光（SSC）は細胞内の構造物に散乱した光を側方で計測するため，細胞内の特性が検出できる．

乱光（SCC）によって細胞内の顆粒など内部構造を解析する図1 B.

FCM法の読影方法

- 図2に白血病の芽球の描写におけるFCM法のシェーマを示す．白血病の芽球ではCD45を用いた解析が行われるが（CD45ゲーティング），これは，芽球はCD34弱陽性であることを利用し，赤芽球や血小板や，血球以外の間質細胞や血管内皮細胞，骨芽細胞，破骨細胞などの細胞はCD45陰性である一方，リンパ球および単球は強陽性を示すことから，これらの細胞と芽球との鑑別がFCMを用いると可能となることを利用したものである．また，芽球と同様にCD45弱陽性を示す細胞には顆粒球があるが，顆粒球は芽球と比較し細胞サイズが大きいため，SSCにより2つの細胞群は鑑別可能である．同様な手法に多発性骨髄腫におけるCD38ゲーティングがあり，骨髄腫細胞がCD38が強陽性を示すことを利用したものである．

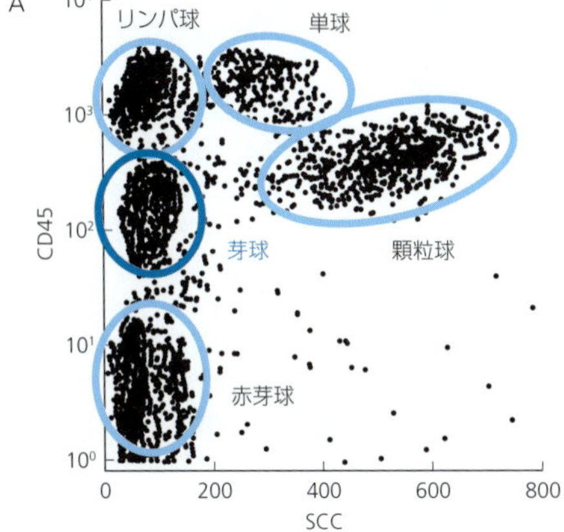

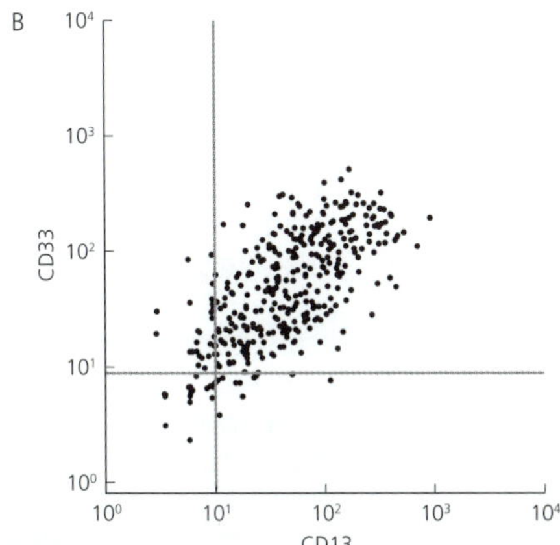

図 2　フローサイトメトリー法における読影

A）縦軸に CD45，横軸に SCC を表示したものでは（CD45 ゲーティング），赤芽球は CD45 が陰性，リンパ球，単球は CD45 が強陽性，および顆粒球は CD45 が弱陽性かつ細胞のサイズが大きい位置に集簇する．一方，芽球は CD45 が弱陽性各血球は図示したような位置で鑑別が可能である（青丸部）．

B）A でゲートをかけた領域に対して，2 つの抗体の蛍光強度をプロットしたものが B であるが，ここでは CD13 と CD33 のそれぞれの蛍光強度が図示されている．この集団においては $CD13^{+}CD33^{+}$ の骨髄系幼弱細胞が存在することが示されている．

FCM 法の臨床的使用方法

- FCM 法は血液疾患では重要な検査方法の 1 つであり，下記のような目的で使用される．

1）診断目的

- 特定の細胞集団を特定することが可能であり，その細胞の表面抗原が同定できることにより診断的価値が高まる．また末梢血，骨髄血，髄液，胸腹水，肺胞洗浄液，尿などの体液，リンパ節を処理して細胞浮遊液を用いるなどのさまざまな検体に応用できる利点がある．
- リンパ節の浮遊液では採取されたリンパ節の一部を生理食塩水などの中にほぐし，細胞の浮遊液を作成する．ホルマリン固定を行うと細胞浮遊液の作成は困難であることから，採取したリンパ節は生理食塩水に浸したガーゼを用いることも重要である．FCM 法および染色体分析に検体が提出可能となる．

2）リンパ球サブセット解析

- リンパ球には T 細胞，B 細胞，NK/T 細胞など多彩な細胞がほぼ同じ大きさで存在するため，形態から判断するより表面抗原の差異の鑑別を用いる FCM 法が簡便である．免疫機能の 1 つとして用いられる CD4/8 比では，リンパ球群にゲートをあてて，CD4 と CD8 の陽性率を比較する．

3）残存病変評価[2)]

- FCM 法では細胞 1 つひとつが描出可能であること，全計測細胞数に対する比率の計測が可能であることから，残存腫瘍の計測に用いられている．1%未満の残存腫瘍も検出できることから，急性白血病における完全寛解の評価などの補助検査として重要な検査である．その際には初発時の芽球と同様の表面抗原パターンを示す細胞群を確認することが大切であるが，経過によっては表面抗原のパターンが変化するため，その解釈には十分に留意する．

4）CD34 陽性細胞測定[3)]

- 悪性リンパ腫や多発性骨髄腫などでは自家末梢血幹細胞移植が適応症例に行われているが，末梢血の幹細胞採取には末梢血に流出する CD34 陽性細胞の測定が必要となる．一般的には 1×10^6 細胞/kg 以上の CD34 陽性細胞が必要とされるが，その計測に用いられるのが FCM 法である．また，同種造血幹細胞移植においても G-CSF 製剤投与を行って，末梢血幹細胞

幹細胞	骨髄球系	赤芽球系	巨核芽球	T 細胞系	B 細胞系	その他
CD34	CD11c CD13 CD14 CD15 CD33 CD64 CD65 CD117	CD235a (Glyco- phorin A)	CD41 CD42b CD61	CD1a CD2 CD3 CD4 CD5 CD7-1 CD8 TCRαβ TCRγδ	CD19 CD20 CD22 CD23 FMC-7 Ig-κ Ig-λ	CD10 CD25 CD36 CD38 CD45 CD56 CD71 HLA-DR

表 1 血液細胞における細胞表面蛋白

を採取されている．リンパ球分画に CD34 陽性，CD45 弱陽性の区分にゲートをかけて，幹細胞としての細胞数を測定する．

5）その他

• FCM 法は細胞表面蛋白の検出以外にも，自己抗体，細胞死した際に出現する蛋白の検出（アネキシン V など），DNA 量，遺伝子や細胞周期の同定などにも臨床応用されている．

CD 分類

• 細胞表面における蛋白はこれまで数多く報告されてきた．以前は同一蛋白との認識がなく複数の命名がなされていた抗原も少なくなかったが，1982 年のパリで開催された第 1 回ヒト白血球分化抗原に関する国際ワークショップで，白血球に対する 15 のモノクローナル抗体が定義されて以降，通し番号が適応され，現在までで 371 の蛋白が認定されている[4]．
• 各蛋白は cluster of differentiation（CD）の後に番号を表記する．血液細胞において，造血幹細胞は骨髄芽球，リンパ芽球，赤芽球，および巨核芽球に分化し，それぞれ顆粒球，リンパ球，赤血球，血小板へと最終的に分化するが，その過程で蛋白のパターンはさまざまに変化する．表 1 に血液細胞における一般的な表面抗原を記載し，またリンパ球における表面抗原の一覧を 表 2 に示した．

ⓐ

Bリンパ球	幹細胞	骨髄			末梢血・リンパ節		
		プロB細胞	プレB細胞	未熟B細胞	未感作B細胞	胚中心B	形質細胞
TdT							
CD22							
CD34							
CD38							
CD45							
CD10							
CD19							
CD20							
SIg							
CD23							
CD138							
HLA-DR							

ⓑ

Tリンパ球	幹細胞	前胸腺細胞	早期胸腺細胞	中間型胸腺細胞	成熟T細胞	循環T細胞
CD34						
CD1						
CD1						
CD2						
CD3						
CD4						
CD5						
CD7						
CD8						

表2 リンパ球における細胞表面蛋白

各疾患におけるFCM法

- 疾患により表面抗原の特徴があることが判明している．FCM法は形態診断の補助診断としてとても重要な情報を得ることができる．

1）急性骨髄性白血病（AML, 表3）

- 急性骨髄性白血病はFAB分類ではM0–M7までの8つの亜型として定義されている．基本的に骨髄球系細胞はMPO陽性であり，幼若細胞はCD13，CD33，CD34が陽性となる．
- M0では極めて幼若な細胞であり，MPO陰性，CD13，CD33，CD34が弱陽性を示す．
- M1はCD7陽性症例が存在する．
- M2のt(8;21）染色体異常を伴うものでは，CD19，CD56がしばしば陽性となる．
- M3（APL）ではHLA-DRは陰性であることが他のAMLと異なる特徴である．
- M4, M5（単球系）では$CD4^{+}$ $CD14^{+}$ $CD64^{+}$などが陽性となる．
- M6（赤芽球系）ではCD235a（Glycophorin-A）が陽性となる．
- M7（巨核球系）では$CD41^{+}$ $CD61^{+}$が陽性となる．

AML	MPO	CD13	CD14	CD15	CD33	CD34	HLA-DR	備考
M0	+/−	+	−	−	+	+	+	時に CD7 陽性
M1	+	+	−	−	+	+	+	時に CD7 陽性
M2	+	+	−	+	+	+	+	t (8;21) 異常ではしばしば CD19, CD56 陽性
M3	+	+	−	+	+	−	−	時に CD2 陽性
M4	+	+	+	+	+	−/+	+	inv (16) では CD4 陽性例あり
M5	+	+	+	+	+/−	−/+	+	時に CD4 陽性
M6	+	+	−	−	+	+	+	CD235a+陽性
M7	+	+	−	−	+	+	+	CD41, CD42, CD61 陽性

ALL	発現蛋白
B 細胞由来	$CD19^{+}$, $CD10^{+}$, $cytoCD79a^{+}$, $HLA-DR^{+}$, TdT^{+}, $CD20^{+/-}$, $CD22^{+/-}$, $CD13^{-/+}$, $CD33^{-}$
T 細胞由来	TdT^{+}, $CD7^{+}$, $cytoCD3^{+}$. CD2, CD4, CD5, CD8 は種々の頻度で陽性

表 3　急性白血病における細胞表面蛋白

AML: acute myeloid leukemia, ALL: acute lymphoid leukemia

2）急性リンパ性白血病（ALL）/成人 T 細胞性白血病（ATL）

- ALL は FAB 分類では 3 つの亜型があり，L1 および L2 は B もしくは T 細胞性，L3 は B 細胞性である．
- B 細胞性では骨髄における幹細胞から分化したプレ B 細胞レベルまでの異常となるため，CD34，CD10，CD19 などが陽性である 表 4．
- L3（バーキット白血病）では未熟 B 細胞まで分化した細胞の腫瘍化であり，CD20 が陽性となる．
- ATL では $CD2^{+}$ $CD3^{+}$ $CD4^{+}$ $CD5^{+}$ $CD7^{-}$ $CD8^{-}$が一般的である．

3）混合型急性白血病

- このタイプには骨髄芽球とリンパ芽球の 2 種類の白血病が混在した 2 系統混在型と，1 つの白血病細胞に骨髄球系およびリンパ球系の表面抗原が発現した 2 重表現型が存在する．
- FCM では 2 系統混在型では異なる白血病細胞集団が 2 種類存在する一方で，2 重表現型では同一芽球に骨

	CD5	CD10	CD20	CD23	CD79a	SIg	備考
濾胞性リンパ腫	−	+	+	+/−	+	+	bcl-2
びまん性大細胞型B細胞性リンパ腫	+/−	+/−	+	+	+	+	
バーキットリンパ腫	−	+	+	−	+	+	
リンパ芽球性リンパ腫	−	−	+	−	+	+	
マントルリンパ腫	+	−	+	−/+	+	+	cyclinD1
ヘアリー細胞白血病	−	−	+	−	+	+	CD103, CD11c, CD25
CLL/SLL	+	−	+	+	+	+	

表4 B細胞性リンパ腫における細胞表面蛋白

CLL/SLL：chronic lymphocytic leukemia/small lymphocytic lymphoma

髄球系であればMPO，B細胞系であればCD79a，T細胞系であればCD3などの複数が発現する．

4）悪性リンパ腫

- 悪性リンパ腫はホジキンリンパ腫と非ホジキンリンパ腫に分類されるが，ホジキンリンパ腫における腫瘍細胞は周囲のリンパ球と比較しその絶対数が少なく，CD15および30が組み込まれたFCMのセットを用いないと異常細胞の検出は困難である．
- 非ホジキンリンパ腫ではB細胞性，T細胞性，NK/T細胞性リンパ腫が存在する
- B細胞性ではCD20，CD79aおよび表面免疫グロブリンが陽性となるが，亜型によりその他の抗原におけるパターンが異なる 表4．マントルリンパ腫と慢性リンパ性白血病および一部のびまん性大細胞B細胞性リンパ腫ではCD5陽性となり，濾胞性リンパ腫とバーキットリンパ腫ではCD10陽性となる．
- NK/T細胞が腫瘍化した血液腫瘍には，節外性NK/T細胞リンパ腫-鼻型，アグレッシブNK細胞白血病などがあり，節外性NK/T細胞リンパ腫-鼻型ではCD56陽性，CD3およびCD5陰性，アグレッシブNK細胞白血病ではCD2，CD16，CD56陽性，CD3陰性となる．いずれの疾患も検体のパラフィン切片を

用いてCD3ε陽性を確認することも重要である.

5）多発性骨髄腫

• 多発性骨髄腫は形質細胞の腫瘍化であり，形質細胞表面蛋白のCD38が陽性となる．CD38は 表4 にあるように骨髄におけるプレB細胞をはじめとして多くの細胞で陽性となるが，骨髄腫細胞におけるCD38は強陽性となるため，CD38の蛍光強度とSSCのパラメーターを用いることで，他のCD38陽性細胞を含む細胞と骨髄腫細胞を分けて認識することが可能である（CD38ゲーティング）.

6）発作性夜間ヘモグロビン尿症（PNH）

• PNHは，グリコシルホスファチジルイノシトール遺伝子に後天的変異をもった造血幹細胞がクローン性に増加した結果，感染などによって活性化された補体によって赤血球が捕捉され，血管内溶血が生じることで貧血や腎障害を主体とする所見を呈する造血幹細胞疾患である．グリコシルホスファチジルイノシトール型蛋白質としてCD55，CD59があり，FCM法にて，赤血球膜におけるこれらの表面蛋白の解析を行い，発現低下を確認してPNHの診断を行う.

参考文献

1）日本サイトメトリー技術者認定協議会．編著．スタンダードフローサイトメトリー．東京：医歯薬出版：2009.
2）室井一男．Flow cytometryを用いた白血病の微小残存病変の検出．臨床血液．2008；49（6）．397-407.
3）池本純子．造血幹細胞移植に用いられる細胞の解析方法 フローサイトメトリーによる造血幹細胞解析のポイント．検査と技術．2015：43（5）．404-9.
4）Engel P, Boumsell L, Balderas R, et al. CD Nomenclature 2015：Human leukocyte differentiation antigen workshops as a driving force in immunology. J Immunol. 2015：195（10）：4555-63.

〈得平道英〉

4 染色体検査（G-banding）/ FISH 検査

まとめ

- G 分染法は染色体の全体像を捉えるため，染色体異常のスクリーニングに適している．解析は分裂期の細胞を対象とし，腫瘍の厳密な定量評価には適さない．
- FISH 法は既知の遺伝子異常しか解析できないが，腫瘍の定量評価が可能であり，迅速診断にも適している．
- 各種染色体検査の利点・欠点を把握することは，臨床現場での検査手法の選択にとどまらず，その結果を解釈する上でも非常に重要となる．

染色体検査の概要

- 染色体検査は血液疾患，特に造血器腫瘍の治療方針に関わる病型診断や予後予測，治療後の効果判定や再発予測を目的に実施される．
- 一般に染色体検査は光学顕微鏡で観察可能な DNA の異常（≧3.5 Mb）までを対象とし，さらに詳細な遺伝情報の解析は遺伝子検査に分類される 図1 ．
- 凝集した染色体の縞模様（band）を染色液で描出して形態を解析する分染法のうち，G 分染法（G-banding）は解像度の優れた永久標本が得られ，解析で蛍光顕微鏡を必要としないため，最も普及している．他に Q 分染法，R 分染法などがある．
- FISH（fluorescence *in situ* hybridization）法，SKY（spectral karyotyping）法は，G-banding の精度を向上させる役割を担う（保険収載，算定回数制限あり）．
- SKY 法は 5 種の蛍光色素をさまざまに組み合わせ，24 本全ての染色体を別々の蛍光色に分け 1 度で識別する．解像度は G-banding と同じで，原理は FISH 法に準じる．同一染色体内の異常は検出できない．G-banding では識別困難な，特に複雑な染色体異常の解析で用いる．ただし，染色体の微細な欠失や末端部領域の異常は検出できない．
- SKY 法は転座切断点の境界領域で蛍光が重なるアーチファクトを生じ，時に " 染色体挿入 " と見誤るため，

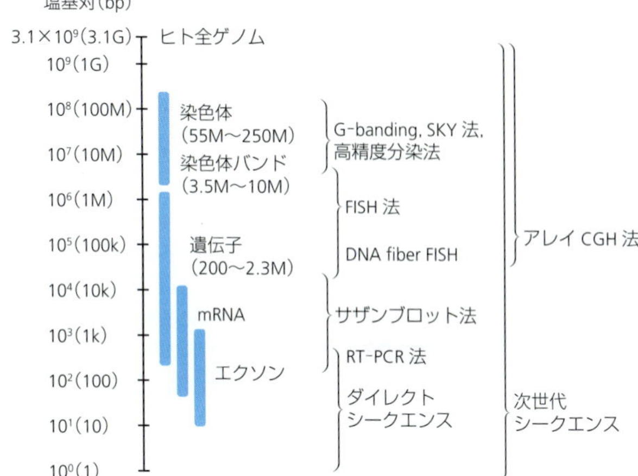

図 1　代表的な遺伝情報解析手法と解像度

注意する．切断点を探る際は，対比染色の DAPI 単染色像を反転した band が参考になる．

G-banding の原理・方法

- Giemsa（ギムザ）を染色液に用いることでその名が付けられた．DNA の AT（アデニン・チミン）に富むところが濃染し，GC（グアニン・シトシン）に富むほど染まらない．
- この検査では，染色体が観察可能な分裂期 metaphase の細胞を多く必要とする．腫瘍細胞を多く含む骨髄や血液，生検リンパ節，体腔液などを解析検体に用いる．一方，先天性疾患の場合は末梢血のリンパ球をフィトヘマグルチニン（PHA）添加で刺激してその分裂像を解析する（造血器腫瘍では添加不要）．
- 細胞分裂を阻害しないヘパリンを用いて検体を無菌的に採取する．培養液の入った容器に保管し，可能な限り早く（少なくとも 24 時間以内）培養を開始する．コルセミド添加の培養で細胞を有糸分裂期で停止させ，低調処理による細胞の膨化，カルノア固定を経てスライドガラス上へ滴下して染色体を展開する．数日のエージング処理とトリプシンによる蛋白分解処理の後，ギムザ液で染色して染色体を含む核（核板）を解析する．

- 結果の判明までに時間を要すことから迅速診断には不向きである（in-house 実施の場合 約 7～17 日）．分裂する細胞が解析対象であるため，腫瘍細胞の割合が反映されるとは限らない．

核型とその表記法

- 各染色体の相対的長さと動原体の位置から 22 対の常染色体と 1 対の性染色体とに分け，大きさの順で並べたものを核型（かくがた karyotype）という．この 1 セットにみられる濃淡 band の総数がバンドレベルである．通常，末梢血リンパ球では 550 バンドレベルの分裂中期核を解析する．造血器腫瘍は分裂後期染色体であることが多く，300 が平均である．この場合，1band 当たり 10 Mb に相当する（300 バンドレベルの検出限界）．
- 染色体の基本構造は，短腕（p）と長腕（q），その接合狭窄部の動原体（セントロメア），末端部のテロメアである．短腕，長腕それぞれに対して動原体に近いほうから大区分，小区分，さらにピリオド（.）をつけて細区分とよばれる 1～4 までの番号が振られる．この番号は転座切断点など band の位置を示す際に用いる．男性 正常核型の karyogram（核型の模式図）を示す 図 2．
- 核型の表記は，国際規約の ISCN（International System for Human Cytogenetic Nomenclature）に準拠する．現在標準とされているのは ISCN2020（執筆時）である[1]．染色体総数，性染色体，異常があれば常染色体（若い番号から）を順に記載し，数的異常があれば，その染色体の前に＋あるいは－の記号を付ける．構造異常は，表 1 にある略語に続き，異常染色体の番号とさらに構造変化した band の位置をそれぞれ丸括弧づけ（（　））で記載する（記載ごとのスペースは不要）．異なる複数の染色体異常はそれぞれをセミコロン（；）で区切る（同一染色体では不要）．最後に角括弧（[　]）をつけて解析細胞数を記載する（通常，20 細胞の解析を行う）．

G-banding でのクローナリティ評価

- ISCN では，同一の染色体異常が 2 個以上の細胞で認められた場合を腫瘍性であること（クローナリティ）の証明としている（ただし，染色体が欠失するモノソミーの場合は細胞数 3 個以上）．通常行う 20 細胞の

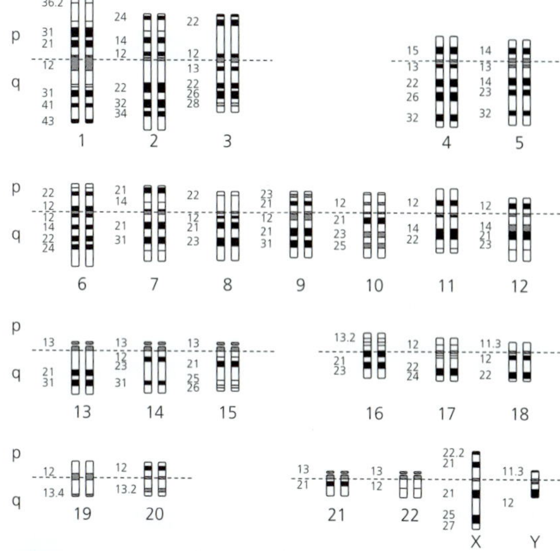

図 2　**Karyogram**（男性，正常核型；G-banding 300 バンドレベル）
（McGowan-Jordan J, et al. ISCN 2020: an international system for human cytogenomic nomenclature（2020）. Reprint from: cytogenet genome res（ISSN 1424-8581）2020; 160: 341-503. S. Karger AG; 2020. p.1-163[1] より改変）

解析では，統計学上，集団全体に占める割合が 14%以下（信頼係数 95%）の腫瘍クローンは検出できない（信頼係数 99%では 21%）[2]．そのため，解析細胞数が少ない，あるいは病型特異的な異常を認めた場合は 1 細胞だけの異常であっても間期核 FISH 法や RT-PCR 法などでクローナリティを証明することが望まれる．

結果の解釈と注意点

- 腫瘍の増殖速度や正常細胞混入による影響を考慮し，目的とする細胞の結果を反映しているかに注意する．
- 分裂像が得られない解析不能例では，提出検体内の腫瘍細胞数が不足しているか（最低 10^7 細胞），細胞増殖が遅い腫瘍の場合である．前者は骨髄低形成の場合，後者は MM（多発性骨髄腫）や CLL（慢性リンパ性白血病）などが相当する．
- 成人では 30～40%，小児では約 10～20%の急性白

表 1　核型表記でよく用いられる略号（ISCN2020）

略号	由来	意味・用途
add	additional material of unknown origin	add(A)(B)：A 番染色体の B より末端が欠損し，そこに由来不明な染色体の一部が付加したもの（転座相手が不明時に使用される）
del	deletion（欠失）	del(A)(BC)：A 番染色体の B から C まで欠損したもの
der	derivative chromosome（派生染色体）	der(A)：複数の染色体間で再配列などによる構造異常染色体のこと．A には動原体がある染色体の番号が入る
dup	duplication（重複）	1 つの染色体で 2 つ以上部分的に重なっているもの
i	isochromosome（同腕染色体）	動原体で横に切断され，短腕か長腕の一方が欠損，もう一方の腕が縦に裂けてできた染色体のこと
idem	stemline karyotype in a subclone	サブクローンにおけるメインクローンの核型を記載する代わりに用いる．ラテン語で "同一" の意
ins	insertion（挿入）	ins(A;B)：A に B が挿入したもの
inv	inversion（逆位）	inv(A)(BC)：A 番染色体が 2 カ所（B と C）で切断し，切断部分が 180 度回転して再接続したもの
mar	marker chromosome（マーカー染色体）	同定不能な染色体のこと．同じものが 2 つあれば＋2mar，異なるものが複数なら＋mar1，＋mar2,･･･ と記載する
?	question mark	染色体や band の由来が不明
r	ring chromosome（環状染色体）	r(A)：A 番染色体が 2 カ所で切断，両端が接続して環状になった染色体のこと
sl　sdl	stemline　sideline	複数のサブクローンにおけるメインクローンの核型を記載する代わりに sl を，1 つのサブクローンの核型を記載する代わりに sdl を用いる
t	translocation（相互転座）	2 つの染色体が切断し，動原体を含まない部分が他方の動原体を含む部分と互いに再結合したもの

（McGowan-Jordan J, et al. ISCN 2020: an international system for human cytogenomic nomenclature (2020). Reprint from: cytogenet genome res (ISSN 1424-8581) 2020; 160: 341-503. S. Karger AG; 2020. p.1-163[1] より改変）

血病が正常核型を呈する．ただし，特異な血球形態や症候により染色体異常を疑う場合は FISH 法などで確認する．APL（急性前骨髄球性白血病）では併存する DIC により検体が凝固し，赤芽球の染色体（正常核型）を腫瘍細胞の解析結果と誤認する場合がある．

- NHL（非ホジキンリンパ腫）ではその多くが染色体異常を呈し，病型診断にも欠かせない．十分量のリンパ節生検検体で正常核型，ないしは数的異常のみの場合は，腫瘍由来でない細胞の結果をみている可能性が高い．

- 小児 AML（急性骨髄性白血病）で知られる t(5;11)(q35;p15.5)，小児 ALL（急性リンパ性白血病）で最も多い転座の t(12;21)(p13;q22)，MM の t(4;14)(p16;q32) は，染色体末端淡染部で転座が起こるため，G-banding では検出できない．
- HES（好酸球増加症候群）で認められる *FIP1L1-PDGFRα* 融合遺伝子は染色体 4q12 の微細な欠失に伴う異常のため，G-banding では検出できない．
- 構造異常では病型特異的か，過去に報告があるかを検索する．inv(1)(p13q21) や inv(9)(p12q13) などは，特定の遺伝性疾患とも関連しない正常変異であり，健常者でも認められる．

FISH 法の原理・方法

- DNA の水素結合が熱変性により可逆的に解離して 2 本鎖から 1 本鎖へと変化することを利用している．蛍光色素で標識した目的の遺伝子と相補的に結合する DNA（プローブ）を用いて患者検体の DNA と結合（ハイブリダイズ）させ，遺伝子の位置を蛍光顕微鏡で認識してその異常を検出する．
- 分裂期で可視化する染色体は，分裂期以外（間期 interphase）では核内に特異な形で分散している．DNA 上の遺伝子間距離が 1〜2 Mb であれば，間期核内での物理的距離とも相関するため[3)]，FISH 法は間期細胞でも解析可能である（間期核 FISH 法）．
- 解析に G-banding のような分裂期の細胞を必ずしも必要としない．検体に末梢血が使用でき，骨髄低形成などの細胞数が少ない場合も実施できる（最低 10^2 個）．
- 培養を除く処理は G-banding と同様だが，核板作成後は乾燥とプローブを載せた熱変性（75℃，数分）を行い，静置（37℃，数時間〜一晩）するだけで解析できる．治療を急ぐ APL 診断時など，迅速診断に適している（in-house 実施の場合：約 2 日）．
- NHL のうち，G-banding では同じ t(14;18)(q32;q21) となる濾胞性リンパ腫などの *IgH-BCL2* と MALT リンパ腫の *IgH-MALT1* との鑑別に用いられる．さらに MM などの G-banding では複雑すぎる異常により正確な診断が困難な場合でも有用である．

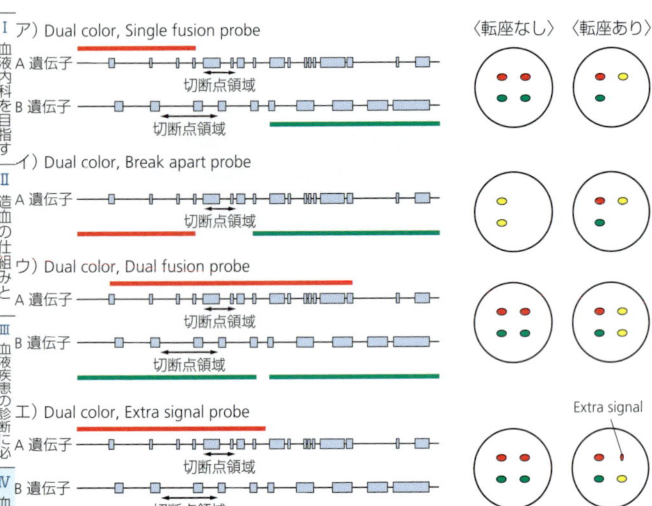

図3 染色体転座における代表的なシグナルパターン（FISH 法）

ア）では，赤と緑が 2 つずつみえるのが正常の場合のシグナルであり，染色体転座がある場合は，赤，緑，融合した黄が 1 つずつ，計 3 つのシグナルとして観察される．この場合，健常人の検体でも生じうる物理的近接による偽陽性が難点となる．イ）では，A 遺伝子に対してのみにプローブ設計され，正常の場合は切断点をはさんで融合したシグナルの黄が計 2 つみられる．転座の場合は赤と緑に切断されるため，赤，緑，黄がそれぞれ 1 つずつの計 3 つのシグナルが観察される．イ）は，ア）よりも偽陽性が少ないことを利点とする．一方，A 遺伝子を切断点として染色体転座していることの判断はできるが，転座相手が B 遺伝子をもつ染色体とは限らない問題を残す．ウ）では，正常の場合は赤と緑のシグナルが 2 つずつ観察され，転座がある場合は赤，緑が 1 つずつ，融合した黄が 2 つ，計 4 つのシグナルが観察される．黄を 2 個認める細胞を陽性とみなすため，偽陽性が少ない．エ）はウ）とほぼ同様で，切断された赤の信号が加わった計 4 つのシグナルがある細胞を陽性とすることで偽陽性を少なくしている．

- 同種造血幹細胞移植を異なる性別のドナーで行った場合，性染色体を用いたキメリズム解析が可能である（異性間 FISH 法）．
- ホルマリン固定後のパラフィン包埋された病理組織標本を用いることも可能である（組織 FISH 法）．ただし，ハイブリダイズ前の検体処理の最適化が必要なため，蛍光を検出できない場合がある．また，薄切標本内で核が重なる場合には数的異常の検出は困難である．

結果の解釈と注意点

- 染色体転座であれば，シグナルの融合（fusion signal）か分離（split signal）を認める．赤と緑の異なる色調の蛍光色素を用いることで，近接した場合に黄の色調変化が観察される．染色体の欠失では，シグナルは観察されない．必ずしも融合シグナルが異常を示すわけではなく，プローブ設計により異なることに注意する 図3．
- Major や minor *BCR–ABL* など複数の切断点による亜型がある場合は，それらの切断点を有する遺伝子の 3′ 側に存在する切断点の手前際で止めた breakpoint flanking probe に加え，もう片方の遺伝子に対する切断点を跨ぐよう設計された dual fusion 用 probe を使うことで鑑別できる．さらに蛍光色素を dual color から triple color にすることでより詳細な判別も行える．
- 異常のシグナルパターンが，併記されているカットオフ値より高く認められれば有意とする．カットオフ値とは，染色体の展開時や間期核を 2 次元にすることで生じた物理的近接を誤って融合シグナルとカウントする場合の偽陽性率である（通常 2%程度）．
- 予想される異常シグナルとは異なるパターン（シグナル数の増加など）を示す結果もプローブ結合領域である標的遺伝子の一部が欠失した場合や転座相手が異なるといった異常を示していることがある．
- CML（慢性骨髄性白血病）は骨髄穿刺をしなくても末梢血の好中球での FISH 法で診断は容易だが，他の付加的異常は検出できないことに注意する．
- 造血器腫瘍に認められる代表的な染色体異常を示す 表2．外注検査会社では提出されたカルノア固定検体を通常 3 カ月間保管する（検体自体は数カ月～数年保存可能）．残余検体があれば追加解析も依頼でき，自施設への返却も可能である．

表2 造血器腫瘍に認められる代表的な染色体異常

疾患	染色体異常	遺伝子異常	病型
CML	t(9;22)(q34;q11.1)	*major BCR-ABL1*	慢性骨髄性白血病
AML	t(8;21)(q22;q22)	*RUNX1-RUNX1T1*	M2
	inv(16)(p13q22) t(16;16)(p13.1;q22)	*CBF -MYH11*	M4/M4Eo
	t(15;17)(q24.1;q21.2)	*PML-RARA*	M3
	inv(3)(q21.3q26.2) t(3;3)(q21.3;q26.2)	*GATA2, MECOM*	非 M3
	t(1;22)(p13;q13)	*RBM15-MKL1*	M7
	t(3;21)(q26.2;q22.1)	*RUNX1-MECOM*	MDS overt AML
	t(6;9)(p23;q34.1)	*DEK-NUP214*	M2/M4
	t(6;11)(q27;q23.3)	*KMT2A-AFDN*	M1/M6
	t(9;11)(p21.3;q23.3)	*KMT2A-MLLT3*	M4/M5a
	t(11;19)(q23;p13.1)	*KMT2A-MEN*	M4/M5
	t(11;19)(q23.3;p13.3)	*KMT2A-MLLT1*	M4/M5
	t(11;Var)(p15;Var)	*NUP98*	t-AML
MDS	−5 or del(5q)	*IRF1, CSF1R, EGR1*	5q− 症候群
	−7 or del(7q) t(1;7)(q10;p10)		MDS
	+8		MDS
	del(17p)	*TP53*	MDS, MM, CLL
	del(20q)		MDS
ALL	t(9;22)(q34;q11.2)	*minor BCR-ABL1*	Ph-ALL
	t(1;19)(q23;p13.3)	*TCF3-PBX1*	preB-ALL
	t(4;11)(q21;q23.3)	*KMT2A-AFF1*	B-ALL
	del(9p21)	*CDKN2A* (*p16*)	ALL

付記	外注検査の実施
・pre-B ALL, AML でも認められる． ・急性転化では+8，+19，i(17q) などが付加する．	FISH 法 /RT-PCR 法で可
(別称：*AML1-ETO*(*MTG8*)) ・t(21;Var)(q22;Var) の *RUNX1* 転座は FISH 法あり．	FISH 法 /RT-PCR 法 / リアルタイム PCR 法で可
	FISH 法 /RT-PCR 法 / リアルタイム PCR 法で可
	FISH 法 /RT-PCR 法 / リアルタイム PCR 法で可
(旧称：*RPN1-EVI1*)	不可
	不可
(別称：*AML1-EVI1*) ・CML 急性転化では付加的に認められる	FISH 法 /RT-PCR 法で可
(別称：*DEC-CAN*)	RT-PCR 法 / リアルタイム PCR 法で可
(別称：*MLL-AF6*) ・t(11;Var)(q23;Var) の *MLL* 転座は FISH 法あり．	RT-PCR 法 / リアルタイム PCR 法で可
(別称：*MLL-MLLT3*, *MLL-AF9*)	RT-PCR 法 / リアルタイム PCR 法で可
・t(11;Var)(q23;Var) の *MLL* 転座は FISH 法あり．	RT-PCR 法で可
(別称：*MLL-ENL*) ・t(11;Var)(q23;Var) の MLL 転座は FISH 法あり．	RT-PCR 法 / リアルタイム PCR 法で可
・t(7;11)(p15;q15) の *NUP98-HOXA9* は，リアルタイム PCR 法あり．	FISH 法で可
	FISH 法で可
・AML, CML の急性転化でも認められる．	
・CML の急性転化でも認められる．	
・MPN, CML でも認められる．	
・MPN でも認められる．	
・CML でも認められる．	FISH 法 /RT-PCR 法で可
(別称：*E2A-PBX1*)	FISH 法 /RT-PCR 法 / リアルタイム PCR 法で可
(別称：*MLL-AF4*) ・AML（M5）でも認められる． ・t(11;Var)(q23;Var) の *MLL* 転座は FISH 法あり．	FISH 法 /RT-PCR 法 / リアルタイム PCR 法で可
	FISH 法で可

表 2 つづき

疾患	染色体異常	遺伝子異常	病型
ALL	t(12;21)(p13;q22)	*ETV6-RUNX1*	B, preB-ALL
	del(1p32)	*STIL-TAL1*	T-ALL
	t(1;14)(p32;q11)	*TAL1-TCRδ*	T-ALL
	t(5;14)(q31;q32)	*IL3-IGH*	B-ALL
NHL/MM	t(3;Var)(q27;Var)	*BCL6*	DLBCL
	t(8;14)(q24;q32)	*MYC-IGH*	バーキットリンパ腫
	t(11;18)(q21;q21)	*BIRC3-MALT1*	MALT リンパ腫
	t(14;18)(q32;q21)	*IGH-BCL2*	濾胞性リンパ腫
	t(11;14)(q13;q32)	*IGH-CCND1*	MCL, MM, CLL
	t(2;Var)(p23;Var)	*ALK*	ALCL
	t(4;14)(p16;q32)	*IGH-FGFR3*	MM
	t(14;16)(q32;q23)	*IGH-MAF*	MM
	1q21 増幅	*CKS1B*	MM
好酸球増加症候群	del(4q12)	*FIP1L1-PDGFRA*	慢性好酸球性白血病
	t(5;Var)(q32;Var)	*PDGFRB*	好酸球増多を伴う MPN
	t(8;Var)(p11.2;Var)	*FGFR1*	好酸球増多を伴う MPN
CLL	del(11q22.3)	*ATM*	CLL, MM
	del(13q)	*D13S319*	CLL, MM
	＋12		CLL

・CML：慢性骨髄性白血病，AML：急性骨髄性白血病，MDS：骨髄異形成症候群，ALL：急性リンパ性白血病，NHL：非ホジキンリンパ腫，MM：多発性骨髄腫，CLL：慢性リンパ性白血病，t-AML：治療関連白血病，MPN：骨髄増殖性腫瘍，Ph-ALL：フィラデルフィア染色体陽性急性リンパ性白血病，DLBCL：び漫性大細胞型 B 細胞性リンパ腫，MCL：マントル細胞リンパ腫，ALCL：未分化大細胞型リンパ腫．
・Var：様々な染色体異常があるの意．

付記	外注検査の実施
(別称: *TEL-AML1*) ・G-banding では検出困難. ・t(12;Var)(p13;Var) の *ETV6* 転座は FISH 法あり.	FISH 法/RT-PCR 法/リアルタイム PCR 法で可 ・高二倍体 (FISH 法) あり
(別称: *SIL-TAL1*) ・小児で認められる.	リアルタイム PCR 法で可
・小児で認められる.	不可
・小児で認められる.	不可
・ALL, MM でも認められる. ・t(8;Var)(q24;Var) の *MYC* 転座は FISH 法あり.	FISH 法で可
(別称: *API2-MALT1*) ・t(18;Var)(q21.32;Var) の *MALT1* 転座は FISH 法あり.	
・DLBCL でも認められる. ・t(18;Var)(q21;Var) の *BCL2* 転座は FISH 法あり.	FISH 法で可 ・*bcl-2* 再構成 (PCR) あり
(別称: *IGH-BCL1*) ・t(11;Var)(q13;Var) の *CCND1* 転座は FISH 法あり.	
・G-banding では検出困難.	FISH 法で可
・t(14;Var)(q32;Var) の IgH 転座は FISH 法あり.	
・G-banding では検出困難.	
	FISH 法で可
・MDS でも認められる.	FISH 法で可

参考文献

1) McGowan-Jordan J, Hastings RJ, Moore S. ISCN 2020: an international system for human cytogenomic nomenclature (2020). Reprint from: cytogenet genome res (ISSN 1424-8581) 2020; 160: 341-503. S. Karger AG; 2020. p.1-163.

2) Hook EB. Exclusion of chromosomal mosaicism: tables of 90%, 95% and 99% confidence limits and comments on use. Am J Hum Genet. 1977; 29: 94-7.

3) van den Engh G, Sachs R, Trask BJ. Estimating genomic distance from DNA sequence location in cell nuclei by a random walk model. Science. 1992; 257: 1410-2.

〈前田智也〉

5 遺伝子検査

まとめ

- 核酸（DNA，RNA）を抽出し，増幅と解析により腫瘍性の証明，病型診断，治療効果の評価を行う．
- 解析には PCR 法が汎用される．検査項目により保険適用のない場合がある．外注検査で依頼の際は検体の回収日時を確認しておく．
- 検査感度が高いと偽陽性も多くなることに留意する．対象とする遺伝子の大きさや目的にあわせて検査法を選択し，その検出限界を把握しておく．

遺伝子検査の概要

- 先天性の溶血性貧血や免疫不全症，血友病の保因者診断など，一部を除いて血液診療での遺伝子検査は造血器腫瘍に対して行われる．
- 造血器腫瘍に認められる染色体転座は，2 つの遺伝子が融合してキメラ遺伝子を形成するもの，腫瘍関連遺伝子が抗原受容体遺伝子の近傍に位置して発現調節の異常（脱制御）をきたすもの，に大別される．前者は白血病に，後者は非ホジキンリンパ腫に多い．骨髄系腫瘍の遺伝子異常は，増殖シグナル，転写因子の関与として従来 2 つの機能（class Ⅰ，class Ⅱ 変異）から分類されていたが，次世代シークエンサーによる網羅的遺伝子解析の結果，エピジェネティクス制御や RNA スプライシングに関わる遺伝子などの関与が知られ，現在 9 つのカテゴリーに分類されている 図1 [1]．リンパ系腫瘍の一部では，ウイルスなど外来微生物が関与する遺伝子異常も認められる．
- RT-PCR 法（定性），リアルタイム PCR 法（定量），サザンブロット法が実臨床で用いる解析手法である．腫瘍であることの証明や発症因子の同定も含めた病型診断，治療効果のモニタリングを行う．同種移植のドナー選択に必要な HLA 適合検査，移植後のキメリズム解析にも用いられる．
- 短時間で結果が判明し，適切な保存により過去の検体

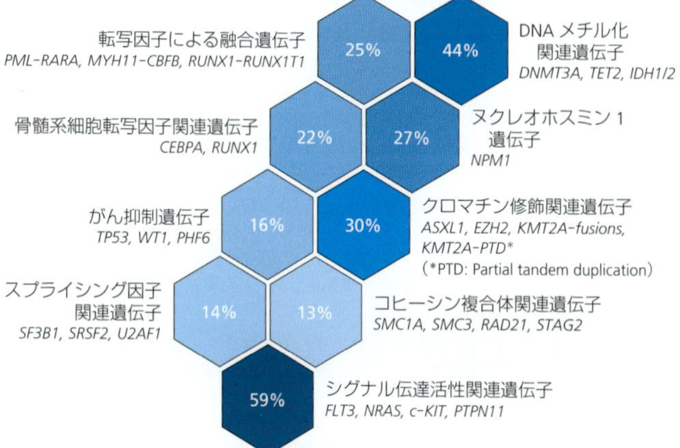

図 1 AML における遺伝子変異の頻度とその機能分類

(Grove CS, Vassiliou GS. Acute myeloid leukaemia: a paradigm for the clonol evolution of caner? Dis Model Mech. 2014; 7: 941-51 より改変)

にまで遡った検査が可能である．保険適用とならない場合も多く，事前の確認を要す．執筆時点で保険適用のある遺伝子検査とその算定要件を表 1 に示す．

- 造血器腫瘍領域では，治療効果や有害事象の予測を遺伝子レベルで行う個別化治療を目指し，次世代シークエンサーを用いた網羅的遺伝子解析による疾患情報の収集が臨床研究で進められている．日本血液学会により「造血器腫瘍ゲノム検査ガイドライン」が公開され，各種遺伝子検査の特徴やその基本的な考え方といった遺伝子パネル検査の指針として臨床的に有用性の高い遺伝子異常が示されている．

検体を扱う際の注意点

- 無菌操作で検体を採取，保管する．ヘパリンは PCR 反応の阻害物質であり，使用を避ける．ただし，骨髄検体では，単核球分離と赤血球溶血処理後の洗浄によって希釈されるため，あまり問題とならない．他の検体は EDTA-2Na 添加採血管などの指定容器を用いる．採取検体は短時間であれば室温で保管可能だが，できるだけ 4℃保管が望ましい．ホルマリンなどを用いた固定検体は，組織の DNA 断片化により PCR は困難となる．

表 1　遺伝子検査*と診療報酬算定要件（2020 年 4 月改定）

1. 造血器腫瘍遺伝子検査（2,100 点）
別に厚生労働大臣が定める施設基準を満たす保険医療機関において行われる場合に算定する．PCR 法，LCR 法またはサザンブロット法により行い，月 1 回を限度として算定できる．悪性腫瘍組織検査の悪性腫瘍遺伝子検査，造血器腫瘍遺伝子検査，免疫関連遺伝子再構成，*FLT3* 遺伝子検査または *JAK2* 遺伝子検査のうちいずれかを同一月中に併せて行った場合には，主たるもののみ算定する．

2. *Major BCR–ABL1* mRNA（リアルタイム RT–PCR 法）（診断補助：2,520 点，モニタリング：2,520 点）
mRNA 定量（国際標準値 IS%）は急性転化を含む慢性骨髄性白血病の診断およびモニタリングとしてリアルタイム RT–PCR 法により測定した場合に限り算定できる．

3. 免疫関連遺伝子再構成（2,429 点）
PCR 法，LCR 法またはサザンブロット法により，悪性リンパ腫，急性リンパ性白血病または慢性リンパ性白血病の診断の目的で検査を行った場合に，6 月に 1 回を限度として算定できる．悪性腫瘍組織検査の悪性腫瘍遺伝子検査，造血器腫瘍遺伝子検査，免疫関連遺伝子再構成，*FLT3* 遺伝子検査または *JAK2* 遺伝子検査のうちいずれかを同一月中に併せて行った場合には，主たるもののみ算定できる．

4. *WT1* mRNA（2,520 点）
リアルタイム RT–PCR 法により，急性骨髄性白血病または骨髄異形成症候群の診断の補助または経過観察時に行った場合に月 1 回を限度として算定できる．

5. CCR4 タンパク（Flow cytometry 法）（10,000 点）
成人 T 細胞性白血病 / リンパ腫に対するモガムリズマブの適応判断時の医学的必要性がある場合を除き，病理組織標本作製時に同一の目的として CCR4 タンパクの同定を行った場合にはいずれか一方にのみを算定できる．

6. *FIP1L1–PDGFRα* 融合遺伝子検査（FISH 法）（3,201 点）
慢性好酸球性白血病または好酸球増多症候群に対する治療方針決定を目的に原則，1 回（ただし，症状・検査所見の変化に対する再検討時にも算定可）として算定できる．

7. 骨髄微小残存病変量測定（PCR 法）（遺伝子再構成同定：3,500 点，同定後のモニタリング：2,100 点）
別に厚生労働大臣が定める施設基準を満たす保険医療機関において行われる場合に算定する．初発ないしは再発の急性リンパ性白血病に対する診断補助，または経過観察目的の場合において算定できる．

8. *FLT3* 遺伝子検査（PCR–キャピラリー電気泳動法）（4,200 点）
再発または難治性の急性骨髄性白血病（急性前骨髄球性白血病を除く）に対する抗腫瘍剤での治療法選択のコンパニオン診断として算定できる．悪性腫瘍組織検査の悪性腫瘍遺伝子検査，造血器腫瘍遺伝子検査，免疫関連遺伝子再構成，*JAK2* 遺伝子検査のうちいずれかを同一月中に併せて行った場合には，主たるもののみ算定できる．

9. *JAK2* 遺伝子検査（PCR 法）（2,504 点）
真性多血症，本態性血小板血症，原発性骨髄線維症に対する診断補助を目的として算定できる．悪性腫瘍組織検査の悪性腫瘍遺伝子検査，造血器腫瘍遺伝子検査，免疫関連遺伝子再構成，*FLT3* 遺伝子検査のうちいずれかを同一月中に併せて行った場合には，主たるもののみ算定できる．

10. *Nudix hydrolase15* 遺伝子多型（リアルタイム PCR 法）（2,100 点）
チオプリン製剤の投与対象となる急性リンパ性白血病等の患者に対するその投与可否や投与量調整の判断を目的として算定できる．

表 1 つづき

付）染色体検査（2,631 点）
分染法を行った場合は，397 点を加算する．分染法加算については，その種類，方法にかかわらず，1 回の算定とする．

＊：血液腫瘍疾患に関連する主な項目のみを掲載．
（厚生労働省ホームページ（www.mhlw.go.jp/）より改変）

- 核酸抽出までの時間が長いと細胞は死滅，核酸も分解する．24 時間以内に DNA と RNA を抽出し，分解しやすい RNA は cDNA まで合成してから－20℃で保管する．長期保管は－80℃で行い，凍結融解を繰り返すようであれば小分けにしておく．外注検査で依頼の際は，検査当日の検体回収時間をあらかじめ確認しておく．

遺伝子再構成

- リンパ球は多様な抗原に対応するため，その分化成熟段階で膜型免疫グロブリン（Ig）や T 細胞受容体（TCR）などの抗原受容体が遺伝子組換え（遺伝子再構成）を起こす．抗原受容体をコードする遺伝子は，可変部（V），多様部（D），結合部（J）からなる可変領域と定常（C）領域とに分かれ，それぞれ複数ある V, D, J から 1 つが選択され，その組み合わせで多様性が生まれる 図 2．
- 遺伝子再構成の解析は，サザンブロット法（場合により PCR 法）で行う．まず，ゲノム DNA を制限酵素で切断して電気泳動したものをメンブレンに転写する．次に，目的とする遺伝子の配列と相補的なプローブを用いてその遺伝子断片（再構成バンド）を検出する．正常では多種多様な再構成バンドをもつため薄くスメアを引いたようになり，再構成していないアリルに由来する germ line バンド以外は検出されない．単一のクローンが増殖する悪性リンパ腫では，特定の組換えを起こしたものが増加するため，陰性コントロール（正常）とは別の，新たなバンドがみられる．
- B 細胞性腫瘍を疑う場合は，H 鎖 JH 領域のプローブを選択する．再構成はまず D-J 領域で始まり，次に V 領域で行われる．よって，分化初期段階で腫瘍化したクローンを捉えることが可能となり，スクリーニングに適している．B 細胞分化段階の Pro-B 細胞より以降で IgH 鎖が，PreB 細胞の一部と immature B 細胞よ

	V : variable（可変部）	D : diversity（多様部）	J : joining（結合部）
	n	n	n
IgH 鎖：	38～46	23	6
IgL 鎖（κ）:	34～38	0	5
IgL 鎖（λ）:	29～33	0	4～5
TCRα鎖：	70～80	0	61
TCRβ鎖：	52	2	13
TCRγ鎖：	12	0	5
TCRδ鎖：	3	3	3

n: number of segments, C: constant（定常部）

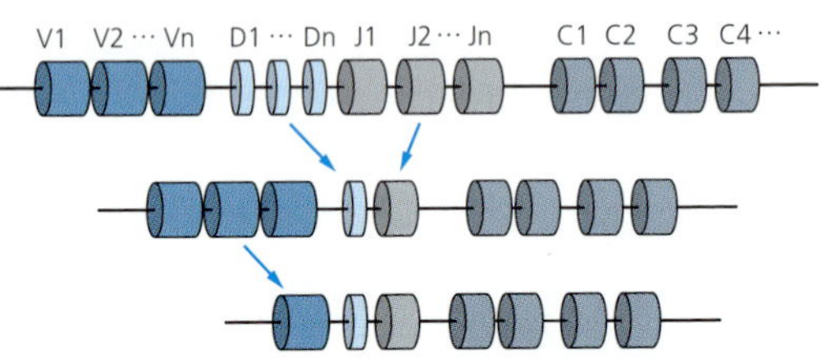

図 2　抗原受容体遺伝子の基本構造と遺伝子再構成の順序

・*Ig* 遺伝子にはλ軽鎖（λL），κ軽鎖（κL），重鎖（H）の 3 つ，*TCR* 遺伝子にはα鎖，β鎖，γ鎖，δ鎖の 4 つが存在する．再構成は，*Ig* 遺伝子では H 鎖（V-D-J）→κL 鎖（V-J），κが失敗すると→λL 鎖（V-J），*TCR* 遺伝子では TCRδ（V-D-J）→TCRγ（V-J），失敗すると→TCRβ（V-D-J）→TCRα（V-J）の順で起こる．

・正常 T リンパ球のほとんどはα鎖とβ鎖からなる TCR を有し，一部（5%未満）の，主に消化管や皮膚のリンパ球はδ鎖とγ鎖よりなる TCR をもつ．

（Parham P. The immune system. 4th ed. NY: Garland science; 2014 より改変）

り以降で IgκL 鎖が，それぞれ出現する．この組み合わせで分化段階が推定できる．

- T 細胞性腫瘍の場合は，β鎖 Cβ1 領域（ないしは Jβ1）のプローブを選択する．δ鎖やγ鎖のプローブは，分化初期段階の腫瘍を捉えるのにはよいが，B 細胞性腫瘍の一部でも再構成を認めるため，スクリーニングには適さない．Cβ1 が陰性で分化初期段階の腫瘍を疑う場合にこれらのプローブを用いる．なお，NK 細胞性腫瘍では TCR 再構成バンドは認められない．
- DNA レベルの再構成は細胞系統に必ずしも特異的ではない．TCR の再構成バンドが B 細胞性や骨髄系腫瘍に，Ig の再構成が T 細胞性腫瘍に認めることがある．さらに良性疾患の自己免疫疾患や免疫不全症でも認められる．再構成バンドはクローナリティを証明するが，必ずしも腫瘍性を示すとは限らないことに注意する．

- PCR 法の場合は少ない検体量でも解析できるが，感度が高すぎて偽陽性が多い．リンパ節検体を用いる際は，腫瘍細胞と正常組織との切り離しを十分に行う．

サザンブロット法の特徴と他の用途

- 検出感度は低く，クローン性細胞の割合が 5～10% 以上ないと検出できない．治療経過のモニタリングとして用いることがある（PCR 法は 10^4～10^5 個に 1 個が検出感度）．
- 結果判明まで 1～2 週間かかり（PCR 法では数日），1 制限酵素あたりの必要検体量も DNA 10～15 μg と多い．
- PCR の増幅限界（35～40 kbp）を超える長鎖の遺伝子異常を検出する場合に有用である．
- ATLL（成人 T 細胞白血病・リンパ腫）の診断では，感染細胞への HTLV-1 プロウイルス DNA の組み込みが単クローン性であることを確認して HTLV-1 キャリアと鑑別する．
- EB ウイルスの DNA 末端の繰り返し配列（tandem repeat: TR）の長さはウイルス粒子ごとで異なる．慢性活動性 EB ウイルス感染症や悪性リンパ腫における細胞内の EB ウイルス増殖が単クローン性か否かの判定が TR を含むプローブを用いて行われる．

PCR 法

- PCR（polymerase chain reaction ポリメラーゼ連鎖反応）法は，目的の DNA 配列と相補的に結合するプライマーを用いて指数関数的に DNA を増幅させる手法である．腫瘍細胞の変異や遺伝子の多型部位の検出に用いる．
- キメラ遺伝子はゲノム DNA 上のイントロンで融合するものが多く，その同定や発現解析にはイントロンを介さない mRNA を用いる．抽出した RNA から相補鎖 DNA（cDNA）を酵素で逆転写（reverse transcription: RT）し，PCR で増幅する RT-PCR（逆転写ポリメラーゼ連鎖反応）法が初診時に用いられる．既知の遺伝子異常だけを対象とし，短時間で結果が得られる．
- リアルタイム（real-time）PCR 法（定量）では，蛍光標識したプローブの反応とともに PCR 産物のコピー数を継時的に測定する．従来の定量 RT-PCR とは異なり，バンドの濃さで解析するための電気泳動を必要としない．特定のコピー数に達するサイクル数から初期の標的遺伝子のコピー数を逆算することで定量化する．RQ-PCR（real-time quantitative RT-PCR）法ともいわれ，微小残存病変（MRD）の継時モニタリングによる再発予測が可能である．

- PCR の感度は 0.001%（10 万細胞に 1 個の腫瘍が検出可能）である．定量検査の結果は，細胞ごとの発現量が一定の GAPDH などの遺伝子で補正した数値（copies/μg RNA）で示される．一般に，定性検査は定量よりも感度が高いことから定量感度以下となった MRD の検出に用いる．
- PCR の変法として nested PCR や multiplex PCR がある．nested PCR は，1 回増幅した PCR 産物に対して 1 回目のプライマーよりも内側に設計したプライマーで再度 PCR をかけ，増幅の感度と特異度を上げる手法である．multiplex PCR は，複数のプライマーを混合して行うことでコントロールの同時解析や検体量の節約が可能となる．

遺伝子異常の同定，モニタリング

- 病態や染色体の結果からキメラ遺伝子の存在が疑われれば，診断補助や MRD 評価のために上記の PCR を行う（前項の「表2 造血器腫瘍に認められる代表的な染色体異常」参照）．
- CML（慢性骨髄性白血病）では，チロシンキナーゼ阻害薬（TKI）による治療効果を *BCR-ABL1* mRNA の発現量（国際標準値 IS 値）で評価する．European LeukemiaNet（ELN）2009 コンセンサスでは，分子遺伝学的完全寛解（complete molecular response: CMR）を RQ-PCR 法，または nested RT-PCR 法（定性）で連続 2 回陰性の場合と定義した．さらに ELN 2013 では，*BCR-ABL1* mRNA（IS 値）が 0.01%以下，0.0032％以下，0.001％以下の場合をそれぞれ $MR^{4.0}$，$MR^{4.5}$，$MR^{5.0}$ とする規準が採用された 図3 [2]．
- キメラ遺伝子をもたない骨髄系腫瘍では，末梢血や骨髄の *WT1* mRNA 発現量をリアルタイム PCR で検出して MRD を継時的に評価する．MDS（骨髄異形成症候群）では，病勢の進行に伴い上昇傾向を示す．
- 外注検査では検査案内に掲載以外の遺伝子も解析でき

JCOPY 498-22507

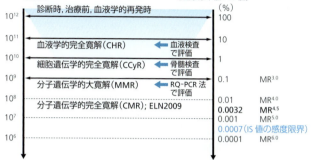

図 3　CML 細胞数と Major *BCR-ABL1* mRNA（国際標準値 IS 値）の比較

る場合があり，稀な遺伝子検査については検査会社へ直接確認する．

遺伝子変異解析

- PCR で増幅した DNA の長さや塩基配列を解析し，診断補助や治療反応性に関わる遺伝子変異や多型を検出する．造血器腫瘍の代表的な遺伝子変異を表 2 に示す．
- *FLT3-ITD* 変異は正常核型 AML の予後不良因子であり，移植を含めた治療法の選択にも参考となる．*NPM1* 変異や *CEBPA* の両アレル変異は正常核型 AML において *FLT3 / ITD* 変異がない場合に予後良好因子と考えられる．
- *JAK2* 変異は骨髄増殖性腫瘍の診断基準にも用いられる．PV（真性多血症）の 9 割，ET（本態性血小板血症）や PMF（原発性骨髄線維症）の約半数にみられる．
- *ABL* 変異は CML に対する TKI の治療反応性に関わり，予後を左右する [3]．頻度の高い 23 種の *ABL* 点突然変異を一括に解析する方法がある．

表2 造血器腫瘍に認められる代表的な遺伝子変異

疾患	遺伝子変異	染色体異常
CML	*ABL1*	t(9;22)(q34;q11.1)
MPN	*JAK2*	主に正常核型
	MPL	
	CALR	
JMML	*NRAS*	正常核型，-7
	PTPN11	
	NF1	
AML	*FLT3*	正常核型
	C-KIT	多様
	CEBPA	正常核型
	NPM1	正常核型
	DNMT3	主に正常核型
	TET2	多様
MDS	*TET2*	多様
	SF3B1	
	ASXL1	
	SRSF2	
	DNMT3A	
	RUNX1	
ALL	*ABL1*	t(9;22)(q34;q11.2)
	IKZF1	多様
	PAX	
	NOTCH1	
NHL	*RHOA*	多様
HCL	*BRAF*	多様
LPL/WM	*MYD88*	多様

CML：慢性骨髄性白血病，MPN：骨髄増殖性腫瘍，PV：真性多血症，ET：本態性血小板血症，PMF：原発性骨髄線維症，TN：triple negative，JMML：若年性骨髄単球性白血病，AML：急性骨髄性白血病，MDS：骨髄異形成症候群，CMML：慢性骨髄単球性

付記	外注検査
P-loop での *ABL* 点突然変異は，他の部位（catalytic domain や activation loop）における変異の場合に比べて有意に予後が不良である．	可
以下，頻度を示す． PV：*JAK2*（91%），TN（6%），*JAK2 exon12*（3%）	*V617F*, *Exon12* 共可
ET：*JAK2*（51%），*CALR*（25%），TN（18%），*MPL*（5%）	可
PMF：*JAK2*（57%），*CALR*（23%），TN（18%），*MPL*（2%）	可
頻度は *RAS*（*NRAS*，*KRAS2*）：20%，*PTPN11*：35%，*NF1*：15%．いずれも RAS の GTP 獲得過剰による RAS 経路の恒常的活性化をきたす．	
FLT3/ITD 変異では寛解導入率には影響せず，再発率が高い．予後不良因子．	*ITD*, *TKD* 共可
CBF 白血病に多い． t(8;21)AML（成人）では予後不良との報告が多い．	可
両アレル変異の場合かつ *FLT3/ITD* 変異がない場合において，予後は良好である．	
NPM1 変異陽性かつ *FLT3* 変異陰性の場合において長期にわたり予後は良好である．	可
正常核型 AML では予後不良因子．	
正常核型 AML では予後不良因子．	
MDS では最も高頻度．予後への影響は不明．	
環状鉄芽球の増加がみられる．予後良好因子．	
MDS/MPN に多い．予後不良因子．	
RNA スプライシングに関連．白血病化に関与する．予後不良因子．	
MDS および CMML の 10～15%の頻度でみられる．	
二次性の AML 進展に関与する．予後不良因子．	
	可
別名：*IKAROS*．Ph-ALL および CML リンパ性急性転化で変異がみられる．予後不良因子．	
B-ALL の 30%で変異あり．予後への影響は不明．	
T-ALL の 50%で変異あり．予後への影響は不明．	
AITL で高頻度にみられ，G17V 変異をもつ．	可
BRAF V600E 変異が HCL の全例にみられる（HCL variant では陰性）．	
MYD88 L265P 変異が LPL/WM の全例にみられる．	

白血病，ALL：急性リンパ性白血病，NHL：非ホジキンリンパ腫，AITL：血管免疫芽球性 T 細胞リンパ腫，HCL：ヘアリー細胞白血病，LPL/WM：リンパ形質細胞性リンパ腫/ワルデンストレームマクログロブリン血症

参考文献

1) Cancer Genome Atlas Research Network, et al. Genomic and epigenomic landscapes of adult de novo acute myeloid leukemia. N Engl J Med. 2013; 368: 2059–74.
2) Baccarani M, Deininger MW, Rosti G, et al. European LeukemiaNet recommendations for the management of chronic myeloid leukemia: 2013. Blood. 2013; 122: 872–84.
3) Deininger M, Buchdunger E, Druker BJ. The development of imatinib as a therapeutic agent for chronic myeloid leukemia. Blood. 2005; 105: 2640–53.

〈前田智也〉

6 血液診療に必要なゲノム解析研究の知識

まとめ

- 造血器腫瘍を含む悪性腫瘍は，ゲノム異常の結果引き起こされる疾患である.
- 次世代シーケンス技術の発展により，網羅的なゲノム解析が可能となり，造血器腫瘍におけるゲノム異常の全体像が解明された.
- 次世代シーケンス技術の応用により，血液診療における precision medicine の確立が期待されている.

悪性腫瘍におけるゲノム異常

- 全ての悪性腫瘍は，遺伝子の機能を変化させる体細胞異常の結果生じる疾患である[1]．腫瘍化に直接的に関わる変異は，ドライバー変異とよばれ，統計学的に有意に変異が集積することにより同定される．ドライバー変異が起こる遺伝子（ドライバー遺伝子）は，がん遺伝子（oncogene）とがん抑制遺伝子（tumor suppressor gene）の 2 つに大別され，少なくともこれらの一部は治療標的となりうる．一方で，悪性腫瘍では，腫瘍化には直接関与しない変異も多数認められ，これらはパッセンジャー変異とよばれる．したがって，悪性腫瘍のゲノム異常をみる際には，ドライバー遺伝子とパッセンジャー遺伝子とを区別することが重要である.
- 近年目覚ましい発展を遂げている次世代シーケンス（next generation sequence: NGS）技術を用いて，米国のがんゲノムアトラス（The Cancer Genome Atlas: TCGA）や世界中のがん研究機関で構成される国際がんゲノムコンソーシアム（International Cancer Genome Consortium: ICGC）などにより網羅的なゲノム解析が行われてきた．特にゲノム，トランスクリプトーム，エピゲノムなどのさまざまな異常を含んだ大規模データから，がん種横断的に解明され，新たな治療標的となるドライバー変異が同定された.
- 造血器腫瘍は，固形腫瘍とゲノム異常のプロファイルが異なり，治療薬選択のみならず，診断や予後予測にもゲノム解析が重要であると考えられることから，固形腫瘍とは分けてゲノム解析の有用性を考えるべきである．これに即して，2018年に日本血液学会より「造血器腫瘍ゲノム検査ガイドライン」が公表されている．固形腫瘍においては，Foundation Medicine 社の FoundationOne CDx や国立研究開発法人国立がん研究センターが開発した NCC オンコパネルが薬事承認され，保険診療内でゲノム検査が実施できるようになっている．くわえて，米国においては固形腫瘍を対象としたリキッドバイオプシー検査である FoundationOne Liquid CDx も FDA から承認を得た．一方で，造血器腫瘍においては，本邦・米国を含めて承認されているパネル検査は存在しない．血液診療における precision medicine（次世代シーケンス技術を用いて個人のゲノムを解析し，患者ごとに遺伝子学的背景を明らかにし，その情報に基づいて提供される医療）の確立に向けて，2020年に造血器腫瘍を対象とした日本初のがん遺伝子パネル検査が厚生労働省から先駆け審査指定制度の対象品目に指定されており，薬事承認が待たれる（2020年11月現在）．

次世代シーケンス技術の概要

- 従来のゲノム解析は，キャピラリー電気泳動を用いたサンガーシーケンス法が主であった．本法では，対象となる遺伝子を PCR（polymerase chain reaction）法で増幅し，キャピラリー内で電気泳動によって分離してからシーケンスを行うため，労力と時間的コストを要した．また，構造異常・コピー数異常は G 分染法による染色体検査や FISH（fluorescence in situ hybridization）法で評価を行っていたが，解像度や網羅性における問題があった．
- 次世代シーケンサーによるゲノム解析の過程について，illumina 社シリーズのシーケンサーを例に説明する．超音波や化学的に断片化されたゲノム DNA はフローセルとよばれるガラス基板上で PCR 法により伸長，増幅される．伸長反応に用いられるヌクレオチドには蛍光色素が結合しており，1 塩基伸長されるごとに CCD カメラで蛍光を捉え，その画像データと位置情報を塩基情報に変換することで配列を決定する（sequence-by-synthesis 法：SBS 法）．この方法により，塩基配列をきわめて短時間かつ安価で決定することができる[2]．さらに，遺伝子の断片化後に，患者ごとに異なるインデックス配列を組み込むことで，複数患者のサンプルを同時に解析することができ（multiplex法），サンプルあたりの解析コストを低減させることができる．

- 次世代シーケンサーで解析したゲノム情報は，すでに得られているリファレンス配列にアルゴリズムを用いてマッピングすることでリファレンス配列との差を評価することができる．ヒトゲノムプロジェクトでヒトの全ゲノム配列が解読されて以降，経時的に内容はアップデートされており，現在は Genome Reference Consortium Human（GRCh）38 が最新のリファレンス配列である．リファレンス配列との差異に意義づけを行うことをアノテーションとよび，さまざまなパイプラインが存在する．

ゲノム解析に用いられる主な次世代シーケンス手法

- 全ゲノムシーケンス（whole genome sequencing: WGS）：次世代シーケンサーを用いて，約 30 億塩基のゲノム全てを解析する手法である．下記に述べるエキソームシーケンスと比較して，イントロンなどの非翻訳領域の解析も可能である．検出可能な異常には，1 塩基変異（single-nucleotide variant: SNV）に加え，挿入・欠失（insertion or deletion: INDEL），コピー数変化（copy-number variation: CNV，減少，増幅，ヘテロ接合性の消失などを含む），大規模な構造異常（structural variation: SV．転座，逆位，欠失，重複などを含む），外来性ゲノム（EBV や HTLV-1 ゲノムなど）などである．解析対象の情報量が著しく多いため，シーケンスの所要時間，高価なコスト，シーケンス深度が十分でない点が課題としてあげられる．
- 全エキソームシーケンス（whole exome sequencing: WES）：次世代シーケンサーを用いて，ほぼ全ての遺伝子のエクソン領域を解読する手法である．エクソン領域は全ゲノムの 2%程度のみの領域であり，くわえて疾患を引き起こす変異の多くがエクソンに集中していることから，効率的にドライバー変異を解析することが可能である．WGS と比較して，解析に対する所要時間，コストで優っており，シーケンス深度も確保できるが，エクソン以外の情報は得られない．

- ターゲットシーケンス（targeted sequencing）：次世代シーケンサーを用いて，解析の対象となる遺伝子に対して，相補的な核酸プローブをハイブリダイゼーションする方法や，マルチプレックス PCR によって増幅されたアンプリコンを用いて，解析対象のゲノム領域を濃縮して，次世代シーケンサーで解析する手法である．対象となる遺伝子が絞られているため，所要時間，コスト面で非常に優れており，十分な深度も得られるので，一般的なクリニカルシーケンスで頻繁に用いられている．
- RNA シーケンス（RNA sequencing）：次世代シーケンサーを用いて，メッセンジャー RNA から逆転写された相補鎖 DNA の塩基配列を解読することにより，転写産物全体を網羅的に解析する手法である．遺伝子発現の定量的評価，スプライシング異常の検出，融合遺伝子の同定などに有用であり，未知の転写産物も検知できる．得られたデータを用いて，発現変動遺伝子（differentially expressed genes: DEGs）がどのパスウェイに多いかなどの評価を行うことができる．

ゲノム異常の種類と機能的意義 表1

- ゲノム異常は，機能獲得・亢進を引き起こす異常である機能獲得型遺伝子異常（gain-of-function mutation）と，機能喪失・低下を引き起こす異常である機能喪失型遺伝子異常（loss-of-function mutation）の2つに大別される．また，現状の知識では臨床的意義が不明な遺伝子変異（variants of unknown significance: VUS）も未だに多く存在する．
- 機能獲得型遺伝子異常とは，ゲノム異常の結果生じる遺伝子産物（蛋白など）が，本来は有していない新規の機能を獲得したり，他の遺伝子産物の機能を阻害したりする場合などである．これを引き起こすゲノム異常には，活性化変異，構造異常，コピー数異常（増幅）などが知られている．
- 活性化変異とは，本来の遺伝子機能や活性を増強するような変異〔*FLT3* 遺伝子内重複（internal tandem duplication: ITD）など〕，遺伝子産物に新たな機能を付加する変異（*IDH1/2* 変異），薬剤耐性を付加する変異（*ABL1* 変異）などである．骨髄増殖性腫瘍における *JAK* V617F，Waldenström macroglobulinemia における *MYD88* L265P など，同じ遺伝子において同

表1 造血器腫瘍における診断に有用なゲノム異常

急性骨髄性白血病	*RUNX1-RUNX1T1*, *CBFB-MYH11*, *PML-RARA*, *KMT2A-MLLT3*, *DEK-NUP214*, *RBM15-MKL1*, *BCR-ABL1* 融合遺伝子, *GATA3*, *MECOM* 再構成, *NPM1*, *RUNX1*, *CEBPA* 変異
慢性骨髄性白血病	*BCR-ABL1* 融合遺伝子
骨髄増殖性腫瘍	*JAK2*, *CALR*, *MPL* 変異
慢性好中球性白血病	*CSF3R* 変異（T618R など）
肥満細胞症	*KIT* 変異（D816V）
好酸球増多を伴う骨髄性/リンパ性腫瘍	*PDGFRA*, *PDGFRB*, *FGFR1* 再構成 *PCM1-JAK2* 融合遺伝子
若年性骨髄単球性白血病	*PTPN11*, *KRAS*, *NRAS*, *NF1*, *CBL* 変異
環状鉄芽球と血小板増多を伴う骨髄異形成/骨髄増殖性腫瘍	*SF3B1* 変異
遺伝的素因を有する骨髄性腫瘍	*CEBPA*, *DDX41*, *RUNX1*, *ANKRD26*, *ETV6*, *GATA2* 変異など
急性リンパ性白血病	*BCR-ABL1*, *ETV6-RUNX1*, *TCF3-PBX1* 融合遺伝子, *KMT2A* 関連, *IGH-IL3* 再構成
高悪性度B細胞リンパ腫	*MYC*, *BCL2*, *BCL6* 再構成
Waldenström macroglobulinemia	*MYD88* 変異（L265P）
未分化大細胞リンパ腫	*ALK* 関連融合遺伝子など
血管免疫芽球性T細胞リンパ腫	*RHOA* 変異

（日本血液学会, 編. 血液専門医テキスト. 改訂第3版. 東京: 南江堂; 2019[7] より改変）

一のアミノ酸置換が頻繁に認められる場合があり，このような部位はホットスポットとよばれる．

- 構造異常（再構成）とは，欠失（deletion），重複（duplication），逆位（inversion），挿入（insertion），転座（translocation）などの50塩基長を超えるような大型のゲノム異常で，その結果として融合遺伝子が生じないものを指す[3]．これらの例として，悪性リンパ腫で認められる *IGH* 関連転座や急性骨髄性白血病や骨髄異形成症候群で認められる *MECOM*（*EVI1*）関連転座などが知られている．WGS などで検出可能であるが，RNA レベルの構造変化を伴わない場合が多いため，RNA シーケンスでの検出は困難である．一方で，構造異常の結果，融合遺伝子が生じて翻訳産物が形成される場合もあり，急性リンパ性白血病や慢性骨髄性白血病で認められる *BCR-ABL1* 融合遺伝子や急性骨髄性白血病で認められる *RUNX1-RUNX1T1* や *PML-RARA* 融合遺伝子などが該当する．これらの評価に際しては，従来は G 分染法などによる染色体検査や FISH 検査などが用いられていたが，次世代シーケンス技術を用いた評価のほうが感度が高く，網羅的な評価が可能である．

- コピー数異常とは，通常の 1 体細胞における常染色体のゲノムは父方由来と母方由来から構成されるため 2 コピー存在するが，その値に不均衡が生じることである．悪性リンパ腫で認められる 8q24：*MYC* 増幅や 9p24：*CD274*（*PD-L1*）増幅など，コピー数に増幅が生じて，遺伝子機能を増強する場合がある．コピー数の評価は，WGS や WES などの次世代シーケンス技術を用いて推定する．
- 一方で，機能喪失型遺伝子異常とは，遺伝子が本来コードする蛋白の機能を低下もしくは欠落するようなゲノム異常である．これを引き起こす異常には，不活化変異，コピー数異常（減少），INDEL をはじめとした遺伝子の構造を破壊する異常などが知られている．不活化変異は，ナンセンス変異，フレームシフト変異，スプライス部位変異などがある．

血液診療における次世代シーケンス技術を用いた解析

- 造血器腫瘍において遺伝子学的背景に基づいた診断および治療の重要性が増している．診断や病型の判断において，さまざまな造血器腫瘍を対象とした次世代シーケンス技術を駆使した網羅的解析の結果，疾患間で特徴的なゲノム異常のみならず，疾患内での亜型分類に有用なゲノム異常も解明されつつある．2017 年に改訂された WHO 分類では，急性骨髄性白血病において，反復して起こるゲノム異常（*RUNX1-RUNX1T1*，*CBFB-MYH11* などの融合遺伝子や *NPM1*，*CEBPA* などの変異）を認める場合には，異なる病型として分類されている．くわえて，骨髄増殖性腫瘍，好酸球増多を伴う骨髄性/リンパ性腫瘍，生殖細胞系列異常を持つ骨髄性腫瘍，急性リンパ性白血病，高悪性度 B 細胞腫瘍などでは，特定のゲノム異常によって病型が細分類されている．くわえて，びまん性大細胞型 B 細胞性リンパ腫においては遺伝子発現プロファイルによる古典的な cell-of-origin による分類が提唱されて以降，特に解析が進んでおり，GCB 型も ABC 型も複数の異なる亜型に分けることができる[4]．さらには，特徴的なゲノム異常を標的とした治療薬の提起もなされており，臨床への導入，応用が待たれる[5]．

- 次世代シーケンス技術を用いた網羅的解析で疾患特徴的なゲノム異常が明らかとなったことに加えて，特定のゲノム異常を標的とした治療薬の有効性に関する知見が蓄積し，新規分子標的薬が次々に薬事承認されている[6]．古典的には，細胞の生存や増殖に関連するシグナル伝達経路の異常（*BCR-ABL* や *FLT3*，*RAS*，*STAT3*，*MYD88*，*CARD11* など）や，分化能・自己複製能を制御する転写因子（*RUNX1-RUNX1T1* や *PML-RARα*，*MYC*，*IKZF1* など）が白血病などの造血器腫瘍の発症において重要視されていた．これに即して開発された，慢性骨髄性白血病の *BCR-ABL* 融合遺伝子に対するチロシンキナーゼ阻害薬をはじめ，*FLT3* 変異陽性の急性骨髄性白血病に対する FLT3 阻害薬などが使用可能となっている．近年では，エピジェネティック制御因子（*IDH1/2* や *EZH2*，*ASXL1*，*MLL2*，*CREBBP* など）やスプライシング因子（*SF3B1* や *SRSF2*，*U2AF1* など），コヒーシン複合体関連遺伝子（*STAG2*, *SMC3* など），免疫回避関連遺伝子（*HLA*，*CD58*，*B2M* など）などが，新たなドライバー遺伝子として注目されている．米国では *IDH2* 変異陽性の急性骨髄性白血病に対する IDH2 阻害薬，*EZH2* 変異陽性の濾胞性リンパ腫に対する EZH2 阻害薬などが FDA により承認された．今後のゲノム診療の発展により，このような治療標的がますます明らかとなり新規分子標的薬がさらに開発され，本邦でも保険診療で使用可能となることが大いに期待される．

参考文献

1) Stratton MR, Campbell PJ, Futreal PA. The cancer genome. Nature. 2009; 458: 719-24.
2) Koboldt DC, Steinberg KM, Larson DE, et al. The next-generation sequencing revolution and its impact on genomics. Cell. 2013; 155: 27-38.
3) Li Y, Roberts ND, Wala JA, et al. Patterns of somatic structural variation in human cancer genomes. Nature. 2020; 578: 112-21.
4) Schmitz R, Wright GW, Huang DW, et al. Genetics and pathogenesis of diffuse large B-cell lymphoma. N Engl J

Med. 2018; 378: 1396-407.
5) Wright GW, Huang DW, Phelan JD, et al. A probabilistic classification tool for genetic subtypes of diffuse large B cell lymphoma with therapeutic implications. Cancer Cell. 2020; 37: 551-68.
6) Kuo FC, Mar BG, Lindsley RC, et al. The relative utilities of genome-wide, gene panel, and individual gene sequencing in clinical practice. Blood. 2017; 130: 433-9.
7) 日本血液学会, 編. 血液専門医テキスト. 改訂第 3 版. 東京: 南江堂; 2019.

〈山口健太郎・片岡圭亮〉

7 病態解析に必要なウイルス検査

まとめ

- EBVの初感染によって起こる，伝染性単核球症では，全身のリンパ節腫脹と発熱，咽頭痛，肝脾腫と肝機能障害を呈し，末梢血中への異型リンパ球の出現を認める．
- ウイルス関連血球貪食症候群をきたすことが知られており，EBウイルスに関連したEBV関連血球貪食症候群（EBV-VAHS）は，極めて重症化しやすく，早期の治療が必要である．そのほか，サイトメガロウイルス，水疱帯状疱疹ウイルス，単純ヘルペスウイルス，パルボウイルス，アデノウイルス，ヒトヘルペスウイルス6（HHV-6）などが血球貪食症候群をきたすことが知られているが，これらは重症化することは少ない．
- パルボウイルスB19感染症が原因となって赤芽球癆をきたすことがある．
- リンパ節腫脹では，EBウイルスやサイトメガロウイルスなど，リンパ節腫脹の原因となるウイルスの検索が必要である．
- EBウイルスが関連するBurkittリンパ腫や高齢者EBV陽性びまん性大細胞型B細胞性リンパ腫では，EBウイルスの検索が必要である．また，成人T細胞白血病・リンパ腫においては特徴的な腫瘍細胞（flower cell）が形態学的にはっきりしない症例も含まれることから，T細胞白血病・リンパ腫の診断時にはHTLV-1抗体の測定を行っておくことが望ましい．
- 化学療法に限らず，ステロイド薬単剤投与においても，B型肝炎ウイルスの再活性化による劇症肝炎（de novo肝炎）を合併することが知られている．B型肝炎ウイルスの再活性化による劇症肝炎は重症化しやすく，致死率が高いことが知られている．化学療法開始前に，HBs抗原，HBc抗体，HBs抗体の測定は必ず行い，B型肝炎既往感染か否か，B型肝炎キャリアか否か評価を行い，化学療法施行にあたり必要なB型肝炎対策を行うことがきわめて重要である．

ウイルス感染症の症状

- インフルエンザを筆頭に，アデノウイルス，ムンプス，ノロウイルス，麻疹，風疹，水痘，帯状疱疹など，様々なウイルス感染症が知られているが，これらのうち，血液内科を受診することが多いウイルス感染症に伴う症状は，血球減少症（特に白血球減少症と血小板減少症），発熱，リンパ節腫脹である．

伝染性単核球症

図1

- 抗生剤に反応しない1週間以上続く発熱，全身のリンパ節腫脹，肝脾腫にて受診する20～30歳代の患者では，唾液を介して感染するEBウイルスが原因となる，伝染性単核球症（Kissing disease）を念頭においた検索を行うべきである．
- 5歳未満の小児のEBウイルスの初感染では不顕性感染で済むことが多いが，思春期や20歳代以降にEBウイルスに初感染した場合，35～50%の頻度で伝染性単核球症を合併することが知られている．
- 唾液を介してEBウイルスが感染し，本邦では成人の90%以上がEBウイルス抗体陽性である．
- 伝染性単核球症では末梢血中に異型リンパ球の出現を認めることが特徴である．
- 抗VCA-IgM抗体や抗VCA-IgG抗体，抗EBNA抗体により確定診断するが，感染初期には抗体価が上昇しておらず，診断が難しい場合もあることから，EBウイルスのDNA定量（real time PCR法）を用いたウイルス量測定を行い，ウイルス量の上昇を確認することが望ましい（詳細は，Ⅶ-22 伝染性単核症の項を参照）．

慢性活動性EBウイルス感染症

- 伝染性単核球症のほか，EBウイルスが関連した病態として，慢性活動性EBウイルス感染症が知られている．体内でのEBウイルスに対する免疫制御が不能となり，3週間以上続く発熱や，リンパ節腫脹，肝脾腫を主徴とする疾患である．
- 慢性活動性EBウイルス感染症では血球貪食症候群による汎血球減少症の合併が多い．これらの症状が長引く場合には，EBV抗体価やEBウイルスのDNA定量を検査し，EBV抗体価の異常やEBウイルスの著しい増加を確認する．血球貪食症候群の合併を確認するため，骨髄検査を行うことも重要である（詳細は，Ⅶ-23 慢性活動型EBウイルス感染症を参照）．

JCOPY 498-22507

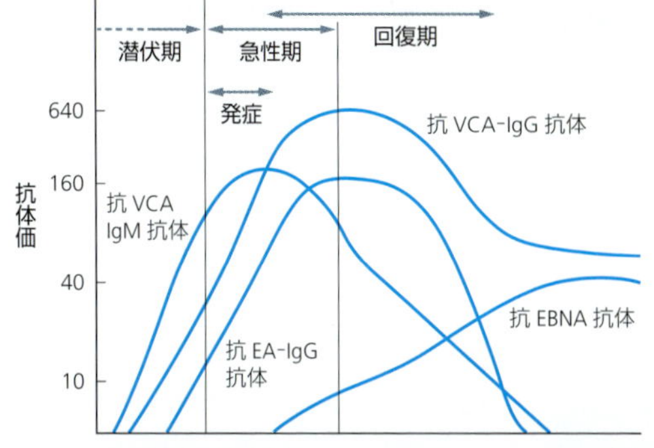

	VCA-IgM	EBNA	VCA-IgG
急性期	+	−	+〜±
回復期	±	+	+
既感染	−	+	+

図 1　EB ウイルス関連抗体価の推移と病期

ウイルス関連血球貪食症候群

- ウイルス感染症では，しばし白血球減少や血小板減少を合併することが知られているが，ときにウイルス関連血球貪食症候群をきたすことが知られている．発熱や上気道症状を認める際に，白血球や血小板の著明な低下や，貧血の合併を認める症例では，血球貪食症候群の合併も考え，血清中性脂肪や血清フェリチン値の測定を行う．
- 発熱が続く症例で血球減少を認め，さらに血清中性脂肪や血清フェリチン値の上昇を認める場合には，血球貪食症候群の合併も考慮し，骨髄検査を行うことが望ましい．前述の EB ウイルスのほか，サイトメガロウイルス，水疱帯状疱疹ウイルス，単純ヘルペスウイルス，パルボウイルス，アデノウイルス，ヒトヘルペスウイルス 6（HHV-6）が血球貪食症候群をきたすことが知られているが，これらは重症化することは少ない（詳細は，Ⅶ-21 血球貪食症候群を参照）．

パルボウイルス B19 感染症

- 感冒様症状の数日後に，貧血と網赤血球の低下がみられた場合には，パルボウイルス B19 感染による急性赤芽球癆が鑑別疾患となる．
- 骨髄検査にて赤芽球系の著減を認める場合には，パルボウイルス B19 に対する IgM 抗体の測定を行う．Real time PCR 法を用いたパルボウイルス B19 DNA 定量も可能であるが，現在のところ，保険承認が得られていない（Ⅶ-6 再生不良性貧血，Ⅶ-7 赤芽球癆を参照）．

サイトメガロウイルス感染症

- EB ウイルスとともに，サイトメガロウイルスはリンパ節腫脹や伝染性単核球症の原因となる．
- 通常，幼小児期に不顕性感染の形で感染し，生涯その宿主に潜伏感染する．
- AIDS 患者や先天性免疫不全患者のほか，造血幹細胞移植を含む臓器移植後，化学療法施行後，免疫抑制剤投与中の膠原病など自己免疫疾患の患者で再活性化し，肺炎や網膜炎，腸炎など種々の病態を引き起こす．
- ウイルス抗体価の測定や PCR 法にて直接ウイルス DNA を検出する方法のほか，末梢血好中球中の CMV pp65 抗原を測定する方法（アンチゲネミア法）がある．
- 造血幹細胞移植後の患者では，CMV 感染症の合併が多く，週に 1 回は PCR 法，アンチゲネミア法によるウイルス量のモニタリングを行い，必要に応じた抗ウイルス薬の投与を行うことが望ましい（Ⅵ-3 造血幹細胞移植の実際と合併症対策を参照）．

リンパ節腫脹の原因となるウイルス感染症

リンパ節腫脹をきたす原因として自己免疫疾患や悪性リンパ腫，固形がんのリンパ節転移などさまざまな原因疾患があるが，細菌感染症とともにウイルス感染症が原因となることがある．前述の伝染性単核球症やサイトメガロウイルス感染症のほか，風疹，麻疹，水痘，流行性耳下腺炎，HIV 感染症などが原因ウイルスとして知られる．皮疹などの症状と併せて原因ウイルスの抗体価測定を行うとともに，PCR 法によるウイルス量定量を行うことにより鑑別診断を行うことが可能であるが，PCR 法によるウイルス定量は現時点では保険未承認のものが多い（Ⅴ-2 リンパ節腫脹を参照）．

白血病，悪性リンパ腫におけるウイルス検査

- Burkitt リンパ腫や T/NK 細胞リンパ腫，高齢者 EBV 陽性びまん性大細胞型 B 細胞性リンパ腫では，EB ウイルスの関連が知られている．病理にて EBER など EB ウイルス関連の免疫染色を行うとともに，初診時の EB ウイルス抗体価，EB ウイルス DNA 定量の測定を行っておくことが望ましい．EB ウイルス陽性症例では，real time PCR 法による EB ウイルス定量が病勢と相関することがある．
- 成人 T 細胞白血病・リンパ腫は，HTLV-1 感染より発症することが知られている．特徴的な腫瘍細胞（flower cell）を認めるが，形態異常がはっきりしないこともあり，T 細胞白血病・リンパ腫の診断時には，HTLV-1 抗体の測定を行っておくことが望ましい．（Ⅶ-18 成人 T 細胞白血病・リンパ腫を参照）

HBV 既往感染患者 / HBV キャリアに対する対応 図 2

- HBV 既往感染患者や HBV キャリアに対する免疫抑制療法や化学療法の施行時には，B 型肝炎ウイルスの再活性化による肝炎（de novo 肝炎）に十分な注意が必要である．
- 化学療法に限らず，ステロイド薬の単剤投与においても，B 型肝炎ウイルスの再活性化をきたすことが知られている．
- de novo 肝炎による劇症肝炎は重症化しやすく致死率が高いことが知られており，化学療法や免疫抑制療法開始前に，全症例に対し HBV 感染の有無の評価を行うことが望ましい．また，治療開始後も，輸血施行症例では，輸血に伴う HBV 感染合併の可能性につき，抗体価の測定を適度に行うことが望ましい．
- 治療前スクリーニングとして，HBs 抗原，HBc 抗体，HBs 抗体の測定は必ず行い，B 型肝炎の感染の有無につき，評価を行うことが必須である．
- HBV に対する予防接種を行い抗体陽性となった場合には HBs 抗体は陽性化するが，HBc 抗体は予防接種では陽性化しないことから，HBs 抗原陰性で，HBc 抗体陽性の場合には HBV 既往感染を意味する．予防接種歴につき慎重に聴取を行い，HBs 抗原陰性で，予防接種歴のない HBs 抗体陽性患者についても HBV 既往感染として取り扱う．

- HBV 既往感染パターンの症例については，HBV-DNA

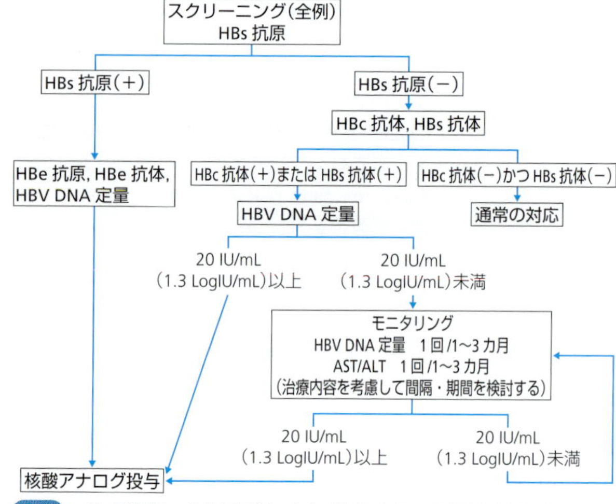

図 2　免疫抑制・化学療法により発症する B 型肝炎対策ガイドライン

〔日本肝臓学会 肝炎診療ガイドライン作成委員会 編「B 型肝炎治療ガイドライン（第 3.4 版）」2021 年 5 月，P78-80．https://www.jsh.or.jp/medical/guidelines/jsh_guidlines/hepatitis_b.html（2021 年 7 月参照）．
補足・注釈省略 実際に使用する際には，必ず原版の補足・注釈を参照すること〕

定量の月 1 回の経時的モニタリングを行う．HBV-DNA 定量 PCR が陽性化した時点でエンテカビル（バラクルード®）の投与を開始することが日本肝臓学会作成のガイドラインで推奨されている．

- HBs 抗原が陽性の症例については，HBV キャリアとして取り扱う．免疫抑制療法や化学療法による劇症肝炎のリスクがきわめて高く，HBs 抗原陽性を確認した時点で肝臓専門医とコンサルテーションのうえ，肝臓専門医による管理を行いつつ，免疫抑制療法または化学療法の施行がされることが望ましい．
- リツキシマブ（リツキサン®）で HBV 再活性化の頻度が高いことが知られているが，ステロイド薬単剤のみでも再活性化をきたすことも知られている．慢性骨髄性白血病に対する分子標的薬であるチロシンキナーゼ阻害薬でも再活性化を否定できない症例が報告されている．今後登場する新薬と B 型肝炎ウイルス再活性化との関連は明らかではないが，B 型肝炎再活性化

表1 血液疾患とウイルス感染症

血液疾患	原因ウイルス
赤芽球癆	ヒトパルボウイルス B19
伝染性単核球症	EB ウイルス サイトメガロウイルス
成人 T 細胞白血病 / リンパ腫	HTLV-1
Burkitt リンパ腫 T/NK 細胞リンパ腫 高齢者 EBV 陽性びまん性大細胞型 B 細胞性リンパ腫	EB ウイルス
ウイルス関連血球貪食症候群	EB ウイルス ヒトヘルペスウイルス -6, ヒトヘルペスウイルス -8, サイトメガロウイルス アデノウイルス など

による劇症肝炎ではきわめて致死率が高いことから，基本的にすべての化学療法薬および免疫抑制薬がリスク薬剤と認識して取り扱われることが望ましい．

参考文献

1）日本肝臓学会 肝炎診療ガイドライン作成委員会，編．B 型肝炎治療ガイドライン（第 3.4 版）．2021．

〈富川武樹〉

8 造血器腫瘍の画像診断

まとめ

● 造血器腫瘍での画像診断の役割

・悪性リンパ腫では画像診断が病期診断と治療効果判定および再発診断に重要な役割を担う．特に FDG-PET/CT の役割が大きくなっている．

・多発性骨髄腫では骨髄病変の検索に MRI が有用である．骨シンチグラフィは溶骨性骨病変の検出力は乏しい．

・白血病での画像評価は腫瘤形成性の場合や合併症に限られる．

表 1 代表的な画像検査

	目的	腫瘤病変の所見
スクリーニング検査		
X 線単純撮影	異常の有無	異常陰影
超音波検査	異常の有無	低エコー領域
CT	異常の有無	造影される腫瘤 悪性リンパ腫のリンパ節病変は均一に造影され，壊死や石灰化，血管浸潤は起こしにくく，周囲臓器や血管を圧迫する
精密検査・特殊検査		
MRI	腫瘤や実質病変の評価	T2 強調画像，FLAIR で中等度高信号拡散強調像（DWI）では高信号で ADC 低下がやや特徴的
FDG-PET/CT	高活性病変の評価	高集積
ガリウムシンチグラフィ	炎症の評価	異常集積
骨シンチグラフィ	骨病変の評価	造骨部位に集積
^{111}In-ibritumomab tiuxetan（ゼヴァリン®）	ゼヴァリン治療の適応性の判断	B 細胞性リンパ腫に集積

一般的な画像診断の手順

1）臨床的に造血器腫瘍が疑われた場合は，まずスクリーニング検査で病変の有無を検索した後，精密検査に進み，特殊検査を適宜行い所見を総合的に評価する表1.
2）病変評価はCTあるいはFDG-PET/CTにて行う.
3）脳，肝，脾病変など実質臓器や骨髄の病変が疑われる場合は造影CTやMRIを適宜組み合わせる.
4）白血病で画像評価を必要とするのは腫瘤形成性の場合や合併症に限られる.

参考知識

1）^{18}F-FDG-PET/CT

^{18}F標識フルオロデオキシグルコース（FDG）は，ブドウ糖の類似体で，腫瘍の糖代謝の亢進によるグルコーストランスポータの過剰発現を反映する．6時間以上の絶食が必要である.

長所	短所
簡便で放射線被ばくが少ない	読影技術が必要
放射線被ばくが少ない 病変の性状もある程度わかる 多発性骨髄腫の骨髄病変を検出，評価可能	経験が必要で実施者の技量に依存
腫瘤病変を確実に検出	読影技術が必要 病変特異性が低い
放射線被ばくがない 病変の性状もある程度わかる 多発性骨髄腫では，骨髄病変を検出，評価可能.	読影技術が必要
疾患特異性が低い	高価で保険上の制約があり，経過観察には使えない
疾患特異性が低い	時間がかかる FDG-PET/CTに劣る
造骨活性を反映	溶骨性病変は集積変化に乏しい
悪性リンパ腫病変へ集積	高価 ゼヴァリン治療前のみ

2) SUV (standardized uptake value)

PET で広く用いられている簡易的な定量値で，投与した薬剤（放射能，MBq）が体内に均一に分布したときの濃度を 1 とする．通常は体組織を 1 cm^3/g と仮定して体重で除した濃度を基準に測定している．デジタル画像の最大画素値を SUV_{max} として臨床ではよく用いられる．SUV は PET 機器や検査時間で異なる値なので注意する．

3）腎機能と造影剤

CT および MRI では造影剤を使用する場合には腎機能の確認が必要である．放射線被ばくと造影剤の使用については説明と同意が必要である．核医学検査は腎機能障害があっても実施可能である．

その他の検査

- FDG-PET/CT ができない施設ではガリウムシンチグラフィが代替で行われることがあるが，FDG-PET/CT に劣る．
- 造血器腫瘍病変では溶骨性変化があっても骨シンチグラフィでは集積変化が乏しいことが多いが，SPECT/CT を追加すれば評価できる．小児の急性白血病では骨髄浸潤により四肢の骨端集積が異常となる．
- 抗 CD20 抗体マウスモノクローナル抗体である ^{90}Y-ゼヴァリンによる治療前の分布評価に ^{111}In- ゼヴァリンが用いられる 図1．免疫反応が起こると肝臓や腎臓の集積が顕著となり治療不適格で，骨髄集積が強い場合も広範な骨髄浸潤が示唆され骨髄抑制が強く起こる可能性があるため不適格とされる．

各臓器での造血器腫瘍所見

1）リンパ節

長径約 1 cm を超えるとリンパ節腫大を考えるが，偽陽性が増えるので 2 cm 以下では形態を考慮する．長円形でリンパ門があるものや脂肪を含む場合は病的でない可能性が高い．

2）中枢神経

中枢神経系悪性リンパ腫は造影 MRI で病変の拡がりを評価する．髄膜の肥厚や造影は播種を示唆する．FDG 高集積な場合に悪性リンパ腫を疑うことができる．アミノ酸代謝を利用した ^{11}C-メチオニン PET は，中枢神経系悪性リンパ腫の拡がりを見るのに有用であるが，健康保険未承認である 図2．

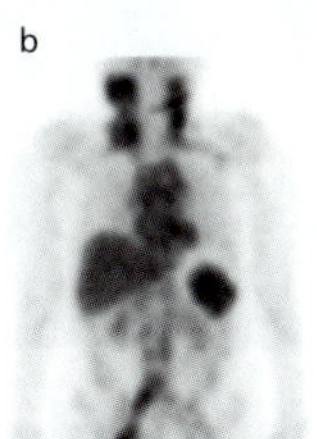

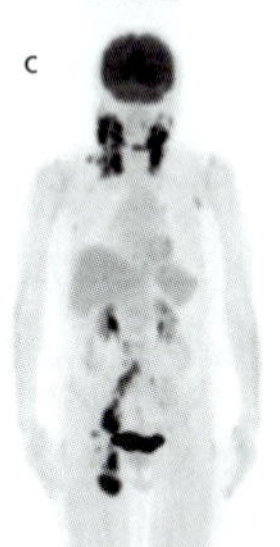

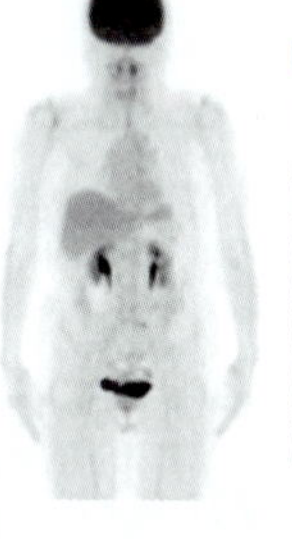

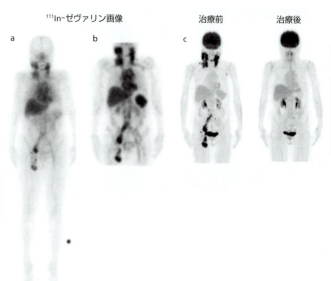

図1　70歳代女性，濾胞性リンパ腫のゼヴァリン治療奏効例

^{111}In-ゼヴァリン投与2日後全身像（a）およびSPECT MIP像（b）では，両側頸部から鎖骨上窩，右腸骨領域から右鼠径部のリンパ腫病変に集積が認められる．治療前後のFDG-PET/CT（c）ではリンパ腫病変の消退が明らかで完全寛解していることがわかる．

3）頭頸部

構造が複雑なので病変局所の拡がりを評価するのために造影MRIが必要である．眼窩や唾液腺に生じるMALTリンパ腫はFDG集積が軽度の場合がある．ワルチン腫瘍は良性腫瘍だがFDG集積が比較的強いので鑑別に注意する．CTで唾液腺組織よりも高吸収な点が参考になる．甲状腺原発悪性リンパ腫は急速な増大が特徴的だが，未分化甲状腺癌との画像での鑑別は困難である．一般に悪性リンパ腫は柔らかいので気道狭窄を起こしにくい．

4）胸部

- 肺：肺原発悪性リンパ腫の診断は生検しないと確定診断がつかない．MALTリンパ腫が多いので，FDG集積も軽度な場合がある．稀だが注意するものとして血管内リンパ腫（intravascular lymphoma：IVL）がある 図3．CTでの所見に比較して臨床症状が重いときに疑う．気管支血管束に拡がる異常陰影を手がかりとする．FDG-PETが診断に有用である．

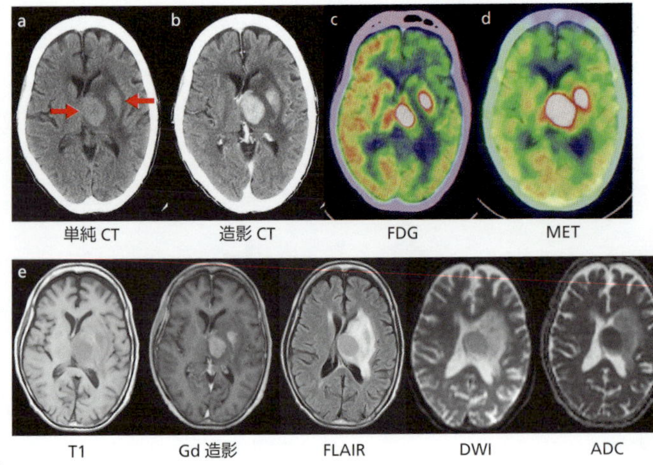

図 2　60 歳代女性，中枢神経原発悪性リンパ腫

脳単純 CT（a）では視床および被殻に腫瘤（赤矢印）を疑う．造影 CT（b）では病変が造影されている．FDG-PET/CT 融合像（c）でも高集積がある．さらにメチオニン PET/CT 融合像（d）では病変に強い集積が明らかである．下段の脳 MRI（e）では，病変がよく造影され，FLAIR，DWI で中等度高信号，ADC で低下している．

- 胸膜：慢性胸膜炎から発生する膿胸関連リンパ腫が知られている．石灰化を伴った胸膜肥厚を持つ慢性胸膜炎病変から急速に増大する腫瘤があれば疑う．約 90%が DLBCL のため，FDG 高集積が慢性胸膜炎病変との鑑別に役立つ．
- 胸腺：胸腺原発悪性リンパ腫では DLBCL とホジキンリンパ腫が多いので，FDG 高集積を示すことから疑われる．胸腺癌や胚細胞性悪性腫瘍が鑑別となり生検が必要である．乳腺原発は稀であるが急速に増大する腫瘤の場合に疑う．
- 心臓：右心系に心臓原発悪性リンパ腫が多いことが知られている．存在診断は心エコーと造影 MRI が有用である．FDG-PET では 16 時間以上絶食の心サルコイドーシス用のプロトコルで撮像するのが良い．

5）腹部

- 胃：胃に多い MALT リンパ腫は多彩で FDG 集積が乏しい場合もあるので注意する．また FDG-PET では消化管に生理的集積があるので判断が難しい場合がある．

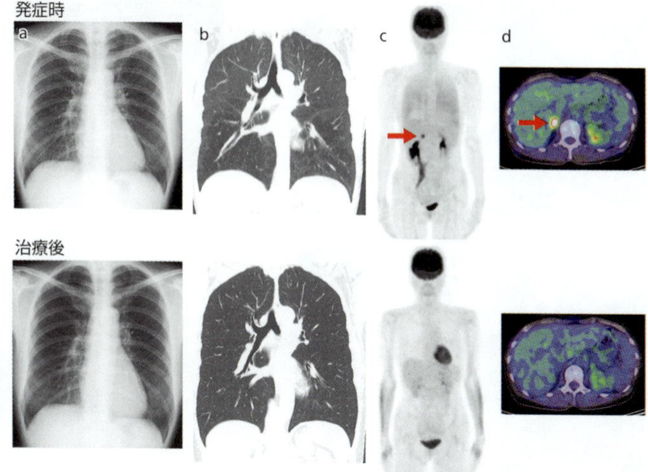

図3　50 歳代女性，肺血管内リンパ腫（IVL）

X 線単純撮影（a），単純 CT 冠状断像（b），FDG-PET/CT MIP 像（c），融合像（d）．肺野には X 線単純写真で軽度透過性の低下があり，CT では肺野の軽度濃度上昇がある．FDG-PET/CT では，肺野にびまん性の集積増加がある．また，右副腎病変に結節集積（赤矢印）がある．治療後は陰影も FDG 集積も正常化している．

- 肝臓，膵臓：肝臓で稀に IVL が起こるが画像診断は難しい．腫大や形態変化を契機に生検で診断する．
- 脾臓：脾臓内に腫瘤や多発結節を形成している場合に FDG 高集積ならば確率が高い．脾腫と FDG 集積増加を認める場合は脾浸潤が疑われる．

※ 脾腫：spleen index（脾臓の最大長径×短径）>40 cm^2，または最大長径>10 cm を参考とする．脾腫の有無と程度が大切である．国際基準での脾腫は最大長径>13 cm である．

※ 肝腫大：肝腫大の目安は肝右葉で上下径>15 cm，左葉で上下径>10 cm 程度である．

- 副腎：副腎原発の場合は DLBCL が多く FDG 高集積となる．両側副腎に FDG 高集積腫瘤を認めた場合は副腎原発悪性リンパ腫（PAL）の可能性が高い 図4．早期に副腎不全をきたして悪い転機を示すことがある．
- 消化管：多くが腹部腫瘤として発見される．造影 CT で腸管壁の腫瘤があれば疑う．大きさの割には通過障害が軽い．

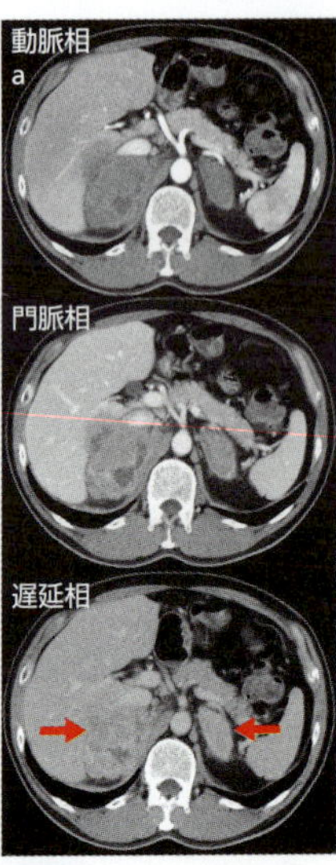

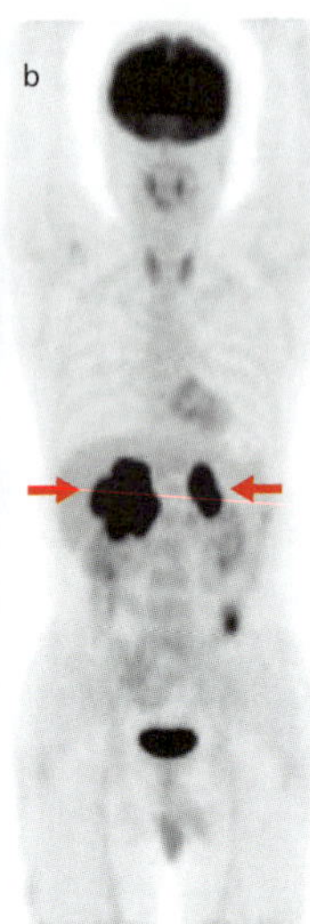

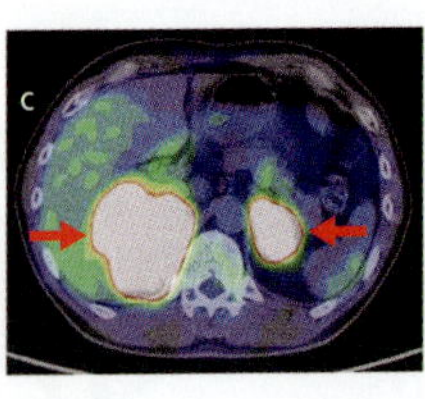

図4 50歳代男性，副腎原発悪性リンパ腫

腹部造影 CT（a）では経時的に造影される両側副腎腫瘤を認める．FDG-PET/CT MIP 像（b）と融合像（c）では両側副腎腫瘤に高集積（赤矢印）がみられる．

- 腎臓：腎臓に均一に造影される大きな腫瘤の場合に疑う．FDG 高集積は参考になる．腎臓の IVL が知られているが FDG-PET では確認しがたい．

6）骨盤部

- 膀胱：造影 CT または MRI で膀胱壁腫瘍を検出する．原発性では MALT が多いとされ，FDG-PET では膀胱内尿と判別が難しいため注意する．
- 子宮：造影 MRI が必要である．FDG 高集積だが子宮癌との判別は困難で生検が必要である．
- 卵巣，精巣：造影 CT や MRI で検出する．精巣や卵巣は FDG が生理的に集積するので注意する．

7）骨軟部

- 骨軟部腫瘍は CT で骨破壊性変化や骨膜反応をみて悪性度を判断可能で，MRI では病変の浸潤や拡がりが判断できる．
- 骨原発悪性リンパ腫は溶骨性で周囲に浸潤性に進展する場合が多く，骨シンチグラフィでは集積変化が乏しいことが多いが，FDG-PET で高集積となり評価でき

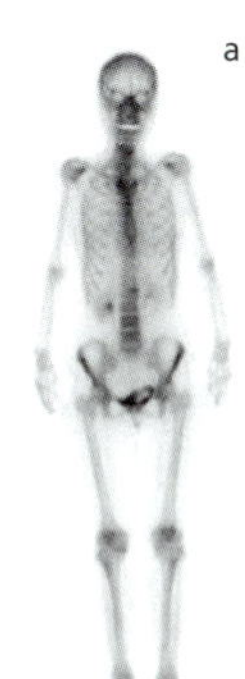

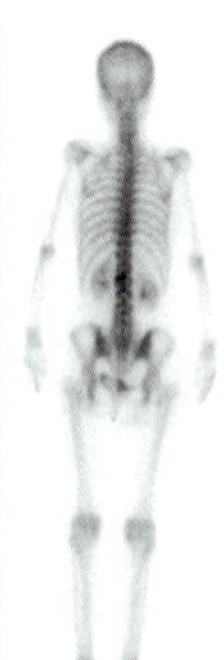

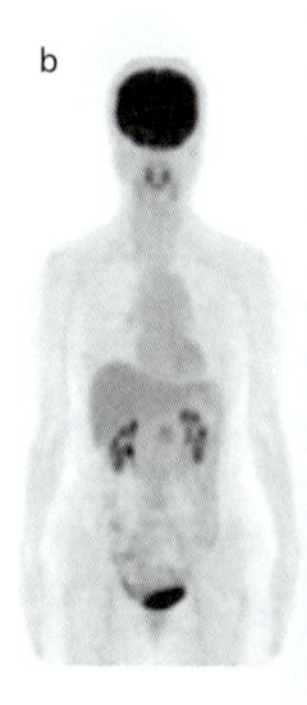

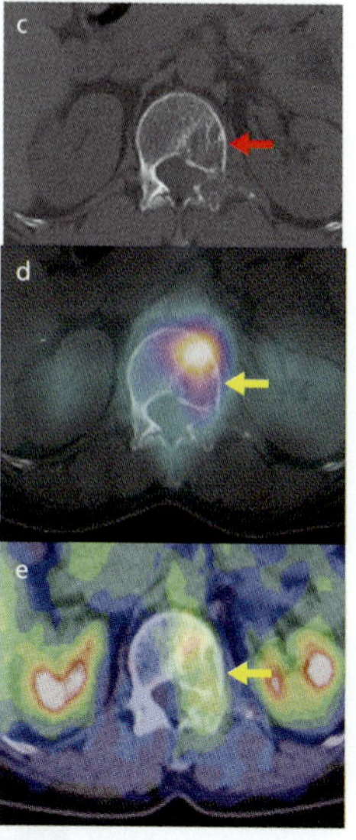

図5 60歳代女性，腰椎形質細胞腫

骨シンチグラフィ全身像（a），融合像（d）），FDG-PET/CT MIP像（b），融合像（e）ともに集積変化（黄矢印）は軽度である．骨CT（c）での腰椎の溶骨性変化（赤矢印）が特徴的である．

る．

- 骨髄集積は炎症や化学療法後の回復期，顆粒球コロニー刺激因子（G-CSF）投与後などに増加するので，局所病変以外の骨髄浸潤の診断は難しい．
- 多発性骨髄腫では溶骨性変化が特徴的だが，骨シンチグラフィでもFDG-PETでも集積変化が軽度なので評価が難しい図5．

8）皮膚

皮膚原発のT細胞性リンパ腫は低悪性度で腫瘤を形成しにくいため，FDG集積が乏しい場合が多いが，高集積タイプでは診断に有用である図6．

画像診断で悪性リンパ腫と紛らわしい疾患

リンパ節腫大はリンパ増殖性疾患や炎症疾患，悪性疾患のリンパ節転移でも生じる．他の臨床所見と併せて総合的に評価すべきである．判断がつかない場合は生検が望ましい．

- 感染症やリンパ増殖性疾患，種々の炎症性疾患による

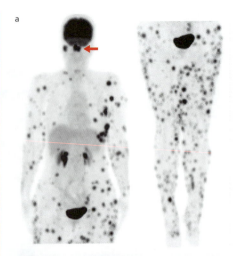

a

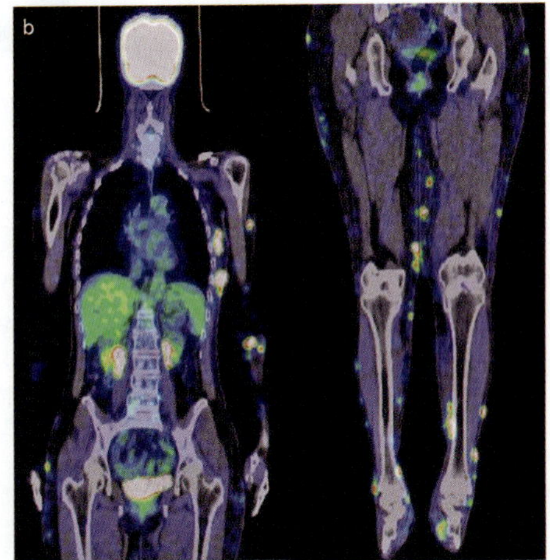

図 6　60 歳代女性，NKT 細胞リンパ腫・鼻腔および鼻型

FDG-PET/CT，MIP 像（a），融合像（b）．鼻腔（赤矢印）および皮膚に無数の病変集積が認められる．

表2 Lugano 臨床病期分類（2014）

病期		病変部位	節外部位
限局期	Ⅰ期	1つのリンパ節または1つのリンパ節領域にのみ病変が存在	リンパ節病変を伴わない1つの節外病変が存在
	Ⅱ期	横隔膜同側の2つ以上のリンパ節領域に病変が存在	リンパ節病変の広がりはⅠ，Ⅱ期にとどまるが，近接した節外臓器に限局した病変を認める
Ⅱ期（Bulky 病変あり）		bulky 病変を有するⅡ期	該当なし
進行期	Ⅲ期	横隔膜両側のリンパ節領域に病変が存在 脾病変と横隔膜上側のリンパ節病変が存在	該当なし
	Ⅳ期	リンパ節外臓器に非連続性病変が存在	該当なし

注）FDG 集積が明瞭なリンパ腫は PET/CT で，集積不明瞭なリンパ腫は CT で決定する．扁桃，ワルダイエル咽頭輪，脾臓は節性組織に含める．
（Cheson BD, et al. J Clin Oncol. 2014; 32: 3059-68[1] より改変）

リンパ節腫大
- リンパ増殖性疾患
- がんの多発リンパ節転移

画像による悪性リンパ腫の病期分類

- Lugano 臨床病期分類（表2）は，Cheson らによって発表された臨床病期分類や治療効果判定を行うための国際基準[1]である．FDG 集積の明瞭な（FDG-avid）悪性リンパ腫を FDG-PET/CT にて簡単に病期分類できる．
- 注意点は，FDG 集積の不明瞭なタイプ（FDG-non-avid）は CT で判定するため，治療前に FDG-PET/CT で集積度を評価することが必要である．
- 従来用いられてきた CT に基づく Ann Arbor 分類と比較して病変検出感度が向上するためステージが高くなることが多い．
- 消化管原発悪性リンパ腫では異なる分類（表3）を用いる[2]．

表3 消化管原発悪性リンパ腫の Lugano 病期分類（1994）

Ⅰ期	消化管に限局した腫瘍 単発または多発
Ⅱ期	消化管の原発部位から腫瘍が腹腔へ進展 リンパ節浸潤 Ⅱ$_1$：限局性（胃のリンパ腫の場合は胃周囲，腸管の場合は腸管周囲） Ⅱ$_2$：遠隔性（腸管原発の場合は腸管膜，その他では傍大静脈，骨盤，鼠径）
ⅡE期	近傍の臓器または組織へ進展する漿膜の浸潤（実際の浸潤部位，例：Ⅱ$_{E}$[脾臓]，Ⅱ$_{E}$[大腸]，Ⅱ$_{E}$[後腹膜]） リンパ節浸潤と近傍臓器へ浸潤する進展の両方がある場合は下付きの1または2とEの両方が記載する（例：Ⅰ$_{1E}$[脾臓]）
Ⅳ期	リンパ外の播種性浸潤または消化管病変に横隔膜を越えたリンパ節病変を伴う

（Rohatiner A, et al. An Oncol. 1994; 397-400[2] より改変）

表4 5ポイントスケール（Deauville five-point scale）

スコア	判定基準
1	リンパ腫病変集積なし
2	リンパ腫病変集積＜縦隔
3	縦隔＜リンパ腫病変集積＜肝臓
4	リンパ腫病変集積＞肝臓
5	新規リンパ腫病変集積出現あるいは著明な集積増加
X	悪性リンパ腫による集積と断定できないとき

注1）FDG集積の乏しいタイプは除く．
注2）原発性節外性悪性リンパ腫と皮膚悪性リンパ腫は別の評価法を用いる．
（Cheson BD, et al. J Clin Oncol. 2014; 32: 3059-68[1] より改変）

悪性リンパ腫の画像による治療効果判定法

- FDG集積が明瞭な悪性リンパ腫では5ポイントスケール 表4 を用いて縦隔と肝臓の集積を基準に視覚的に5段階評価する[3]．
- 治療後に腫瘤の有無にかかわらず，治療後に縦隔集積よりも低下すれば完全寛解と判定する[4] 表5 図7．
- FDG集積が不明瞭な場合はCTでのみ判断する．治療前にFDG-PET/CTを施行してベースラインの集積度を知ることが重要である．

参考文献

1）Cheson BD, Fisher RI, Barrington SF, et al. Recommendations for initial evaluation, staging, and response assessment of Hodgkin and non-Hodgkin lymphoma: the Luga-

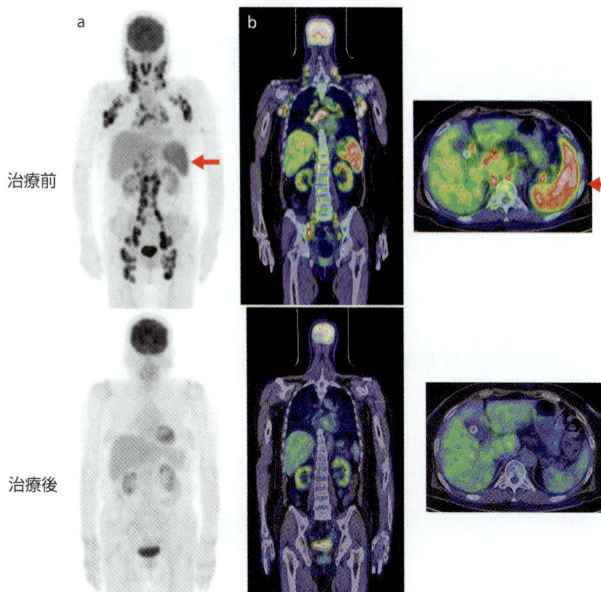

図7 80歳代女性，DLBCL患者治療前後
治療前ではFDG-PET/CT治療前MIP像（a）および融合像（b）では広範なリンパ節腫大部にFDG高集積が明らかである．また，脾腫と集積増加（赤矢印）がある．5ポイントスケールでスコア4である．治療後はリンパ節病変のFDG集積が消退するとともに脾腫と脾集積も正常化している．スコア1である．完全寛解と考えられる．

no classification. J Clin Oncol. 2014; 32: 3059-68.
2）Rohatiner A, d'Amore F, Coiffier B, et al. Report on a workshop convened to discuss the pathological and staging classifications of gastrointestinal tract lymphoma. An Oncol. 1994; 5: 397-400.
3）Barrington SF, Mikhaeel NG, Kostakoglu L, et al. Role of imaging in the staging and response assessment of lymphoma: consensus of the International Conference on Malignant Lymphomas Imaging Working Group. J Clin Oncol. 2014; 32: 3048-58.
4）Cheson BD, Pfistner B, Juweid ME, et al. International Harmonization Project on L.: revised response criteria for malignant lymphoma. J Clin Oncol. 2007; 25: 579-86.

表5　治療効果判定基準（2007）

効果判定	標的病変		非標的病変
	節性	節外性	
PET/CT			
CR	スコア 1，2，3 腫瘤残存の有無によらない		適用外
PR	スコア 4，5 ① 治療前あるいは中間 PET と比較して集積減少 ② 大きさによらない		適用外
SD	スコア 4，5 中間および治療後の PET で治療前 PET と比較して集積変化なし		適用外
PD	スコア 4，5 ① 治療前 PET と比較して集積増加 ② 悪性リンパ腫と考えられる新規 FDG 高集積節外病変が中間または治療後 PET で出現		なし
CT のみ			
CR	最大長径≦1.5 cm	なし	なし
PR	6 個までの標的病変の縮小≧50%		なし
SD	6 個までの標的病変の縮小＜50%		増大なし
PD	① PPD 増大＞50% ② 最大長径＞1.5 cm かつ最大長径または最少短径が≦2 cm 以下では 0.5 cm，＞2 cm では 1 cm 以上増大 ③ 脾腫長径の正常超過分増加＞50%または 2 cm 以上の増大		増大または新規出現

注 1）FDG 集積の明瞭なタイプは PET/CT で，集積不明瞭なタイプは CT のみで評価する．
注 2）CR：complete response, PR：partial response, SD stable disease,
PD：progressive disease, PPD：product of the perpendicular diameters
注 3）PPD＝（標的病変の最長径）×（それに直交する径）の積和
（Cheson BD, et al. J Clin Oncol. 2014; 32: 3059-68[1)]より改変）

臓器腫大	新規病変	骨髄病変
適用外	なし	FDG 高集積部位がない
適用外	なし	① 残存集積がある治療前と比較して低下 ② 局所高集積部位が認められる場合は MRI，骨髄生検，PET の精査を要する
適用外	なし	治療前と変化なし
—	他の病態よりも悪性リンパ腫と考えられる FDG 高集積病変	FDG 高集積病変が新規出現あるいは再発
正常化	なし	① 組織形態正常 ② 判断が困難な場合は免疫組織染色陰性確認
脾長径縮小＞50%	なし	適用外
増大なし	なし	適用外
増大または新規出現	新規出現 ① 最大長径＞1.5 cm のリンパ節 ② 最大長径＞1.0 cm でリンパ腫と判断できるリンパ節 ③ 大きさに関わりなくリンパ腫と判断できる評価可能病変	新規病変出現

〈久慈一英〉

Ⅰ 血液内科を目指す若い先生方へ
Ⅱ 造血の仕組みと造血因子の基本
Ⅲ 血液疾患の診断に必要な形態アトラス
Ⅳ 血液診療に必要な検査とその解釈
Ⅴ 主要な徴候の鑑別診断
Ⅵ 造血器腫瘍に対して必要な治療総論
Ⅶ 疾患各論
Ⅷ 実践に役立つ造血器腫瘍治療レジメン

9 止血検査

まとめ

・止血機序に関与する血管，血小板，凝固系，線溶系の異常の有無を調べるのが止血検査である．
・止血機序や血液凝固機序の把握が必要である．
・出血性疾患や血栓性疾患を疑う際は，基本的なプロトロンビン時間（prothrombin time：PT），活性化部分トロンボプラスチン時間（activated partial thromboplastin time：APTT）以外に，凝固および線溶関連検査を行うことで診断に寄与する情報を得る．

止血機序

- 血管壁が損傷すると，露出した血管内皮下のコラーゲン線維に血小板が粘着し，凝集，放出をきたし，損傷部位を塞ぐ（一次止血）．
- 損傷した血管や組織から組織因子が流入し凝固系が活性化し，最終的にトロンビンが生成される．トロンビンによりフィブリノゲンはフィブリンに変換され，血小板血栓を覆い補強する（二次止血）．
- 損傷した血管壁が修復されると，線溶系が活性化し，プラスミンがフィブリンを溶解する．

止血異常のスクリーニング検査 図1

止血機序の異常が疑われ，出血傾向を認める場合は，まずスクリーニング検査として，血算（血小板数），プロトロンビン時間（prothrombin time：PT），活性化部分トロンボプラスチン時間（activated partial thromboplastin time：APTT），フィブリノゲン，フィブリノゲン/フィブリン分解産物（fibrinogen/fibrin degradation products：FDP）・D-ダイマーを測定する．

1）血小板数

- 血小板減少症とは通常，血小板数10万/μL以下の状態をいい，5万/μL以下になると出血傾向が認められる．
- 1万/μL以下では頭蓋内出血や消化管出血など重篤な出血の危険性を増す．

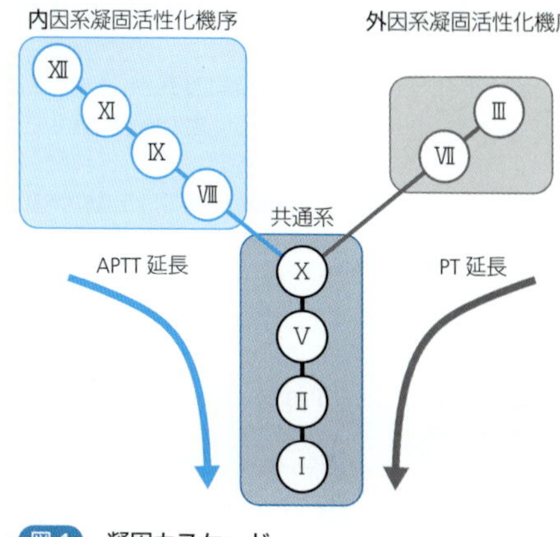

図1 凝固カスケード

- 血小板数低値であるが出血傾向を認めない場合には，エチレンジアミン四酢酸（ethylenediaminetetraacetic acid：EDTA）依存性偽性血小板減少症の可能性を考える．採血後速やかに測定するか，ヘパリンやクエン酸ナトリウムなどへ抗凝固薬を変更し再測定する．

2）プロトロンビン時間（prothrombin time：PT）

- 組織因子による第VII因子活性化に始まる外因系凝固能をみる検査である．
- 凝固第VII，X，V，II，I因子の活性低下で延長する．
- ワルファリン，ビタミンK欠乏症，肝不全，播種性血管内凝固症候群（disseminated intravascular coagulation：DIC），凝固第VII，X，V，II，I因子の欠損症またはこれらのインヒビター，直接経口抗凝固薬（direct oral anticoagulants：DOAC）などで延長する．
- APTT延長がなければ，第VII因子活性の低下が考えられる．

3）活性化部分トロンボプラスチン時間（activated partial thromboplastin time：APTT）

- 内因系凝固能をみる検査である．
- 凝固第XII，XI，IX，VIII，X，V，II，I因子の活性低下で延長する．
- 血友病A，血友病B，後天性血友病A，von Willebrand病，ループスアンチコアグラント，凝固第XII，XI，IX，VIII，X，V，II，I因子の欠損症またはこれらのインヒビター，ヘパリン，DOAC などで延長する．

4）フィブリノゲン

- 血漿中の凝固因子として初めて発見され，第Ⅰ因子となっている．主に肝臓で産生され，生体内半減期は 3～4 日である．
- 100 mg/dL 未満では出血傾向をきたし得る．
- 血液製剤の使用指針では，補充に際してフィブリノゲン値のトリガーとして 150 mg/dL 以下，またはこれ以下に進展する危険性がある場合とされている．

5）フィブリノゲン/フィブリン分解産物（fibrinogen/fibrin degradation products：FDP）・D-ダイマー

- FDP はフィブリノゲン，フィブリンの分解産物の総称，D-ダイマーは DD 分画を含むフィブリン分解産物の総称である．
- これらの上昇は凝固活性化により形成された血栓が溶解していることを示すが，過剰なプラスミンの存在下ではフィブリノゲン分解のため FDP に比し D-ダイマーは低値となることがある．
- 線溶抑制型 DIC では plasminogen activator inhibitor-1（PAI-1）が増加するためこれらの上昇は軽微となる．

6）その他の検査

- 出血時間：皮膚に切創を作製し，自然に止血するまでの一次止血にかかる時間を測定し，血小板や血管壁の異常を調べる検査．血小板数の減少が明らかな場合は測定意義に乏しい．
- 血小板凝集能検査：血小板機能異常症の診断に有用である．クエン酸ナトリウムで抗凝固した多血小板血漿に，アデノシン二リン酸，コラーゲン，エピネフリン，リストセチンなどの血小板凝集惹起物質を添加し，光透過度を経時的に測定する方法が一般的である．非ステロイド性抗炎症薬（non-steroidal anti-inflammatory drugs：NSAIDs）や抗血小板薬は血小板機能に影響を与えるため，検査前には休薬が必要となる．

スクリーニング検査からの鑑別

血小板減少の有無および PT，APTT それぞれの延長の有無で鑑別を行う 図2．見逃さないよう注意が必要な出血性疾患は，血友病 A，血友病 B，後天性血友病 A，von Willebrand 病，心臓弁膜症などに伴う後天性 von Willebrand 病である．

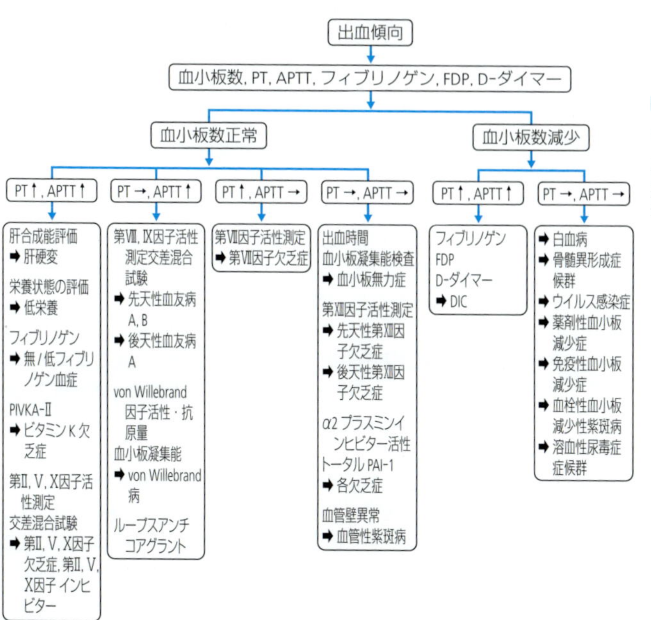

図2 止血スクリーニング検査から進める鑑別と主な疾患・病態

↑は延長, →は正常（延長なし）を意味する.

1）PT延長, APTT延長の時

- フィブリノゲンが正常の場合は, ビタミンK欠乏時に産生されるプロトロンビンであるPIVKA-Ⅱ（protein induced by vitamin K absence-Ⅱ）を測定する. ビタミンK依存性凝固因子（第Ⅶ, Ⅸ, Ⅹ, Ⅱ）の中で, 第Ⅶ因子の半減期は3〜4時間と短いため, ビタミンK欠乏症ではPT延長がAPTT延長に先行する.
- 以上に問題がない時は, 第Ⅱ, V, Ⅹ因子活性測定により各因子の欠乏症を考える.

2）PT正常, APTT延長の時

- まず血友病を考え, 第Ⅷ, Ⅸ因子活性を測定する. 活性低下を認める場合は交差混合試験を行い, 欠乏パターン（先天性）かインヒビターパターン（後天性）か鑑別する.
- 第Ⅺ因子活性低下での自然出血は稀である. 第Ⅻ因子

活性低下で臨床的に問題となるような出血傾向はきたさない.

- von Willebrand 因子活性・抗原量の測定を行い，von Willebrand 病の鑑別を行う．血友病と異なり，深部出血ではなく鼻出血や過多月経を症状とすることが多い.
- ループスアンチコアグラント陽性の場合は，交差混合試験で即時反応と遅延反応ともに同様のパターンで補正はされないことで，欠乏症パターン，インヒビターパターンと区別ができる.

3）PT 延長，APTT 正常の時

- 第Ⅶ因子欠乏症を考え，第Ⅶ因子活性を測定する．50 万人に 1 人の発生頻度と推定され，血友病や von Willebrand 病に比し稀である.

4）PT 正常，APTT 正常

- 出血時間延長を認める場合，血小板凝集能検査を行う.
- 第ⅩⅢ因子欠乏症（100 万～500 万に 1 人の発症頻度）を疑い第ⅩⅢ因子活性を測定する．一時的に止血しても 24～36 時間後に再び出血する後出血が特徴である.
- α2 プラスミンインヒビター活性やトータル PAI-1 活性は，それぞれの欠乏症の評価に寄与する（ただしきわめて稀）.
- これらの検査に異常を認めない場合は，血管壁異常による血管性紫斑病を考える.

血栓性疾患を疑う時のスクリーニング検査

- 問診（年齢，発症時の状況，生活歴，常用薬，家族歴，既往歴など）や臨床症状から，血栓性素因が先天性か後天性かを推測する.
- 若年性（～40 歳代），家族歴や既往歴を有する，凝固制御因子の作用低下や線溶系機能低下によるフィブリン血栓が主体となる静脈血栓症，稀な部位や繰り返すエピソードなどの場合には，先天性血栓性素因を疑う.
- 先天性血栓性素因を疑う際は，アンチトロンビン（AT）活性，プロテイン C（PC）活性，プロテイン S（PS）活性，ホモシステイン，リポ蛋白（a）の測定を行う.
- AT 活性，PC 活性，PS 活性は，ヘパリン，ワルファリン，DOAC などの薬剤投与の有無や種類，測定法により検査結果に影響が生じ得るため，注意が必要である.

1）AT 活性

- AT はトロンビンや活性化第Ⅹ因子と結合し，血液凝固阻害作用を有する蛋白である．
- 異常症の場合，抗原量は正常であっても活性は低下しているため，活性を測定する．
- 活性が基準値の 50%以下に低下するとヘパリンの作用は減弱する．
- 先天性 AT 欠乏症は常染色体優性の遺伝性疾患であり，本邦の AT ヘテロ変異保有率は 0.18%と推定されている．

2）PC 活性

- 血液凝固阻害作用を有するビタミン K 依存性の蛋白であり，活性化第Ⅴ因子と活性化第Ⅷ因子を不活化する．
- 先天性 PC 欠乏症は常染色体優性の遺伝性疾患であり，本邦の PC ヘテロ変異保有率は 0.16%と推定されている．
- PC は半減期が 6～8 時間と短いため，先天性 PC 欠乏症に対しワルファリンを導入する際は，PC 活性低下から一過性の過凝固状態となることを回避するため，コントロール域に達し安定するまでヘパリンを併用する必要がある．

3）PS 活性

- 血液凝固阻害作用を有するビタミン K 依存性の蛋白であり，活性化第Ⅴ因子と活性化第Ⅷ因子を不活化する．
- 先天性 PS 欠乏症は常染色体優性の遺伝性疾患であり，本邦の PS ヘテロ変異保有率は 1.8%と推定され，欧米に比し高頻度である．
- 成人女性においては習慣性流産の原因の一つとなる．

4）ホモシステイン

- メチオニン代謝の中間代謝物として生成されるアミノ酸である．
- 高ホモシステイン血症では，動脈硬化や血栓症の危険因子となる．機序として血管内皮障害が考えられている．

5）リポ蛋白（a）

- リポ蛋白（a）は，血中濃度が遺伝により決定するリポ蛋白であり，虚血性心疾患や脳血管障害との関連が報告され，動脈硬化に関与する因子と考えられている．
- 後天性血栓性素因としては，抗リン脂質抗体症候群が代表格である．ループスアンチコアグラントや抗カルジオリピン抗体，抗β2 グリコプロテインI抗体などの抗リン脂質抗体を測定する．

- その他，後天性血栓性素因をきたす疾患や病態として，悪性腫瘍，骨髄増殖性腫瘍（真性赤血球増加症，本態性血小板血症），発作性夜間ヘモグロビン尿症などがある．発作性夜間ヘモグロビン尿症に合併する血栓症の多くは静脈血栓症であるが，合併率は欧米より少ない．

参考文献

1）日内会誌．2020; 109.
2）金井正光，監修．臨床検査法提要．改訂第 35 版．東京：金原出版；2020.
3）朝倉英策，編．臨床に直結する血栓止血学．改訂 2 版．東京：中外医学社；2018.
4）Hunt BJ. Bleeding and coagulopathies in critical care. N Engl J Med. 2014; 370: 847-59.
5）厚生労働省医薬・生活衛生局．血液製剤の使用指針．平成 31 年 3 月.

〈石川真穂〉

V

主要な徴候の鑑別診断

1 発熱・不明熱

まとめ

- 不明熱の定義を理解するとともに，念頭におくべき鑑別疾患の理解を深める.
- 医療面接，systematic review に基づく身体診察を身につけることが重要である.
- 引き続いて行う基本的検査，必要な追加検査の順序について理解する.

不明熱とは

- Petersdorf らによる古典的な不明熱は「38.3 度以上の発熱が何度か認められる状態が 3 週間を超えて続き，1 週間の入院精査でも原因が不明のもの」と定義されている.
- 3 週間以上というのはウイルス性感染症を除外する基準として設けられたものであるが，近年では医療技術の発展に伴い好中球減少状態での不明熱や HIV 感染患者の不明熱は分けて考えるべきとされ，さらに外来診療の拡充がなされてきていることから，十分な検索がなされていれば 1 週間の入院は不明熱と分類する上では必ずしも必要ではないとされてきている.

医療面接や身体診察のポイント

- 年齢，性別などから可能性のある疾患を念頭に置き病歴聴取を行うとともに，頭頸部，胸部，腹部，四肢関節，神経系といった全身症状などを系統的に検索する systematic review が重要である.
- 既往歴や海外渡航歴，健康食品や漢方薬を含めた薬歴なども確認し，薬剤性の発熱であれば被疑薬を中止して 72 時間以内には解熱することが多い.
- 身体診察については全身診察を経時的に反復し，その変化を観察することが重要である.
- 熱型は間欠熱，弛張熱，稽留熱などの区別がなされるが，疾患に特異的な所見として鑑別診断に用いることは困難であり，補助的診断として位置づけられている.

表1 不明熱の原因

1. 主要な原因
・感染症 ・膿瘍，骨髄炎，感染性心内膜炎，胆道系感染症，尿路感染，結核（特に粟粒結核），バルトネラ（ネコひっかき病，等），スピロヘータ（レプトスピラ症，ライム病，等），リケッチア（ツツガムシ病，日本紅斑熱，等），クラミジア，ウイルス（EBウイルス，CMVウイルス，デング熱，SFTS），真菌（クリプトコッカス，ヒストプラズマ），寄生虫（マラリア，トキソプラズマ，等） ・悪性腫瘍 ・悪性リンパ腫，白血病（MDS，等），腎細胞癌，肝細胞癌，心房粘液腫 ・膠原病 ・全身性エリテマトーデス（SLE），成人スティル病，過敏性血管炎，リウマチ性多発筋痛症（側頭動脈炎），結節性多発動脈炎，混合性結合組織病（MCTD），亜急性甲状腺炎，高安動脈炎，菊池病（組織球性壊死性リンパ節炎）
2. その他の重要な原因
・肉芽腫性疾患（サルコイドーシス，等） ・炎症性腸疾患 ・薬剤熱 ・肺塞栓 ・詐病 ・地中海熱

（日本臨床検査医学会．臨床検査のガイドライン JSLM2018 ―検査値アプローチ / 症候 / 疾患[5]）

不明熱の鑑別疾患 表1

- 1990年代の報告では，不明熱の原因疾患の内訳としては感染症と膠原病が15～25%程度，悪性疾患が20%以下，診断不明症例は9～51%とバラつきが認められている[1,2]．
- 2000年代の報告では膠原病22%，感染症16%，悪性疾患7%，診断不明51%，その他4%とされ[3]，年代を経ても診断不明症例が多く存在していることに留意すべきである．一方，診断不明症例についての予後は比較的良いという報告もなされている[4]．不明熱の原因疾患についてのフローチャートを図1（上部）に示す．

診断の進め方とポイント

- 基本的な検査としては末梢血液検査，赤沈，尿検査，胸部X線，心電図といった検査があげられるが，不明熱においては通常こうした検査では診断に至ることは少ない．
- 初期検査としては侵襲性の少ない検査を考慮し，具体的には感染症と関連したものとしては血液培養，EBV

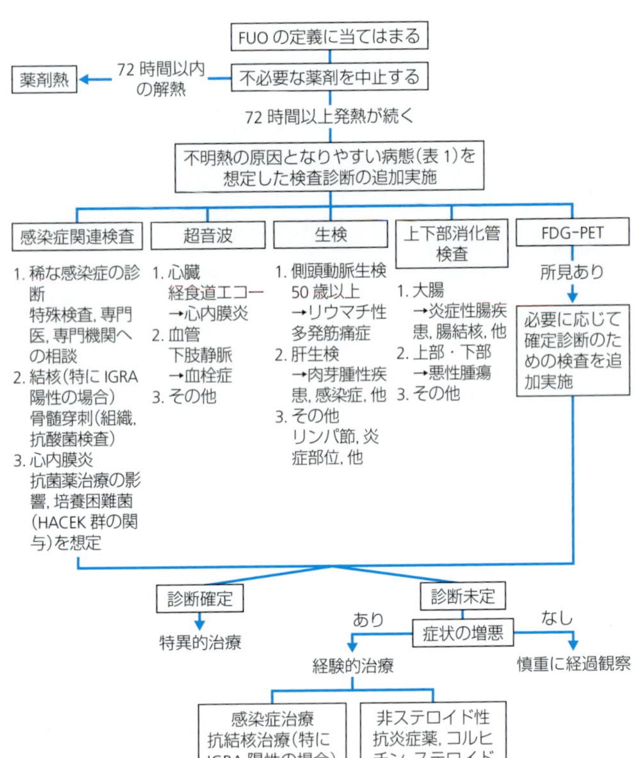

図 1 不明熱のアプローチ
(日本臨床検査医学会. 臨床検査のガイドライン JSLM2018 —検査値アプローチ / 症候 / 疾患[5])

や CMV, HIV 抗体, ツベルクリン反応などを検索する.

- 血液培養については抗菌薬が使用されていない状態下で数時間以内に 3 回以上違う部位から施行することが推奨され, さらに 2 週間以上は培養を継続する.
- 膠原病の検索項目としては抗核抗体, リウマチ因子, ASO, フェリチン, ACE, ANCA, クリオグロブリン, 補体などがあげられる. 表在や心臓, 腹部, 下肢静脈の超音波検査やドップラー検査も早期に考慮すべき検査と考えられる.
- 全身の造影 CT を行うことによりリンパ節腫脹や腹腔内膿瘍の発見につながるが, 前述したような侵襲性の少ない検査をした後にも陽性所見が得られず鑑別疾患の絞り込みが難しい場合，全身のガリウムシンチやPET-CTが有効となることがある.

- 侵襲性の高い検査に関しては，肝生検と骨髄生検が重要とされ，特に骨髄生検は比較的安全で診断に有用であり，上部および下部消化管内視鏡も炎症性腸疾患の発見に有用である．一連の検査についてのフローチャート図1（上部）に示した.
- このフローチャートを参考に，得られた陽性所見に応じて確定診断を付けるための検査へと進んでいく.
- 特徴的な所見が陰性を示す一方で，非典型的な所見が陽性であるような場合や，感度の低い検査や特異度の低い検査が陽性の場合などにおいては，その解釈に慎重な判断が要求される．前述した不明熱の原因疾患リストを確認し各疾患の可能性を慎重に検討していくことが重要である.
- 中枢神経症状があれば頭部CT，腰椎穿刺を行い髄液の一般検査や培養，各種ウイルスのDNA定量などを行う．肺の画像所見があれば喀痰の微生物学的検査や細胞診を行い，さらには気管支鏡での気管支肺胞洗浄や経気管支鏡的針生検も考慮する．体腔液貯留があれば，穿刺などを試みて生化学検査，微生物学的検査，細胞診などを行う.
- 結核菌に関しては塗抹や培養や核酸同定を行うが，いずれの検査も感度は不十分であり注意が必要である.
- リンパ節腫脹があれば生検にて確定診断を行うが，診断がつかなければ繰り返して行うことも考慮する．図1（下部）に確定診断の進め方のフローチャートを示す.

特に診断の困難な疾患についてのアプローチ

- 不明熱の原因疾患の一つに悪性リンパ腫が存在し，その中でも特に非ホジキンリンパ腫の中で血管内大細胞型B細胞性リンパ腫（intravascular lymphoma: IVL）は診断が困難である．IVLでは通常リンパ節腫脹は出現せず，血管内に増殖し皮膚病変や神経病変，肝臓への浸潤など臓器浸潤性の病態を有する．骨髄生検や肝生検でも陽性率は高いとはいえず，皮疹がなくてもランダムに皮膚の生検を行うことで80%以上の患者で確定診断がなされるが，病理組織診断は時として困難なことから，リンパ腫に精通した病理医との検討が重要である.

- 成人 Still 病やリウマチ性多発筋痛症では特徴的な所見が少ないことから, 不明熱で留意すべき疾患である. 成人 Still 病では特徴的な皮疹や低用量副腎皮質ステロイドホルモンの反応性が重要とされるが, 他の膠原病の除外も必要である.
- 側頭動脈炎も高齢者の不明熱の 16～17%を占めると報告されている. 診断には側頭動脈生検が合併症も少なく有用とされており, カラードップラーエコーも確定診断に有用とされる[6].

参考文献

1) de Kleijn EM, Vandenbroucke JP, van der Meer JW. Fever of unknown origin (FUO). I A. prospective multicenter study of 167 patients with FUO, using fixed epidemiologic entry criteria. The Netherlands FUO Study Group. Medicine (Baltimore). 1997; 76: 392.
2) Vanderschueren S, Knockaert D, Adriaenssens T, et al. From prolonged febrile illness to fever of unknown origin: the challenge continues. Arch Intern Med. 2003; 163: 1033.
3) Bleeker-Rovers CP, Vos FJ, de Kleijn EM, et al. A prospective multicenter study on fever of unknown origin: the yield of a structured diagnostic protocol. Medicine (Baltimore). 2007; 86: 26.
4) Knockaert DC, Dujardin KS, Bobbaers HJ. Long- term follow-up of patients with undiagnosed fever of unknown origin. Arch Intern Med. 1996; 156: 618-20.
5) 日本臨床検査医学会ガイドライン作成委員会. 臨床検査のガイドライン JSLM2018 ―検査値アプローチ / 症候 / 疾患. 東京: 日本臨床検査医学会; 2018.
6) Schmidt WA, Kraft HE, Vorpahl K, et al. Color duplex ultrasonography in the diagnosis of temporal arteritis. N Engl J Med. 1997; 337: 1336-42.

〈木村勇太〉

2 リンパ節腫脹

まとめ

- リンパ節腫脹をきたす疾患は感染症，アレルギー性および膠原病，腫瘍性疾患，脂質代謝異常など多岐にわたる．
- 病歴聴取で出現時期，結核などの既往，薬剤服用歴などを確認する．
- 触診でリンパ節の性状，圧痛の有無，周囲との癒着を確認し，超音波，CT，PET-CT にて鑑別する必要がある．
- 悪性リンパ腫などの腫瘍性疾患が疑われる場合は，リンパ節生検を行う必要がある．

病歴聴取で重要な点

1）リンパ節腫脹の出現時期

- 急性の経過か，慢性の経過か．
- 急性の経過は，ウイルス性感染症など，慢性の経過は，腫瘍性疾患が疑われる．

2）リンパ節腫脹の部位

- 表在性リンパ節は，後頭部，耳後部，頸部，鎖骨上，鎖骨下，腋窩，肘窩，鼠径部などで触知される．
- ウイルス性リンパ節炎，扁桃腺炎や歯科領域の炎症，亜急性壊死性リンパ節炎，結核性リンパ節炎，頭頸部癌，悪性リンパ腫などは頸部に好発する．
- Virchow のリンパ節腫脹は消化器癌の転移を考える．
- 腋窩部のリンパ節腫脹は，同側の上肢の感染症や外傷，乳癌，悪性リンパ腫などを考える．
- 鼠径部のリンパ節腫脹は，下肢の外傷や感染症，性感染症，悪性リンパ腫，がんの転移（直腸，外陰部，下肢など）を考える．

3）進展形式

- 悪性リンパ腫などではしばしば急速に全身化する．
- がんのリンパ節転移では，全身性の場合は少ない．

表1 リンパ節腫脹部位の局所所見（著者作成）

	反応性腫脹（ウイルス感染症，膠原病など）	悪性リンパ腫	がんのリンパ節転移
大きさ	1〜3 cm	3 cm 以上	3 cm 以上
形状	長細い，扁平な形状	球状，厚みのある	球状，厚みのある
表面	平滑	平滑	不整，凹凸
硬度	軟らかい，慢性炎症は，弾性硬	弾性硬	硬い
可動性	あり	あり	なし（周囲との癒着）
疼痛	化膿性炎症では，自発痛，圧痛	なし	なし

4）上気道炎症状などの局所症状

- ウイルス性リンパ節炎ではしばしば上気道炎症状を伴う．
- 扁桃腺の炎症，歯科領域の炎症はないか？

5）既往歴，服薬歴，生活歴，アレルギー歴，ペットの有無，海外渡航歴

- 抗けいれん薬，methotrexate（MTX）などの免疫抑制薬の使用はないか確認する．
- ピアスの使用は亜急性壊死性リンパ節炎と関連する可能性があり，確認する必要がある．

6）全身症状

- 発熱，体重減少，全身倦怠感，肝脾腫，出血傾向，浮腫，神経症状などがないか確認する．
- 肝脾腫を伴う場合は，全身性疾患（悪性リンパ腫，白血病，伝染性単核球症，全身性エリテマトーデス，サルコイドーシス，トキソプラズマ症，猫ひっかき病など）を考える．

7）経過

- 腫瘍性疾患の場合，持続的に増大し，縮小傾向がみられない場合が多い．
- 濾胞性リンパ腫などの低悪性度リンパ腫は，経過中に自然に縮小する場合があり，注意が必要である．

リンパ節腫脹部位の局所所見 表1

- リンパ節腫脹を認める場合，大きさ，形状，表面，硬度，可動性の有無，疼痛の有無などに注目する．
- 皮膚局所に熱感，発赤を認める場合は，急性化膿性炎症を疑う．
- 結核，actinomycosis，aspergillosis などでは皮膚に瘻孔形成することがある．
- 結核，悪性リンパ腫，がんのリンパ節転移では数個のリンパ節が癒合して腺塊を形成する．

表2 リンパ節腫脹をきたす疾患（著者作成）

1）感染性疾患
（a）限局性腫脹 ・急性細菌感染症（黄色ブドウ状球菌など），せつ，皮膚化膿創 ・結核，梅毒，野兎病，真菌症，猫ひっかき病，トキソプラズマ症など ・サルコイドーシス （b）全身性腫脹 ・麻疹，風疹，伝染性単核球症，流行性耳下腺炎，サイトメガロウイルス感染症 ・全身性皮膚炎症
2）アレルギー性および膠原病
（a）血清病，薬物アレルギー，亜急性壊死性リンパ節炎（菊池病），皮膚病性リンパ節症 （b）膠原病（全身性エリテマトーデス，慢性関節リウマチ，IgG4 関連リンパ節症）
3）内分泌疾患
（a）甲状腺機能亢進症 （b）副腎機能低下症（Addison 病）
4）脂質代謝異常
（a）Gaucher 病 （b）Niemann-Pick 病
5）腫瘍性腫脹
（a）悪性リンパ腫（Hodgkin リンパ腫，非 Hodgkin リンパ腫） （b）白血病（特にリンパ性白血病），多発性骨髄腫，原発性マクログロブリン血症 （c）がんのリンパ節転移

- 炎症性疾患では腺塊形成はみられない．

リンパ節腫脹鑑別すべき疾患[1] 表2

- リンパ節腫脹をきたす疾患は感染性疾患，アレルギー性および膠原病，内分泌疾患，脂質代謝異常，腫瘍性疾患など多岐にわたる．

リンパ節腫脹の画像診断の特徴 表3

- 超音波では，良性のリンパ節腫脹は，扁平に腫脹し，内部構造が保たれているが，悪性リンパ腫などの腫瘍性疾患では，球状に腫脹し，内部構造が破壊されていることが多い[1]．
- CT 図1 では，悪性リンパ腫は，多発リンパ節腫脹の境界が不明瞭で内部が均一に造影され，血管が浮いてみえる（floating aorta sign）が，がんのリンパ節転移は，境界不明瞭で中心壊死，内部が不均一にみえ

表3 リンパ節腫脹の画像診断の特徴（著者作成）

	悪性リンパ腫	リンパ節転移	良性リンパ節腫脹
超音波	リンパ門消失 短 / 長径＞0.5 混在性の血流	リンパ門消失 短 / 長径＞0.5 末梢性の血流	リンパ門を認める 短 / 長径＜0.5 リンパ門血流
CT	境界不明瞭 内部均一 血管を取り囲む （floating aorta sign） 周囲を破壊せずに増大	境界明瞭 内部低吸収域 中心壊死，局所欠損 周囲を破壊して増大	境界不明瞭 大きさ 15mm 以下 化膿性：中心部壊死 結核性：多房状 菊池病：内部壊死
PET	高い SUV（＞10〜15）	中等度 SUV（4〜10）	中等度 SUV（4〜10）

※ SUV：standardized uptake value

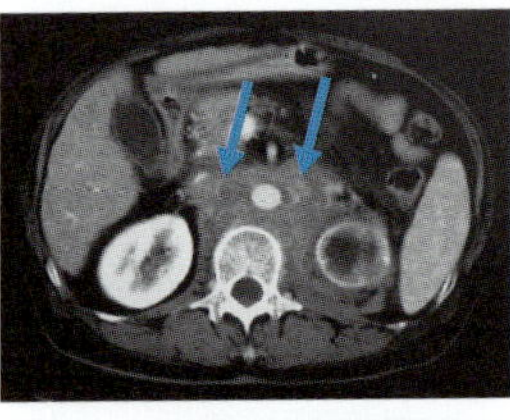

● 悪性リンパ腫
多結節の境界が不明瞭，内部が均一に造影．血管が浮いてみえる（floating aorta sign）

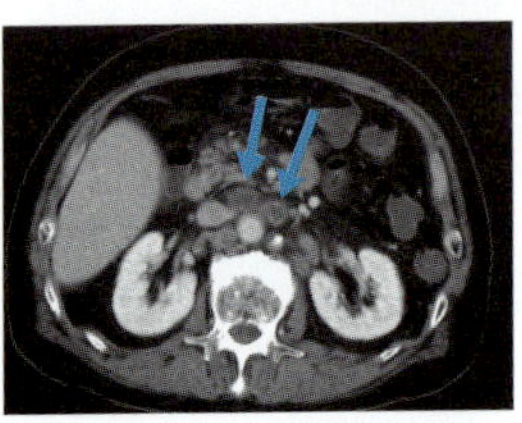

● リンパ節転移
境界明瞭，中心壊死，内部が不均一．

図1 悪性リンパ腫とリンパ節転移ＣＴ所見の違い

る[2]．

- PET-CT で悪性リンパ腫は高い SUV 値（standardized uptake value＞10〜15）を示すが，がんのリンパ節転移，良性リンパ節腫脹では，中等度 SUV（4〜10）を示す[3]．

リンパ節腫脹の診断，治療の流れ 図2

- リンパ節腫脹を認めた場合，部位，大きさ，圧痛，経過，周囲の炎症，肝脾腫，皮膚病変などを確認する．
- 血算，生化学，CRP，胸部 X 線写真，超音波などの基本検査を行い，感染症が疑われる場合は，ウイルス抗体価，細菌培養などの検査，悪性疾患が疑われる場合は，腫瘍マーカー，CT，PET-CT，MRI，上部内視鏡検査などの検査，自己免疫性疾患が疑われる場合は，自己抗体，リウマチ因子などを行う．
- 可溶性 IL-2 レセプターは，悪性リンパ腫の腫瘍マー

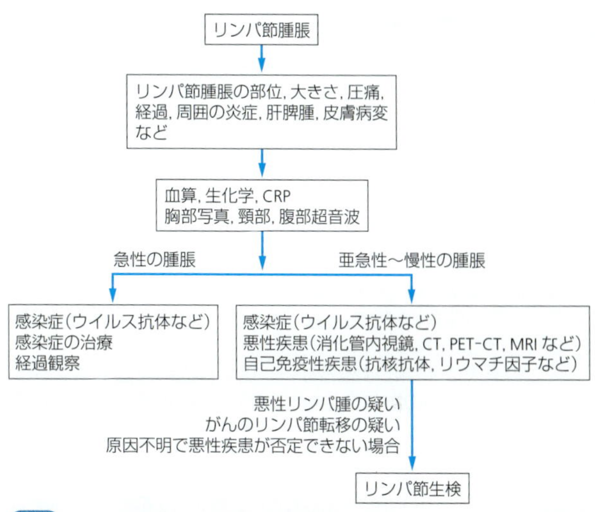

図2 **リンパ節腫脹　診断，治療の流れ** (著者作成)

カーであるが，悪性リンパ腫以外の感染症，アレルギー，膠原病，他の腫瘍性疾患でも上昇する．しかし 2,000 IU/L 以上の場合は，悪性リンパ腫を疑い精査する必要がある．

- 結核が疑われる場合は，通常の細胞診に加え，抗酸菌染色と培養，PCR 検査などを行う．
- 白血病が疑われる場合は，骨髄穿刺検査を行う．
- 悪性リンパ腫，がんのリンパ節転移，原因不明で悪性疾患が否定できない場合は，リンパ節生検を行う必要がある．

参考文献

1) Dudea SM, Lenghel M, Botar-Jid C, et al. Ultrasonography of superficial lymph nodes: benign vs. malignant. Med Ultrason. 2012; 14: 294-306.
2) Jing BS. Diagnostic imaging of abdominal and pelvic lymph nodes in lymphoma. Radiol Clin North Am. 1990; 28: 801-31.
3) Aragon-Ching JB, Akin EA. Positron emission tomography findings in clinical mimics of lymphoma. Ann N Y Acad Sci. 2011; 1228: 19-28.

〈高橋直樹〉

3 貧血

まとめ

・貧血はヘモグロビン値で診断するが，値そのものよりも進行の速さおよび vital sign から重症度を測る．
・貧血の鑑別は主に網赤血球数（絶対値）と MCV（平均赤血球容積）で行う．
・貧血の原因は 1 つとは限らない．広く貧血の原因病態より派生する症状・所見の有無に注意し，時には検査を繰り返して精査する．

定義と成因

• WHO による貧血の定義を示す 表 1 [1]．貧血とは血色素（hemoglobin：Hb）量の減少する病態をさす．体内の酸素供給は「酸素運搬量 DO_2（mL/分）≒1.34*（mL/g）×Hb（g/dL）× 酸素飽和度（SaO_2：%/100）×心拍出量（CO：L/分）」で規定され（*：不活性 Hb 誘導体を考慮）[2]，赤血球内で酸素分子と結合する Hb 量が酸素運搬能を決定するため，これを指標とする．Hb が減少すると残りの因子は代償的に働くことからこれらの変動を基に貧血患者の病態生理を理解する．

• 貧血は赤血球の産生・供給(分布や濃度異常)と崩壊・喪失の動的バランスの崩れで生じる．その成因は前者が先天あるいは後天的な造血因子の異常（材料不足）

表 1 貧血の定義（WHO）

年齢・性別	Hb（g/dL）
6 カ月以上～5 歳未満	11.0 以下
5 歳以上～12 歳未満	11.5 以下
12 歳以上～15 歳未満	12.0 以下
15 歳以上の男性	13.0 以下
15 歳以上の女性（除 妊婦）	12.0 以下
妊婦	11.0 以下

・WHO：World Health Organization, Hb：hemoglobin

か，造血する場（骨髄）の問題かに，後者は血管内外の溶血か，出血かに分類できる．

- 骨髄の異常を原因とする貧血では，造血幹細胞の異常や減少（腫瘍増生を含む）が関与する．さらに慢性疾患・炎症に伴う貧血（anemia of chronic disorders: ACD）では，腎臓でのエリスロポエチン（Epo）産生抑制，ヘプシジン産生亢進による組織貯蔵鉄から骨髄への鉄供給移送の減少[3]，骨髄内マクロファージの貪食亢進を介した赤芽球への鉄供給低下が関与する．

問診・診察上の考え方

- 胃全摘，胆摘の手術歴や血縁者の脾摘既往も含めた家族歴，併存疾患に加えて常用飲酒や偏食といった食習慣，薬歴の有無を聴取する．
- 貧血の程度とともに進行速度の把握が重要となる．なお，急性出血直後では循環血液量減少への代償機構（体液での希釈）がなされるまで Hb は低下しないことに留意し，ショック指数（SI＝脈拍 / 収縮期血圧）を基に出血量を推定する．循環血液量を 5L とした場合，出血量（SI 値）はそれぞれ 0.75 L 未満（0.5），0.75〜1.5 L（1.0），1.5〜2 L（1.5），2 L 超（2.0）である．
- 正常の赤血球寿命は約 120 日であり，1 日で全体の約 1%（≒ 1/120）が入れ替わる．造血が完全に停止した場合であっても高度の貧血になるまで約 2 カ月かかる〔仮に Hb14 が 6 に低下するまでは（14－6）/0.14＝57.1 日〕．これより進行が速い場合は造血障害以外の原因，すなわち溶血や出血を考慮する．
- 貧血そのものによる症状（動悸，息切れ，倦怠感など）だけでなく，原因病態より派生した症状・所見にも注意する 表2．
- 高度の貧血（Hb4〜5 g/dL）を呈していても vital sign に著しい変化を認めなければ緊急輸血の必要はない．確定診断前に輸血が必要な場合は，原因検索のための血清保存を輸血前に必ず行う．

行うべき検査項目と解説

- 貧血診療に有用な検査項目を示す 表3．全血算（CBC）で赤血球単独の異常か否かを判断し，続いて網赤血球数（絶対値）で赤血球造血の程度を確認する．造血能の低下（10 万 /μL 未満）がなければハプトグロビン（Hp）で溶血の有無を確認する．溶血の判定は LDH と間接 Bil の上昇，Hp の低下で行う．溶血時に Hp の

表2 貧血患者に特徴的な症状・所見

症状・所見	疾患・病態
息切れ，頻呼吸，動悸，倦怠感，頭痛，めまい，眼瞼結膜・爪床・口腔粘膜の蒼白，心収縮期雑音，血便，過多月経	貧血全般
黄疸	溶血性貧血，巨赤芽球性貧血，肝疾患
褐色尿（起床時），血尿	発作性夜間血色素尿症，発作性寒冷血色素尿症
脾腫，胆石，指趾チアノーゼ・レイノー現象（寒冷曝露時一部の病型で）	溶血性貧血
異食症，嚥下困難，匙状爪，下肢静止不能（Restless legs 症候群）	鉄欠乏性貧血
味覚障害，舌痛，舌乳頭委縮，口角炎	鉄欠乏，ビタミン B_{12} 欠乏，葉酸欠乏，亜鉛欠乏による貧血
歩行困難（亜急性連合性脊髄変性症，脊髄神経症），末梢神経や深部感覚の異常，白髪，認知症様症状	ビタミン B_{12} 欠乏，銅欠乏による貧血
腰部痛・骨痛，病的骨折	多発性骨髄腫，がんの骨転移
発熱，出血傾向，リンパ節腫脹，胸骨痛，歯肉腫脹	再生不良性貧血，白血病・悪性リンパ腫などの血液腫瘍
浮腫，脱毛，眉毛外側 1/3 の脱落	甲状腺機能低下症

表3 貧血診療に有用な検査

用途	検査項目
スクリーニング	全血算（白血球分画目視像を含），網赤血球，網血小板，LDH，総 Bil，間接 Bil，尿素窒素，クレアチニン，AST，ALT，ALP，γ-GTP，TP，Alb，蛋白分画，PT，aPTT，FDP，フィブリノゲン，CRP，Na/Cl，K，Ca，尿定性半定量 / 沈渣
鑑別診断	鉄，不飽和鉄結合能，フェリチン，葉酸，ビタミン B_{12}，亜鉛，銅，エリスロポエチン，ハプトグロビン，末梢血赤血球像，ヘモグロビン分画，IgG，IgA，IgM，IgD，IgE，免疫電気泳動（特異抗血清），TSH，fT4，fT3，LDH アイソザイム，直接クームス試験，リウマトイド因子，C3，C4，CH50，抗核抗体，高感度 PNH 型血球検査，パルボウイルス B19（DNA），赤血球抵抗試験，寒冷凝集反応，Donath-Landsteiner 試験，ADAMTS13，sIL-2R，*WT-1* mRNA，腹部超音波検査，骨髄検査，骨髄 MRI 検査，内視鏡検査など

・鑑別では，上記検査項目を診断フローにあわせて適宜選択する．一部，保険適用外検査を含む．
・溶血の精査では尿定性 / 半定量で尿ウロビリノーゲン↑，尿 Bil（−），沈渣でヘモジデリン顆粒を確認する．
・緊急輸血時には血液型，不規則抗体，クロスマッチが上記に加わる．

$$\mathrm{RPI}=\frac{(\mathrm{Ht}/45)\times 網赤血球(\%)}{\text{reticulocyte maturation time (day)}^{*}}$$

*網赤血球成熟期間といい，1.0（Ht；36～45% の場合）
1.5（Ht；26～35% の場合）
2.0（Ht；16～25% の場合）
2.5（Ht；　～15% の場合）
分母に Ht 値に応じた値をそれぞれ入力する．

reticulocyte maturation time を 3.25－（Ht×0.05）とする変法もある．

RPI＞3 であれば，貧血に見合った赤血球造血亢進を，
＜2 であれば，赤血球造血不全を示唆する．

図 1　網赤血球産生指数（RPI）
（Hillman RS. J Clin Invest. 1969; 48: 443-53[4] より改変）

値は著減ないしは測定不可となるのが通常である．炎症が併存するとその程度は弱くなる．

- 網赤血球数の正常値は 2.5 万～10 万 /μL（絶対値）である．貧血であるにもかかわらず，正常値を超えた造血がない場合は造血能低下を示唆する．正常造血の場合，貧血が重度ほど造血は亢進し，網赤血球の放出が早められる．よって貧血の程度は網赤血球の数に影響するだけでなく，末梢血中の網赤血球寿命にも影響する．これらを加味した評価法が網赤血球産生指数（RPI）である 図 1[4]．RPI が 3 を超えた場合は赤血球造血を亢進できるほど十分な骨髄機能であることを意味し，2 未満では造血不全と判断する．
- 溶血性貧血は病型特異的な検査による診断確定か，赤血球形態やヘモグロビン分画での異常を基に鑑別が絞られ，遺伝子検査により最終診断が下る．溶血の有無は溶血性貧血の診断基準（厚生労働省 特発性造血障害に関する調査研究班 2019 年度改訂：執筆時）に従う．溶血性貧血全体の約 2 分の 1 が自己免疫性溶血性貧血（AIHA），4 分の 1 が発作性夜間血色素尿症（PNH），6 分の 1 が先天性である．先天性の約 7 割が遺伝性球状赤血球症（HS）で最も多く，溶血性貧血全体の約 10 分の 1 である．先天性溶血性貧血のうち異常 Hb 症や赤血球酵素異常症はそれぞれ溶血性貧血全体の 1%ずつを占めるにすぎない．
- 病態で変化する平均赤血球容積（MCV）を用い，赤血球サイズを基にした形態学的アプローチで鑑別を行う〔MCV は Ht（%）×10/ 赤血球数（10^6/μL）で示

されるが，自動血球計算機では MCV と赤血球数が直に測定され，それらを基に Ht 値が演算される〕．さらに，末梢血塗抹標本所見からも情報を得る．球状赤血球や鎌状赤血球，破砕赤血球の有無など検査部からの検鏡報告が診断の初回契機となる場合もある．

- 網赤血球は赤血球の約 1.2～2 倍とサイズが大きい．網赤血球増加の際に MCV 値は見かけ上，大きくなるため，判定の際には注意する．
- MCV で小球性の場合は，赤血球指数のうち平均赤血球色素濃度〔MCHC：MCHC（g/dL）＝Hb（g/dL）/Ht（%）×100〕を用いた（低色素性ないしは高色素性かの）細分類が可能だが，MCHC の軽度上昇から HS を疑う以外は鑑別診断での利便性は低い．ただし，MCHC の異常高値では，高度の血管内溶血や自動血球計算機の RBC，Hb，Ht 値の測定誤差を示唆することに留意する．
- 自動血球計算機での赤血球容積分布幅（red cell distribution width：RDW）は，測定した赤血球サイズの不均一性を示す．メーカーごとで算出法は異なるが，RDW 高値とは，大小不同のばらつきが大きいことを意味する．原因が複数からなる貧血の場合（この場合も高値）を除けば，MCV との組み合わせにより鑑別診断への応用も可能となる 表4 [5]．炎症や酸化ストレスの亢進，低栄養に伴って産生された病的赤血球が混入する場合に高くなるほか，赤血球の凝集や破砕赤血球の出現でも高値となる．鉄欠乏性貧血（IDA）と ACD とを判別する際などは他の検査ができない環境やそれらの結果が届くまでに診断が求められる際の補助となる．貧血の鑑別時に有用となる以外にも RDW が Hb と独立した心不全における予後因子との報告もある [6]．

鑑別診断と注意点

- 他の血球異常を確認し，網赤血球数により溶血と出血を除外したら MCV 値により鑑別を行う．MCV 値 80～100（fL）を正球性としてそれ未満の場合を小球性，超える場合を大球性とした診断フローチャートを示す 図2．

小球性貧血

- フェリチン低値（<12 ng/mL）であれば IDA であり，トランスフェリン飽和度〔TSat＝Fe/TIBC×100（%）〕

表4 RDW（CV%）とMCVによる貧血の分類

RDW（CV%）＼MCV	小球性	正球性	大球性
高値	鉄欠乏性貧血 ヘモグロビンS βサラセミア ヘモグロビンH症 赤血球断片化	低栄養性（混合要因）の貧血 初期の鉄欠乏性あるいは葉酸/ビタミンB_{12}欠乏性貧血 異常ヘモグロビン症（貧血あり：鎌状赤血球症，ヘモグロビンSC症など） 骨髄線維症 鉄芽球性貧血	葉酸欠乏性貧血 ビタミンB_{12}欠乏性貧血 免疫性溶血性貧血 寒冷凝集素症 CLL（血球高値例） 骨髄異形成症候群
基準値内	ヘテロ接合性サラセミア 慢性疾患・炎症	健常者 慢性疾患・炎症，慢性肝障害 異常ヘモグロビン症（貧血なし：鎌状赤血球形質，ヘモグロビンC形質など） 出血，輸血，化学療法 CLL，CML 遺伝性球状赤血球症	再生不良性貧血 骨髄異形成症候群

MCV：平均赤血球容積，RDW（CV%），red cell volume distribution width（coefficient of variation %）：赤血球容積分布幅変動係数（%），CLL：慢性リンパ性白血病，CML：慢性骨髄性白血病

が20%未満であれば鉄欠乏状態（IDA+ACDなど）を示唆する．ACDではTIBCの低下とともにフェリチン値は正常値から高値を示す．

- サラセミアは一部を除きMCV低値にもかかわらずRBC数は増加を示し，Mentzer Index（MI）=MCV（fL）/RBC（×100万/μL）が通常，13未満となる．Hb分画でHbA2の増加があればβサラセミアである可能性は高くなるが，αサラセミアを含めた診断確定には外注での遺伝子診断が必要となる（外注先：福山臨床検査センター* 血色素異常の遺伝子検査のホームページ https://www.fmlabo.com/ など．*なお，ここでは先述のAIHAにおけるクームス試験陰性の場合に有用な検査も依頼可能である）．

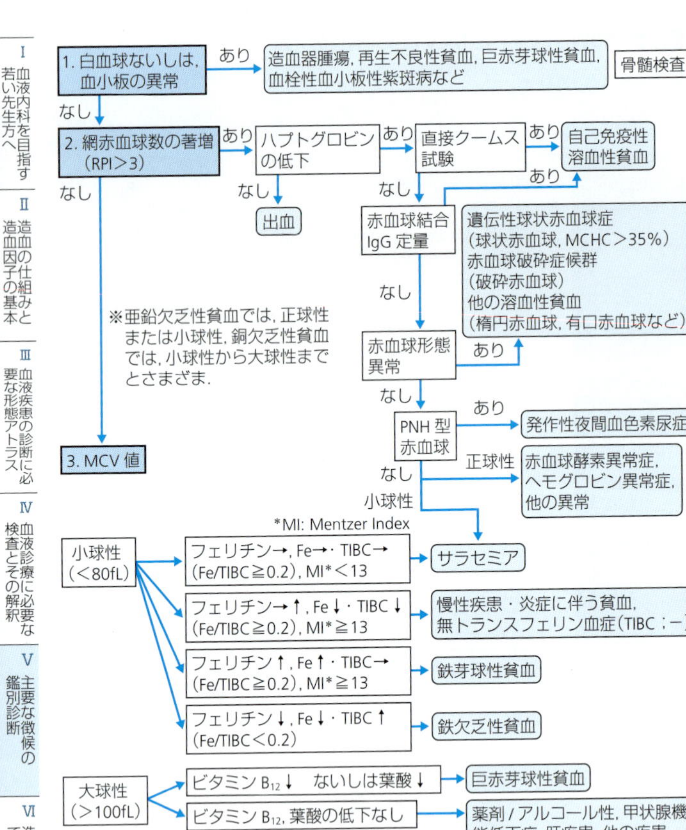

図2　貧血の鑑別診断フローチャート

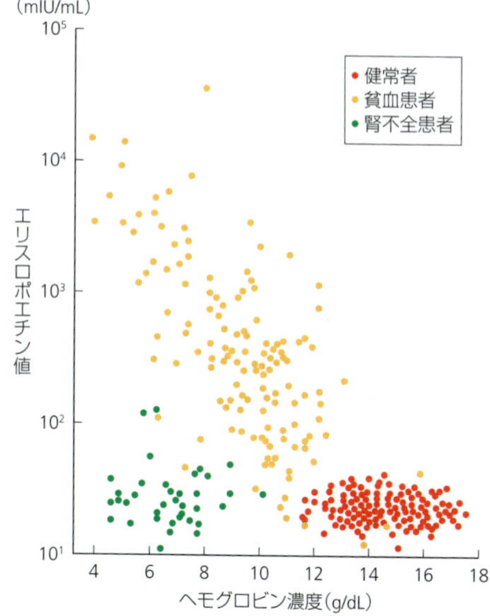

図3 ヘモグロビン濃度とエリスロポエチンとの関係
(Hoffbrand AV. Essential haematology. 6th ed. Hoboken: Wiley-Blackwell Publising; 2011 より改変)

大球性貧血

- ビタミン B_{12}，葉酸を測定し，薬剤性も含めた巨赤芽球性貧血の精査とともに微量金属（銅，亜鉛）欠乏での貧血も考慮する．臨床上は，巨赤芽球性貧血とMDSとの鑑別が重要である．さらに網赤血球数の増加時には，先述のようにMCVは見かけ上高値となるため，その際は溶血性貧血も鑑別の対象とする．
- ビタミン B_{12} 欠乏では胃がんの合併も留意して診断を下す．1回の赤血球輸血で血中のビタミン B_{12} 値は測定閾値を超えるため，測定前における輸血歴の有無を確認する．
- 甲状腺機能低下症，慢性肝疾患，薬剤/アルコールなども原因となる．アルコール常用では葉酸欠乏を伴う場合がある．

正球性貧血

- 小球性と大球性の場合ほど特異的なものはなく，正球性貧血では，小球性や大球性でもみられるようなさまざまな病態・疾患（赤芽球癆，ACD，内分泌疾患，肝疾患，低栄養性貧血，血球貪食症候群，造血器腫瘍など）が原因となる．腎機能障害があれば Epo を測定し，貧血に見合う代償分泌がなければ Epo 産生低下と判断する図3．

- 腎性貧血に対する Epo 投与中に中和抗体の産生による赤芽球癆を呈することがある．

鑑別困難時の心得

- 貧血の原因は 1 つとは限らず，所見は複合的要素の足し算である可能性もある．発症頻度を踏まえた上で慢性病態に急性疾患が加わった場合も想定しながら原因を探る．出血源の精査では病変部確定まで繰り返し探索するだけでなく，ミュンヒハウゼン症候群（自己瀉血）も含めた広い視野で原因検索を行う．

参考文献

1） World Health Organization. 2011. Hemoglobin concentrations for the diagnosis of anemia and assessment of severity. Vitamin and Mineral Nutrition Information System. (WHO/NMH/NHD/MNM/11.1). Geneva: WHO. Accessed August 3, 2018. http://www.who.int/vmnis/indicators/haemoglobin.pdf.
2） Rhodes CE, Varacallo M. Physiology, oxygen transport. 2020 Sep 13. In: StatPearls [Internet]. Treasure Island (FL): StatPearls Publishing; 2020 Jan.
3） Camaschella C, Nai A, Silvestri L. Iron metabolism and iron disorders revisited in the hepcidin era. Haematologica. 2020; 105: 260-72.
4） Hillman RS. Characteristics of marrow production and reticulocyte maturation in normal man in response to anemia. J Clin Invest. 1969; 48: 443-53.
5） Bessman JD, Gilmer PR Jr, Gardner FH. Improved classification of anemias by MCV and RDW. Am J Clin Pathol. 1983; 80: 322-6.
6） Felker GM, Allen LA, Pocock SJ, et al. Red cell distribution width as a novel prognostic marker in heart failure: data from the CHARM Program and the Duke Databank. J Am Coll Cardiol. 2007; 50: 40-7.

〈前田智也〉

4 出血傾向

まとめ

・出血傾向とは，止血機序に異常を認め，通常ではみられないような出血が生じた状態の総称である．
・成因は，血小板や凝固因子の異常，線溶系の異常，血管壁の異常に大別される．
・問診，身体所見，スクリーニング検査により鑑別を行う．
・出血傾向をきたす血液疾患（造血器腫瘍，ITP，DIC，血友病，ビタミンK欠乏症，von Willebrand病など）の詳細は，VIIの疾患各論に譲る．

止血機序（IV-9 止血検査の項を参照）

・血小板粘着，血小板凝集による一次止血の後，凝固反応の進行によるフィブリン形成により二次止血がなされる．フィブリンは線溶機序により溶解される．この過程に異常が生じると出血傾向をきたす．

診察

1）問診

・病歴を確認することが重要である．発症時期，誘因，家族歴，生活歴，併存疾患の有無，既往歴，服薬歴などを聴取する．
・発症様式は急性か，慢性か，今回初めてか，これまでにも繰り返しているかを確認する．
・幼小児期からの出血傾向は先天性素因を考える．家系内での出血性疾患罹患や近親婚の有無などの情報は遺伝性疾患を考える上で必要となる．
・誘因は具体例を示しながら確認するとよい．先行感染がある場合は，免疫性血小板減少性紫斑病やIgA血管炎を想起させる．歯みがき時や抜歯を含む歯科処置時，外傷時，手術時に異常出血がなかったか，女性では過多月経や分娩時の止血困難の有無などを確認する．
・ビタミンK欠乏をきたすような要因（絶食などによる経口摂取量の著しい減少，長期の抗菌薬投与による

表 1　主な抗血栓薬

抗凝固薬
ヘパリンナトリウム，フォンダパリヌクス，エドキサバン，リバーロキサバン，アピキサバン，ダビガトラン，ワルファリン，アルガトロバン
抗血小板薬
チクロピジン，クロピドグレル，プラスグレル，チカグレロル，アスピリン，シロスタゾール，イコサペント酸，ベラプロスト，サルポグレラート
血栓溶解薬
ウロキナーゼ，アルテプラーゼ，モンテプラーゼ

腸内細菌叢の減少，肝・胆道疾患，重度の下痢の遷延など）が重なると，ビタミン K 依存性凝固因子の低下を認め，出血傾向をきたし得る．

- 出血傾向をきたす基礎疾患として，血液疾患の有無を念頭に置く．
- 感冒，肝疾患や腎疾患，膠原病，虚血性心疾患，脳血管障害では，出血傾向をきたす薬剤が使用されている可能性がある．
- 主な抗血栓薬（抗凝固薬，抗血小板薬，血栓溶解薬）を表 1 に示す（2020 年時点）．該当薬の使用有無を確認する．これらの使用期間中は出血傾向に注意が必要である．
- 非ステロイド性抗炎症薬（non-steroidal anti-inflammatory drugs：NSAIDs）は血小板機能低下を，長期のステロイド使用はステロイド性紫斑病を生じることがある．抗菌薬は血小板の数的・質的異常や，長期投与によりビタミン K 依存性凝固因子の低下を生じ，出血傾向をきたすことがある．

2）身体所見

- 出血部位や性状，重症度を評価する．
- 具体的な出血症状として，鼻出血，口腔粘膜出血，抜歯後の出血，皮下出血，関節内出血，筋肉内出血，消化管出血，血尿，過多月経，不正性器出血，頭蓋内出血，血腫形成などがある．
- 皮膚や粘膜に認める紫斑は，大きさにより点状出血（径 5 mm 以内），斑状出血（径数 cm 以内），びまん性出血（斑状出血より大）に分けられる．紫斑は圧迫により消退しないことで紅斑や毛細血管拡張と区別する．
- 血小板や血管壁の異常では表在性出血が多い．凝固因子の異常では，筋肉内や関節内などの深部出血が特徴的であり，紫斑は血小板異常の場合と比べ大きくなることが多い．

- 出血部位の範囲（局所か全身に及ぶか），圧迫止血の可否，後出血（いったん止血後の再出血）の有無などを確認する．
- 症状や臨床検査所見を総合的に評価の上，入院加療の必要性を検討する．
- 血小板減少に口腔などに粘膜出血を伴う場合は "wet purpura" とよばれ，出血傾向が重篤であることを示す．迅速かつ積極的な治療介入が必要である．

成因による分類

- 出血傾向をきたす成因別の主な病態や疾患を表2に示す．
- 多岐にわたり複数の診療科とも関連するため，血液内科医には他科からのコンサルテーションへの的確な対応が求められる．
- 止血機序のうち，血小板の数的または質的な異常であるか，凝固系あるいは線溶系の異常か，血管系の異常であるかを考えながら，診断のために必要な検査計画を立てる．

検査

- まずスクリーニング検査として，血算，プロトロンビン時間（prothrombin time：PT），活性化部分トロンボプラスチン時間（activated partial thromboplastin time：APTT），フィブリノゲン，フィブリノゲン/フィブリン分解産物（fibrinogen/fibrin degradation products：FDP）・D-ダイマーを測定し，血小板減少の有無および PT, APTT それぞれの延長の有無で大別する．
- 出血時間は，一次止血機能を把握するスクリーニング検査である．耳朶にメスで切創を作製する Duke 法は，切創の大きさのばらつきや穿刺部の血管収縮などにより精度，再現性が乏しいことが問題である．この点を改良した Ivy 法は，上腕を血圧測定用マンシェットで 40 mmHg 加圧し前腕に切創を作製する．本邦で行われることは少ない．血小板減少が明らかな患者では出血時間は当然延長するため，測定する意義は乏しい．
- 末梢血塗抹標本の観察にて破砕赤血球の有無を確認する．
- 血小板数が著減しているが出血傾向が認められない場

表2　成因による分類

異常部位	機序	主な病態や疾患
血小板	産生障害	再生不良性貧血，骨髄異形成症候群，白血病，薬剤性，放射線照射，肝硬変，悪性腫瘍の骨髄浸潤
	破壊・消費亢進	免疫性血小板減少性紫斑病（ITP），血栓性微小血管症 TMA（血栓性血小板減少性紫斑病 TTP），溶血性尿毒症症候群 HUS，非典型溶血性尿毒症症候群 aHUS），播種性血管内凝固（DIC），薬剤性
	分布異常	肝硬変，特発性門脈圧亢進症，脾腫をきたす疾患，髄外造血を伴う骨髄線維症など
	機能異常	先天性：血小板無力症，Bernard-Soulier 症候群，Storage pool 病など 後天性：骨髄増殖性疾患，薬剤性，尿毒症，膠原病，骨髄異形成症候群
凝固系	凝固因子活性低下	先天性：血友病，他の凝固因子欠乏症（V, VI, VII, X, XI, XII, XIII 因子），von Willebrand 病，フィブリノーゲン欠乏症，プロトロンビン欠乏症，プロテイン C 欠乏症，プロテイン S 欠乏症 後天性：ビタミン K 欠乏症，後天性血友病，後天性 von Willebrand 病，肝硬変 / 肝不全，播種性血管内凝固，薬剤性（ワルファリン，直接経口抗凝固薬，ヘパリン）
線溶系	線溶阻止因子活性低下	α2 プラスミンインヒビター（α2-PI）欠損症，プラスミノゲンアクチベータインヒビター1（PAI-1）欠損症
	線溶亢進	播種性血管内凝固，薬剤（ウロキナーゼ，組織型プラスミノゲンアクチベータ）
血管系		先天性：遺伝性出血性毛細血管拡張症（Osler 病），Ehlers-Danlos 症候群 後天性：単純性紫斑，老人性紫斑，機械的紫斑，感染症，Cushing 症候群，糖尿病，薬剤性（ステロイド）

合は，偽性血小板減少を鑑別する．抗凝固薬として用いられるエチレンジアミン四酢酸（ethylenediaminetetraacetic acid：EDTA）の作用により稀に血小板が凝集塊を形成する場合があり，自動血球計数器で血小板を測定する場合に注意を要する．抗凝固薬をヘパリンやクエン酸ナトリウムに変え，再測定する．

- 血小板減少を認める場合，その機序は産生障害，破壊・消費亢進，分布異常，機能異常に分けられる．
- 血小板数が正常な場合，PT，APTT ともに延長，PT 正常・APTT 延長，PT 延長・APTT 正常，PT，APTT ともに正常の場合に分けて考える.

- 基礎疾患や併存症の確認のため，肝機能や腎機能に関する検査を行う.
- その他，別項「Ⅳ-9 止血検査」を参照.

参考文献

1）日内会誌．2020; 109.
2）朝倉英策，編著．臨床に直結する血栓止血学．改訂 2 版．東京：中外医学社：2018.
3）Hunt BJ. Bleeding and coagulopathies in critical care. N Engl J Med. 2014; 370: 847–59.

〈石川真穂〉

5 白血球減少

まとめ

- 白血球減少が起こる原因は，産生の低下，消費，破壊の亢進のいずれかである．
- 白血球分画と血算の確認をすることが重要である．
- 特に好中球減少・リンパ球減少をきたすと易感染性となり重症化するため，適切かつ迅速に鑑別する必要がある表1．

好中球減少

- 重症感染症やウイルス感染に伴い造血機能が低下し好中球減少をきたすことがある．
- 好中球減少の原因として薬剤性も頻度が高い．500/μL以下の状態を薬剤性無顆粒球症という．無顆粒球症をきたす原因薬剤として，頻度が高いものは，抗甲状腺薬（チアマゾール，プロピルチオウラシル），チクロピジン，サラゾスルファピリジン，H_2ブロッカー，

表1 白血球減少

好中球減少症（neutropenia）	1）感染症：重症感染症，ウイルス感染症 2）自己免疫性疾患：全身性エリテマトーデス，Sjögren症候群 3）造血器疾患：急性白血病，骨髄異形成症候群，再生不良性貧血，巨赤芽球性貧血，血球貪食症候群 4）脾機能亢進：肝硬変，Banti症候群 5）内分泌疾患：副腎不全，Basedow病 6）慢性好中球減少症：免疫性好中球減少症，重症先天性好中球減少症，周期性好中球減少症 7）その他：薬剤性，放射線
好酸球減少症（eosinopenia）	1）副腎皮質ホルモン過剰時：Cushing症候群，副腎皮質ホルモン投与時，ストレス 2）感染：腸チフス，つつがむし病
リンパ球減少症（lymphopenia）	1）急性感染の初期 2）免疫不全症：後天性免疫不全症候群，重症複合型免疫不全症，Wiskott-Aldrich症候群 3）薬剤：副腎皮質ステロイド薬，免疫抑制薬，抗がん薬
単球減少症（monocytopenia）	1）重症感染症や抗がん薬投与後の好中球減少をきたす前

表2 好中球減少をきたす主な薬剤

消炎鎮痛剤	インドメタシン，アセトアミノフェン，ロキソプロフェン，ペンタゾシン，サラゾスルファピリジンなど
抗菌薬	ペニシリン系，セフェム系，ST 合剤，クロラムフェニコール，イソニアジドなど
抗ウイルス薬	アシクロビル，バラシクロビル，ガンシクロビルなど
抗甲状腺薬	チアマゾール，プロピルチオウラシルなど
消化性潰瘍薬	H_2 ブロッカー，プロトンポンプ阻害薬など
抗血小板薬	チクロピジンなど
抗精神病薬	カルバマゼピン，クロルプロマジン，クロザピン，バルプロ酸など
降圧薬	ACE 阻害薬，ARB，Ca 拮抗薬，利尿薬など
血糖降下薬	クロルプロパミド，トルブタミドなど
抗不整脈薬	プロカインアミド，アジマリン，キニジン など
その他	アロプリノール，抗リウマチ薬，リトドリンなど

プロトンポンプ阻害薬，NSAIDs，抗不整脈薬，ACE 阻害薬などである 表2.

- 機序としては，薬剤もしくはその代謝物による骨髄前駆細胞を傷害する場合（中毒性）と薬剤が hapten として機能することで顆粒球に対する免疫反応により傷害される場合（アレルギー性）がある.
- 中毒性の場合は，発症まで数週間有することがある. アレルギー性の場合は感作されている場合，1 時間から 1 日で抗体が産生される.
- 薬剤性を疑う場合は速やかに被疑薬を中止する．通常 1〜2 週間で回復することが多いが，改善が乏しい場合には，骨髄検査によって血液疾患を否定した後に G-CSF 製剤の使用も考慮する.
- 好中球減少に加え，末梢血中に芽球が出現していた場合は，急性白血病や骨髄異形成症候群（myelodysplastic syndromes: MDS）が疑われる．末梢血塗抹標本を目視で観察したのち，骨髄検査を施行する.
- 急性前骨髄球性白血病（acute promyelocytic leukemia: APL）では，白血球数の中央値が 2,000/μL 前後であり，約 60%の症例が汎血球減少をきたし，APL 細胞は特徴的な細胞形態をとるため目視像の確認が重要である．また DIC を高率に合併するため，凝固検査も重要である.
- 甲状腺機能亢進症，多発血管炎性肉芽腫症，関節リウ

マチ，全身性エリテマトーデスでは免疫学的機序により好中球減少をきたすことがある．

- 肝硬変などにより脾機能亢進が生じると，好中球の捕捉が亢進され好中球減少をきたす．
- 放射線照射により好中球減少をきたす．
- 栄養障害も好中球減少の原因となる．特に，過分葉好中球が認められ，大球性貧血（MCV＞101）も合併している場合は，巨赤芽球性貧血が疑われる．消化管切除の既往を確認し，ビタミン B_{12} や葉酸を測定する．また，抗内因子抗体や抗胃壁細胞抗体が陽性の場合は悪性貧血の診断となる．
- 血球貪食性リンパ組織球症（hemophagocytic lymphohistiocytosis: HLH）は，血球貪食症候群（hemophagocytic syndrome: HPS）ともよばれ，原因不明の発熱，高 LDH 血症，高フェリチン血症，高トリグリセリド血症，可溶性 IL-2 受容体高値，2 系統以上の血球減少などをきたす．骨髄検査を施行し血球貪食像を確認する必要がある．多くの場合が続発性 HPS であり，感染症・悪性腫瘍・自己免疫疾患など基礎疾患の検索も重要である．
- 慢性好中球減少症には，自己抗体により好中球破壊が亢進する免疫性好中球減少症と，好中球の産生障害で起こる重症先天性好中球減少症や周期性好中球減少症などがある．

リンパ球減少

- 一般の細菌による急性感染症の場合には好中球増加に伴った相対的減少もあるが，リンパ球絶対数の減少が認められることもある．
- 副腎皮質ステロイド薬，免疫抑制薬，抗がん薬の使用時にリンパ球減少をきたす．
- 低栄養の状態が持続することでリンパ球減少が認められることがある．
- リンパ球減少では，原発性免疫不全症や後天性免疫不全症を鑑別することが重要である．
- 先天性疾患として，重症複合型免疫不全症（severe combined immunodeficiency: SCID），Wiskott-Aldrich 症候群などがある．
- 後天性のリンパ球減少の原因として，ヒト免疫不全ウイルス（human immunodeficiency virus: HIV）感染による後天性免疫不全症候群（acquired immunode-

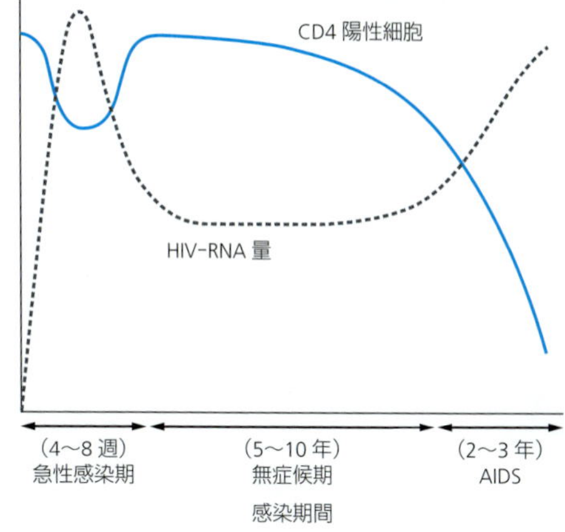

図 1　HIV 感染症の臨床経過

ficiency syndrome: AIDS）がある．HIV は主として CD4 陽性 T リンパ球とマクロファージ系の細胞に感染するレトロウイルスである．HIV 感染 /AIDS の臨床経過を 図 1 に示す．

- HIV 感染症は，感染後数週間（window period）でウイルスが急速に増殖し，発熱・リンパ節腫脹などの症状を呈する．
- HIV 感染を確認するためには，患者の同意を得たのちに HIV-1/2 抗体を測定する．しかし，この HIV 抗体検査では 0.1%程度の偽陽性が報告されている．HIV 抗体陽性となった場合には必ずウェスタンブロット法，ならびに RT-PCR 法にて確認検査を行うことが必要である．window period には，抗体検査が偽陰性となるため注意が必要である．
- CD4 陽性 T リンパ球は，正常な免疫能を維持するために必要な細胞であり，その数が 200/μL を下回るようになると細胞性免疫不全の状態を呈し，種々の日和見感染症，日和見腫瘍（AIDS 指標疾患）を併発しやすくなる．この状態が AIDS である．
- 他にリンパ球減少をきたす血液疾患として，骨髄異形成症候群，白血病，再生不良性貧血，Hodgkin リンパ腫などがある．

好酸球減少

- 好酸球減少が単独で白血球減少になることは少ない.
- クッシング症候群などの副腎皮質ホルモン過剰分泌時や副腎皮質ステロイド薬投与時に好酸球は減少する.
- 腸チフス, つつがむし病の感染にて好酸球が消失する.

好塩基球減少

- 好塩基球は正常の末梢血中に数%しか存在しておらず, 好塩基球減少は臨床上問題にならない.

単球減少

- 重症感染症や抗がん薬投与後の好中球減少をきたす前に単球が減少することが知られている.
- 有毛細胞性白血病（hairy cell leukemia）では汎血球減少と脾腫を呈するが, 単球の減少は特徴的である.

参考文献

1）木崎昌弘. 白血球増加. カラーテキスト血液病学. 2 版. 東京: 中外医学社; 2013.
2）日本血液学会. 血液専門医テキスト. 改訂第 3 版. 東京. 南江堂; 2019.

〈永沼　謙〉

JCOPY 498-22507

6 白血球増加

まとめ

- 白血球数の正常値は 4,000〜9,000/μL であり，10,000/μL 以上を白血球増加症とすることが多い 表1.
- 白血球増加の鑑別は，どの白血球分画が増加しているか，他の血算の異常はないかを確認することが重要である.
- 血算・白血球分画に加え，血球の形態を確認することも重要である.

好中球増加

- 好中球は末梢血中だけでなく，骨髄プール，血管壁や脾臓・肝臓（これらを辺縁プールとよぶ）にも存在している．感染症やストレスなどの刺激により，骨髄・辺縁プールに存在していた好中球が循環中の好中球（循環プール）に移行することで血液検査の好中球数は増加する.
- 日常臨床で最も頻度が高い白血球増加は，感染症に伴う好中球増加である．細菌感染症では，成熟した好中球（分葉核球・桿状核球）が増加するだけでなく，さらに幼若な骨髄球や後骨髄球が末梢血に出現する．これを核の左方移動 図1 という．好中球に中毒顆粒や Döhle 小体を認めることがある.
- 白血球数の著明な上昇（50,000/μL）に加え，末梢血に幼弱な白血球の出現した場合を類白血病反応という.
- 骨髄球系幼若細胞（芽球〜後骨髄球）が認められる場合は骨髄増殖性腫瘍（myeloproliferative neoplasms: MPN）の可能性を考える必要がある．特に，慢性骨髄性白血病（chronic myeloid leukemia: CML）は，白血球増加に加え，好酸球増加・好塩基球増加・血小板増加を認め，幼若な骨髄球系細胞がみられるものの白血病裂孔 図2 がみられないことが特徴である.
- 好中球増加を認める腫瘍性疾患として非常に稀ではあるが慢性好中球性白血病（chronic neutrophilic leukemia: CNL）がある．CNL では通常 Ph 染色体が陰

表1 白血球増加症

好中球増加症 (neutrophilia)	1）感染症：細菌感染症，真菌感染症 2）自己免疫疾患：血管炎，関節リウマチ，成人 Still 病 3）組織障害：急性心筋梗塞，腎梗塞，肺梗塞，腸間膜動脈血栓症 4）造血器疾患：慢性骨髄性白血病，真性赤血球増加症，本態性血小板血症，原発性骨髄線維症，慢性好中球性白血病 5）その他：喫煙，ストレス，副腎皮質ホルモン過剰，G-CSF 産生腫瘍
好酸球増加症 (eosinophilia)	1）アレルギー：気管支喘息，アトピー性皮膚炎，薬物アレルギー 2）寄生虫感染症 3）血管炎：好酸球性多発血管炎性肉芽腫症，コレステロール結晶塞栓症，血管性浮腫 4）造血器疾患：慢性骨髄性白血病，骨髄増殖性腫瘍，慢性好酸球性白血病，骨髄異形成症候群，悪性リンパ腫 5）特発性好酸球増加症，特発性好酸球増加症候群
好塩基球増加症 (basophilia)	1）アレルギー：蕁麻疹 2）造血器疾患：慢性骨髄性白血病，骨髄異形成症候群 3）内分泌疾患：甲状腺機能低下症
リンパ球増加症 (lymphocytosis)	1）感染症：ウイルス感染症，百日咳 2）造血器疾患：慢性リンパ性白血病，成人 T 細胞白血病，大顆粒リンパ球増加症 3）内分泌疾患：Basedow 病，Addison 病
単球増加症 (monocytosis)	1）感染症：結核，水痘，発疹チフス，猩紅熱，麻疹，風疹 2）骨髄抑制からの白血球回復期 3）造血器疾患：慢性骨髄単球性白血病 4）慢性疾患：慢性肝炎，肝硬変，潰瘍性大腸炎 5）原虫症：マラリア，トリパノソーマ病

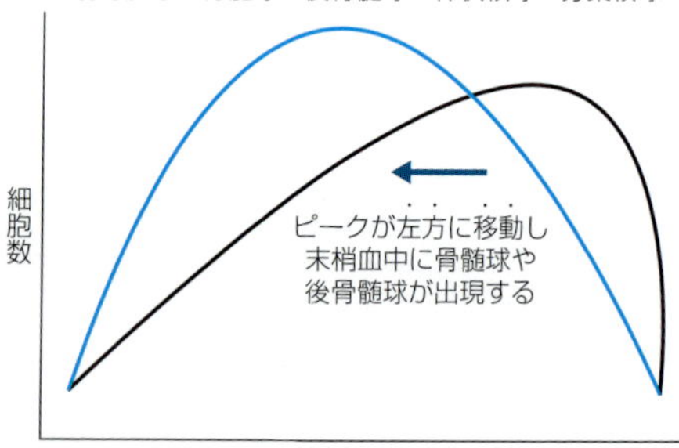

図1 核の左方移動

細菌感染症では，桿状核の比率が増加するだけでなく，さらに幼若な骨髄球や後骨髄球が末梢血に出現する．これを核の左方移動という．

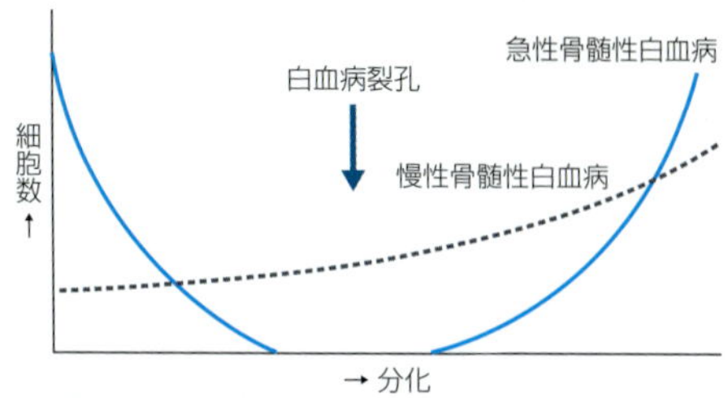

図2　白血病裂孔
急性骨髄性白血病では中間段階の分化過程細胞が確認できず，これを白血病裂孔という．慢性骨髄性白血病では多段階の分化過程細胞が確認でき，白血病裂孔はない．

性であり，好中球アルカリホスファターゼ（NAP）スコアは高値を示す．CNL では *CSF3R* 遺伝子変異を認める[3]．

- 喫煙，痙攣，麻酔，過剰な運動や感情変化などのストレスでも好中球増加がみられる．特に喫煙は軽度の白血球増加の原因として頻度が高い．
- 梗塞，火傷などの組織障害や関節リウマチなどの炎症性疾患でも好中球増加がみられる．
- 副腎皮質ステロイドをはじめとし，βアゴニスト，リチウムなどの薬剤により好中球増加をきたすことがある. ステロイドでは, 好中球の接着性が低下し骨髄プール・辺縁プールから循環プールへ放出されることが原因の一つとされる．
- G-CSF 産生腫瘍では炎症所見がないにもかかわらず好中球増加を認める．G-CSF 産生腫瘍としては肺がんが最も多い．

好酸球増加

- 好酸球増加の原因は反応性によるものが多く，その原因として寄生虫などの感染症，気管支喘息，アトピー性皮膚炎などのアレルギー疾患，薬剤アレルギーなどがあげられる．我が国では寄生虫によるものは稀で，アレルギーによるものが多い．開発途上国では寄生虫感染症が最も多い．
- WHO 分類改訂第 4 版において，好酸球増加症と遺伝子再構成を伴う骨髄性/リンパ性腫瘍は，*PDGFRA*, *PDGFRB*, *FGFR1* 遺伝子再構成を有する 3 つの独立疾患と *PCM1-JAK2* 融合遺伝子有する暫定病型に区別される.

- 慢性好酸球性白血病，非特異型と特発性好酸球増加症は，他の骨髄増殖性腫瘍に特異的な遺伝子変異を除外することが重要である．両者の区別には，骨髄系細胞の clonality の証明と末梢血または骨髄中の芽球の増加が重要である.
- 特発性好酸球増加症のうち，臓器障害を伴うものは特発性好酸球増加症候群とされる.
- 血管性浮腫，好酸球性胃腸炎，潰瘍性大腸炎，多発血管炎性肉芽腫症などでもみられる.

好塩基球増加

- 末梢血の好塩基球数は 20～80/μL とされる.
- 即時型アレルギーで増加することがある.
- CML で好塩基球増加が認められることがある.
- 甲状腺機能低下症や潰瘍性大腸炎などでみられることもある.

リンパ球増加

- リンパ球増加の原因は反応性と腫瘍性に分けられる.
- 反応性リンパ球増加の主な原因としてウイルス感染がある.
- Epstein-Barr（EB）ウイルスの初感染に伴い，伝染性単核球症を発症することがある．伝染性単核球症では末梢血中に異型リンパ球が出現する.
- 伝染性単核球症では，リンパ球数が 10,000/μL 以上に増加することがある.
- EB ウイルス以外にも，サイトメガロウイルス，HHV-6 などのヘルペス族ウイルスの初感染でも伝染性単核球症様症候群を発症することがある.
- 末梢血に異常リンパ球を認める場合は，白血病・悪性リンパ腫の可能性を考慮する必要がある.
- 腫瘍性に小リンパ球が増加する疾患の代表として慢性リンパ性白血病（chronic lymphocytic leukemia: CLL）がある．その他にマントル細胞リンパ腫，濾胞性リンパ腫，ヘアリー細胞性白血病などでも小型リンパ球が増加する．これらの鑑別にはフローサイトメトリー法を用いた細胞表面マーカーの確認が重要である.
- 成人 T 細胞白血病（adult T-cell leukemia: ATL）はリンパ球増加をきたし，花弁様細胞がみられることが特徴である.

- Basedow 病や副腎不全などの内分泌疾患や Crohn 病や潰瘍性大腸炎などの炎症性腸疾患でもリンパ球増加をきたすことがある.
- また脾摘後や薬剤性にリンパ球が増加することがある.

単球増加

- 結核，梅毒，ブルセラ症などの急性細菌感染や，麻疹，風疹，水痘などのウイルス感染，マラリア，トリパノソーマなどの原虫症で単球増加がみられる.
- 抗がん薬投与後や，薬剤性無顆粒球症の骨髄抑制からの白血球回復期に好中球増加に先立って単球増加がみられることが知られている.
- 腫瘍性に単球が増加する疾患としては急性骨髄性白血病の M4・M5，MDS，若年性骨髄単球性白血病，慢性骨髄単球性白血病（chronic myelomonocytic leukemia: CMML）がある．CMML では，異型単球と好中球，骨髄球系の幼若細胞が増加する.

参考文献

1）木崎昌弘．白血球増加．カラーテキスト血液病学．2 版．東京：中外医学社；2013.
2）日本血液学会．血液専門医テキスト．改訂第 3 版．東京．南江堂；2019
3）Maxson JE, Gotlib J, Daniel A, et al. Oncogenic *CSF3R* mutations in chronic neutrophilic leukemia and atypical CML. N Engl J Med. 2013; 368: 1781-90.

〈永沼　謙〉

VI

造血器腫瘍に対して必要な治療総論

1 治療計画の立て方

まとめ

- 白血病，悪性リンパ腫，多発性骨髄腫などの造血器腫瘍の治療においては，まず患者の治療目標を設定することが必要である.
- 治療目標を設定したら，到達するための適切な治療計画を立案する.
- 治療計画を立てる際には，病態，予後因子，合併症などの疾患要因とともに年齢や社会的背景などの患者要因を考慮する.
- 治療目標を踏まえた治療の根拠となる最新のエビデンスを把握し，EBM（evidence base medicine）に基づいた治療を選択するが，学会などによる治療ガイドラインなども参考になる.

はじめに

- 造血器腫瘍の治療は抗がん薬を用いた化学療法が基本であるが，最近の分子病態解明研究の進歩に伴い，多くの分子標的治療薬が開発され，さらに抗がん薬による化学療法や移植医療も格段の進歩を遂げている．このような治療の進歩や治療選択肢の増加は治療成績の向上につながっているが，そのためには個々の患者に即した適切な治療選択を行う必要がある．最新の治療エビデンスをしっかりと理解し，個々の患者において病態，病期，予後因子，合併症，臓器障害の程度などの疾患因子とともに年齢，家族関係，経済的状況，人生観などの患者の社会的背景を基にした治療計画の立案が必要である.
- 治療計画の立案にあたっては，治療目標を立てることが重要である．疾患要因や患者の社会的背景により，「疾患の治癒」を目指した治療を行うのか，あるいは「病勢コントロールを主眼とした生活の質（quality of life：QOL）」を重視し，「生存期間の延長」を目標とした治療を行うのかなどを，治療前に明確にする必要がある．治療目標については，治療効果，副作用，合併症などにより治療開始前に定めた治療目標を随時見直す必要がある．治療前，治療中のいずれにおいても，常に患者にとって何が重要かを念頭に治療目標を立て

表1　エビデンスレベル

レベル	内容
1a	ランダム化比較試験（RCT）のメタ解析
1b	少なくとも1つのランダム化比較試験（RCT）
2a	ランダム割付を伴わない同時コントロールを伴うコホート研究(前向き研究)
2b	ランダム割付を伴わない過去のコントロールを伴うコホート研究（後向き試験，過去のデータをコントロールとしてコホート研究など）
3	ケースコントロール試験（後向き研究）
4	処置前後の比較などの前後比較，コントロールを伴わない研究
5	症例報告
6	専門家個人の意見（専門委員会報告を含む）

（Minds（日本医療機能評価機構）診療ガイドライン選定部会2007による）

ることが大切である．

標準治療

- 治療法の選択にあたり，まず考慮しなくてはならないのが標準治療である．標準治療とは，根拠（エビデンス）に基づいた治療法であり（evidence base medicine：EBM），大規模な臨床試験によって有効性が確認され，その時点での最も信頼できる情報を踏まえての最善の治療といえる．EBMは，臨床的に実施した結果，確かに良くなったことが疫学的・統計学的に確認され証明された医療である．治療法の選択にあたってはエビデンスレベルの最も高い臨床研究に基づいて決定する必要がある表1．

EBMの5つのstep

- EBMは，その手順を以下の5つのstepに分けて考える．

Step 1：疑問（問題）の定式化
Step 2：情報収集
Step 3：情報の批判的吟味
Step 4：情報の患者への適用
Step 5：Step 1〜4のフィードバック

1）Step 1：疑問（問題）の定式化

- 目の前の患者から生じる疑問や問題を，わかりやすい形に整理する過程である．疑問をPICOの形にすることでよりわかりやすくなるために，PICOは「疑問の定式化」とよばれている．

P：Patient　どんな患者が

I：Intervention　ある治療/検査をするのは
C：Comparison　別の治療/検査と比べて
O：Outcome　どうなるか

2）Step 2：情報収集

・Step 1で定式化した疑問を解決すると思われる文献検索を行う．一般に治療効果についてはランダム化比較試験，病因や副作用の評価にはランダム化比較試験，コホート研究，症例対照研究，予後にはコホート研究のような研究デザインを用いることが多い．疑問点の解決のために適切な研究デザインを想定し，適切なデータベースを検索し文献収集する．情報源としては，PubMedで検索することが多いが，2次情報として一般的な医学教科書やUpToDate，各種ガイドラインなどを用いることもある．

3）Step 3：情報の批判的吟味

・Step 2で得られた情報が，本当に正しいか評価する．医学研究には結果に影響するさまざまなバイアスが存在する．その有無を適切に評価した上で，その研究結果をどれだけ信頼できるか（内的妥当性），どれだけ他のケースに応用できるか（外的妥当性）を判断する．これらを判断するには，医学的知識はもとより，臨床疫学や統計学の知識が必要である．

4）Step 4：情報の患者への適用

・得られた文献の結論を，実際の患者に適応できるかを判断する．患者の希望なども考慮して最良の選択肢を決定するが，実臨床では，正解がわからない中で決断を下さなくてはならないことも間々あり，現時点でのevidenceをどのように患者に活用するか，EBMの実践において最も重要なステップである．この段階で考慮すべきことは，以下の項目である．
①研究結果のエビデンス
②臨床状況と環境
③患者の考えや嗜好
④臨床経験

5）Step 5：Step 1〜4のフィードバック

・Step 1〜4における判断が正しかったかを事後評価し，今後のプロセス改善に努める．

治療計画の立案

1）治療計画を立てるためには，個々の患者に最適の治療目標を設定することが重要である．治癒を目指すのか，QOL を保ち生存期間の延長を目標とした治療を行うか，症状の緩和を目的とするのかなどを決定する．

2）年齢，合併症，臓器障害の程度，疾患の予後因子に加えて患者の社会的背景，家族関係，経済状況などを総合的に評価し，治療計画を立てる．

3）治癒を目標とした場合には，治療強度が重要であり，ある程度の有害事象は許容しなくてはならない．QOL を維持することを目標とした場合は，有害事象は極力抑えなくてはならない．緩和目的の場合は，痛みをとることが先決である．

4）これらの目標に沿い，EBM から得られる科学的根拠のある治療法をもとに治療計画を立てる．

5）治療計画は，治療の過程で適宜見直す必要がある．

ガイドライン

・EBM を実践するための 2 次情報として日常診療の現場でよく使用されるのが，学会などから出版されている診療ガイドラインである．日本血液学会では，「造血器腫瘍診療ガイドライン」を出版しており汎用されている．その他，学会や米国 NCCN ガイドライン，ELN（European LeukemiaNet）など多くのガイドラインが出版されているが，海外のガイドラインの活用に際しては，我が国の保険診療で認められていない治療が掲載されていることもあるので注意を要する．

1）日本血液学会（編）造血器腫瘍診療ガイドライン[1)]

・日本血液学会「造血器腫瘍診療ガイドライン作成委員会」を中心に編集された日常診療で最も使用されるガイドラインであり，2020 年 4 月に発刊された「2018 年版補訂版」が最新のガイドラインである．造血器腫瘍に対するベネトクラクスやオビヌツズマブなどの新しい分子標的治療薬や CAR-T 細胞療法チサゲンレクルユーセル，二重特異抗体ブリナツモマブなどの免疫療法の保険収載に伴い，疾患の治療アルゴリズムや CQ（clinical question）が見直され，現時点での最新の情報が提供されている．このガイドラインの目的の中では，診療ガイドラインは，あくまでも特定の対象と条件下での複数の試験成績を根拠とし，その中での平均的なエビデンスを示したにすぎないことが述べられている．実際の臨床の現場での意思決定には，臨床研究のエビデンスとともに医療の状況と環境，患者の価値観が密接に関連するので，医療者はそれらを総合的に判断することが求められる．

2）NCCN ガイドライン

- 全米の代表的な 23 のがんセンターにより組織されたガイドライン策定組織 NCCN（National Comprehensive Cancer Center Network）が作成したがん診療ガイドラインであり，世界的に広く利用されている．米国臨床腫瘍学会 ASCO のガイドラインが，テーマを絞って記載されているのに対し，このガイドラインは，日常診療におけるあらゆる過程（スクリーニング，診断から治療，緩和ケアなど）を網羅的にカバーしている．最新のエビデンスをガイドラインに取り込もうとするために，頻回に改訂されている．米国のガイドラインであるために我が国の保険診療に準じて参照することが重要である．

3）ELN（European LeukemiaNet）ガイドライン

- ELN は，白血病の治癒を目指し欧州を中心に 44 カ国 220 の施設で構成され，CML をはじめ AML，ALL，MDS，MPN などの白血病に対するガイドラインを策定するとともに，ELN meeting などのセミナーを開催している．我が国で使用することが多いのが，CML に対するガイドラインである．定期的に出版されているので，常に最新のガイドラインを参照する必要がある．

おわりに

- 治療計画を立てるためには，EBM に基づく科学的根拠がなくてはならないが，くわえて個々の患者の考え方や取り巻く状況などの要因を総合的に勘案する必要がある．さらに，医師の臨床経験などを加えて，最終的な治療目標を設定し，患者にとって最適な治療計画を立案し実践することを心がけることが医療者にとって重要である．

参考文献

1）日本血液学会，編．造血器腫瘍診療ガイドライン．2018 年版補訂版．東京：金原出版；2020.

〈木﨑昌弘〉

2 抗がん薬と化学療法

まとめ

- 抗がん薬（殺細胞性抗がん薬，分子標的薬）による化学療法が造血器悪性腫瘍の治療の中心となる．
- 疾患ごとの標準治療に従ったプロトコール（レジメン）を規定コース数，継続的に繰り返し施行することが治癒を目指す治療戦略として重要であるが，年齢やPS（performance status），臓器機能，合併症により標準治療の施行が難しい症例においては，症例ごとに判断する．
- 殺細胞性抗がん薬（古典的抗がん薬）に加え，分子標的薬も登場し，治療選択肢が拡大している．特に分子標的薬は，慢性骨髄性白血病（CML）におけるチロシンキナーゼ阻害薬（TKI）のように従来の治療概念を覆し新たな標準治療となることもあるほか，殺細胞性抗がん薬による化学療法の施行が厳しい高齢者などにおける病勢コントロールを目標とした有力な治療選択肢となる可能性がある．分子治療薬の新規開発・承認や，既存の分子標的治療薬へ適応症の追加承認により，新たな治療選択肢として，今後もさらに加わると考えられる．

造血器悪性腫瘍の治療

- 悪性腫瘍の治療は，外科的手術，放射線療法，化学療法，分子標的療法，免疫療法に大別される．
- 造血器悪性腫瘍では一般に全身に病変があり，胃限局悪性リンパ腫など臓器限局の悪性リンパ腫などごく一部の例を除き，外科的手術による根治療法は期待されない．
- 同様に，放射線療法にて根治が期待される造血器悪性腫瘍の症例は，限局期（病期：Ⅰ期・隣接するⅡ期）の低悪性度リンパ腫や，限局型の形質細胞腫に限定される．
- 前述のような限局した状態を除き，造血器悪性腫瘍に対しては，一般に，化学療法を中心とした，全身の病変に対し効果が期待される治療選択を行うこととなる．
- 悪性リンパ腫の化学療法後の病変残存や，急性白血病や多発性骨髄腫の治療中の髄外腫瘤を伴う再発では，同部位に対する局所療法（放射線療法）が選択される場合もある．

- 悪性リンパ腫では，中枢神経系（CNS）病変を有するかどうかで，選択する治療プロトコール（レジメン）が異なる．通常，悪性リンパ腫に対し施行される（R-）CHOP 療法では，CNS 病変への治療効果は期待されない．
- 急性白血病に対しては，total cell kill を目標とした強力な化学療法が治癒を目指す治療戦略としての標準治療となるが，年齢や PS（performance status），心機能や腎機能，肝機能などの臓器機能，合併症により標準治療の施行が困難である症例も想定される．標準治療の施行が難しい症例においては，治療強度を減弱したプロトコールの選択や，化学療法投与量の減量，休薬期間の延長などによる治療強度の減弱を症例ごとに判断する．
- 年齢的に造血幹細胞移植の適応がなく，全身状態や合併症などから殺細胞性抗がん薬による化学療法の施行が厳しい高齢者症例における，従来は予後不良といわれた Philadelphia 染色体陽性（*BCR-ABL* 陽性）の急性リンパ性白血病では，疾患の有する染色体異常 / 遺伝子異常に対し効果が期待される分子標的薬〔グリベック®（イマチニブ），スプリセル®（ダサチニブ）〕の投与により，根治は難しいものの自宅退院および外来通院が可能な程度の病勢コントロールが一定期間可能となる症例もある．また同様に，予後不良といわれる FLT3 変異陽性の急性骨髄性白血病に対しても，FLT3 阻害薬の登場により，同様の病勢コントロールが可能な症例もある．必ずしも古典的な化学療法の施行に選択肢を限定せず，患者ごとの状態に合わせて治療目標を設定し，それにあわせた治療選択を検討する．特に，前述のような，疾患が有する遺伝子異常に対し治療効果が期待され，投与可能な分子標的薬が存在する場合には，治癒は困難であっても，治療合併症を抑えた病勢コントロールが一定期間は可能な場合が多い．
- 患者の T 細胞に標的抗原に対する CAR をコードする遺伝子を導入し製造される CAR 発現 T 細胞（CAR-T 細胞）を投与する CAR-T 療法など免疫療法の選択肢

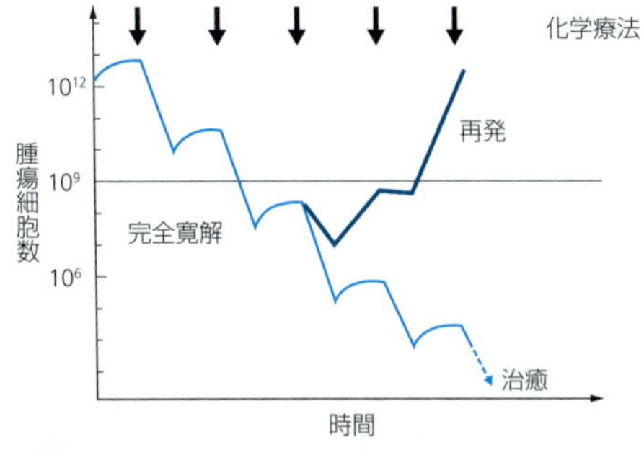

図1 急性白血病治療と腫瘍細胞数の推移

や，また今後も，分子標的薬の新規の開発・承認や，既存の分子標的治療薬への適応症の追加承認により，治療選択肢が増える可能性もあることから，新規承認薬や適応症の情報収集にも努める必要がある．

急性白血病の化学療法

- 急性白血病の発症時，体内には 10^{12} 個以上の白血病細胞（約 1 kg に相当）が存在するといわれている．この白血病細胞を 1 個残らず根絶すること（total cell kill）が白血病の治癒につながるため，化学療法を繰り返し施行する．
- 急性白血病の場合，寛解導入療法といわれる強度の強い初回の化学療法で，まずは血液学的完全寛解を目指す．初発時に 10^{12} 個以上存在した白血病細胞が，化学療法（寛解導入療法）により血液学的完全寛解が得られた状態であっても，体内には依然 10^9 個の腫瘍細胞が残存している．この後，地固め療法や維持療法などを繰り返し施行し，また状況によっては造血幹細胞移植を施行し，腫瘍細胞の根絶を目指した治療を行う 図1．
- PCR 法によるキメラ遺伝子（微小残存病変 minimal residual disease：MRD という）の検出により，体内の腫瘍細胞が 10^6 個レベルまでは白血病細胞の存在の同定が可能であるが，それ未満のレベルで測定が難しく，根絶されたか否か確認する術は現状ないため，無治療で，完全寛解の状態を 5 年持続することが治癒と定義される．
- 化学療法後，正常造血が回復した状態で，骨髄における白血病細胞（芽球）が5%以下となり，髄外腫瘤を認めない状態を血液学的寛解（hematological CR）とよぶ．その後，白血病が有する異常な染色体が検出できない状況の寛解を細胞遺伝学的寛解（cytogenetic CR：CRc），遺伝子が検出できない状況の寛解を分子学的寛解（molecular CR：CRm）という．

抗がん薬の分類と作用機序

- 抗がん薬は，非特異的に殺細胞効果を示す従来の古典的抗がん薬（殺細胞性抗がん薬）のほか，がんの分子異常の解明に伴い，その分子を特異的に阻害する化合物や抗体が開発され，分子標的薬が多数加わった．
- 殺細胞性抗がん薬は，細胞のDNA合成や細胞分裂を阻害することにより効果を示し，その作用部位により細胞周期特異的なものと非特異的なものに分けられる．治療域と毒性の出現する血中濃度が近接しており，有害事象の出現頻度が高い．一般に，骨髄抑制による感染症や脱毛，嘔気・嘔吐，不妊症などの有害事象が発現しやすい．
- 分子標的薬は，腫瘍細胞の増殖，浸潤などに関わる分子を標的として作用する薬剤である．殺細胞性抗悪性腫瘍薬でみられる脱毛，嘔気・嘔吐，不妊症などの有害事象は少ない．特に点滴静注製剤では，投与に伴う発熱・血圧低下・呼吸苦などのアレルギー様症状（infusion reaction）が多いことから，ECG, SpO_2 モニタリングのうえ投与を行うことが望ましい．分子標的薬でも投与初期に血球減少を生じる薬剤は多いことから，血球数の確認を行い，血球減少時には一時休薬も検討する．
- 作用機序および毒性が異なる抗がん薬や分子標的薬を複数併用する多剤併用療法を行うことで，抗腫瘍効果を高める治療を行う．
- 造血器腫瘍では，抗がん薬投与量および抗がん薬投与間隔は，抗腫瘍効果と相関することが知られている．
- より抗腫瘍効果を発揮するためには，プロトコール（レジメン）に従った標準投与量の化学療法の投与を，定められた投与間隔で繰り返し行うことが重要である．

殺細胞性抗がん薬

- 血液悪性腫瘍で主に用いられる殺細胞性抗がん薬の種類を表に示す 表1.
- 殺細胞性抗がん薬は，細胞周期のどのポイントに作用するかによって，細胞周期依存性抗がん薬と細胞周期非依存性抗がん薬に大別される 図2.
- 代謝拮抗薬などの細胞周期依存性抗がん薬は，細胞周期に入っている腫瘍細胞には有効であるが，分裂速度が比較的遅い腫瘍では，腫瘍細胞のほとんどが細胞周期には入っていないため，効果を発揮しづらい.
- 造血器悪性腫瘍の治療で用いられる殺細胞性抗がん薬の多くは，骨髄抑制が用量制限毒性となる.
- アルキル化薬やトポイソメラーゼⅡ阻害薬の投与を受けた場合，治療関連骨髄異形成症候群や二次性白血病（治療関連白血病）を生じることがある.

1）アルキル化薬

- DNA や蛋白にアルキル基を結合させること（アルキル化）により，DNA 塩基（主に 2 本鎖間）に架橋を形成し，DNA 複製・RNA 転写を阻害する.
- 細胞周期特異性を示さず，G0 期の細胞にも作用する.
- ナイトロジェンマスタード類とニトロソウレア類に分類される．ニトロソウレア類は中枢神経系にも移行する.

► **シクロホスファミド CPA, CY**（エンドキサン®）

- ナイトロジェンマスタード類に分類される.
- 主にリンパ系腫瘍に対して投与される．免疫抑制作用を有しており，造血幹細胞移植前処置にも用いられる.
- 肝臓で代謝され，最終的にアルキル化能をもつホスホラミドマスタードと出血性膀胱炎の原因物質となるアクロレインを産生する．前者は 2 つの反応基を有しており，DNA 間に架橋を形成し，DNA 障害をきたす.
- 主な副作用として，心筋障害，嘔気・嘔吐，大量投与時には代謝産物アクロレインによる出血性膀胱炎があげられる.
- 出血性膀胱炎予防として，中和剤であるメスナ（ウロミテキサン®）の投与と十分量の補液による尿量確保を行う．尿道留置カテーテル（バルン）の留置は必須ではない.
- 発がん性があるため，医療従事者の曝露対策も重要である.
- 重度の肝機能障害や腎機能障害を有する症例では減量

表 1 血液悪性腫瘍に用いられる代表的な殺細胞性抗がん薬の種類

分類	一般名（略語）	商品名
アルキル化薬		
マスタード類	シクロホスファミド（CPA, CY）	エンドキサン
	イホスファミド（IFM）	イホマイド
	ブスルファン（BU, BUS）	マブリン，ブスルフェクス
	メルファラン（L-PAM）	アルケラン
ニトロソウレア類	ラニムスチン（MCNU）	サイメリン
	ダカルバジン（DTIC）	ダカルバジン
代謝拮抗薬		
葉酸拮抗薬	メトトキレサート（MTX）	メソトレキセート
ピリミジン拮抗薬	シタラビン（Ara-C）	キロサイド
プリン拮抗薬	フルダラビン（FLU）	フルダラ
	クラドリビン（2-CdA）	ロイスタチン
	ネララビン	アラノンジー
	メルカプトプリン（6-MP）	ロイケリン
その他	ヒドロキシカルバミド（HU）	ハイドレア
抗腫瘍性抗生物質		
アントラサイクリン系	ドキソルビシン（DXR）	アドリアシン
	ダウノルビシン（DNR）	ダウノマイシン
	イダルビシン（IDA, IDR）	イダマイシン
	ミトキサントロン（MIT）	ノバントロン
	アクラルビシン（ACR）	アクラシノン
その他	ブレオマイシン（BLM）	ブレオ
微小管阻害薬		
ビンカアルカロイド	ビンクリスチン（VCR）	オンコビン
	ビンブラスチン（VLB）	エクザール
	ビンデシン（VDS）	フィルデシン
タキサン系	パクリタキセル（PTX）	タキソール
白金製剤		
白金製剤	シスプラチン（CDDP）	シスプラチン，プラトシン，ランダ
	カルボプラチン（CBDCA）	パラプラチン
トポイソメラーゼ阻害薬		
トポイソメラーゼⅠ阻害薬	イリノテカン（CPT-11）	トポテシン
トポイソメラーゼⅡ阻害薬	エトポシド（VP-16）	ラステット，ベプシド
その他		
酵素薬	L-アスパラギナーゼ（L-ASP）	ロイナーゼ

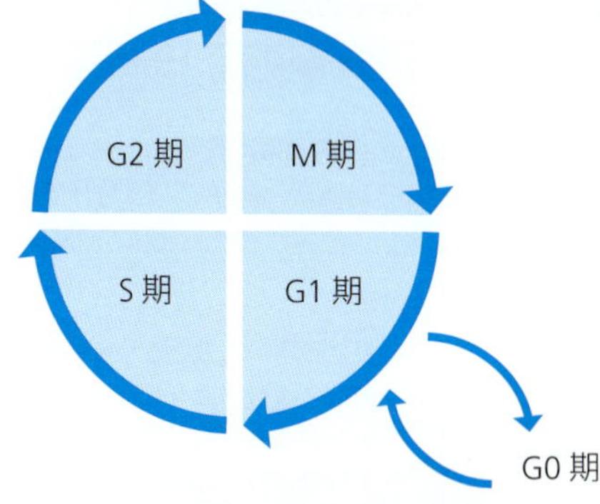

G0 期：休止期
G1 期：DNA 合成酵素の合成
S 期　：DNA 合成期
G2 期：蛋白, RNA, 微小管合成
M 期　：有糸分裂期

図2　細胞周期

が必要である.

2）代謝拮抗薬

- 核酸や蛋白合成過程の代謝物と構造が類似しているため，合成経路に取り込まれ，正常な核酸代謝を阻害する．正常細胞にも取り込まれる.
- 細胞周期の S 期（DNA 合成期）の細胞に対して特異的に作用するため，長時間，持続的に投与する必要がある.
- 葉酸拮抗薬，プリン拮抗薬，ピリミジン拮抗薬に分類される.

► **メトトレキサート MTX**（メソトレキセート®）
- 葉酸拮抗薬（葉酸アナログ）に分類される.
- ジヒドロ葉酸レダクターゼを阻害することによって，プリンやピリミジン合成に必要な還元型葉酸が枯渇し，DNA 合成が阻害される.
- 主にリンパ系腫瘍に対して投与される.
- 大量投与を施行した場合には，中枢神経系にも移行する．髄腔内投与（髄注）も可能である.
- 主な副作用として，腎機能障害，肝機能障害，骨髄抑制，粘膜障害，中枢神経障害があげられる.
- メトトレキサートは腎代謝（腎排泄）の薬剤であるが，酸性尿の場合，排泄が著しく遅延し，腎機能障害が助

表 2 シタラビン Ara-C の用量別投与法

少量	20 mg/m^2 の 24 時間持続投与または，10 mg/m^2 1 日 2 回の皮下注射，14 日程度
中等量	100～200 mg/m^2 の 24 時間持続投与，5～7 日間程度
大量	2～3 g/m^2，2～3 時間で点滴投与，12～24 時間おきの反復投与，4～5 日間程度

長される．このため，メトトレキサート大量投与療法時は，大量補液（100～150 mL/m^2/hour），炭酸水素ナトリウム（メイロン®）とアセタゾラミド（ダイアモックス®）による尿のアルカリ化を行う．フロセミド（ラシックス®）は尿の酸性化をきたすため，メトトレキサート投与前後は投与を避ける．

- メトトレキサート投与後，プロトコールに従って，投与中和剤であるホリネートカルシウム（ロイコボリン®）の投与を行う（ロイコボリンレスキューという）．正常細胞は腫瘍細胞に比べホリネートカルシウムを効率的に取り込み，還元型葉酸へ変換することによって，核酸合成が回復する．
- メトトレキサートの血中濃度測定をプロトコール測定に従って行い，ロイコボリンレスキューの増量，投与回数の延長を行う．

► **フルダラビン Flu**（フルダラ®）

- プリン拮抗薬（プリンアナログ）に分類される．
- 主にリンパ系腫瘍に対して投与される．
- 免疫抑制作用（特に細胞性免疫）を持っており，造血幹細胞移植の移植前処置としても用いられる．
- 腎臓で代謝され，尿中に排泄される．
- 腎機能障害を合併している際は，投与量減量の必要がある．
- 経口製剤と点滴製剤がある．

► **シタラビン Ara-C**（キロサイド®）

- プリンピリミジン拮抗薬に分類される．
- シトシンニリン酸塩（CDP）還元酵素，DNA ポリメラーゼ阻害による DNA 合成阻害を引き起こし，抗腫瘍効果を発揮する．
- 急性骨髄性白血病治療のキードラッグである．急性リンパ性白血病や悪性リンパ腫の治療でも投与される．
- 少量，中等量，大量投与の 3 種類の用量がある 表2．

- 髄腔内投与（髄注）も可能である.
- 大量投与の場合は，中枢神経系に移行性がある．また，涙液にも移行するため，小脳失調，意識障害，角膜障害に注意を要する．角膜障害はステロイド点眼薬で予防する.
- シタラビン投与後に，発熱，筋肉痛，骨痛，斑状丘疹を呈することがあり，シタラビン症候群とよばれる.
- 代謝物は尿中に排泄される.

3）抗腫瘍性抗生物質

- 微生物によって産生される化学物質のうちDNA合成阻害やDNA切断により抗腫瘍効果も示すものをいう.
- 微生物の増殖を阻害する抗生物質から発見されたため，抗腫瘍性抗生物質とよばれる.
- 細胞周期に関係なく作用する.
- アントラサイクリン系はトポイソメラーゼII阻害作用も有している.
- アントラサイクリン系抗がん薬が血液腫瘍に用いられる代表的薬剤である.
- アントラサイクリン系抗がん薬に特徴的な合併症として，蓄積性の心毒性がある．過去の投与歴も情報収集し，複数のアントラサイクリン系抗がん薬を投与された場合も，すべて換算して累計投与量を計算する.
- ドキソルビシン換算で，累計投与量が500 mg/m^2を超えると心臓合併症の発現率が増大するため，累計500 mg/m^2が投与上限となる.
- それぞれが特徴的な色をしており，投与後，尿の色が変化する.
- 組織障害性が強く，血管外漏出には注意を要する．血管外漏出時の治療薬として，デクスラゾキサン（サビーン®）の投与が可能である.
- 急性骨髄性白血病に対しては，シタラビンとアントラサイクリン系抗がん薬の併用療法が用いられる.

4）微小管阻害薬

- 細胞分裂時の紡錘体形成に不可欠な微小管を形成するチュブリンに作用し，細胞分裂の停止，アポトーシスへと導く.
- 細胞周期のM期に作用する（タキサン系はG2期にも作用する）.
- 細胞障害性が強く，血管外漏出には注意が必要である.

- ビンカアルカロイドとタキサン系に分類される.
- ビンカアルカロイド系抗がん薬は，軸索微小管形成も阻害するため，神経障害をきたす.

► **ビンクリスチン VCR**（オンコビン®）

- ビンカアルカロイド系抗がん薬である.
- 主にリンパ系腫瘍に対して使用される.
- CYP3A4 で代謝される薬剤であり，アゾール系抗真菌薬，マクロライド系抗生物質との薬物相互作用には注意が必要である.
- 肝機能障害を合併する症例では投与量の減量が必要である.
- 神経障害が強い抗がん薬である．投与量は通常 1.4 mg/m²(最大 2 mg/body)である．プロトコールに従って，1 週間以上の間隔を開けて投与する.
- 神経障害の初期症状は手指末端のしびれ，知覚異常であり，時にイレウスを生じることもある．神経障害の出現時には，投与量の減量または中止で対応する.

5）白金製剤

- DNA のプリン塩基（主に単鎖内）と共有結合し，架橋を形成して DNA 合成を阻害し，細胞死へと導く.
- 細胞周期に関係なく作用する.
- シスプラチンとその類似化合物からなる.

► **シスプラチン CDDP**（シスプラチン®，プラトシン®，ランダ®）

- 主にリンパ系腫瘍に対して用いられる.
- 主な副作用として，腎機能障害，嘔気・嘔吐，末梢神経障害，聴覚障害があげられる.
- 腎機能障害の発現予防のため，大量の補液を行う必要がある．投与当日は，3000 mL/ 日以上の尿量確保が望ましい.
- 尿中への排泄過剰により，低 Mg 血症や低 Ca 血症を生じるため，注意が必要である.
- 分解されるため，アミノ酸輸液や乳酸ナトリウムを含む輸液との同時投与は避ける. 光でも分解されるため，輸液ボトルに遮光袋を被せるなどして，直射日光が当たらないようにする.

6）トポイソメラーゼ阻害薬

- DNA 転写や複製の際に DNA 鎖を切断し再結合を行うトポイソメラーゼ酵素を阻害することで，DNA の再結合を抑制し，アポトーシスへと誘導する.

・DNA二重らせんの一方のみを切断するタイプⅠと，両方を切断するタイプⅡがあり，それぞれに対する阻害薬が存在する．
・主に細胞周期のS期（一部G2期）に作用する．

► **エトポシド VP-16**（ラステット®，ベプシド®）
・トポイソメラーゼⅡ-DNA複合体を安定化し，切断された二本鎖DNAの再結合を阻害する．
・経口と点滴の製剤がある．
・原液での投与ではラインの溶出の可能性があるため，非ポリカーボネート製，非ポリ塩化ビニル製の輸液ラインを用いる．

7）酵素薬

・リンパ球は，アミノ酸の一種であるアスパラギンを独自に合成することができない．腫瘍細胞の増殖に必要なアスパラギンを分解することによって，リンパ球の蛋白合成を障害し，増殖抑制をもたらす．

► **L-アスパラギナーゼ L-ASP**（ロイナーゼ®）
・リンパ系腫瘍に対して用いられる．
・過敏症，血液凝固障害，急性膵炎，肝障害，高アンモニア血症など，特徴的な副作用があり，注意を要する．
・筋肉内投与（筋注投与）も可能である．白濁することがあるため，生理食塩水での希釈は避ける．

分子標的治療薬

・腫瘍細胞に選択的に作用する．
・固形がんは多様性に富んだ多くの遺伝子変異が蓄積して発症するのに対し，造血器腫瘍は原因となる遺伝子が少なく単クローン性に増殖するため，分子標的治療薬の効果が高い．
・疾患によっては，単剤で造血器腫瘍を生涯にわたりコントロール可能な疾患もある．
・腫瘍細胞固有の分子を標的とするため，殺細胞性抗がん薬よりも一般的に嘔気や脱毛などの副作用は少ないが，薬剤ごとに固有の副作用を有するものが多い．
・血液悪性腫瘍で主に用いられる分子標的治療薬の種類を表に示す 表3．
・HBVキャリアや既往感染症例ではHBV再活性化による劇症肝炎発症のリスクがある薬剤が多いことから，投与前にHBVの感染状態をスクリーニングする必要がある．

表3 血液悪性腫瘍に用いられる代表的な分子標的治療薬の種類

一般名	商品名	分類	対象疾患	主な副作用
抗体医薬				
リツキシマブ	リツキサン	キメラ型抗CD20抗体	CD20陽性非ホジキンリンパ腫 CD20陽性慢性リンパ性白血病	infusion reaction 腫瘍崩壊症候群 HBV再活性化
イブリツモマブ	ゼヴァリン	放射生同位元素 ^{90}Y および ^{111}In 結合抗CD20抗体	CD20陽性の再発または難治性低悪性度B細胞性非ホジキンリンパ種，マントル細胞リンパ腫	免疫抑制 骨髄抑制 重篤な皮膚障害， 感染症
オビヌツズマブ	ガザイバ	タイプIIヒト化抗CD20抗体（糖鎖改変）	CD20陽性濾胞性リンパ腫	infusion reaction 腫瘍崩壊症候群 HBV再活性化
ブリナツモマブ	ビーリンサイト	マウス抗CD19抗CD3二重特異性抗体	再発または難治性B細胞性急性リンパ性白血病	infusion reaction 腫瘍崩壊症候群 骨髄抑制 サイトカイン放出症候群
イノツズマブ オゾガマイシン	ベスポンサ	オゾガマイシン修飾ヒト化抗CD22抗体	再発または難治性CD22陽性の急性リンパ性白血病	骨髄抑制，肝障害 infusion reaction 腫瘍崩壊症候群
ブレンツキシマブ ベドチン	アドセトリス	微小管阻害薬，MMAE結合抗CD30抗体	CD30陽性ホジキンリンパ腫 再発または難治性CD30陽性未分化大細胞型リンパ腫	infusion reaction 腫瘍崩壊症候群 骨髄抑制
ゲムツズマブ オゾガマイシン	マイロターグ	カリケアマイシン結合ヒト化抗CD33抗体	再発または難治性CD33陽性急性骨髄性白血病	骨髄抑制 infusion reaction 腫瘍崩壊症候群
ダラツムマブ	ダラザレックス	ヒト抗CD38抗体	多発性骨髄腫	infusion reaction 腫瘍崩壊症候群 骨髄抑制
イサツキシマブ	サークリサ	ヒト抗CD38抗体	再発または難治性多発性骨髄腫	infusion reaction 骨髄抑制 感染症
アレムツズマブ	マブキャンパス	ヒト化抗CD52抗体	再発または難治性慢性リンパ性白血病	infusion reaction 腫瘍崩壊症候群 HBV再活性化 骨髄抑制

表3 つづき

一般名	商品名	分類	対象疾患	主な副作用
モガムリズマブ	ポテリジオ	ヒト化抗CCR4抗体	CCR4陽性成人T細胞白血病 再発または難治性末梢性T細胞リンパ腫 再発または難治性皮膚T細胞性リンパ腫	皮膚障害 infusion reaction 腫瘍崩壊症候群 HBV再活性化
ニボルマブ	オプジーボ	ヒト型抗PD-1抗体	再発または難治性古典的ホジキンリンパ種	間質性肺疾患 infusion reaction 甲状腺機能障害，1型糖尿病，神経障害
ペムブロリズマブ	キイトルーダ	ヒト化抗PD-1抗体	再発または難治性古典的ホジキンリンパ種	間質性肺疾患 infusion reaction 甲状腺機能障害，1型糖尿病，神経障害
エロツズマブ	エムプリシティ	抗SLAMF7抗体	再発または難治性多発性骨髄腫（MM）	infusion reaction 間質性肺疾患 骨髄抑制
トリシズマブ	アクテムラ	ヒト化IL-6受容体抗体	Castleman病	間質性肺炎 HBV再活性化 敗血症など重篤な感染症 骨髄抑制
低分子治療薬				
イマチニブ	グリベック	チロシンキナーゼ阻害	慢性骨髄性白血病（CML），Ph陽性急性リンパ性白血病（Ph+ALL） FIP1L1-PDGERα陽性の好酸球増多症候群，慢性好酸球性白血病	体液貯留，浮腫 HBV再活性化 骨髄抑制 間質性肺炎
ダサチニブ	スプリセル	チロシンキナーゼ阻害	慢性骨髄性白血病（CML），再発または難治性Ph陽性急性リンパ性白血病（Ph+ALL）	浮腫，胸水を中心とした体液貯留 QT延長，肺高血圧
ニロチニブ	タシグナ	チロシンキナーゼ阻害	慢性期または移行期慢性骨髄性白血病（CML）	骨髄抑制 QT延長症候群 HBV再活性化

表3　つづき

一般名	商品名	分類	対象疾患	主な副作用
ボスチニブ	ボシュリフ	チロシンキナーゼ阻害	慢性骨髄性白血病（CML）	重度の下痢 HBV再活性化 骨髄抑制
ポナチニブ	アイクルシグ	チロシンキナーゼ阻害 T315I変異にも有効	前治療薬に抵抗性または不耐容の慢性骨髄性白血病（CML） 再発または難治性Ph陽性急性リンパ性白血病（Ph＋ALL）	冠動脈疾患，静脈血栓塞栓症 末梢動脈閉塞性疾患，脳血管障害 HBV再活性化 骨髄抑制
トレチノイン	ベサノイド	RA応答遺伝子の転写抑制の解除	急性前骨髄急性白血病（APL）	APL分化症候群 白血球増加症
タミバロテン	アムノレイク	RA応答遺伝子の転写抑制の解除	急性前骨髄急性白血病（APL）	APL分化症候群 白血球増加症 間質性肺疾患
三酸化ヒ素	トリセノックス	PML nuclear bodyの再構築など	再発または難治性急性前骨髄急性白血病（APL）	QT延長 APL分化症候群 好中球減少症，無顆粒球症
ボルテゾミブ	ベルケイド	プロテアソーム阻害	多発性骨髄腫（MM） マントル細胞リンパ腫 原発性マクログロブリン血症およびリンパ形質細胞性リンパ腫	肺障害 末梢神経障害 イレウス，便秘，下痢 HBV再活性化， 骨髄抑制
カルフィルゾミブ	カイプロリス	プロテアソーム阻害	再発または難治性多発性骨髄腫	心障害 骨髄抑制
イキサゾミブ	ニンラーロ	プロテアソーム阻害	再発または難治性多発性骨髄腫	骨髄抑制 重度の下痢
サリドマイド	サレド	免疫調節作用	再発または難治性多発性骨髄腫	催奇形性 深部静脈血栓症 肺塞栓症

表3 つづき

一般名	商品名	分類	対象疾患	主な副作用
レナリドミド	レブラミド	免疫調節作用	多発性骨髄腫 5番染色体長腕部欠損を伴う骨髄異形成症候群 再発または難治性成人T細胞白血病・リンパ腫 再発または難治性濾胞性リンパ腫，辺縁帯リンパ腫	催奇形性 深部静脈血栓症 肺塞栓症
ポマリドミド	ポマリスト	免疫調節作用	再発または難治性多発性骨髄腫	催奇形性 深部静脈血栓症 肺塞栓症
パノビノスタット	ファリーダック	HDAC阻害薬 クラスⅠ（HDAC 1, 3），クラスⅡ（HDAC 5, 6, 9, 10），クラスⅣ（HDAC 11）阻害	再発または難治性多発性骨髄腫	重度の下痢 脱水症状 QT延長 HBV再活性化
アザシチジン	ビダーザ	DNAメチル化阻害	骨髄異形成症候群（MDS）	骨髄抑制 感染症，肝障害，便秘
ルキソリチニブ	ジャカビ	JAK1/2阻害薬	骨髄線維症 真性多血症（既存治療が効果不十分，不適当な場合に限る）	骨髄抑制 肝障害 HBV再活性化
ギルテリチニブ	ゾスパタ	FLT3阻害薬	再発または難治性FLT3遺伝子変異陽性急性骨髄性白血病	骨髄抑制 QT延長
キザルチニブ	ヴァンフリタ	FLT3阻害薬	再発または難治性FLT3-ITD変異陽性急性骨髄性白血病	骨髄抑制 QT延長
イブルチニブ	イムブルビカ	BTK阻害薬	慢性リンパ性白血病（小リンパ球性リンパ腫を含む） 再発または難治性マントル細胞リンパ腫	腫瘍崩壊症候群 HBV再活性化

表 3 つづき

一般名	商品名	分類	対象疾患	主な副作用
チラブルチニブ	ベレキシブル	BTK 阻害薬	再発または難治性中枢神経系原発悪性リンパ腫 原発性マクログロブリン血症およびリンパ形質細胞性リンパ腫	好中球減少症 血小板減少症 間質性肺疾患
ベネトクラクス	ベネクレクスタ	BCL-2 阻害薬	再発または難治性慢性リンパ性白血病（小リンパ球性リンパ腫を含む），急性骨髄性白血病	腫瘍崩壊症候群 骨髄抑制 感染症（肺炎，敗血症）
ロミデプシン	イストダックス	ヒストン脱アセチル化酵素（HDAC）阻害 クラスⅠ（HDAC 1, 2, 3, 8）阻害	再発または難治性末梢性T細胞リンパ腫	血小板減少 リンパ球減少症 白血球減少，好中球減少 不整脈
ベキサロテン	タルグレチン	レチノイドX受容体選択的結合	皮膚T細胞性リンパ腫	甲状腺機能低下症 高コレステロール血症 高トリグリセリド血症 膵炎
ボリノスタット	ゾリンザ	ヒストン脱アセチル化酵素（HDAC）阻害 クラスⅠ（HDAC 1, 2, 3），クラスⅡ（HDAC6）阻害	皮膚T細胞性リンパ腫	血小板減少症 下痢 疲労，悪心 味覚異常
アカラブルチニブ	カルケンス	BTK 阻害薬	再発または難治性慢性リンパ性白血病（小リンパ球性リンパ腫を含む）	出血，感染症 骨髄抑制，不整脈 虚血性心疾患，腫瘍崩壊症候群 間質性肺疾患
アレクチニブ	アレセンサ	ALK 阻害薬	再発または難治性 ALK 融合遺伝子陽性の未分化大細胞型リンパ腫	間質性肺疾患 骨髄抑制 味覚異常，便秘

1）抗体医薬

- 腫瘍細胞が発現している細胞表面蛋白（抗原）を特異的に認識し結合する蛋白（抗体）.
- 作用機序は，補体とともに細胞を障害する補体依存性細胞障害作用と，Fc 部分がマクロファージや NK 細胞などのエフェクター細胞を活性化する抗体依存性細胞介在性障害作用とに，大きく分けられる.
- 投与時の発熱，悪寒，呼吸困難，血圧低下，瘙痒感などの infusion reaction を生じる薬剤が多く，また腫瘍崩壊症候群を合併することから，投与の際は注意する.

2）低分子治療薬

- 代表的な低分子治療薬として，慢性骨髄性白血病（CML）や Philadelphia 染色体陽性急性リンパ性白血病（Ph 陽性 ALL）に用いられるチロシンキナーゼ阻害薬（TKI）があげられる.
- CML や Ph 陽性 ALL では腫瘍細胞に Philadelphia 染色体が出現しており，本染色体上には *BCR-ABL* 融合遺伝子が出現する．*BCR-ABL* 遺伝子は高いチロシンキナーゼ活性を有する蛋白を産生する.
- チロシンキナーゼは蛋白のチロシン残基を特異的にリン酸化する酵素であり，このチロシンキナーゼの活性化により腫瘍細胞の増殖がはじまる．TKI はこの経路を阻害することにより，抗腫瘍効果を発揮する.
- TKI 全般として，患者の内服アドヒアランスが治療効果に大きく影響するため，服薬指導が重要である.
- CML や Ph 陽性 ALL に対する TKI のほか，さまざまな分子を標的とする製剤が登場し，製剤ごとに対象疾患もさまざまである表3.

参考文献

1）木崎昌弘，編．カラーテキスト血液病学．第 2 版．東京：中外医学社；2013.
2）浦部晶夫，島田和幸，川合眞一，編．今日の治療薬 2020．東京：南江堂；2020.

〈富川武樹〉

3 造血幹細胞移植の実際と合併症対策

まとめ

・造血幹細胞移植は化学療法や放射線療法により治癒が困難と考えられる造血器腫瘍と再生不良性貧血や一部の免疫不全症などが適応となる.
・大量化学療法（全身放射線照射を併用する場合もある）後に，造血幹細胞を移植（輸注）するが，移植後は免疫不全に伴う感染症および前処置による臓器障害が致命的になる可能性があるため，厳重な管理が求められる.
・同種移植でのドナーからの幹細胞採取ではドナーの安全を確保するため，細心の注意を払った管理が求められる.
・同種造血幹細胞移植ではドナーの免疫担当細胞による移植片対宿主病の管理が必要となるが，この免疫反応には移植片対腫瘍効果が期待できるため原疾患の再発に対しては抑制的に働くことが期待できる.

総論

• 造血幹細胞移植は通常の化学療法や放射線療法により治癒が困難と考えられる造血器腫瘍と再生不良性貧血や一部の免疫不全症などが適応となる．疾患毎の詳細な適応は各項に譲るが，再発後および再発リスクの高い寛解期の急性白血病が最大の適応となる.
• 移植前に実施する大量化学療法は適応により全身放射線照射を併用し，前処置（conditioning）と呼ぶ．通常の化学療法よりも dose intensity の高い治療を行うため，治癒の確率は高まるが，致命的な副作用が発生する確率も高いため，厳格な管理が求められることになる．なお同種造血幹細胞移植の場合には前処置には患者免疫担当細胞によるドナー造血幹細胞への拒絶反応を抑制する目的も含まれている.
• 移植後早期は感染症，臓器障害，同種造血幹細胞移植では移植片対宿主病（graft-versus-host disease: GVHD）が重症化した場合には致命的となり，治療成績に大きく影響する 図1.
• 遷延する慢性 GVHD，二次がん，不妊などにより長

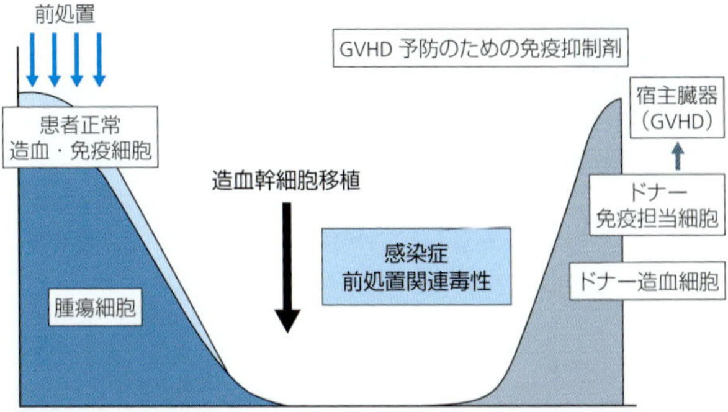

図1 同種造血幹細胞移植の流れ

非寛解期白血病を想定したものである．患者の正常造血・免疫細胞および腫瘍細胞を破壊後に造血幹細胞が移植される．移植後は様々な合併症の管理が求められる．

期におよび生活の質（quality of life：QOL）が低下する点にも注意する必要がある．このように造血幹細胞移植は安心安全な万能な治療ではく，その適応および施行時には慎重な判断と患者およびその家族に十分な説明と考える時間を提供することが求められる．

- 造血幹細胞移植は自家移植と同種移植に分けることができる表1．それぞれに骨髄・末梢血幹細胞移植，同種移植では臍帯血移植がある．なおこれに加えて一卵性双生児からの移植を同系移植と呼ぶ．本稿では特に言及していない場合には主に同種造血幹細胞移植についての記載である．

表1 造血幹細胞移植の種類

自家移植	末梢血幹細胞移植 骨髄移植
同種移植	末梢血幹細胞移植 骨髄移植 臍帯血移植

ドナーおよび造血幹細胞種の選択

1）HLA 適合同胞

- 同種移植におけるドナーとしては HLA 適合同胞（兄弟姉妹）が最優先される.
- HLA 適合同胞からの移植では造血幹細胞種として骨髄と比べて末梢血幹細胞移植では生着が早く得られるが, 急性・慢性 GVHD が増加する.
- 骨髄か末梢血幹細胞のどちらを選択するかは患者側の要素としては原疾患の移植時病期, 活動性のある感染症合併の有無, ドナー側の要素としてはドナー希望や健康状態, 手術室の予定などから総合的に判断する.
- 再生不良性貧血では GVHD が発症することを最大限に抑える必要があり, 骨髄を選択することが望ましい.

2）非血縁者

- HLA 適合同胞が得られない場合には日本骨髄バンクへ登録して, HLA8 座（A, B, C, DRB1）がアリルレベル（遺伝子型）で一致しているドナーを検索する.
- 上記の適合ドナーが得られない場合には不適合ドナーを検索する.
- HLA アリル一致ドナーからの移植では骨髄, 末梢血幹細胞の選択に関して, 後者の件数が未だ少ないため, わが国では十分な解析が行われていない. しかし, 現時点ではその違いは HLA 一致同胞と同様な考え方でよいと考えられる. ただし, HLA アリル不一致ドナーを選択した場合などは重症 GVHD の出現に対する慎重な対応が求められる.
- 我が国の骨髄バンクを介したコーディネートには登録から移植まで 4～6 カ月程度の時間を要するため, 早期の移植が必要と考えられる場合には臍帯血や HLA 不一致血縁者からの移植を検討する必要がある.

3）臍帯血

- 臍帯血は HLA の適合度は血清レベルで判断する.
- HLA-A, B, DR の 6 座中 2 座不一致まで許容して選択する.
- 有核細胞数で 2×10^6/kg（患者体重）以上の臍帯血を選択することを優先し, さらにその中で CD34 陽性細胞数が多いものを選択することが望ましい.
- HLA 不一致の臍帯血を選択する場合には患者の血清中の抗 HLA 抗体を測定し, 陽性だった場合には拒絶（生着不全）が増加するため, その抗体の特異抗原を有する臍帯血は選択しないようにする.

4）HLA不適合血縁者

- HLA1座不適合血縁者はHLA適合同胞やアリル一致非血縁者に比べるとGVHDの増加などにより治療成績は低下するが，短期間での移植が実施可能であるため選択可能なドナーとなる．
- GVHDに対する予防効果を強化するためにタクロリムスの選択や前処置に抗胸腺細胞グロブリン（anti-thymocyte globulin：ATG）を使用することを検討する．
- HLA2抗原以上の不一致（HLA半合致）血縁者からの移植では十分量のATG，移植後シクロホスファミドなどを用いてGVHDに対し強力な予防を行うことで実施可能である（ハプロ移植）．
- 臍帯血同様に不適合HLA抗原に対する抗HLA抗体を有する場合には拒絶のリスクが高くなるため，ドナー選択は慎重に行う．

造血幹細胞採取

- 同種移植で骨髄採取，末梢幹細胞採取を実施する場合，ドナーの安全性を確保するために最大限の注意を払う必要がある．そのためには日本造血・免疫細胞療法学会，日本骨髄バンクのガイドライン・マニュアルに厳格に従い，実施する[1,2]．
- 骨髄，末梢血幹細胞ともに採取時に重篤な，場合により生命を脅かす合併症が生じる可能性があり，チーム全体でそのことを把握し，未然に防ぐ・早期発見できる体制で臨まなくてはならない．
- ドナーに対しても採取の流れ，安全性・合併症のことを十分な時間をかけて説明し，同意を得る必要がある．中立な立場でドナーに寄り沿った説明を心がけ，自由な意志での同意取得を行う．
- 血縁者からの採取を行う場合には日本造血・免疫細胞療法学会の血縁造血幹細胞ドナーフォローアップ事業への登録を行う．

1）骨髄採取

- 骨髄採取では患者・ドナーの体重，ドナーのヘモグロビン値，血液型の一致・不一致などの情報から予め採取量を決定する．予定採取量の原則は15 mL/kg（ドナー体重）であり，最大でも20 mL/kgを超えてはならない．予定骨髄採取量から必要な自己血貯血を予め行っておき，採取中に骨髄が採取される速度に合わせて輸血する（自己血輸血）．

表2 血液型不適合と骨髄処理および移植後の血液製剤の血液型

患者	ドナー	不適合度	移植骨髄処理	輸血製剤血液型	
				赤血球	血小板
A	B	major & minor	赤血球・血漿除去	O	AB
B	A	major & minor	赤血球・血漿除去	O	AB
A	AB	major	赤血球除去	A	AB
B	AB	major	赤血球除去	B	AB
O	A	major	赤血球除去	O	A
O	B	major	赤血球除去	O	B
O	AB	major	赤血球除去	O	AB
A	O	minor	血漿除去	O	A
B	O	minor	血漿除去	O	B
AB	A	minor	血漿除去	A	AB
AB	B	minor	血漿除去	B	AB
AB	O	minor	血漿除去	O	AB

- 気管内挿管の上，呼吸管理された全身麻酔下で実施される.
- 採取は 500 mL/30 分を超えることなく，採取された骨髄は凝血を防ぐため速やかにヘパリンと混和する. ヘパリンは希釈で用いる生理食塩水も加えた最終骨髄液 100 mL あたり 1000 単位として，決して採取した骨髄液量で計算して過少にならないように注意する.
- 必要細胞数としては有核細胞で $2 \sim 3 \times 10^8$/kg（患者体重）である.
- 血液型不一致の場合には輸注前に血漿除去，赤血球除去あるいは両者のいずれかを行う必要がある 表2.

2）末梢血幹細胞採取

- 自家移植の場合には化学療法後に顆粒球コロニー刺激因子（granulocyte-colony stimulating factor: G-CSF）を連日投与あるいは G-CSF 単独の連日投与後の白血球回復期に，同種移植の場合にはドナーへの G-CSF 連日投与後の 3～5 日目の白血球増加期に持続血液分離装置を用いて（アフェレーシス），白血球分画を採取する. 造血幹細胞は CD34 陽性細胞として $2 \sim 4 \times 10^6$/kg（患者体重）が必要とされる. なお自家移植の採取では G-CSF に plerixafor を併用し，より効率よく採取が可能である.

3）臍帯血採取

- 臍帯血の採取に血液内科医が直接，関わることはない．出産時に臍帯より採取された臍帯血が凍結保存される．
- 凍結保存された臍帯血を前処置開始までに自施設へ搬送して，施設内にて移植まで凍結保存する．

輸血療法・輸血部門との連携

1）輸血療法全般

- 造血幹細胞移植後には輸血療法は必須な治療となる．そのため事前に患者に文書による説明を行い，同意を取得しておく．
- 様々な場面で輸血部門および日本赤十字社との連携が必要となるため，事前に情報提供して協力を依頼しておく．
- 患者およびドナーがともに CMV 抗体陰性（未感染）の場合には輸血製剤を介した初感染を予防するため，CMV 抗体陰性供血者からの血液製剤を使用することが望ましい．その供給は急な対応はできないため計画的に実施する．ただし緊急時や予測できない血球減少時などは白血球除去された通常製剤で対応する．

2）血液型不適合時の対応

- 血液型不適合ドナーからの移植では前処置開始後は血液製剤毎に血液型が異なる製剤を使用することになる表2．
- 施設内の輸血部門と事前に確認し，間違いがないように徹底する．
- 患者血漿中にドナーの赤血球抗原に対する抗体がある場合を major mismatch（主不適合），その逆にドナー血漿中に患者赤血球抗原に対する抗体がある場合を minor mismatch（副不適合），両者の場合（A 型 B 型の組み合わせ）を major & minor mismatch（または bidirectional mismatch，双方向不適合）と呼ぶ．
- これらの対応は移植後完全にドナー型に置き換わるまで継続する．
- minor mismatch の移植の場合には移植時に輸注されるリンパ球が抗体産生を行うことで，移植後早期に溶血反応を起こすことがある．
- その他，RhD 不適合時，不規則抗体を有する場合にも上記の対応が必要となるため，患者・ドナーのスクリーニング結果を確認する必要がある．
- 造血幹細胞輸注時の対応については後述する．

前処置および前処置関連毒性

以下，自家移植と同種移植に分けて記載するが，詳細は日本造血・免疫細胞療法学会ガイドライン「前処置」等を参照すること[3]．

1）自家移植

- 自家移植の前処置は抗腫瘍効果のみを期待するものである．そのため，自家移植はあくまでも化学療法の延長にあり，骨髄毒性を回避する目的で行われ，自家造血幹細胞移植併用大量化学療法と称される．
- 自家移植の適応となる疾患の大部分が悪性リンパ腫と多発性骨髄腫であり，その前処置としては前者には欧米で広く用いられるBEAM療法のBCNUをMCNU（ラニムスチン）に変更したMEAMやLEED療法，後者には大量メルファラン（MEL）がある．

MEAM（M-BEAM）		
ラニムスチン	300 mg/m²	day −6
エトポシド	200 mg/m²	day −5，−4，−3，−2
シタラビン	200 mg/m² 2回/日	day −5，−4，−3，−2
メルファラン	140 mg/m²	day −1
LEED		
メルファラン	130 mg/m²	day −1
シクロホスファミド	60 mg/kg	day −4，−3
エトポシド	500 mg/m²	day −4，−3，−2，
デキサメタゾン	40 mg	day −4，−3，−2，−1

大量メルファラン		
メルファラン	100 mg/m²	day −2，−1

- 大量MEL投与時には腎障害予防のため十分な補液をし，また口内炎予防のために氷や冷水による口腔内冷却を実施することが望ましい．

2）同種移植

- 同種移植では抗腫瘍効果に加えて，患者の正常造血・免疫担当細胞（主にリンパ球）を抑制して，患者細胞からドナーの造血細胞へ生じる拒絶反応を予防する効果が前処置に求められる．
- 再生不良性貧血では抗腫瘍効果は必要ないため，拒絶予防のための免疫抑制効果に特化した前処置が必要となる．
- 前処置は骨髄破壊的前処置（myeloablative condi-

tioning：MAC）と強度減弱前処置（reduced-intensity conditioning：RIC）に分けることができる．MAC は造血幹細胞移植を実施しなければ，患者の造血能が回復することはない強度を有する．

- MAC の代表的なものは大量シクロホスファミド（CY）に全身放射線照射（total body irradiation：TBI）10〜12 Gy またはブスルファン（BU）を加えるものがある（TBI-CY，BU-CY）．

3）MAC

TBI-CY	
TBI 2 Gy，2 回 / 日	day −6，−5，−4
（3 Gy ずつ 2 日での実施も可能である）	
シクロホスファミド　60 mg/kg	day −3，−2

- TBI-CY の TBI と CY の順番は施設の都合や曜日などを理由に変更される．
- TBI 実施には肺毒性軽減のため肺は遮蔽を実施し，肺への照射量を調整する．
- TBI-CY の強度をさらに高めるためにエトポシドやシタラビンを追加する前処置もある．
- 大量 CY 投与時には出血性膀胱炎予防のために大量の補液とメスナ〔1 日量の 40%相当量を 1 回量とし，1 日 3 回（シクロホスファミド投与時，4 時間，8 時間後）〕を点滴静注する．
- 大量 CY 投与期間中は重篤な心筋障害を起こすことがあり，投与期間中は心電図モニターと過度な心負荷を避けるために体重・尿量の管理を行う．
- 大量 CY 投与後に低ナトリウム血症がみられることがあり，血清ナトリウム値をモニタリングし，輸液により補正する．
- BU は痙攣予防のための抗痙攣薬（バルプロ酸など）の予防投与が必要である．

BU-CY		
ブスルファン	0.8 mg/kg 4 回 / 日 点滴静注*	day −7，−6，−5，−4
シクロホスファミド	60 mg/kg	day −3，−2

（＊ 3.2 mg/kg 1 回 / 日も可能）

- FLU-BU4 は毒性が軽減されており，reduced-toxicity MAC と称されることもある．
- FLU は腎機能低下時には減量が必要である．

FLU-BU4		
フルダラビン	30 mg/m²	day −8，−7，−6，−5，−4，−3
ブスルファン	0.8 mg/kg 1 日 4 回 点滴静注*	day −7，−6，−5，−4

（＊ 3.2 mg/kg 1 回 / 日も可能）

4）RIC

- RIC では免疫抑制作用や抗腫瘍効果を期待して，TBI 2～4 Gy を加えることもある．

- FLU は腎機能低下時には減量が必要である．

FLU-MEL140		
フルダラビン	25 mg/m²	day −6，−5，−4，−3，−2
メルファラン	70 mg/m²	day −3，−2
（または　140 mg/m² day −2）		

- MEL 投与時には腎障害予防のため十分な補液をし，また口内炎予防のために氷や冷水による口腔内冷却を実施することが望ましい．

FLU-BU2		
フルダラビン	30 mg/m²	day −8，−7，−6，−5，−4，−3
ブスルファン	0.8 mg/kg 1 日 4 回 点滴静注	day −6，−5

FLU-CY		
フルダラビン	25 mg/m^2	day −7, −6, −5, −4, −3
シクロホスファミド	60 mg/kg	day −4, −3

5）再生不良性貧血に対する前処置

大量 CY±ATG		
シクロホスファミド	50 mg/kg	day −6, −5, −4, −3
サイモグロブリン*	2.5 mg/kg	day −6, −5, −4, −3

*ATG はわが国では 1 日 1.0～1.25 mg/kg に減量して使用されることが多い.

FLU-CY-ATG		
フルダラビン	30 mg/m^2	day −6, −5, −4, −3
シクロホスファミド	25 mg/kg	day −6, −5, −4, −3
サイモグロブリン	1.25 mg/kg	day −4, −3

- 再生不良性貧血では免疫抑制作用を高めるために TBI 2～4 Gy や全身リンパ照射（total lymphoid irradiation: TLI）7.5 Gy を加えることもある. ただし, 特に後者では 2 次性発がんリスクが高まる.
- サイモグロブリン投与時はアレルギー反応（発熱, 血圧低下など）を起こすことがあり, 投与中はバイタルサインの観察を厳重に行う. 初回投与時には 2.5 mg を 1 時間以上かけて試験投与し, 問題がなければ残りを投与する. アレルギー反応を予防するためステロイド（プレドニゾロン 1～2 mg/kg), 抗ヒスタミン薬（クロルフェニラミンやジフェンヒドラミン), アセトアミノフェン（1 日 1.5～2.0 g, 3～4 分割）などを予防的に投与する.
- サイモグロブリンはヒト白血球抗原不一致移植などでも使用することがある.

6）前処置関連毒性

- 前処置に関連して発生する毒性を前処置関連毒性（regimen-related toxicity: RRT）と呼ぶ.
- 粘膜障害, 肝障害が最も多い. なお造血幹細胞移植の前処置では血液毒性は必発であり, 非血液毒性の評価を行う.
- 前処置実施中の毒性に対する対応策の一部は 4), 5) にて既に述べたが, その他にも以下のような対応が求められる.
- 嘔気，嘔吐は高頻度に出現するため，原則として5-HT3受容体拮抗薬を用いて，薬剤種や過去の化学療法による経過を考慮してステロイドやノイロキニン受容体拮抗薬（アプレピタント）を追加することで軽減を図る.
- 口腔から消化管の広範な粘膜障害を生じる可能性があり，適切な口腔ケア，麻薬投与を含めた疼痛管理を行う.
- 嘔気，粘膜障害により食事摂取が不可能となった場合には適切な栄養管理を行う.

移植の実際

1）移植の適応年齢

- 自家造血幹細胞移植は造血の回復が早いこともあり，適応年齢上限は65～70歳であり，基礎疾患の状態や合併症・併存症を考慮して決定する.
- 同種造血幹細胞移植の上限はMACを用いた移植では55歳程度, RICを用いた移植では65歳を目安とする. しかし，自家移植同様にこれより若い場合でも合併症・併存症により適応としない場合もあり，また逆にこれ以上であっても，適応と判断できる場合もある. 暦年齢とともに「身体年齢」も考慮する.

2）造血幹細胞輸注

- 血液型一致ドナーからの骨髄を凍結せずに当日に輸注する場合には骨髄と当日採血された患者末梢血を用いてクロスマッチを実施する. もし患者血漿中にドナー赤血球抗原に反応する抗体が陽性となった場合には赤血球除去を検討することになる.
- 全ての造血幹細胞輸注時にはアレルギー反応を予防するため直前にステロイドを投与しておく（例: ヒドロコルチゾン100 mgなど).
- 骨髄移植では表2に従った処理が必要となる.
- Major & minor mismatchおよびmajor mismatchの骨髄輸注時には赤血球除去を実施するが，赤血球の混入は避けられないため，処理後の骨髄液中のヘモグロビン値を基に必要量を算出し，ハプトグロビン製剤を直前に投与する.
- 骨髄輸注時には大量のヘパリンが同時に投与されることになる. そのため適宜APTTを測定することが望ましいが，煩雑であり，特に血液型一致で未処理の骨髄の場合には混入されているヘパリン量に応じて輸注と並行して硫酸プロタミンを投与する（10 mg/ ヘパリン 1000 単位）．硫酸プロタミンは急速静注は禁忌であり（呼吸困難，血圧低下，徐脈などを引き起こす可能性がある），希釈して投与する（例：50 mg を生理食塩液・5%ブドウ糖液 100 mL に溶解して 10 分以上かけて点滴静注）．

- 凍結された造血幹細胞を輸注する際，解凍後は保存に使用される DMSO による細胞毒性を考慮して速やかに輸注することを心がける．
- 輸注前よりバイタルサインのモニタリングを開始し，医療者が立ち合い，輸注中および輸注終了後数時間は厳重な監視を行う．血圧上昇，低酸素血症の出現には注意して，降圧薬，利尿剤，酸素投与，輸注速度を下げる・輸注を中止するなど適宜，対応する．溶血の有無のスクリーニングのために輸注後の検尿を実施することが望ましい．

3）顆粒球コロニー刺激因子の投与

- 造血幹細胞移植後に全例に予防的に顆粒球コロニー刺激因子（granulocyte colony-stimulating factor：G-CSF）を投与することは推奨されていない．これは好中球減少期間の短縮や感染症発症を減らすことは期待できるが，生存率には寄与するエビデンスがないため，医療費も考慮しての見解である．
- 臍帯血移植，十分な細胞数が輸注されない場合，感染症の既往や併発がある場合などは早期の好中球回復が望ましいため，積極的に投与する．

移植後合併症とその対策

1）感染症

- 造血幹細胞移植後には，生理的バリアー（粘膜・皮膚など）の破綻，食細胞（主に好中球）の低下，細胞性および液性免疫のすべてあるいは一部にさまざまな程度の障害がみられる．その時期や程度は個々の症例によって選択される前処置，幹細胞種，GVHD 予防法，急性および慢性 GVHD の発症の有無とそれに対する治療などによって大きく異なっている．

a）移植後早期（主に好中球減少期）

- 好中球減少に前処置関連毒性としての粘膜障害が加わっており，口腔・消化管粘膜が侵入門戸とする感染症が多くみられる．
- 患者による口腔ケアや手洗いなどによる感染予防は有

用であり，適切な指導を行う.

- 無菌室の床や壁，患者の生活物品を完全に消毒・滅菌することの有用性は証明されていない.
- この時期の感染症は重篤化し，生命を脅かす可能性が高いため，予防投与が基本となる.
- 化学療法後の好中球減少患者における有効性を評価したメタアナリシスの結果にから，細菌感染症予防目的のニューキノロン系抗菌薬の投与が推奨されている[4]．発熱性好中球減少症や感染症を発症し，静注の抗菌薬を開始した時点で中止する.
- High efficiency particulate air（HEPA）フィルターを装備した防護環境での管理は真菌感染症（主にアスペルギルス症）の予防に有用である．好中球回復が短期間で得られる自家末梢血幹細胞移植以外の造血幹細胞移植患者は生着まで防護環境での管理が望ましい.
- 防護環境下での真菌感染症の予防薬はカンジダ症を標的としたフルコナゾール（200～400 mg/ 日）が推奨される．ミカファンギン（50 mg/ 日）も推奨されるが，静注製剤のみである.
- 単純ヘルペスウイルス感染症の好発時期であるため，アシクロビルまたはバラシクロビルの予防投与を行う（ともに 1000 mg/ 日，移植 7 日前から移植後 35 日まで）.
- 発熱がみられた場合には血液培養，胸部 X 線撮影などを速やかに行い，緑膿菌に対する抗菌力を期待できる広域スペクトラムの抗菌薬を開始する.
- 施設内・病棟内で検出される菌種や薬剤感受性パターン（antibiogram）を常に確認して，抗菌薬選択に役立てる.
- 移植後 1 カ月以内，特に臍帯血移植後の生着前後にヒトヘルペスウイルス 6 型（HHV-6）による脳症（脳炎）あるいは脊髄炎を発症することがある．辺縁系脳炎として発症することが多く，血中および髄液の PCR で HHV-6 を検出することで診断する．有効な薬剤はホスカルネット（あるいはガンシクロビル）である.

b）移植後中～後期

► 侵襲性アスペルギルス症

- 移植後 1 カ月以内の好中球減少期に加えて，好中球

JCOPY 498-22507

回復後の急性・慢性 GVHD に対して副腎皮質ステロイド薬（プレドニゾロン換算 0.3 mg/kg 以上）が投与される時期も侵襲性アスペルギルス症の好発期となる.

- これら高リスク症例ではこの期間は抗アスペルギルス作用のある抗真菌薬（ボリコナゾール，ポサコナゾール，イトラコナゾールなど）の予防的投与を行う.
- 定期的な胸部 X 線検査や血清検査（アスペルギルス抗原，β-D グルカン）により発症後早期の診断を心がける.

▶ ニューモシスティス肺炎

- ニューモシスティス肺炎は移植後の ST 合剤（バクタ）投与によって予防可能であり，移植後血球が回復したら開始し，免疫抑制薬投与期間中は継続する.
- 用法・用量としては「1 日 4 錠, 週 2 日」あるいは「1 錠 / 日」が選択されることが多い. 副作用の出現により減量する.
- 薬剤アレルギーを含めた副作用が原因で ST 合剤が投与できない場合には，アトバコンの投与あるいは 3～4 週に 1 回のペンタミジンの吸入で代用する.

▶ サイトメガロウイルス（cytomegalovirus：CMV）感染症[5)]

- 近年は若年者の抗体陽性率は低下しているが，患者およびドナーの多くが抗 CMV 抗体陽性（CMV 既感染）であり，移植後の CMV 感染症は潜伏感染ウイルスの再活性化によるものである.
- CMV 感染症の標的となる臓器は主に肺，消化管，網膜である.「CMV 感染」は血液や尿などからウイルスが検出されるが臨床的に無症状・無所見な状態を指し，「CMV 感染症」と区別する.
- CMV 感染症と診断されたら，速やかにガンシクロビル（5 mg/kg×2/ 日，点滴静注）またはホスカルネット（90 mg/kg×2/ 日，点滴静注）を開始する. 前者は骨髄毒性，後者は腎障害，電解質異常が副作用として問題となる.

  肺炎に対しては，ガンシクロビルに併用して高用量の免疫グロブリン製剤を投与することで，その救命率が高まる可能性が報告されている（保険適用外）.

- 生着後に CMV 抗原血症検査または PCR を定期的に行い，陽性化がみられた時点で抗ウイルス薬を投与し，CMV 感染症の発症を抑制する方法を preemptive therapy（先制治療）と呼ぶ[6]．この方法により，致死率の高い CMV 肺炎の発症は効果的に予防可能となったが，胃腸炎や網膜炎の発症はみられるため注意が必要である．
- 新規薬剤であるレテルモビルの予防投与により CMV 感染と感染症を低下させることができるため，広く用いられている．

▶ 水痘・帯状疱疹ウイルス（varicella-zoster virus：VZV）

- 1 神経節領域に限局する帯状疱疹に留まらず，播種性帯状疱疹，時には内臓病変を伴う感染症を引き起こすことがある．
- 高率に発症すること，帯状疱疹を発症した場合には神経疼痛による生活の質の低下，重症化した場合には生命を脅かすため，少量アシクロビル（200～400 mg/日）による予防投与を長期にわたって行う（例：移植後 1 年や免疫抑制剤中止まで）．

▶ Epstein-Barr ウイルス（Epstein-Barr virus：EBV）

- EBV は移植後 2～6 カ月頃に発症する移植後リンパ増殖性疾患（post-transplant lymphoproliferative disorder：PTLD）の原因ウイルスとなる．
- 移植前処置を含めた抗胸腺細胞グロブリン（ATG）投与が PTLD 発症の危険因子となる．
- 発熱，リンパ節腫大，節外病変等がみられた場合には組織診断を試みる．
- PTLD を発症した場合には免疫抑制剤の減量・中止，ドナーリンパ球輸注，リツキシマブ投与や多剤併用化学療法を行う．
- ATG 投与のある高リスク患者などでは，末梢血（全血）中の EBV 量を定量的にモニタリングし，あるレベル以上まで増加した場合に早期にリツキシマブを投与すること（先制治療）も検討する．

▶ アデノウイルス

- 主に出血性膀胱炎の原因ウイルスであるが，肝炎やウ

表3 GVHDの分類

	亜分類	発症時期	急性GVHD症状	慢性GVHD症状
急性	古典的	移植後100日以内	有	無
	持続型，再燃型，遅発型	移植後100日以降	有	無
慢性	古典的	規定せず	無	有
	重複型	規定せず	有	有

イルス血症を伴う全身性感染症を引き起こすこともある．

- 尿などから核酸増幅法（PCR）により検出して診断する．
- シドホビルの効果が期待されるが，わが国では承認されていない．

► BKポリオーマウイルス（BK polyomavirus：BKPyV）

- 主に出血性膀胱炎の原因ウイルスである．
- 尿からPCRにより検出して診断する．
- 有効性の確立した治療薬は存在しない．

2）GVHD

- GVHDは同種造血幹細胞移植後にみられるドナーの免疫担当細胞（主にT細胞）が宿主臓器を障害する免疫反応である[7)]．
- 急性と慢性に大別することができ，100日以内に発症する急性GVHDを古典的，100日以降に発症するものを持続型・再燃型・遅発型に分類する 表3 ．
- 古典的急性GVHDは丘疹状皮疹，持続する嘔気・嘔吐，水様下痢・イレウス，胆汁うっ滞を特徴とするもので，これらが様々な程度で単独あるいは併存して発症する．最も頻度が高いのが皮膚病変である．
- 急性GVHDの症状・病態が100日以降に持続するものを持続型，一旦軽快した後に再燃するものを再燃型，100日以降に新規で発症するものを遅発型と定義する．
- 急性GVHDの診断は皮膚，消化管，肝臓の少なくとも1臓器に病変が存在し，臨床診断されるが，他の病態との鑑別が困難なことも多く，肝臓を除き，病理診断を積極的に行う．

表4 急性 GVHD の重症度（stage）

Stage	皮膚 皮疹の範囲（%）	肝臓 総ビリルビン値（mg/dl）	消化管 1 日下痢量・上部症状
1	<25	2.0～3.0	500～1000 mL または 持続する嘔気
2	25～50	3.1～6.0	1001～1500 mL
3	>50	6.1～15	>1500 mL
4	全身紅斑・水疱	>15.0	高度な腹痛・腸閉塞

Grade	皮膚 Stage		肝臓 Stage		消化管 Stage
I	1～2		0		0
II	3	あるいは	1	あるいは	1
III	-		2～3	あるいは	2～4
IV	4	あるいは	4		-

- 急性 GVHD の重症度は 表4 に従い，臓器ごとの重症度（stage）を組み合わせて全体の重症度（grade）を決定する．なお performance status が極端に悪化している場合には grade IV にする．
- 古典的慢性 GVHD は慢性 GVHD に典型的な症状・所見のみを認めるもので，そこに急性 GVHD の症状・所見を伴う場合に重複型と定義する．
- 慢性 GVHD の診断は 表5 に従い，診断的徴候が 1 つ以上，あるいは生検などにより支持される特徴的徴候が 1 つ以上あり，他の疾患が否定される場合に診断される．
- 慢性 GVHD の重症度は performance status および臓器毎のスコアから軽症，中等症，重症に分類する〈http://www.jshct.com/guideline/pdf/02n_gvhd.pdf〉[6, 7]．

a）GVHD の予防

- わが国ではカルシニューリン阻害剤（シクロスポリン A（CSA）またはタクロリムス）にメトトレキサートまたは mycophenolate mofetil（MMF）を併用する予防が一般的である．
- CSA は HLA 一致同胞からの移植，タクロリムスは HLA 不一致血縁者や非血縁者からの骨髄・末梢血幹細胞移植で選択されることが多い.

- CSA は 24 時間持続点滴あるいは 2 分割投与, 10 時間点滴などで様々な投与法が行われるが, タクロリムスは 24 時間持続点滴である.
- MTX は移植後 2 週以内だけ投与される短期 MTX が選択される. その投与日は移植後 1, 3, 6 日目を基本として HLA 不一致移植や非血縁者からの移植では 11 日目に追加されることが多い. なお臍帯血移植では 11 日目は投与しないのが一般的である.
- 短期 MTX の投与量は上記の投与日に 15-10-10 (-10) mg/m^2 が基本となるが, わが国では 10-7-7 (-7) mg/m^2 を採用している施設も多い.
- ATG は GVHD の予防に用いられるが, 移植後のウイルス感染症, EBV 関連の移植後リンパ増殖性疾患の頻度が高まるため, 主に重症 GVHD 発症リスクの高い HLA 不一致ドナーからの移植で使用される. また GVHD を最大限に予防することが求められる再生不良性貧血に対する移植で使用されることが多い. ATG はステロイド抵抗性 GVHD の治療にも用いられることがある.
- HLA 半合致ドナーからの移植において移植後の CY を投与 (post-transplant CY: PTCY) による GVHD 予防法が広く選択されている.

b) 急性 GVHD の治療

- 急性 GVHD は grade Ⅱ以上が治療の適応となる.
- 急性 GVHD も症例によりその病勢が異なり, grade Ⅱであっても皮膚に限局するような症例では予防で使用しているカルシニューリン阻害薬の濃度を高める, ステロイド外用薬を併用するなどで管理できることもある.
- 初期治療はプレドニゾロン / メチルプレドニゾロン 1 ～2 mg/kg である.
- 初期治療に反応すれば 2 週間, 初期量を継続し, その後, 5～7 日毎に初期量の 10%ずつ漸減する.
- 初期治療であるステロイドが無効であった場合の治療は二次治療と呼ばれ, ステロイドパルス療法, ATG, MMF, 間葉系幹細胞 (テムセル®) などが試みられるが, その優劣は明らかでない.

表 5　慢性 GVHD の診断基準

臓器・部位	診断的徴候（diagnostic）	特徴的徴候（distinctive）
皮膚	多形皮膚萎縮，扁平苔癬様，皮膚硬化，斑状強皮症様変化，硬化性苔癬様変化	色素脱失，鱗屑を伴う丘疹様病変
爪	−	形成異常・萎縮・変形，爪床剥離，爪喪失，翼状片
頭皮，毛	−	脱毛（瘢痕性・非瘢痕性），鱗屑，体毛の減少
口腔	扁平苔癬様	口腔乾燥，粘膜萎縮，粘液嚢胞，偽膜・潰瘍
眼	−	眼球乾燥，乾燥性角結膜炎
生殖器	扁平苔癬様，硬化性苔癬，膣瘢痕形成・狭窄，陰唇の癒合，包茎，尿管や尿道口の瘢痕・狭窄	びらん，潰瘍，裂孔
消化器	食道ウエブ，上部食道狭窄	−
肝臓	−	−
肺	組織診断による閉塞性細気管支炎（BO），BO 症候群	臨床診断による閉塞性細気管支炎
筋・筋膜，関節	筋膜炎，関節拘縮	−
造血・免疫	−	−
他	−	−

※ COP：cryptogenic organizing pneumonia.

c）慢性 GVHD の治療

- 重症度が中等症以上の場合に治療適応と判断するのが一般的である.
- 治療の基本は prednisolone 1 mg/kg であり，減量は 2 週間投与後，1 mg/kg と 1 週毎に 50%ずつ減量した量を隔日交互にする減量法を使うことが多い．これにより 6〜8 週程度で 1 mg/kg の隔日投与まで減量する．それ以降はさらに緩徐に減量する.
- PSL に CSA やタクロリムスを併用することが多い.
- PSL 無効例に対しては MMF，ステロイドパルス療法などが試みられるが，その有効性は確立していない.

その他の特徴（other）	共通（common）
発汗異常，魚鱗癬，毛包角化症，色素異常	紅斑，斑状丘疹性紅斑，瘙痒疹
−	−
頭髪減少，若白髪	−
−	歯肉炎，口内炎，発赤，疼痛
羞明，眼球周囲の色素沈着	−
−	−
膵臓外分泌能低下	食思不振，嘔気，嘔吐，下痢
−	胆道系・逸脱酵素高値
COP，拘束性肺障害	
筋炎，多発筋炎	浮腫，筋痙攣，関節痛，関節炎
	血小板減少，好酸球増多，低あるいは高免疫グロブリン血症，自己抗体陽性
	心嚢液，胸水，腹水，末梢神経障害，ネフローゼ，重症筋無力症，心電動障害，心筋症

• 体外循環式光化学療法（extra-corporeal photopheresis：ECP）はその有効性が示されており，わが国での承認が待たれる．

3）その他の合併症

a）生着不全

• 生着不全は graft failure と呼ばれ，ドナーの造血幹細胞が生着しないという移植後の最も危険な病態である．

• 生着の定義は一般的に 3 日連続で好中球が 500/μL を超えることを示し，その初日を生着日とする．

• 生着不全には免疫学的な拒絶反応によるものとドナー

造血細胞の機能不全の 2 つがある.

- 一次性生着不全は移植後 6 週以内に一度も生着しない場合，二次性生着不全は一度生着した後に生着不全になるものをさす.
- 一次性生着不全および拒絶による生着不全には再移植が唯一の治療法である.
- 二次性生着不全では薬剤など原因があれば，その原因を除き対応をするが，それでも造血回復がえられない場合には再移植が必要となる.

b）可逆性後頭葉白質脳症

- Posterior reversible encephalopathy syndrome（PRES）と呼ばれ，血管性脳浮腫が本態と考えられる病態である.
- 症状としては頭痛，高血圧，視覚異常（皮質盲），けいれん，意識障害などがみられる.
- 後頭葉に病変がみられることが多いため，このような名称となっているが他の領域にみられることもある.
- カルシニューリン阻害薬が原因の 1 つとして重要である.
- 治療は降圧，カルシニューリン阻害薬の中止，けいれんへの対応である.

c）血栓性微小血管障害

- Thrombotic mircroangiopathy（TMA），移植関連TMA（transplant-associated microangiopathy: TAM）と呼ばれる.
- 血管内皮の障害により生じる血小板血栓が病態と考えられており，その原因としてはカルシニューリン阻害薬や前処置で使用される抗がん薬や全身放射線照射，GVHD，感染症とされる.
- 徴候としては血管内溶血所見（進行性貧血, LDH 上昇，ハプトグロビン低下，破砕赤血球出現）と血小板減少がみられ，消化管障害・腎障害・中枢神経障害を伴うこともある.
- 治療はカルシニューリン阻害薬の減量や中止，新鮮凍結血漿やアンチトロンビン製剤の投与，遺伝子組み換えトロンボモジュリン（保険適用外）などが試みられるが，確立した治療法はない.

d）類洞閉塞症候群

- Sinusoidal obstruction syndrome（SOS）と呼ばれ，かつては表記として肝中心静脈閉塞症（veno-occlu-

JCOPY 498-22507

表 6　類洞閉塞症候群（SOS）の診断基準

改訂 Seattle 基準 移植後 20 日以内に下記のうちの 2 項目以上を満たす
黄疸（総ビリルビン 2 mg/dL 以上） 肝腫大または肝由来の右季肋部痛 急速な体重増加（2%以上）
Baltimore 基準 **移植後 21 日以内に 2 mg/dL 以上の高ビリルビン血症＋以下の内の 2 つ以上**
有痛性肝腫大 腹水 5%以上の体重増加

sive disease：VOD）が使用されていた．

- 造血幹細胞移植の前処置の肝毒性の 1 つとして肝類洞の内皮傷害・閉塞をきたすもので，黄疸，有痛性肝腫大，腹水・体重増加を特徴とする．
- 発症の危険因子は移植前の肝機能異常・肝疾患の罹患，造血幹細胞移植歴，腹部・肝臓への放射線照射歴，gemtuzumab ozogamicin 投与歴，移植前処置の薬剤（busulfan＋cyclophosphamide），などが挙げられる．
- Gemtuzumab ozogamicin は移植後の原疾患再発に対して投与した場合にも，SOS を高率に合併する．
- Seattle と Baltimore 表 6，そして新しい EBMT の 3 つの診断基準がある．重要な点は移植後 3 週以内の黄疸，肝腫大，腹水・体重増加（体液貯留）である．EBMT の診断基準では 21 日以内は classical，21 日以降の発症例は late-onset と定義される．
- 診断基準では血清ビリルビン値以外には検査値が項目として挙げられていない．造血幹細胞移植後には，さまざまな原因によりビリルビン値上昇や肝酵素上昇を認めることが多いが，SOS の場合は，ビリルビン値に加え，γ-GTP, ALP の上昇も伴うことが特徴である．病態が進行すると AST/ALT の上昇も伴うこととなり，肝不全のさらなる進行を意味する．重症化すると腎障害も出現する．
- 輸血不応性の高度な血小板減少（しばしば 5,000/μL 以下）が出現し，診断の一助となる．
- 予防には ursodeoxycholic acid, 低用量ヘパリン（100～150 U/kg/ 日の持続静注），低分子量ヘパリン（75

U/kg/ 日の持続静注）などが使用されるが，十分なエビデンスはない．

- 発症した場合，VOD/SOS に対する治療法としては defibrotide を投与する．
- 発症時の支持療法としては塩分および水分の制限，利尿薬（体液貯留にもかかわらず血管内脱水の状態になっていることが多く，最小限に留める），赤血球輸血，新鮮凍結血漿・アルブミン製剤投与による血管内浸透圧維持，少量ドパミンによる腎血流維持なども試みる．
- 遺伝子組み換え thrombomodulin の有効性を示す報告もある（保険適用外）．

参考文献

1）同種末梢血幹細胞移植のための健常人ドナーからの末梢血幹細胞動員・採取　第 5 版．日本造血細胞移植学会ガイドライン．2014.
https://www.jshct.com/uploads/files/guideline/08m_pbsc_harvest.pdf
2）骨髄採取マニュアル・非血縁者末梢血幹細胞採取マニュアルホームページ版．日本骨髄バンク．2019.
https://www.jmdp.or.jp/documents/file/04_medical/f-up02-all-201908.pdf
https://www.jmdp.or.jp/documents/file/04_medical/f-up03a-201908.pdf
3）移植前処置第 2 版．日本造血細胞移植学会ガイドライン．2020.
https://www.jshct.com/uploads/files/guideline/02_01_zenshochi.pdf
4）Gafter-Gvili A, Fraser A, Paul M, et al. Meta-analysis: antibiotic prophylaxis reduces mortality in neutropenic patients. Ann Intern Med. 2005; 142: 979-95.
5）サイトメガロウイルス感染症第 4 版．日本造血細胞移植学会ガイドライン．2018.
https://www.jshct.com/uploads/files/guideline/01_03_01_cmv04.pdf
6）GVHD 第 4 版．日本造血細胞移植学会ガイドライン．2018.
https://www.jshct.com/uploads/files/guideline/01_02_gvhd_ver04.pdf
7）Jagasia MH, Greinix HT, Arora M, et al. National Institutes of Health Consensus Development Project on Criteria for Clinical Trials in Chronic Graft-versus-Host Disease：I. The 2014 Diagnosis and Staging Working Group report. Biol Blood Marrow Transplant. 2015；21：389-401.

〈森　毅彦〉

JCOPY 498-22507

4 放射線治療の計画の立て方と実践

まとめ

- 血液腫瘍は放射線感受性がきわめて良好であり局所制御効果が高い.
- 放射線治療は高精度化しており〔IMRT/VMAT（強度変調放射線治療）など〕, 有害反応を抑えた治療が可能である.
- ホジキンリンパ腫に対して最も局所効果の高い治療法であり, 限局期では化学療法後に放射線治療が施行される.
- 非ホジキンリンパ腫に対しては病期, 予後予測指標別に, ①根治的放射線治療, ②地固め放射線治療, ③救済放射線治療, ④緩和的放射線治療が行われる.
- 孤立性形質細胞腫に対しては根治的放射線治療が検討され, 局所制御効果は良好である.
- 多発性骨髄腫では, ①疼痛緩和, ②病的骨折予防, ③脊髄圧迫に対して姑息緩和的放射線治療が行われる.
- 放射線治療計画は形態画像（CT, MRI）と機能画像（FDG-PET/CT など）を融合させて行う.
- 照射野は Involved node radiotherapy（INRT）を用いる.

ホジキンリンパ腫

1）放射線治療の役割と適応

- 血液腫瘍は放射線感受性が高い.
- 放射線治療により高い局所制御効果が期待できる.
- 限局期（Ⅰ, Ⅱ期）では, 従来より放射線治療は標準治療として組み込まれてきた. 標準的には化学療法後に放射線治療が施行される.
- 進行期では巨大病変（10 cm 以上）存在部位, 化学療法施行後の残存病変部位に対して放射線治療が施行される.

2）放射線治療方針

- 若年者にも多く認められ長期生存が見込まれることから, 有害事象に十分配慮して放射線治療計画を作成する必要がある.

- Ⅰ・Ⅱ期では化学療法後に放射線治療を施行する．予後予測因子に応じて線量が決定される．高放射線感受性であるため 1 回線量は 1.5～2 Gy が用いられる．総線量は 30 Gy 程度が用いられる．再発や治療抵抗性の病変に対しては 36～40 Gy/18～20 回が用いられる場合がある[1,2]．

限局期 unfavorable 群：
　ABVD 4 コース後 ISRT（後述）
　　20 Gy～30 Gy/10～15 回 /2～3 週
限局期 unfavorable 群：
　ABVD 4～6 コース後 ISRT 30 Gy/15 回 /3 週
進行期：ABVD 6～8 コース後，初診時 10 cm 以上の巨大腫瘤や化学療法後残存腫瘤には ISRT 30 Gy/15 回 /3 週

（日本放射線腫瘍学会，編．放射線治療計画ガイドライン 2020 年版．東京：金原出版；2020[1] より改変）

- Ⅰ・Ⅱ期で放射線治療単独の場合は系統的リンパ系照射を行う．病変領域に 30～36 Gy，非病変領域に 25～30 Gy の線量が用いられる．
- 化学療法後の残存病変への救済放射線治療には 36～40 Gy/18～20 回 /4 週が用いられる．薬物抵抗性の場合，局所制御を得るためには通常より大きな線量が必要である[1,2]．

3）照射野の設定

- 放射線治療は局所療法であるため照射される標的の設定が重要である．
- 照射する標的の全体積を標的体積（target volume）と呼ぶ 表 1．

《標的体積》
　肉眼的腫瘍体積（gross tumor volume：GTV）
　臨床標的体積（clinical target volume：CTV）
　計画標的体積（planning target volume：PTV）

GTV は化学療法施行直前に施行された CT，MRI，PET/CT 画像や肉眼などで同定できる病変となる．この GTV に腫瘍の顕微鏡的浸潤範囲や，領域リンパ節を含めたものを CTV と定義する．リンパ節のコンツーリングには造影 CT が必須である．CT 所見に加えて FDG-PET/CT 所見が治療計画に有用である．PET/CT は放射線治療計画時と同じ体位での撮像が望ましい

 JCOPY 498-22507

表1 放射線治療における標的体積[1)]

肉眼的腫瘍体積	GTV	・CT，MRI，PET/CTなどで確認できる腫瘍体積. ・できれば治療前の診断画像も放射線治療体位で. ・化学療法前GTVと化学療法後GTVがある.
臨床標的体積	CTV	・GTV＋周囲の微視的進展範囲. ・(または所属リンパ節領域)
計画標的体積	PTV	・CTV＋セットアップマージンなどからなる体積.

表2 悪性リンパ腫に対する照射野の概念[1)]

照射野	照射部位
IFRT	治療前にリンパ腫病変が存在した領域（領域への照射） （例：右頸部領域，左腋窩領域，など）
ERFT	複数の領域への照射 マントル照射（上半身），逆Y字照射（下半身）
ISRT	化学療法前の腫瘍部（化学療法前GTV）にマージンを付けたCTVに照射
INRT	化学療法前GTVにマージンを付けたCTVに照射 化学療法開始前の照射体位でのFDG-PET画像を用いる.

＊ 照射範囲の大きさ：IFRT＞ISRT≧INRT

（特に上肢の位置や頸部の角度に注意を払う，表2）.

- 従来のInvolved field radiotherapy（IFRT）からInvolved site radiotherapy（ISRT），Involved node radiotherapy（INRT）が用いられる[1, 3, 4)]．ISRTの治療計画はCTならびにPET/CT画像を用いた3次元放射線治療計画である図1ⒶⒷ．2次元放射線治療計画の概念であったIFRTに対して3次元放射線治療計画のISRTは，より小さな照射野の設定が可能である．その結果として有害事象の軽減が期待される．INRTでは放射線照射時の体位で撮像したFDG-PET/CTを必要とする．

《ISRTにおける照射野の作成》

・ISRTでの標的体積は初診時（化学療法前）の病変リンパ節(または腫瘍自体)がGTVとなる．GTVにマージンを付けCTVとし，それに対して照射野を作成する．

- 残存腫瘍病巣あるいは再発腫瘍病巣に対する放射線治療の場合，限局して標的体積を設定し，隣接するリン

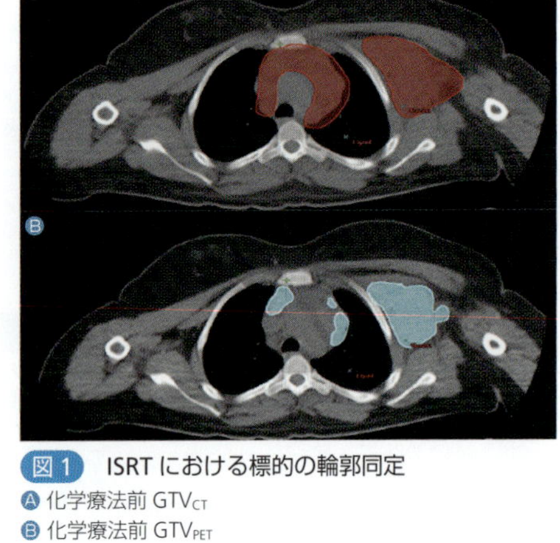

図1　ISRT における標的の輪郭同定

Ⓐ 化学療法前 GTV_{CT}

Ⓑ 化学療法前 GTV_{PET}

(Specht L, et al. Int J Radiat Oncol Biol Phys 2014; 89: 854-62[4])

パ領域や予防領域は含めない.

4) 照射方法の選択

- 標的体積への正確な照射と有害事象の軽減を図るため, 3 次元放射線治療が用いられる. 頭頸部領域において唾液腺や眼球, 脳, 脊髄などのリスク臓器 (OAR) を避けるためには, 強度変調放射線治療 (IMRT/VMAT) が有用である. 急性期有害反応に加え晩期反応も軽減できる.

5) 合併症

- 照射部位に一致して急性反応 (粘膜炎, 皮膚炎, 下痢など) が認められる. 晩期反応は照射範囲に一致して心血管障害, 唾液腺障害, 甲状腺機能低下などが起こる.

非ホジキンリンパ腫

- WHO 分類, 病期, 予後予測指標別に, ①根治的放射線治療, ②地固め放射線治療, ③救済放射線治療, ④緩和的放射線治療が行われる. 放射線感受性は極めて高い. 濾胞型とびまん型で治療方針が異なる.
- 新鮮例に対する放射線治療による局所制御効果は高く, 照射野内再発の頻度は低い.

1）放射線治療の役割と適応

- 限局の低悪性度リンパ腫（indolent）に対しては放射線治療単独で治癒もしくは長期寛解が得られる．低悪性度濾胞性リンパ腫のⅠ期は根治的放射線治療が標準治療である．節外性粘膜関連リンパ組織型（MALT リンパ腫）に対して根治的放射線治療が施行される．
- 限局型の中悪性度リンパ腫（aggressive）に対しては化学療法±抗体療法（R-CHOP など）後に地固め目的で放射線治療が施行される場合がある．
- 進行期の中高悪性度リンパ腫では化学療法後の残存病変や巨大病変に対して救済放射線治療が施行される場合がある．
- 悪性リンパ腫による脊髄圧迫，神経浸潤，上大静脈症候群，気道狭窄，有痛性病変（骨浸潤など）に対して緩和的放射線治療が有効である．

2）放射線治療方針

- 限局期低悪性度リンパ腫に対しては，放射線単独治療 24 Gy/12 回で局所制御が期待できる．
- 限局期中等度悪性リンパ腫（びまん性大細胞型など）では R-CHOP 療法後に地固め放射線治療を施行する場合，30～40 Gy を用いる．リスク因子がなく R-CHOP 療法で完全奏効（CR）が得られた例では 30 Gy を用いる．化学療法抵抗性リンパ腫の至適線量は明確でなく 50 Gy 以上の有効性は示されていないが，化学療法が施行できない場合は 50 Gy 程度の照射を行う[1]．
- 鼻腔原発悪性リンパ腫（NK/T 細胞リンパ腫）では 50 Gy/25 回の放射線治療を化学療法（2/3 DeVIC 療法）と同時併用で行う．
- 胃原発悪性リンパ腫（MALT）に対する放射線治療は通常 30 Gy/20 回を用いる．
- 脳原発悪性リンパ腫は化学療法（大量メトトレキセート）後に放射線治療を施行する．
- 眼窩（眼球粘膜）MALT（限局期）は放射線単独療法が施行され，30 Gy（24 Gy）/20（16）回が用いられる．
- 皮膚原発悪性リンパ腫では電子線照射による放射線治療を行うことが多い．菌状息肉症では 20～30 Gy，皮膚転移に対しては 30 Gy 以上の姑息緩和照射が行われる．
- 緩和的放射線治療は通常 30 Gy 程度で行われること

が一般的である．4 Gy/2 回も症状緩和に有効であるとされている．

3）照射野の設定，照射方法の選択

- ホジキンリンパ腫の場合と同様である．
- 従来の 2 次元放射線治療計画である IFRT から，国際リンパ腫放射線腫瘍グループ（ILROG）が提唱した 3 次元放射線治療計画の ISRT に準拠した照射野が作成される．

4）合併症

- ホジキンリンパ腫の場合と同様．

骨髄腫

1）放射線治療の役割と適応

- 孤立性形質細胞腫に対しては根治的放射線治療を検討する．放射線治療による局所制御効果は良好であり 80〜90%の局所制御割合が期待できる．外科的手術療法単独では再発率が高い．
- 骨孤立性形質細胞腫と髄外性形質細胞腫の局所制御率に差は認められない．ただし骨孤立性形質細胞腫はしばしば多発性骨髄腫への移行が認められる．
- 多発性骨髄腫に対する治療は化学療法が中心である．放射線治療は，①疼痛緩和，②病的骨折の予防，③腫瘍による脊髄圧迫に対して姑息緩和的放射線治療として行われる．30 Gy/10 回もしくは 40〜45 Gy/25 回の放射線治療が行われることが多い．症状によって緊急的に照射が開始となる場合もある．麻痺症状がある場合は症状出現から 48 時間以内に放射線治療を開始することが望ましい．

2）放射線治療方針

- 孤立性形質細胞腫に対しては 40 Gy 以上の線量で局所制御が良好であり，45〜50 Gy/25 回で根治的放射線治療が施行されることが多い．腫瘍径が 5 cm 以内であれば 35 Gy 程度でも局所制御は可能である[5)]．
- 孤立性形質細胞腫は根治的放射線治療により 80〜90%の局所制御割合が得られる．
- 多発性骨髄腫に対する姑息緩和的放射線治療は 30 Gy/10 回もしくは 40〜45 Gy/25 回が通常用いられる．90%以上に症状の改善が認められる．有痛性骨転移に対する緩和照射では単回照射（8 Gy/1 回）や短期照射（20 Gy/5 回）が用いられる場合が多いが，脊髄圧迫に対しては分割照射が推奨される．

3）照射野の設定

- GTVに限局した照射野を設定する．予防領域は照射野に含めない．
- 骨病変の場合，周囲軟部組織への進展範囲を十分考慮して照射野を設定する．

参考文献

1）日本放射線腫瘍学会，編．放射線治療計画ガイドライン2020年版．東京：金原出版；2020. p.306-34.
2）髙橋健夫．造血器腫瘍に対する放射線療法の適応と有害事象．In：木崎昌弘，編．カラーテキスト血液病学．2版．東京：中外医学社；2013. p.197-202.
3）小口正彦，長谷川正俊，石橋直也，他．悪性リンパ腫に対する放射線治療の新しい動き -ISRTを中心に-．臨床血液．2014；55：1903-11.
4）Specht L, Yahalom J, Illidge T, et al. Modern radiation therapy for Hodgkin lymphoma：Field and dose guidelines from the International Lymphoma Radiation Oncology Group（ILROG）. Int J Radiat Oncol Biol Phys. 2014；89：854-62.
5）髙橋健夫. 多発性骨髄腫に対する放射線治療. In：木崎昌弘，編．ブラッシュアップ多発性骨髄腫．東京：中外医学社；2015. p.189-93.

〈髙橋健夫〉

5 造血器腫瘍の治療に伴う感染症に対する対策

まとめ

- 血液内科領域の感染症と免疫不全には密接な関わりがある．免疫不全には 4 タイプあり，血液悪性腫瘍そのものと，行われる治療がどの免疫不全に該当するのかを理解する必要がある．そして，抗菌薬の予防投与は，その免疫不全のタイプに応じて検討する必要がある．
- 発熱性好中球減少症は迅速な対応が必要な緊急疾患で，感染源が不明確なことが多いが，基本的な姿勢として可能な限り感染臓器と原因微生物の診断をつけることは非常に重要である．正しい初期対応と，正しい原因精査の方法と，正しいフォローアップの方法を理解する必要がある．
- 無菌室での対応含め，必要な感染制御の方策についても述べる．COVID-19 についても感染制御の面から簡易に述べる．

感染症の発症リスクと予防的抗菌薬投与について

1）好中球の機能/数の問題，好中球減少に対する抗菌薬予防投与

- 発熱性好中球減少症（febrile neutropenia：FN）については記載すべき内容が多く，後述する．
- 一般的に好中球の数が 500/μL 未満のときに細菌感染のリスクが上昇する．また 100/μL 未満の状態が 1 週間以上続くような状態は高リスクであり，カンジダ・アスペルギルス・ムーコル・フザリウム・トリコスポロンなどの真菌感染のリスクも上昇する．好中球減少の主な原因は，悪性腫瘍に対する化学療法が原因となるが，急性骨髄性白血病や骨髄異形成症候群などの好中球の機能に影響を及ぼす疾患では，好中球の数は保たれていても機能が低下しており，好中球減少に準じた状態とみなされる．
- 発熱のない好中球減少に対しての抗菌薬の予防投与については，NCCN のガイドラインでは細菌感染の高

リスクである，急性白血病の好中球減少期と，同種造血幹細胞移植時には投与が推奨されている．それ以外での中リスク（悪性リンパ腫，慢性リンパ球性白血病，多発性骨髄腫など）や低リスク（固形がんに対する化学療法など）においてのルーチンでの予防投与は推奨されず，症例を選んで検討される．

- 予防として使用する抗菌薬は，緑膿菌をはじめとしたグラム陰性桿菌をカバーし，内服が可能なフルオロキノロン系抗菌薬を使用することが多い．しかし，フルオロキノロン系抗菌薬の腸内細菌や緑膿菌に対しての耐性化が進行していることに十分な注意が必要である．所属施設によっては，すでに耐性化が進んでおり，思うような予防効果は得られないかもしれない．したがって，所属施設のアンチバイオグラムは必ず確認する必要がある．具体的にはフルオロキノロン系抗菌薬の耐性率が 20%を超える場合には使用を勧めない．対案としてはグラム陰性桿菌をカバーしており，内服が可能という点で ST 合剤（バクタ®）があがるが，至適投与量は不明であり，緑膿菌をカバーしていないため効果も落ちると考えられる．
- また，フルオロキノロン系抗菌薬を使用する際には，副作用（腱断裂，QT 延長症候群，けいれんなど）や相互作用（酸化マグネシウムを同時に内服すると，腸管からの吸収率が低下する，など）に注意事項が多く，逐一確認を行う必要がある．

《処方例》

急性白血病
好中球数が回復するまでレボフロキサシン
1 回 500 mg 1 日 1 回 内服

- 抗真菌薬の予防投与に関しては，急性白血病の好中球減少期に予防的にアゾール系抗真菌薬（フルコナゾール，ポサコナゾール）を使用することもあるが，効果に関して良質なエビデンスはない．したがって，感染リスクが高い血液悪性腫瘍（急性白血病，骨髄異形成症候群）で，好中球減少期間が長期化する症例を選んで慎重に適応を考えるべきである．
- 造血幹細胞移植については，感染リスクの高い同種造血幹細胞移植と，粘膜炎を伴う自家造血幹細胞移植においては抗真菌薬の予防投与が必要であり，同種造血幹細胞移植では移植後 75 日までの投与が，粘膜炎を伴う自家造血幹細胞移植では好中球数が回復するまでの予防投与が推奨されている．また，GVHD に対して免疫抑制薬が投与されている患者に対しても抗真菌薬の予防投与が必要であり，GVHD が解消するまで抗真菌薬の投与が推奨されている．

- 基本的にはカンジダ感染の予防のためにアゾール系抗真菌薬であるフルコナゾールを使用する．肝機能異常以外に目立った副作用はないものの，薬物相互作用（フェニトイン，シクロスポリンなどが代表的）のために使用できないこともある．同じアゾール系抗真菌薬にイトラコナゾールもあり，こちらは内服可能で，カンジダ以外にもアスペルギルスのカバーも可能である．しかし，食事とともに内服しないと吸収が悪い点や，心臓に対する陰性変力作用などの副作用が多彩であることなどデメリットが多く，基本的には真菌感染予防に用いることは稀である．また，カンジダ感染の予防にキャンディン系抗真菌薬のミカファンギンを使用することもできるが，内服薬がないのが欠点である．ただし，フルコナゾールのような薬物相互作用もないので，代替案にはなる．
- GVHD に対して免疫抑制薬の投与を行うような高度免疫不全状態ではアスペルギルスの感染リスクが高く，糸状菌に活性を持たないフルコナゾールやミカファンギンは不適切である（ミカファンギンは活性が全くないわけではないが，予防効果に関してのエビデンスはない）．この場合は，糸状菌や接合菌にも有効であるポサコナゾールの投与を行う．GVHD 以外の状況でも，糸状菌や接合菌による感染の既往がある場合にも，同様にポサコナゾールによる予防が好ましいこともある．しかし，アレルギーなどでポサコナゾールが使用できない場合にはボリコナゾールやアンビゾームの投与を行うことも考慮されるが，いずれの薬剤も長期使用での副作用が問題になるため，予防的に使用する場合には感染症専門医と相談の上の使用が好ましい．

《処方例》

- 急性白血病もしくは骨髄異形成症候群
  好中球数が回復するまでフルコナゾール 1回400 mg 1日1回 内服 or 静注
- 同種造血幹細胞移植
  移植後75日までフルコナゾール 1回400 mg 1日1回 内服 or 静注
- 粘膜炎を伴う自家造血幹細胞移植
  好中球数が回復するまでフルコナゾール 1回400 mg 1日1回 内服 or 静注
- GVHDに対して免疫抑制薬を使用する場合
  GVHDが解消されるまで
  ポサコナゾール　初日1回300 mg 1日2回
  以降1回300 mg 1日1回 内服 or 静注
  ＊フルコナゾールはミカファンギン1回50 mg 1日静注で代用可能.

ポサコナゾールの代わりにボリコナゾール/アンビゾームを使用する場合には感染症専門医とも相談.

2）細胞性免疫不全と感染予防

- 細胞性免疫は主にT細胞が担当し，好中球やマクロファージのみでは対応できない微生物に対しての感染防御を行う．血液悪性腫瘍や造血幹細胞移植後のGVHDに対する治療薬は細胞性免疫にも影響を及ぼす．例えば，フルダラビン，アレムツズマブ，ステロイド，タクロリムス，ミコフェノール酸は細胞性免疫不全をきたす代表的な薬剤である．また，急性リンパ性白血病や悪性リンパ腫（主にT細胞性）のようにリンパ球の機能に影響を及ぼす疾患でも同様のことが起こる．
- 細胞性免疫不全によって起こる感染症の鑑別は複雑であり，表にまとめる 表1 ．この中では，感染予防の観点からは，①化学療法の前にスクリーニングすべきもの（B型肝炎，結核菌など），②造血幹細胞移植の管理中に予防すべきもの（カンジダ，ニューモシスチス，ヘルペス属など），③基礎疾患，化学療法に対して予防すべきもの，の3つに分類することができる．
  注：①,②についてはそれぞれの項を参照にされたい．
- ここでは③について述べる．細胞性免疫不全が低下する疾患/治療で予防が検討される疾患の代表はニューモシスチス肺炎である．ここでは予防すべき状況を表にまとめた 表2 ．また，多発性骨髄腫の治療に使用

表1 細胞性免疫不全患者に起こる主な感染症の鑑別

細菌	一般細菌：サルモネラ，リステリア，ノカルジア，黄色ブドウ球菌 非定型病原体：マイコプラズマ，クラミジア，レジオネラ 抗酸菌：結核菌，非結核性抗酸菌
ウイルス	インフルエンザウイルス，RS ウイルス，アデノウイルス，ヘルペスウイルス（単純ヘルペス，水痘帯状疱疹ウイルス，サイトメガロウイルス，EB ウイルス），B 型肝炎，JC ウイルス，BK ウイルス
真菌	カンジダ，アスペルギルス，クリプトコックス，ムーコル，フザリウム，トリコスポロン，ニューモシスチス（海外渡航歴があればヒストプラズマ，コクシジオイデス）
原虫 / 寄生虫	原虫：トキソプラズマ，寄生虫：糞線虫

表2 ニューモシスチス肺炎の予防投与を考慮する疾患，治療および投与期間

疾患，もしくは治療内容	投与期間
急性リンパ球性白血病	白血病の治療期間中
アレムツズマブの使用中	治療後 2 カ月，かつ CD4 陽性細胞は 200/μL 以上になるまで
フルダラビンの使用中	CD4 が 200/μL になるまで
プリンアナログの使用中	
悪性リンパ腫での化学療法	治療期間中
プレドニゾロン換算で 20 mg/ 日が 4 週間以上投与されている	20 mg 以下に減量してから 6 週間程度
同種造血幹細胞移植後	6 カ月間または免疫抑制薬使用中
自家末梢血幹細胞移植後	移植後 3〜6 カ月間

するボルテゾミブや，慢性リンパ性白血病の治療に使用するアレムツズマブは単純ヘルペスと水痘帯状疱疹ウイルスに対しての T 細胞の作用が抑制されるため，予防的にアシクロビルを内服する．また，急性白血病の好中球減少期も単純ヘルペスに対しての免疫機能が低下するため，同様の予防策が推奨される．

JCOPY 498-22507

《処方例》

ニューモシスチス肺炎の予防（投与期間は表2参照）
ST 合剤（バクタ®）1 回 1 錠 1 日 1 回 内服
もしくは
アトバコン（サムチレール®）1 回 1500 mg 1 日 1 回 内服
＊ただしアトバコンはコストが高いので，極力 ST 合剤を使用する．

ヘルペス感染の予防
- 急性白血病の好中球減少期，ボルテゾミブ（ベルケイド®）使用中
  好中球数が回復するまでバラシクロビル（バルトレックス®）1 回 500 mg1 日 2 回 内服
- アレムツズマブ（マブキャンパス®）を使用する場合
  アレムツズマブ（マブキャンパス®）投与後 2 カ月経過し，CD4 陽性細胞数が 200/μL を超えるまでバラシクロビル（バルトレックス®）1 回 500 mg 1 日 2 回 内服

3）液性免疫不全

- 液性免疫は B 細胞や形質細胞から産出される抗体が担当している．好中球やマクロファージでは貪食しきれない莢膜をもった微生物（肺炎球菌，髄膜炎菌，クレブシエラ，カプノサイトファーガなど）に対してオプソニン化で対抗する．液性免疫不全は脾臓摘出後に発症することで有名だが，他には異常な抗体を産生する血液悪性腫瘍（多発性骨髄腫，慢性リンパ球性白血病など）でも起こる．造血幹細胞移植や，悪性リンパ腫の治療で使用するリツキシマブも同様に液性免疫に影響があると考えられている．
- 液性免疫不全に対しては，肺炎球菌（流行地域ではあれば髄膜炎菌も）に対する感染予防策が必要である．具体的には，事前に肺炎球菌ワクチン（流行地域であれば髄膜炎菌ワクチンも）を接種するなどの予防対応を行う．なお，化学療法により防御免疫獲得に影響がでるため，理想的には，化学療法を開始する 2 週間前には該当するワクチンの接種を終了しておきたい．すでに治療が開始されている場合には治療終了から 3 週間後にワクチン接種を行うことが推奨されている．

4）バリア障害

- 皮膚や粘膜も感染予防のために重要である．悪性腫瘍

に対する化学療法では皮膚/粘膜に障害が起こるレジメンがあり，さまざまな微生物がそこから体内へ侵入する．皮膚の障害では，黄色ブドウ球菌・表皮ブドウ球菌・カンジダなどが，粘膜（口腔や腸内）の障害では連鎖球菌・腸内細菌科細菌・腸球菌・カンジダ・嫌気性菌などによる感染が起こる．

- とくに連鎖球菌（緑色連鎖球菌）は血液悪性腫瘍領域において高度耐性かつ侵襲的な感染症を起こすことがある．基本的にはβラクタム系抗菌薬が有効だが，高度に耐性の場合はバンコマイシンで加療を行う．フルオロキノロン系抗菌薬の予防投与が行われている/重症例である/所属施設でβラクタム系抗菌薬の耐性菌が多い場合に該当するなら，感受性がわかるまでバンコマイシンを使用すべきだろう．また，カンジダや腸球菌による感染は，広域抗菌薬使用による菌交代現象とも密接にかかわっており，治療選択肢も限られる．
- バリア障害による感染症予防では，適切なカテーテル管理（不要な点滴類の抜去や，尿道カテーテルの抜去）やスキンケア（褥瘡予防など）が肝要だが，過剰な抗菌薬投与による菌交代現象を予防するために抗菌薬適正使用も非常に重要である．

発熱性好中球減少症（febrile neutropenia: FN）に対する対応

1）FN とは

- FN は，
  ① 好中球数が 500/μL 未満あるいは 1,000/μL 未満で 500/μL 未満への減少が予測される
  ② 腋窩温で 37.5℃以上あるいは口腔内温で 38.0℃以上の状態

上記の 2 つを満たした状態のことである．

- FN 下ではグラム陰性桿菌（とくに緑膿菌）による感染症が急速に進行することがあり，熱源検索と抗菌薬の迅速な投与が必要である．

2）FN で行うべき検索

- FN における感染源の候補は豊富である．肺炎，尿路感染の他にも副鼻腔炎，歯性感染症，咽頭炎，好中球減少性腸炎，肛門周囲膿瘍，蜂窩織炎，カテーテル関

表3　FNで初期対応で行うべき検査

ルーチンで行う検査	血液検査（血算，生化学）尿検査/尿沈渣 血液培養2セット 尿培養 胸部X線
必要に応じて	副鼻腔，胸部，腹部のCT撮影
FNの期間が長い（2週間程度）場合	β-Dグルカン，ガラクトマンナン抗原

連血流感染などがある．つまり，頭からつま先から肛門まで全身くまなく身体診察を行う必要がある．

- FNでは典型的な症状や検査所見が出ないことがあり，肺炎にもかかわらず咳嗽/喀痰がなく，胸部X線で陰影が出なかったり，尿路感染にもかかわらず尿中白血球が陰性であったりすることが往々にしてある．したがって，感染源検索のために行う検査の閾値はかなり低く，症状の有無にかかわらず，ある程度ルーチンで検索を行うことが必要である．
- FNでルーチンですべき検査を表にまとめる 表3．ポイントとしては，血液培養の採取は必須であり，検出感度を高めるために必ず2セット採取することが最重要である．また，1セットのみの血液培養ではコアグラーゼ陰性ブドウ球菌などの皮膚の常在菌が検出されたときに，汚染菌なのか真の菌血症なのかの区別がつかない．このことは過剰なバンコマイシンなどの使用につながるため，血液培養2セット採取は必須であると考える．
- 血液培養を2セット採取する際に，すでに中心静脈カテーテルが挿入されている場合には1セットはこのカテーテルの逆血を提出することを勧める．逆血からの血液培養が，末梢から採取した血液培養よりも2時間以上早く陽性になる場合には，中心静脈カテーテルに関連血流感染の可能性が高く，カテーテル抜去が推奨されるためである．なお，FN時に挿入されている中心静脈カテーテルのルーチンの抜去は推奨されておらず，あくまでも感染が疑われる場合に抜去を検討すべきである．
- 身体診察やルーチン検査で診断がつかない場合には，CT撮影の閾値は低くしてよい．とくに副鼻腔炎，肺炎，好中球減少性腸炎はCTでないと診断できないこともある．

- 血液検査にβ-Dグルカンとガラクトマンナン抗原を初期検査としてルーチンに含める必要はないが，高度な好中球減少（100/μL未満）が2週間以上続いているようなハイリスクな状況では真菌感染（カンジダやアスペルギルスなど）のリスクが高く検査を行う必要があると考える．注意点としてはこれらの検査の感度は十分ではなく，真菌感染の除外にはならないということである．これら真菌感染は肺炎，副鼻腔炎，血流感染を起こしやすいため，血液培養2セットの採取とCT検査（とくに副鼻腔や胸部）の閾値を低くすることが重要である．また，皮膚病変を作りやすいという特徴もあり，全身の診察がより重要である．
- 上記のように真菌感染が疑われる場合，「原則としては」肺炎であれば気管支鏡検査によるBAL，副鼻腔炎であれば内鼻鏡による検体採取，皮膚病変であれば皮膚生検を行い培養を提出するなど診断をつけることが重要である．しかし，やむを得ずempericalに抗真菌薬を開始せざるを得ないこともあり，その点については後述する．

3）FNの初期治療

- 診断にかかわらず，緑膿菌を含めたグラム陰性桿菌のカバーをただちに開始する必要がある．施設のアンチバイオグラムに合わせて緑膿菌に活性のある抗菌薬を開始する．筆者らの施設では第4世代セファロスポリン系抗菌薬のセフェピムを使用することが多い．
- カルバペネム系抗菌薬も同様に有効だが，カルバペネム耐性腸内細菌科細菌（carbapenem resistant enterobacteriaceae：CRE）の問題もあり，使用には慎重になるべきである．この抗菌薬を使用すべき状況としては，①敗血症性ショックである，② ESBL産生腸内細菌の保菌歴がある，③カルバペネム系抗菌薬以外に耐性傾向を示す菌の保菌がある，といったものに限られる．FNにおいて腸内細菌が検出される頻度が少なく，また，所属施設内の腸内細菌におけるESBL産生菌の頻度がよほど高くない（50%以上）限りは，初期治療としてカルバペネム系抗菌薬を推奨する根拠に乏しい．
- FNで嫌気性菌をカバーすべき状況は少ない．カルバペネム系抗菌薬やタゾバクタム・ピペラシリンのように嫌気性菌をカバーする抗菌薬をルーチンに使用すると，造血幹細胞移植患者においてGVHDのリスクを高めるとの報告もあり，極力これらの薬剤を使用しない方向で考える．しかし，好中球減少性腸炎や粘膜障害が著しいケースでは偏性嫌気性菌（バクテロイデス）が関与していることがあり，例外的に嫌気性菌のカバーが必要である．セフェピムは偏性嫌気性菌に耐性のことがあるため，そのときは初期治療をタゾバクタム・ピペラシリンにするとよい．具体的には臨床症状で腹痛や下痢を伴っており，腹部CTで腸炎の所見がある場合には積極的に検討する．ただし，抗菌薬使用中の患者であればクロストリジオイデス（クロストリジウム）腸炎の除外がまず必要である．

- FN時にグラム陰性桿菌のカバーを目的として抗菌薬を2剤併用する，いわゆるダブルカバー療法が行われることがある．しかし，ダブルカバー療法を行うと，単剤治療と比較して生命予後が改善するというエビデンスはなく，筆者らもルーチンでのダブルカバー療法は不要と考える．一方で，敗血症性ショックのような重症例や耐性菌の保菌歴がある患者において，菌名/感受性が判明するまでフルオロキノロン系抗菌薬（レボフロキサシン）やアミノグリコシド系抗菌薬（ゲンタマイシンやアミカシン）を併用することもある．もし，予防としてフルオロキノロン系抗菌薬をすでに使用されているケースでは，アミノグリコシド系抗菌薬の併用を検討する．
- 近年ではFNの原因微生物でグラム陽性球菌（黄色ブドウ球菌，コアグラーゼ陰性ブドウ球菌など）の割合が増加していることに注意である．その中でも血液悪性腫瘍領域においては，頻度は低いものの高い耐性傾向の緑色連鎖球菌による劇症感染の報告もある．これらの微生物を広くカバーする目的に，敗血症性ショック時にはバンコマイシンを併用することを推奨する．

表4 Multinational Association for Supportive Care in Cancer scoring system（MASCC スコア）

項目	スコア
臨床症状（下記の 1 項目を選択）	
・無症状	5
・軽度の症状	5
・中等度以上の症状	3
血圧低下がない	5
COPD がない	4
固形腫瘍 もしくは 造血器腫瘍だが真菌感染ではない	4
脱水症状なし	3
発熱時は外来管理だった	3
60 歳未満 ＊16 歳未満には適用不可	2

20 点以下は高リスクな FN である.

《処方例（入院患者の FN の初期治療 *腎機能正常時）》

基本：セフェピム（マキシピーム®）1 回 2 g 1 日 3 回
腹部感染を疑う場合：タゾバクタム・ピペラシリン（ゾシン®）1 回 4.5 g 1 日 4 回
カルバペネム系抗菌薬が必要な場合：メロペネム（メロペン®）1 回 1 g 1 日 3 回
敗血症性ショック時：上記に加えバンコマイシン 1 回 1 g 1 日 2 回

4）FN のフォローアップ

- まずは FN の重症度を決定することが重要である．本邦では Multinational Association for Supportive Care in Cancer scoring system（MASCC スコア）表4が一般的に用いられる．このスコアは重症度の参考になるが，本来は外来管理が可能かどうかの指標として用いられている．また，好中球が減少している期間についての言及がない．好中球減少の期間が 14 日を超えるような場合は，前述したように真菌（カンジダ，アスペルギルスなど）感染のリスクが高いことにも留意したい．
- MASCC スコアで高リスクではなく，好中球減少期間

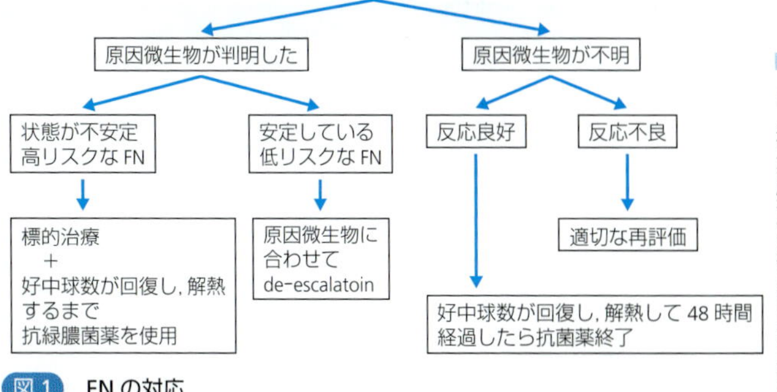

図1 FN の対応

も 7 日以内が見込まれる場合は，外来管理も可能とされるが，入院へのアクセスのよい本邦では入院加療が選択されることが多い．もし外来管理を行う場合には，内服が可能で，緑膿菌に抗菌活性のあるフルオロキノロン系抗菌薬（レボフロキサシンなど）を使用することが多い．もし，全身状態が悪化したり，反応が悪い場合には精査＋治療のために入院を考慮する．

- FN のフォローアップは複雑であり，流れを図示する 図1 ．

① 感染フォーカス / 原因微生物が判明しない場合

- FN では感染源検索を行っても明確なフォーカスや微生物が同定されないことも多い．この場合は，まず，初期治療に反応を示しているかを確認する必要がある．

A. 速やかに反応する場合（好中球が 500/μL 以上になり，解熱して 48 時間経過した場合）

- この場合は，抗菌薬を終了してよい．

B. 速やかに反応せず，バイタル（血圧，脈拍数，呼吸数）異常が進行する場合．

- この場合は，行っていない感染巣検索を追加（例えば，CT 撮影）した上で，抗菌薬の変更を行う．
  例：セフェピム → メロペネム ＋ バンコマイシン ＋（抗真菌薬）
- 抗真菌薬を開始すべきかは好中球減少の期間（2 週間以上）や，感染巣（副鼻腔，肺，皮膚に病変がある場

表5 抗真菌薬の選択

病変部	原因となる真菌	治療薬
肺，副鼻腔	アスペルギルス	ボリコナゾール アンビゾーム
	ムーコル	アンビゾーム ポサコナゾール
菌血症	カンジダ（一部除く）	ミカファンギン
	フザリウム トリコスポロン	ボリコナゾール アンビゾーム ポサコナゾール

合）がある場合に開始が検討される．しかし，基本的なスタンスとして，病変部がみつかった場合には，どうしても無理な場合を除いて「原則として気管支鏡/鼻鏡/皮膚生検などで病原体を同定する」ことが重要である．

- 抗真菌薬は標的によって選択が変わる（表5）．
- 造血幹細胞移植などで抗真菌薬の予防投与を受けている患者では，予防に使用している抗真菌薬が無効な真菌による感染（ブレイクスルー感染）が起こることがある．例えば，同種造血幹細胞移植患者ではフルコナゾールの予防投与が行われるが，一部のカンジダ（カンジダ・クルーゼイなど）やアスペルギルスはフルコナゾールが無効である．他にも，ボリコナゾールが無効なムーコルや，ミカファンギンが無効なカンジダ・グリエルマンディー/フザリウム/トリコスポロンなどがある．すでに抗真菌薬の予防投与を行っている患者で真菌感染が疑われたら感染症専門医とも連携をとり抗真菌薬を決定する必要がある．

C. 速やかに反応しないが，バイタルが安定している場合

- 実際には，好中球数が500/μLに回復するまでは緑膿菌をカバーする抗菌薬の投与は必要になるものの，バイタルが安定していて発熱のみが遷延するケースは，慌てて抗菌薬の変更や抗真菌薬の追加は行わないほうがよいことが多い．解熱していないことだけを理由に抗菌薬を変更することは推奨されず，まずは感染症/非感染症を含めた熱源精査を行い，感染症の証拠がなければ日々の変化に注意しつつ経過観察を行うべきである．実際に，解熱だけが得られない状況が続い

ていたが，好中球数が回復するにつれ，解熱が得られたというケースはよくある．

• まず，再度，頭からつま先から肛門に至るまで全身の身体診察を行い，新規病変の有無を確認する．また，わずかな変化も見逃さず，少し咳嗽が増加している場合は肺炎を積極的に疑うなどの対応を行う．CT 撮影の閾値は下げ，疑い病変部（副鼻腔，胸腹部）の CT 撮影を行う．血液検査では βD グルカン，ガラクトマンナン抗原といった項目をみるのも参考になることがある．
• 精査の結果，病変部がみつかれば，検体採取のための検査をプランする．例えば肺炎がみつかった場合には気管支鏡を呼吸器内科に依頼して BAL を行うなどである．鑑別が多彩であり，抗菌薬 / 抗真菌薬の選択のためには非常に重要である．バイタルが刻一刻と悪化している場合や，元々の全身状態が悪い場合には検査ができないこともあり，その時には emperical に抗菌薬を開始することもあるが，例外である．
• 精査を行っても感染源が同定できず，好中球も 500/μL 未満の状態が継続しているが，患者が安定している場合の対応は悩ましい．レボフロキサシンなどの内服抗菌薬へ変更して，好中球数が回復するまで様子をみる方法が一般的であったが，治療開始後 72 時間以降で解熱し，症状が消失し，バイタルが安定していれば抗菌薬を中止しても死亡率を増やさないことも示されている（the How Long Study）．感染リスクが高い状態（急性白血病の好中球減少期など）と低い状態でプランを分けるなど柔軟に対応したい．

② 原因微生物が判明した場合

A. 状態が安定しており，FN の重症度も低い場合

• 基本的には，原因微生物の感受性に合わせた de-escalation（例：原因微生物が大腸菌で，尿路感染と判明している場合，アンピシリンやセファゾリンなどの変更を行う）を行ってもよいとされる．治療期間も，その感染症の治療期間に準じてよい（例：尿路感染であれば 10～14 日間）．
• もし，そこまで de-escalation するのが難しい場合には，抗緑膿菌活性がある抗菌薬は継続しつつ，できる範囲で抗菌薬の狭域化を図る（例：初期治療はメロペ

ネムだったが，微生物が判明し，感受性も良好だったので，セフェピムに変更した）.

B．状態が不安定もしくは FN の重症度が高い場合

- 判明した微生物と緑膿菌に感受性のある抗菌薬を選択する（例：大腸菌による尿路感染で感受性もよいが，FN の重症度が高いので，緑膿菌と大腸菌に感受性のあるセフェピムを継続することにした）.
- 治療期間は，診断された感染症に必要な期間を満了することは前提とする．しかし FN の重症度が高いため，好中球が 500/μL になるまでは緑膿菌に活性のある抗菌薬の投与を行う．
- 発熱のみが遷延して状態が横ばいになる場合には，慌てて抗菌薬の変更や抗真菌薬の追加を行うのは推奨しない．①-C に準じて全身検索を行うべきである．とくに最初に微生物が判明しているケースでは，それによる膿瘍形成（例：大腸菌による尿路感染が遷延する → 腎膿瘍を形成していた，など）などを，まずは考えるべきである．

無菌室での対応について

- 原則として造血幹細胞移植患者は一般病室ではなく，いわゆる無菌室での対応が好ましい．無菌室で対応する最大の目的はアスペルギルスによる感染伝播を予防するためである．アスペルギルスは環境中に存在する真菌であり，埃や塵を介して感染が伝播する．したがって，それらを防止するために下記のような対策を講じる．

> - 室内の空気は超高性能ろ過空気（high efficiency particulate air：HEPA）フィルターを使用してろ過する
> - 室内への空気の流入を一方向性にする
> - 生活物品に付着した埃や塵は水拭きで除去する（滅菌処理は不要）
> - 植物，ドライフラワー，鉢植えは持ち込まない

- 無菌室へ入室する際にはガウンテクニックは不要であり，履物の交換も不要である．基本的には手指衛生を始めとした標準予防策を徹底すればよい．
- 病棟周囲で工事が行われている状況ではアスペルギルスによる感染のリスクが増大する．造血幹細胞移植患者以外でも，好中球減少の遷延などがあり，感染リスクがある場合には無菌室での対応を考慮する．
- 移植患者では，アスペルギルス以外でも，食事の中の

細菌（サルモネラ，カンピロバクターなど）による感染症の発症のリスクが高いため，食肉/魚介類/卵の生食は禁止する．

COVID-19について

- 入院時にCOVID-19のスクリーニング検査を行うかどうかについては，現在（2021年1月）の流行状況を鑑みると，流行地域ではPCR検査によるスクリーニングは候補にはなると考える（ルミパルス®による抗原検査でも代用可能）．特に，急性上気道炎の症例や，肺炎合併例に関しては積極的にPCR検査などを行っていく必要があるだろう．無症状患者に対しては問診表などでリスクを評価した上で検査を行うのは検討されるが，PCR検査は無症状患者に対しては感度が低く，陰性であることは必ずしも非感染を意味しない．
- 結局は，リスクのある症例は検査の陽性/陰性の有無にかかわらず，手指消毒，飛沫接触予防策，可能な範囲での個室管理（個室が満床ならカーテン隔離），ユニバーサルマスキングなどの，COVID-19に有効と考えられる感染対策を講じていく必要がある．COVID-19の感染リスクがあり，感冒症状などがあるがPCR検査が複数回にわたって陰性の場合は，安易に感染予防策を解除するのではなく，発症して7日は慎重に感染対策を続けるなどの対応を行うべきだ．
- 職員から持ち込まれるケースも多数報告されているため，体調不良のある職員は必ず休暇をとる，食事はなるべく1人でとる，ロッカールームなどの密になりやすい環境ではマスクを装着して会話をする，など院内で可能な感染対策を講じる．
- COVID-19に細菌性肺炎を合併することは稀であり，基本的にはCOVID-19の治療のみに集中してよいことが多い．一方で，重症な場合には細菌性肺炎の治療も併用しながら経過をみることになる．その場合，基本的には重症市中肺炎に準じて，肺炎球菌，インフルエンザ菌，黄色ブドウ球菌（ウイルス感染合併時にみられやすい），マイコプラズマ，レジオネラをカバーする目的に第3世代セファロスポリン系抗菌薬（セフトリアキソン®）とマクロライド系抗菌薬（アジスロマイシン®）の併用を行う．この基本は血液悪性腫瘍の患者においても同様であり，ルーチンにアスペルギルスなどを狙って抗真菌薬を投与する必要はない（COVID-19 にアスペルギルスによる肺炎を合併したという報告はあるが，極めて稀な事象であると考える）．真菌感染は好中球の実数，好中球減少が連続で何日生じたか，体温の上昇の要素がリスクと考えられており，基本的には好中球減少が生じて 7 日以内のケースに関しては，初期の真菌カバーは不要だろう．

参考文献

1）Prevention and treatment of cancer-related infections. version 2.2016, NCCN Clinical Practice Guidelines in Oncology. J Natl Compr Canc Netw. 2016; 14: 882-913.

2）日本臨床腫瘍学会，編．発熱性好中球減少症（FN）診療ガイドライン．改訂第 2 版．東京：南江堂，2017.

3）日本造血細胞移植学会．造血細胞移植学会ガイドライン．移植移植後早期の感染管理．https://www.jshct.com/modules/guideline/index.php?content_id=1

4）CDC. Guidelines for preventing opportunistic infections among hematopoietic stem cell transplant recipients. https://www.cdc.gov/mmwr/preview/mmwrhtml/rr4910a1.htm

5）Freifeld AG, Bow EJ, Sepkowitz KA, et al. Infectious Diseases Society of America. Clinical Practice Guideline for the Use of antimicrobial agents in neutropenic patients with cancer: 2010 Update by the Infectious Diseases Society of America. Clin Infect Dis. 2011; 52: 427-31.

〈川村隆之・岡　秀昭〉

6 安全で適正な輸血療法

まとめ

- 輸血は限りある貴重な資源であり，また輸血特有の副反応があることから，適応を慎重に判断し，安全かつ適正に行う必要がある．
- 輸血を実施する際は，正しく適応を見極め，効果を予測しながら投与量を設定し，輸血後に有効性と副反応の評価を適切に行うことが重要である．
- 輸血反応のリスクは以前と比べて格段に減少したが，なおABO不適合輸血や致死的副反応の危険があることから，正しい手順で輸血を実施して副反応観察を行い，異常がみられた場合は早期に対応することが大切である．

血液製剤 表1

輸血用血液製剤の特徴

- 輸血用血液製剤は採血方法から大きく2つに分けられる．1つは，供血者から直接バッグに採血した血液（全血という）と成分採血装置を使用して特定の成分（血小板と新鮮凍結血漿）だけを採血した製剤がある．全血は発熱などの副反応を予防するために保管前に白血球除去フィルターによって白血球を除去（leukocyte reduced: LRと表示され，バッグあたり白血球は100万個以下になる）後，遠心分離され赤血球液と新鮮凍結血漿になる．血小板製剤は採血の際に白血球の多くは除去されている．赤血球液と血小板製剤は残存するリンパ球によってGVHDが生じる可能性があるので15 Gy以上～50 Gy未満の放射線照射（irradiation: Ir）が行われている．輸血の単位は，全血200mLに含まれる成分（赤血球，血小板，血漿）を1単位としている．例えば，血小板製剤の10単位製剤には全血2000 mLに相当する血小板が含まれている．新鮮凍結血漿はかつては1単位や2単位と記載されていたが，現在では容量表示になっている．

表 1　輸血用血液製剤と血漿分画製剤

血液製剤		
	輸血用血液製剤	赤血球製剤（赤血球液，洗浄赤血球液，解凍赤血球液） 血小板製剤（血小板濃厚液，濃厚血小板 HLA，洗浄血小板など） 血漿製剤（新鮮凍結血漿） 全血液 合成血
	血漿分画製剤	アルブミン製剤 免疫グロブリン製剤 血液凝固因子製剤 組織接着剤 その他の血漿分画製剤

表 2　赤血球液と洗浄赤血球液の比較

製剤名	略号	有効期限	全量 /2 単位 (mL)	Hb (g/dL)	Na^+ (mEq/L)	K^+ (mEq/L)
赤血球液	RBC-LR	採血後 21 日間	280	19*	109*	31*
	Ir-RBC-LR	採血後 21 日間	280	19*	92*	50*
洗浄赤血球液	WRC-LR	製造後 48 時間	280	18**	148**	7**

*採血後 14 日　**製造後 48 時間

1）赤血球製剤（red blood cell: RBC）表 2

- 赤血球液（RBC-LR，Ir-RBC-LR）：1 単位と 2 単位がある．2～6℃で冷蔵保存する．保存期限は採血後 21 日間である．保存期間が長くなると製剤中のカリウム濃度が上昇し，放射線照射後はさらに顕著になる．
- 洗浄赤血球液（WRC-LR，Ir-WRC-LR）：血漿の大部分を生理食塩水で置換した製剤である．
血漿成分にアレルギー反応を示す患者に使用する．有効期限は製造後 48 時間と短い．

2）血小板製剤（platelet concentrate: PC）

- 血小板濃厚液（PC-LR，Ir-PC-LR）：1，2，5，10，15，20 単位の製剤があるが全て成分採血由来である．20～24℃（室温）で振盪しながら保存する．有効期限は採血後 4 日間である．最も汎用される 10 単位製剤は全量約 200 mL で 2×10^{11} 個以上の血小板が含まれる．
- 特殊な血小板濃厚液：濃厚血小板 HLA は HLA クラスⅠ型が一致した PC 製剤である．抗 HLA 抗体に起因する血小板不応状態の患者に使用する．ABO 血液型一致（同型）製剤の供給が難しい場合がある．洗浄血小板，洗浄血小板 HLA は上清を置換液で置換した PC 製剤である．輸血後にアナフィラキシー反応を起こした場合と輸血後アレルギー反応を繰り返し予防薬に効果がない場合に使用する．

3）新鮮凍結血漿（fresh frozen plasma: FFP）

- 新鮮凍結血漿：全血液由来製剤（FFP-LR120，FFP-LR240）とアフェレーシス由来製剤（FFP-LR480）があり，各々内容量は 120 mL，240 mL，480 mL である．−20℃以下で凍結保存すれば，採血後 1 年間使用可能である．解凍後は 24 時間以内に使用する．

輸血検査と製剤の選択

1）血液型検査

- 輸血前に血液型検査を行い，ABO 型血液型と Rh-D 型血液型を確定する．
- 血液型は，必ず異なる時期に採血（異時採血）した検体で 2 回検査を行い，同一の結果が得られた場合に決定される．
- オモテウラ不一致：ABO 型はオモテ試験とウラ試験を行い，両者の結果が一致することを確認する．輸血後，造血幹細胞移植後，M 蛋白血症，低（無）ガンマグロブリン血症，亜型などの特殊な血液型，不規則抗体や自己抗体陽性例では，オモテウラ不一致となることがある．
- 可能な限り，同型製剤を使用する．
- Rh-D 型が陽性の場合，Rh-D 陽性血と陰性血のいずれを使用してもよい．
- Rh-D 型が陰性の場合，RBC は原則として Rh 陰性血を使用する．Rh-D 陽性血の使用も可能であるが，D 抗原に感作される可能性があるので緊急時に限る．PC は Rh-D 陽性血を使用しても D 抗原に感作される可能性は低い．

2）交差適合試験

- 輸血前に交差適合試験（クロス）を行い，陰性であることを確認する．
- 緊急時対応：血液型を行う余裕がない場合は，O 型 RBC，AB 型 PC，AB 型 FFP などの製剤を交差適合試験なし（ノンクロス）で使用する．この場合，後追いで血液型を確定できるように，輸血前に必ず血液型と

表3 臨床的意義のある不規則抗体

抗原陰性血が必要となる赤血球抗原
ABO，Rh，Kell，Duffy，Kidd，抗 Co[a]，抗 Vel など
37℃間接抗グロブリン法で陰性の血液を選択すべき赤血球抗原
Lewis 抗体，抗 A_1，抗 P1，抗 Lu[a]，抗 Do[a]，抗 Do[b]，抗 Co[b] など

クロスの検査用検体を確保しておく．血液型が確定済であるがクロスを行う余裕がない場合は，同じ血液型の製剤を使用する．この場合も後追いで交差適合試験ができるように輸血前に検査用検体を確保しておく．

3）不規則抗体

- 可能な限り，輸血前に不規則抗体スクリーニング検査を行う．
- 臨床的意義のある不規則抗体が陽性の場合は，抗原陰性血を使用する 表3．

輸血実施手順

1）輸血開始前

- 患者の同意：輸血療法に関する説明を行い，文書で同意を得る．
- バイタルチェック：開始前に血圧，脈拍，体温，酸素飽和度を確認する．
- 製剤の外観観察：赤血球製剤の黒色調変化は細菌混入を疑う．血小板製剤のスワーリング現象消失は血小板活性化や細菌混入の可能性を考える．
- 読み合わせと患者確認：開始直前に必ず医師と看護師の 2 名で行う．
- ライン：輸血製剤は，注射薬や電解質補液と同一ラインから投与しない．特にカルシウム含有薬剤は血小板凝集を惹起しライン内で凝集塊を形成する可能性があるので注意する．

2）輸血開始後

- 開始速度：副反応被害を最小限に留めるため，最初の 15 分間はゆっくり（1 mL/ 分）投与する．
- 初期観察：初期徴候を見逃さないために，開始後 5 分間はベッドサイドで待機し，開始 5 分後と 15 分後に患者の状態を観察する．
- 副反応の観察：バイタルに加えて，意識状態，症状，穿刺部の状態，皮膚異常を観察する．

表4 赤血球輸血の適応と輸血基準

病態・疾患		輸血基準・Hb 値の目安
慢性貧血	出血性貧血 造血障害（赤芽球癆，サラセミア，再生不良性貧血など）	全身状態が不安定な場合に限る 6〜7* （*心疾患を有する場合は 8〜10）
	造血器腫瘍（骨髄異形成症候群，多発性骨髄腫，白血病など）	6〜7
	化学療法後	6〜7
	造血幹細胞移植後	6〜7
	溶血性貧血（自己免疫性溶血性貧血，発作性夜間血色素尿症など）	4〜6
急性出血	外傷，消化管出血，外科的処置時の出血など	出血量から判断
周術期	手術中または術後の出血	出血量から判断

- 投与時間：15 分後に副反応の徴候がなければ輸血速度を 5 mL/ 分に速めることができる．製剤の品質劣化を配慮し，RBC は 6 時間以内，PC は 2 時間以内，FFP は 3 時間以内に投与を完了する．

3）輸血終了後

- 終了時に副反応観察を行う．終了後も副反応が発生する可能性がある．

赤血球輸血

- 使用目的：末梢循環系への酸素の供給と循環血液量の維持を目的とする．
- 使用指針：慢性貧血（内科的），急性出血・周術期（外科的）に分けて考える 表4．

1）慢性貧血

- 出血性貧血：出血源の検索と鉄剤補充を行う．成長期，偏食，過多月経，スポーツ貧血で鉄欠乏性貧血を呈することもある．全身状態が不安定な場合を除き，原則として輸血は行わない．
- ビタミン B_{12} 欠乏や葉酸欠乏：該当ビタミンの補充を行う．原則として輸血は行わない．
- 腎性貧血：エリスロポエチン製剤を投与する．輸血は心不全を悪化させるため最小限とする．
- 自己免疫性溶血性貧血：輸血は溶血の悪化や同種抗体産生のリスクを招くため，必要最小限にとどめる．Hb 値が 4〜6 g/dL 程度で循環動態が安定していれば輸血は行わない．輸血を行う場合，自己抗体の血液型特異性がわかれば抗原適合血を使用する．ただし，型特異性は多くの場合不明であり，汎反応性である場合も少なくない．

- 発作性夜間血色素尿症：貧血は血管内溶血と造血障害に由来する．血管内溶血に伴う鉄欠乏があれば鉄剤を投与する．輸血の適応は造血障害に準じる．洗浄血は適応とならない．
- 投与：以下の式を用いて予測 Hb 上昇値を算出し，投与量を決定する．

予測上昇 Hb 値（g/dL）＝ 投与 Hb 量（g）/ 循環血液量（dL）

（例）体重 60 kg の患者に RBC-LR2 単位を輸血した場合，
投与 Hb 量＝53 g，循環血液量（dL）＝70（mL）×60（kg）/ 10^2＝42 dL より
予測上昇 Hb 値（g/dL）＝ 53 / 42＝1.3 g/dL
Hb 値を 4.5 g/dL から 7 g/dL まで上昇させるには RBC を 4 単位輸血する

- 効果判定：輸血前後の Hb 値の変化や自覚症状の改善度をみて判定する．

2）急性出血

- 出血量から輸血の必要性や輸血量を判断する．Hb 値はあまり参考にならない．出血量が循環血液量の 25～50%（1000～2000 mL）を超える場合に考慮する．ショックを呈する場合は緊急度をすみやかに判断し，O 型ノンクロスや同型ノンクロス輸血を考慮する．

3）周術期

- 出血量をみながら輸血量を判断する．循環血液量の 25%を目安に輸血を開始する．輸血の準備量は過去の術中出血量から算出した最大輸血準備量（MSBOS）を参考にする．待機的手術では自己血輸血を検討する．

血小板輸血

- 使用目的：血小板減少による出血治療または出血予防を目的とする．
- 使用指針：血小板減少に起因する出血治療と予防投与に分けて考える表5．
- 播種性血管内凝固症候群（DIC）：白血病やがん，産科的疾患など出血傾向が強くみられる疾患では血小板数を 5 万以上に維持する．血栓傾向を示す DIC では PC 輸血が臓器障害を悪化させる可能性がある．
- 特発性血小板減少性紫斑病：予防投与は無効である．輸血は出血によって生命に危険が及ぶ出血時に限る．

表5 血小板血の適応と輸血基準

病態・疾患		輸血基準・目標血小板数
出血治療（消化管，呼吸器，脳神経，外傷部位の出血）		止血するまでは5万以上を維持
出血予防	通常の外科的処置 脳神経外科手術 播種性血管内凝固症候群（DIC） 化学療法後・造血幹細胞移植後： 造血障害	2〜5万以上を維持 5〜8万を維持 出血傾向が強い場合は5万を維持 1〜2万を維持 5000〜1万で出血傾向が強い場合，5000以下

- 血栓性血小板減少性紫斑病：血栓病態を悪化させるため禁忌である．
- ヘパリン起因性血小板減少症：血栓症リスクを高める可能性があるので原則として行わない．
- 投与方法：予測血小板増加数から輸血量を決定する．成人では1回に10単位を基本とする．

$$予測血小板増加数（/\mu L）=\frac{輸血血小板総数}{循環血液量（mL）\times 10^3}\times\frac{2^*}{3}$$

＊補正係数：輸血された血小板の1/3は脾臓に捕捉されるため

（例）体重60 kgの患者にPC-LR10単位を輸血した場合，輸血血小板総数＝2×10^{11}個，循環血液量＝70（mL/kg）×60（kg）＝4200 mLより
予測血小板増加数＝$2\times10^{11}/4200\times1000 = 3.2\times10^4/\mu L$

- 効果判定：輸血前と輸血終了1〜12時間後の血小板数を測定し，補正血小板増加数を算出して輸血効果を判定する．

$$補正血小板増加数（CCI）=\frac{輸血後血小板数-輸血前血小板数（/\mu L）}{輸血血小板総数（\times 10^{11}）}\times 対表面積（m^2）$$

- 血小板輸血不応状態（PTF）：輸血後も血小板数が上昇しない状態をいう．発熱，感染症，出血，DIC，同種抗体（抗HLA抗体や抗血小板抗体）などが原因となる．抗HLA抗体検査が陽性であってPTFの原因と考えられる場合は，HLA適合血小板製剤を使用する．

FFP輸血

- 使用目的：血漿因子の欠乏による出血などの病態の改善である．
- 使用指針：凝固因子の補充とその他の血漿因子の補充に分けて考える表6．
- DIC：感染症に伴うDICではFNGが低値を示さない

表6　新鮮凍結血漿輸血の適応と輸血基準

病態・疾患		輸血開始基準
複合型凝固障害	肝障害	凝固因子欠乏に起因する出血傾向
	播種性血管内凝固症候群（DIC）	APTT＞2×基準値，INR＞2，FNG＜150 mg/dL
	大量出血時	出血量＞循環血液量
	凝固第Ⅴ因子欠乏	欠乏に伴う出血時
	凝固第Ⅺ因子欠乏	欠乏に伴う出血時
	ワルファリン出血	INR＞10 で重篤な出血，緊急手術時
	低（無）フィブリノーゲン血症	FNG＜150 mg/dL
	L-アスパラギナーゼ投与後	FNG＜150 mg/dL
血漿因子の補充	先天性 TTP，後天性 TTP	

場合もある．血栓傾向にある DIC では FFP 輸血によって DIC が悪化する可能性がある．

- 凝固因子欠乏：製剤のない凝固因子（第Ⅴ，第Ⅺ因子）の欠乏による出血症状に使用する．
- ワルファリン中和：非緊急時はビタミン K を使用する．ワルファリン中和が早急に必要な場合はプロトロンビン複合体製剤が第一選択である．
- 投与方法：成人では FFP-LR480 投与によって約 30%の凝固因子活性の上昇が見込まれる．
- TTP：欠損したプロテアーゼ ADAM-TS13 の補充目的で使用する．後天性 TTP では血栓の引き金となる高分子フォンビル・ブラント因子や自己抗体を除去する目的で血漿交換を行う．

造血幹細胞移植

- 移植前後の血液型選択：ABO 主不適合移植：RBC は抗ドナー A/B 抗体消失後ドナー型に，PC と FFP は前処置開始後ドナー型に変更する．副不適合移植では，RBC は前処置開始後ドナー型に，PC と FFP は患者 RBC 消失後ドナー型に変更する．主/副不適合移植では，RBC は前処置開始後から患者抗体 A/B 消失後までの期間 O 型を使用し，PC と FFP は前処置開始後から患者血球消失まで AB 型を使用する図1．
- CMV 陰性血：患者とドナーのいずれもが抗 CMV 抗体陰性の場合に使用する．
- 異型血小板輸血では血小板の回収率が低下し，また抗 HLA 抗体の産生頻度が高まる．

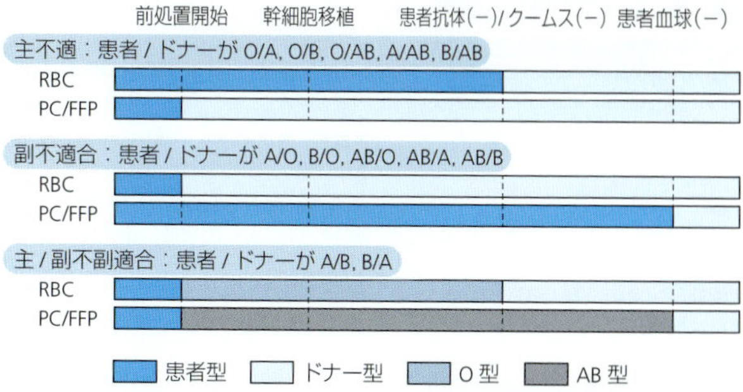

	前処置開始	幹細胞移植	患者抗体(−)/クームス(−)	患者血球(−)
主不適：患者/ドナーが O/A, O/B, O/AB, A/AB, B/AB				
RBC	患者型	患者型	患者型	ドナー型
PC/FFP	患者型	ドナー型	ドナー型	ドナー型
副不適合：患者/ドナーが A/O, B/O, AB/O, AB/A, AB/B				
RBC	患者型	ドナー型	ドナー型	ドナー型
PC/FFP	患者型	患者型	患者型	ドナー型
主/副不副適合：患者/ドナーが A/B, B/A				
RBC	患者型	O型	O型	ドナー型
PC/FFP	患者型	AB型	AB型	ドナー型

患者型　ドナー型　O型　AB型

図1　造血幹細胞移植における輸血の血液型選択

輸血副反応 表7

1）即時型副反応

- ABO不適合輸血：推定発生頻度は1/20万であり，主不適合（A型またはB型→O型，AB型→A型またはB型またはO型）の致死率は20〜50%に及ぶ．きわめて重大な医療過誤であり，血液型検査検体の取り違え，血液型誤判定，患者ベッドサイドでの製剤の取り違えなどが原因となる．
- アレルギー反応：最も頻度の高い副反応である（PC：1〜4%，FFP 0.5〜1%，RBC 0.1〜0.2%）．治療は抗ヒスタミン薬や速効性ステロイドである．アナフィラキシー反応例はアドレナリン0.3 mgを筋注し，呼吸と循環の安定を図る．アレルギー反応を繰り返す例では，抗ヒスタミン薬や非ステロイド解熱鎮痛剤を前投薬として使用する．重症例，前投薬で効果が得られない例，IgA欠損症やハプトグロビン欠損症のような先天性血漿蛋白欠損症例は洗浄血を使用する．
- 輸血後細菌感染症：口腔内常在菌や腸内細菌，皮膚毛嚢内にある皮膚常在菌が原因菌となる．大部分は室温保存のPCであるが，冷蔵保存のRBCでもエルシニアやセラチアなどの低温増殖菌による敗血症を起こすことがある．該当製剤バッグを無菌的に回収し，日赤に原因検索を依頼する．
- 輸血関連急性肺障害（transfusion-related acute lung injury：TRALI）：輸血開始後6時間以内に発生する非心原性急性呼吸不全である．発症頻度は1/10万，致

表 7　輸血副反応の種類と病態・原因

副反応の種類	病態・原因
即時型（輸血後 24 時間以内に発症）	
急性溶血性輸血副反応（AHTR）	ABO 不適合輸血，不規則抗体による免疫反応
アレルギー反応，アナフィラキシー反応	血漿蛋白など血漿成分のアレルギー
輸血関連細菌感染症	製剤中に混入した細菌による敗血症
輸血関連急性肺障害（TRALI）	抗白血球抗体
輸血関連心過負荷（TACO）	輸血による負荷
非溶血性発熱反応	製剤中の白血球や血小板に含まれる各種物質
遅延型（輸血後 24 時間以降に発症）	
遅延型溶血性輸血副反応（DHTR）	不規則抗体による免疫反応
輸血後感染性：ウイルス，プリオン	製剤中に混入する各種病原体
輸血関連移植片対宿主病（TA-GVHD）	製剤中に混入するリンパ球
鉄過剰症	輸血赤血球のヘムを構成する鉄

死率は 10～20%であり，輸血副反応死亡原因で最も多い．心不全徴候，中心静脈圧の上昇，胸部 X 線の肺透過性低下像をチェックする．ステロイド療法の有効性は明らかでない．

- 輸血関連心過負荷（transfusion-associated circulatory overload：TACO）：輸血開始後に発症する心不全である．心不全治療を行う．
- 非溶血性発熱反応：白血球や血小板に含まれる液性因子が原因であったが，保存前白血球除去の導入によって 0.1%にまで激減した．発熱がみられたら輸血を中止して患者の全身状態を確認し，急性溶血反応，輸血後細菌感染症，TRALI，原疾患，輸血以外の原因による感染症，薬剤熱などを鑑別し，すべてが除外されれば診断する．治療は NSAIDs で解熱を図る．
- 超急性期副反応への対応：AHTR，アナフィラキシー反応（ショック），輸血関連細菌感染症などの副反応は輸血開始後 15 分以内の超急性期に発症する．いずれも致死的であり，初期徴候を見極めが患者の生死を左右する．この超急性期に何らかの副反応徴候がみられた場合は，まず輸血を中止し，全身状態や循環動態の評価と初期対応を行う．発熱，悪寒，戦慄などの発熱徴候がある場合は，血算，生化学，血液型，交差適合試験，血液培養の採血を行い，抗菌薬投与を検討する．低酸素血症，呼吸困難，喘鳴などの呼吸器徴候がある場合は酸素を開始し，胸部X線と動脈血液ガス分析を行う．該当製剤は無菌的に保管する．輸血による重篤な副反応が発生した場合は，日赤と厚生労働省への報告が義務づけられている．

2）遅発性副反応

- PT-GVHD（post transfusion-graft versus host disease）：全製剤に放射線照射を行うことになって以来，我が国では発症の報告がない．
- 輸血後ウイルス感染症：2014年からB型肝炎ウイルス，C型肝炎ウイルス，HIVの核酸増幅検査法が20人の検体を混ぜて行う方法から個別検査になり，感染リスクは大幅に減少し，年に1名程度のB型肝炎の感染となった．そのため輸血3カ月後に上記ウイルスの検査が実施されていたが，担当医がリスクを判断し実施するように指針が変更された．また，2020年8月よりE型肝炎ウイルスのスクリーニングが導入され，輸血による感染症のリスクはさらに減少すると期待されている．しかし，血液を介する感染症は多数あり輸血による感染が確定された場合に救済制度が適応されるので受血者の輸血前検体を保存しておくことは重要である．
- 鉄過剰症：長期に輸血を繰り返す場合は鉄過剰症に注意する．血清フェリチン値が1000μg/mLを超えた場合はデフェロキサミンを開始する．

参考文献

1）厚生労働省医薬品食品局血液対策課．「輸血療法の実施に関する指針」（令和2年3月改定）および「血液製剤の使用指針」（平成31年3月改定）．
2）輸血療法マニュアル7版．2018；日本赤十字社．
3）豊嶋崇徳．造血幹細胞移植．東京：医薬ジャーナル社；2009．
4）Anstee K. Mollison's blood transfusion and clinical medicine. 12th edition. Hoboken: Wiley Blackwell; 2013.

〈岡田義昭・石田　明〉

7 造血器腫瘍治療時の患者ケア

まとめ

- 患者ケアは初発時から治療，終末期の全ての過程において，安全で効果的な治療を遂行し，患者の生活の質（quality of life：QOL）を維持する上で重要である.
- 治療による有害事象は，急性または慢性，短期的あるいは長期的，軽度から重度のものまでさまざまであり，出現する可能性のある有害事象に対して対応策を講じておく必要がある.
- 患者，家族にインフォームドコンセントを十分に行い，疾患に関する情報を共有すること，また治療に関しても可能な限り具体的な情報提供をし，不安を軽減することが肝要である.
- 患者ケアは，さまざまなコメディカルとの連携によるチーム医療が重要である.

悪心・嘔吐

- 悪心・嘔吐のがん患者における頻度は約30～80%とされ，頻度が高い症状である．がん患者の場合は化学療法とオピオイドが原因となる頻度が高いが，それ以外にも多くの原因があり，原因や病態に応じた対応が大切である.
- 悪心・嘔吐は，上部消化管に有意に存在する5-HT_3受容体と第4脳室のchemoreceptor trigger zone（CTZ）に存在するNK_1受容体，ドパミンD_2受容体が複合的に刺激され，延髄の嘔吐中枢が興奮することで悪心を感じ，さらに遠心性に臓器の反応が起こることで嘔吐すると考えられている．化学受容体で作用する神経伝達物質としては，セロトニン，サブスタンスP，ドパミンなどが知られており，これらと拮抗する薬剤などが制吐薬として用いられている.
- 化学療法による悪心・嘔吐は，発現の状態により以下のように分類される.

1）急性：投与後24時間以内に出現する.
2）遅発性：24時間後から約1週間程度持続する.
3）突出性：制吐薬の予防的投与にもかかわらず発現する.

表1 静脈内投与抗腫瘍薬の嘔吐リスク

高度リスク（催吐頻度＞90%）	中等度リスク（催吐頻度 30～90%）	軽度リスク（催吐頻度 10～30%）	最小度リスク（催吐頻度＜10%）
シスプラチン エンドキサン® (≧1500 mg/m^2) ダカルバジン ドキソルビシン (≧60 mg/m^2) ドキソルビシン＋ エンドキサン® ファルモルビシン® (≧90 mg/m^2) ファルモルビシン® ＋エンドキサン® イホマイド® (≧2 g/m^2)	ビダーザ® トレアキシン® ブスルフェクス® パラプラチン® エンドキサン® (＜1500 mg/m^2) キロサイド® (≧200 mg/m^2) ダウノマイシン® ドキソルビシン (＜60 mg/m^2) ファルモルビシン® (＜90 mg/m^2) イダマイシン® イホマイド® (2 g/m^2) ベスポンサ® イリノテカン アルケラン® メソトレキセート® (≧250 mg/m^2) ピノルビン® トリセノックス®	アドセトリス® カイプロリス® エムプリシティ® ラステット® キロサイド® (100～200 mg/m^2) ダラザレックス® ジェムザール® メソトレキセート® (50～250 mg/m^2) ノバントロン® ニドラン® コホリン® サイメリン® イストダックス®	マブキャンパス® ロイナーゼ® ブレオ® ベルケイド® ロイスタチン® キロサイド® (＜100 mg/m^2) フルダラ® マイロターグ® メソトレキセート® (≦50 mg/m^2) オプジーボ® アラノンジー® ガザイバ® アーゼラ® キイトルーダ® ジフォルタ® リツキサン® オンコビン® フィルデシン® エクザール®

4）予期性：抗がん薬のことを考えただけで誘発される．

- 化学療法による悪心・嘔吐に最も影響を及ぼす要因は投与される抗腫瘍薬の種類や量である．日本癌治療学会の制吐薬適正使用ガイドラインでは，抗腫瘍薬の催吐リスクの分類や各嘔吐リスクで使用される制吐薬が示されている表1．
- 急性と遅発性の悪心嘔吐に対する制吐薬は，NK_1 受容体拮抗薬，5-HT_3 受容体拮抗薬，副腎皮質ステロイド（dexamethasone）であり，これらを併用する．
- 突出性悪心・嘔吐に対する制吐薬は，5-HT_3 受容体拮抗薬，副腎皮質ステロイド（dexamethasone），ドパミン D_2 受容体拮抗薬，ベンゾジアゼピン系抗不安薬などであり，作用機序の異なる制吐薬を複数投与する．
- 予期性悪心・嘔吐は精神的な要因が大きく，予防としてはベンゾジアゼピン系抗不安薬が有効とされているが，最善の対策は，化学療法施行時に急性・および遅発性の悪心・嘔吐を制御し，経験させないことである．

- 嘔吐リスクが軽度抗腫瘍薬投与時の悪心・嘔吐に対しては，副腎皮質ステロイド（dexamethasone），ドパミン D_2 受容体拮抗薬などの投与を検討する．
- 難治性の悪心・嘔吐の場合，複数の病態が予測される．病態を考えつつ，別の受容体への拮抗作用を持つ薬剤への変更や併用を行う（多受容体作用抗精神病薬：オランザピンなど）．

1）制吐薬の処方例

- NK_1 受容体拮抗薬：

1）アプレピタント（イメンド®）：1 日目 125 mg を，2 日目以降は 80 mg を 1 日 1 回経口
2）ホスアプレピタント（プロイメンド®）：150 mg を 1 日目に 1 回点滴静注

- 5-HT_3 受容体拮抗薬：

1）グラニセトロン（カイトリル®）：40 μg/kg を 1 日 1 回静注・点滴静注，または 2 mg を 1 日 1 回経口
2）オンダンセトロン（オンダンセトロン®）：4 mg を 1 日 1 回緩徐に静注，または 4 mg を 1 日 1 回経口
3）パロノセトロン(アロキシ®)：0.75 mg を 1 回静注・点滴静注

- 副腎皮質ステロイド：

1）デキサメタゾン（デカドロン®）：（静注）1 日 3.3～16.5 mg を 1～2 回に分割して静注・点滴静注，または 1 日 4～20 mg を 1～2 回に分割で経口

- ドパミン D_2 受容体拮抗薬：

1）メトクロプラミド（プリンペラン®）：7.67 mg を 1 日 1～2 回筋注または静注，または 1 日 7.67～23.04 mg を 2～3 回に分割して食前に経口
2）ドンペリドン（ナウゼリン®）：10 mg を 1 日 3 回食前に経口，または座薬 60 mg を 1 日 2 回直腸内に挿入

- ベンゾジアゼピン系抗不安薬：

1）ロラゼパム（ワイパックス®）：0.5～1.5 mg を治療前夜と当日朝（治療の 1～2 時間前）に経口．

2）多受容体作用抗精神病薬

1）オランザピン（ジプレキサ®）：5～10 mg を 1 日 1 回経口

口腔粘膜障害，口腔内合併症

- 口腔内粘膜は細胞回転が速いため，化学療法の影響を受けやすく，使用される抗腫瘍薬とその投与量，投与スケジュールに依存してさまざまな口腔内合併症が発症する．
- 通常は化学療法を開始してから 7～10 日以降が口腔粘膜障害の好発時期となる．
- 口腔粘膜障害は疼痛症状により患者の QOL が低下するだけでなく，食事摂取や内服が困難となり，誤嚥のリスクも上昇する．また，粘膜のバリア機能破綻により感染リスクが増加する．
- 経口摂取が著しく低下した場合には，高カロリー輸液管理が必要になることもある．
- 口腔粘膜障害，口腔内合併症の予防には，化学療法を行う前から口腔内の衛生状態を良好に保つことが重要である．口腔粘膜障害発症後も口腔内の良好な衛生状態の保持が重要であり，歯科口腔外科との連携のもとで口腔ケアを行う．

1）治療

a）うがい：食物残渣，口腔内の細菌の洗浄，および口腔粘膜の乾燥予防と粘膜保護を目的とする．

① 生理食塩水うがい：口内炎による痛みが強く，他のうがい液がしみて使えない時に使用する．

② アズレン・グリセリンうがい：アズレンは粘膜の炎症を抑え，粘膜の回復を促進するうがい液．潤いの促進のためグリセリンを混ぜて使う．

③ キシロカインうがい：キシロカイン（表面麻酔薬）を混ぜて使用する．痛みを麻痺させて口内炎の症状を和らげる．

b）歯磨き：歯のある人は歯磨きを行う．出血や口内炎がひどい時は歯ブラシを柔らかいものに変更し，スポンジブラシを使用する．

c）ステロイド外用薬：デキサメタゾン口腔用軟膏など．口内炎や舌炎に使用する．

d）リップクリーム，白色ワセリン：口唇や口角の乾燥に使用する．

e）口腔乾燥症状改善薬：人口唾液など．口腔内の乾燥に使用する．

f）疼痛管理：鎮痛薬は局所使用が無効な場合には全身投与を行う．疼痛が強い時はオピオイド系鎮痛薬（フェンタニル® など），鎮痛補助薬としてアセトアミノフェン(アセリオ®など)を併用する場合もある.

- 口腔粘膜障害は感染によって難治化しやすい特徴があるため，口腔内の二次感染の治療は可能な限り速やかに行う．細菌感染だけでなく，真菌感染（特に口腔カンジダ症）やウイルス感染（単純ヘルペスウイルス感染症）に留意する.

2）うがい液の処方例

1）アズレン・グリセリンうがい液:
アズノールうがい液 0.5 mL＋グリセリン 60 mL＋(外用）炭酸水素ナトリウム 10 g＋蒸留水 439.5 mL（全量 500 mL）

2）キシロカインうがい液:
アズノールうがい液 0.5 mL＋グリセリン 60 mL＋(外用）炭酸水素ナトリウム 10 g＋4%キシロカイン液 5 mL＋蒸留水 434.5 mL（全量 500 mL）

消化管潰瘍予防

- ステロイドの投与や化学療法のストレスなどで消化管潰瘍の発生しやすい状況にある場合には，ヒスタミン受容体拮抗薬やプロトンポンプ阻害薬の投与を検討する.

胃酸分泌抑制薬の処方例

- プロトンポンプ阻害薬

1）オメプラゾール（オメプラール®）1 回 20 mg 1 日 1 回 経口
2）ボノプラザンフマル（タケキャブ®）1 回 20 mg 1 日 1 回 経口

- ヒスタミン受容体拮抗薬

1）ファモチジン（ガスター®）1 回 20 mg 1 日 2 回 経口
2）ラフチジン（プロテカジン®）1 回 10 mg 1 日 2 回 経口

下痢

- 化学療法後の下痢の機序は大きく 2 つ考えられている．化学療法当日に出現する早発性下痢は，抗腫瘍薬によって自律神経が刺激され，腸蠕動が亢進する結果起こるコリン作動性の下痢である．化学療法数日～2 週間程度で起こる遅発性下痢の場合は消化管粘膜障害による.
- 遅発性下痢の場合は，好中球減少の時期と重なるため，下部消化管の感染症に伴う下痢である可能性にも注意が必要である.

- 造血器腫瘍の治療においては，抗菌薬関連下痢症の頻度が高く，*Clostridium difficile* 感染症に関しても常に想定するべきである.
- 下痢がひどい場合，循環血液量の減少，電解質異常に対し輸液が必要になる.
- 治療は腸運動抑制薬（ロペラミド塩酸塩，タンニン酸アルブミン）などを用いることが多いが，感染症併発時には感染症増悪の危険もあるため，培養検査などを行い，感染症を除外してから使用する必要がある.

止痢薬の処方例

1）ロペラミド塩酸塩（ロペミン®）1 回 1 mg 1 日 1～2 回 経口
2）タンニン酸アルブミン（タンナルビン®）1 回 1 mg 1 日 3～4 回 経口

- タンニン酸アルブミンとロペラミド塩酸塩を同時に併用すると，タンニン酸アルブミンがロペラミドを吸着し効果を減弱させる.

便秘

- 便秘とは腸管内容物の通過が遅延・停滞し，排便に困難が伴う状態であり，高頻度にみられる症状である.
- 便秘は QOL を低下させ，疼痛に匹敵する苦痛となりうるため，便秘の予防は重要である.
- 原因として，経口摂取量の減少や脱水，体動の減少や長期臥床，身体的・社会的障害（特にトイレが利用しにくいこと），麻薬やステロイド薬の使用など，複数の因子の組み合わせによって便秘が引き起こされる.さらに神経毒性を有する抗腫瘍薬（ビンカアルカロイド，etoposide，cisplatin など）の使用時には，自律神経機能の失調によって便秘をきたす.
- 下剤はその機序から a～h に分類できる．下記の薬剤を状態に応じて使用する.

a）浸透圧性下剤：塩類下剤（酸化マグネシウム，モビコール®など），糖類下剤（ラクツロース®など）
b）膨張性下剤：カルメロースナトリウム（バルコーゼ®）
c）刺激性下剤：小腸刺激性下剤（ヒマシ油），大腸刺激性下剤（センノシド，ピコスルファートナトリウムなど）
d）上皮機能変容薬：ルビプロストン（アミティーザ®）
e）胆汁酸トランスポーター阻害薬：エロビキシバット

水和物（グーフィス®）

f）オピオイド誘発性便秘症治療薬：ナルデメジントシル酸塩（スインプロイク®）

g）漢方薬：大建中湯

f）座薬，浣腸など（レシカルボン®坐剤，テレミンソフト®坐薬，グリセリン浣腸など）

• 新しい作用機序の便秘薬として，ルビプロストン（アミティーザ®）は小腸上皮に存在するクロライドチャネルを活性化し，腸管内への水分分泌を促進することで便を軟らかくする．エロビキシバット水和物（グーフィス®）は回腸末端部の胆汁酸トランスポーターを阻害し，大腸管腔内に流入する胆汁酸を増加させることで大腸管腔内に水分を分泌させ，消化管運動を促進させる．ナルデメジントシル酸塩（スインプロイク®）はオピオイド鎮痛薬による便秘に対してのみ適応を持った薬剤で，消化管の末梢μオピオイド受容体に結合してオピオイド鎮痛薬と拮抗することにより，オピオイド誘発性便秘を改善する．

便秘薬の処方例

1）塩類下剤（酸化マグネシウム）1 回 660 mg 1 日 3 回 経口

2）大腸刺激性下剤（センノシド）1 回 12～24 mg 1 日 1 回 経口

3）上皮機能変容薬（アミティーザ®）1 回 24μg 1 日 2 回 経口

4）オピオイド誘発性便秘症治療薬（スインプロイク®）1 回 0.2 mg 1 日 1 回 経口

妊孕性の温存

• 白血病やリンパ腫に代表される造血器腫瘍は，小児および AYA 世代に発症するがんのなかで頻度が高く，化学療法や造血幹細胞移植による妊孕性低下への対応は重要である．

• 日本癌治療学会で作成された『小児，思春期・若年がん患者の妊孕性温存に関する診療ガイドライン 2017 年版』（東京：金原出版；2017）を参考に，造血器腫瘍に対して用いられる治療の主な性腺毒性リスクを表2に示す．

• 小児，思春期・若年がん患者を中心に今後の挙児希望がある場合は，原疾患への治療との兼ね合いを含めて，治療開始前からの妊孕性温存療法が必要である．

表2　主な造血器腫瘍治療と性腺機能障害リスク

治療レジメン	対象	性腺機能障害のリスク
CY / TBI	造血幹細胞移植	高
BU / CY	造血幹細胞移植	高
BEACOPP 療法	ホジキンリンパ腫	高
アントラサイクリン+キロサイド療法	急性骨髄性白血病	低
Hyper-CVAD 療法	急性リンパ性白血病	低
ABVD 療法	ホジキンリンパ腫	低
CHOP 療法	非ホジキンリンパ腫	低
チロシンキナーゼ阻害薬	慢性骨髄性白血病	不明

- 男性患者においては精子凍結保存が普及している．1日で採取可能なことから，できる限りは治療開始前の保存が望ましい．
- 女性患者においては，パートナーが不在であれば未受精卵子凍結保存，パートナーがいれば受精卵凍結保存が行われる．しかし，排卵誘発や経腟的な採卵などの過程が必要で時間を要すること，出血や感染のリスクがあることから，対応が難しいケースが少なくない．

がんリハビリテーション

- 化学療法・放射線療法中もしくは治療後の患者に対し，リハビリテーションを行うことは，身体機能，QOL，倦怠感，精神機能・心理面（抑うつ，不安など）を改善させ，有害事象を軽減させる．
- 廃用症候群になる前に，早めにリハビリテーション科にコンサルトを行い，リハビリテーションを開始することが重要である．
- 進行がん・末期がんの運動機能低下に対して運動療法を行うと，身体機能，筋力，倦怠感を改善する．
- 骨髄抑制時：一般的に，血小板数が3万/μL以上であれば特に運動の制限は必要ないが，1万～2万/μLでは，皮下出血や関節内出血のリスクが高まるとされているため，有酸素運動を主体にして抵抗運動は行わないようにする．1万/μL以下の場合には，脳出血や消化管出血のリスクが高くなるため積極的な訓練は行うべきでない．Hb値については10 g/dL未満の場合には運動前後の脈拍数や動悸，息切れに注意する．好中球が500/μL以下の場合は標準的感染予防を行いリハビリテーションは継続してよい．

サイコオンコロジー（精神腫瘍学）

- がん告知後の心理的サポートに対するニーズの高まりを背景として，がん治療にたずさわる医療者や，精神科医，臨床心理士などが中心となり，がんと診断された患者を全人的にサポートする学問がサイコオンコロジーである．
- 実際の診療においては病名告知だけでなく，検査，治療，再発・進行，積極的抗がん薬治療の中止，緩和ケアの選択などのさまざまな場面において，患者のみならず家族の「心のケア」の実践が求められ，サイコオンコロジーの果たす役割は大きい．
- 英国の National Health Service-National Institute for Clinical Excellence（NSH-NICE）で作成された『がん患者の支持・緩和ケアマニュアル』で，すべての医療者が最低限身につけておかなければならないスキルの 4 項目を示す．
  ① がんを抱えた患者・家族に対して誠実に温かく接することができる．
  ② 人として親切に，尊厳・尊敬の念を持って接することができる．
  ③ 支持的対人関係を構築し維持する（指示的ではない）．
  ④ 適切な情報提供，理解の確認を行う．
- 具体的には，まず患者の心理的ニーズを認識することであり，心配や不安をただ誰かに聞いてもらうことで心の整理がつくこともある．
- 適切な情報提供や理解の確認により，不確実な知識に起因して生じる不安感や絶望感を改善することが基本である．
- 患者のおかれている状況に共感・敬意を表することで無用な心配や不安が軽減される．
- 2 週間以上にわたり不安感や絶望感などの心理状態が持続する場合や希死念慮がある場合は，精神科医や緩和ケアチームへの紹介を考慮する．

栄養管理

- 栄養障害はがん患者の QOL を低下させるだけでなく，実際に化学療法や放射線治療の継続性を悪化させ，有害事象の発現率を増加させることが報告されている．
- 患者の栄養状態低下を防ぐために，栄養士による栄養管理の早期介入が重要である．

JCOPY 498-22507

- 治療経過において，悪心・嘔吐，味覚異常，下痢，口腔粘膜障害などの副作用，がん悪液質などにより食事がすすまず，食事形態や内容の工夫が必要となることが多い．個々の患者に合わせた栄養サポートを実施することが重要である．
- 造血幹細胞移植患者は，移植前処置や急性 GVHD などよる悪心・嘔吐・食欲不振や口腔粘膜・消化管粘膜障害のため経口摂取量の低下や栄養成分の吸収不良を起こすため低栄養のリスクが増大する．
- 造血幹細胞移植患者における栄養状態の低下は，日常生活動作（ADL）やパフォーマンス・ステータス（PS）の低下をきたし，免疫機能低下による感染症のリスクも増大する．
- このため，食事と栄養管理は非常に重要であり，栄養管理の早期介入が必要である．また，経口摂取が困難となり，中心静脈栄養（total parenteral nutrition：TPN）を要することが多い．
- TPN は長期化すると高血糖や過剰な水分投与などの問題があるため，経口摂取が可能となった時点で速やかに経腸・経口栄養への以降を開始する．

参考文献

1）日本血液学会，編．血液専門医テキスト．改訂第 3 版．東京：南江堂；2019. p.485-8, p.512-4.
2）中尾眞二，松村　到，神田善伸，編．血液疾患最新の治療 2020-2022．東京：南江堂；2019. p.56-60.
3）森田達也，木澤義之，監修．緩和ケアレジデントマニュアル．東京：医学書院；2019. p.128-36, 148-61, 369-75.
4）福田隆浩．造血幹細胞移植ポケットマニュアル．東京：医学書院；2019. p.177-82, 188-200.
5）佐々木めぐみ，山崎知子，佐藤正幸，他．化学療法施行患者に対する栄養介入の意義．栄養士の立場から．日静脈経腸栄会誌．2018；33：995-9.

〈阿南朋恵・木崎昌弘〉

8 Hematological emergency への対応

Ⅰ 腫瘍崩壊症候群

まとめ

- 腫瘍崩壊症候群（TLS）は予防が最も大事であり，そのためには，事前のリスク評価が必要となる．
- リスク評価とは，腫瘍そのものではなく，患者本人の状態も含まれる．
- 対応の最も重要なポイントは，必要な輸液を，必要な利尿薬を併用することで治療することであり，これにより腎機能の悪化の予防，透析導入の回避を目的とする．

定義・病態

- TLS は化学療法により，腫瘍細胞が急速かつ大量に壊れることで，細胞内成分が全身の循環に流入し，主に電解質（K, IP, Ca）のバランスが崩れることなどにより起こる．さらに腫瘍細胞は N/C 比が高く，核酸の代謝産物として生じる尿酸も問題になる 図1．

治療戦略

- 腫瘍崩壊症候群には TLS 診療ガイダンスで大量輸液，利尿薬の使用，尿酸の産生阻害薬（アロプリノール，フェブキソスタット），尿酸分解酵素製剤（ラスブリカーゼ）などが推奨されている[1]．それらの薬剤を個々

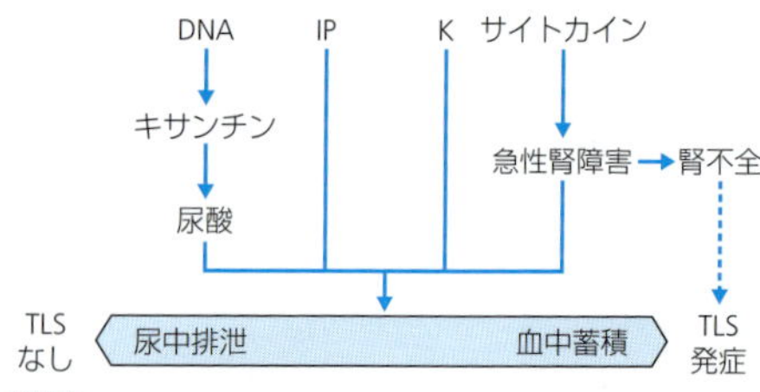

図1 TLS の病態

の症例に応じて適切に使用する必要がある．

- 上記の薬剤の投与の必要性を判断するにあたって，3つのポイントが存在する．
- 1つ目は，これから治療する患者にどれだけの腫瘍崩壊症候群のリスクが存在するかの判断である．腫瘍崩壊症候群のリスクに関しては，TLS 診療ガイダンスに詳細が述べられており[1]，そちらを参考にしていただきたい．基本的には腫瘍は増殖が速いほど，抗がん薬の効果が顕著に表れる．これは，抗がん薬の多くが，細胞周期に依存して効果を発揮するため，細胞周期の回転の速い腫瘍細胞ほどダメージを受けやすいためである．すなわち，急性骨髄性白血病，リンパ球性白血病，びまん性大細胞型 B 細胞性リンパ腫のアドバンスドステージ（>StageⅢ），バーキットリンパ腫など，腫瘍の進展が速く，全身に腫瘍が存在する場合，腫瘍崩壊のリスクは常にあると考える．
- 2つ目は，患者の全身状態による輸液の可能量である．年齢が若い，高齢者などだけでなく，我々は患者の心機能，腎機能に特に注意をしなければならない．腫瘍崩壊症候群に対する第一の対応は輸液である．患者の心機能，腎機能を把握することにより，対象患者にどれだけの輸液が可能かどうか判定する．腫瘍から漏出した K，Ca，IP，尿酸は血管内に流れ込むため，基本的には細胞外液を用いる．症例ごとの詳細な輸液の可能量の予想は，経験のある血液内科指導医とのカンファレンスの積み重ねによって得られ，経験の蓄積により，驚くほど一致するようになる．輸液の可能量が一般的な輸液必要量の目安とされる 3000 mL/m^2 に達する場合の問題は少ないが，多くの症例では難しい場合が多い．
- 3つ目にして最も重要なポイントは，対象患者の輸液の必要量と，先程述べた輸液の可能量の差に対応するための利尿薬の併用である．利尿薬に用いる薬剤の代表は，一般的にはフロセミド，低用量イノバン，カルペリチドである．そのそれぞれに特徴的な作用，副作用があるため，個々の症例に合わせて選択する．
- フロセミドは，非常に即効性のある薬剤であり，20～40 mg をワンショットで用いて尿量の反応性を観察しながら，尿量が輸液量に追いつくまで，追加の投与を行う．30分から1時間で効果を判定し，効果が不十分であれば，40 mg，それでもだめなら 100 mg と倍々に増量して強制利尿を行う．初期には大量に投与の必要があるが，尿量が増えれば減量も可能である．それでも効果が乏しい場合には，24 時間持続投与も効果的である．また，フロセミドの作用機序から，低 Na 血症，さらに腫瘍崩壊症候群の症候に相反するようだが，低 K 血症が併発する場合がある．そのため，投与例としては，生理食塩水 1000 mL（血中の Na 濃度よりも，生理食塩水の Na 濃度はわずかに高い）に，アスパラカリウム，KCL を 20～40 mEq を混注して投与する．混注する K の量は，患者各々の腎機能，採血のフォローアップにより判断する．フロセミドは強力な利尿作用を有するが，レニン・アンギオテンシン・アルドステロン系を活性化するため，抗アルドステロン作用をもつスピノラクトンの併用も，低 K 血症の予防に有用である．

- 低用量ドパミン（2～4 μg/kg/ 分）は，尿量は確保できるが，これまでの研究からドパミンの腎臓保護作用が明らかではないことが明らかになり，現在積極的に腎保護のためには使用されていない．しかし，腎臓のドパミン受容体に作用して腎動脈を拡張し，糸球体血流を増加させ，加えて尿細管に直接作用する利尿効果に関しては，現在も有用である．K，Ca，IP，尿酸を体外に排出させるためには，糸球体血流の増加も病態生理的には有効であり，フロセミドは別の作用機序のため，尿量の確保がフロセミドで確保が難しい場合には，低用量ドパミンの併用も有効である．低用量のためほとんど問題はないが，不整脈の誘発に注意して，使用時にはモニター管理を行う．
- カルペリチドは主に心不全で使用される薬剤であり，血管の拡張作用により後負荷を軽減させ，ナトリウム利尿作用により尿量を確保される．さらには，心不全を悪化へと導く神経体液因子，炎症性サイトカインの低下があり，心不全で高血圧傾向の患者には非常に有効な薬剤である．しかし，心不全傾向のない患者には，逆に血圧が低値になることが多く，心不全，高血圧を合併した症例に主に適応がある．
- 最後に，尿酸に関しては，尿酸合成阻害薬（アロプリノール，フェブキソスタット）の予防内服により，尿酸自体が腎臓に沈着し腎不全となることはほとんどなくなった[2]．しかし，急性リンパ球性白血病など，特に核酸の量が多く，尿酸産出量が多い場合には，ラスブリカーゼ（尿酸分解薬）の投与を考慮する．ラスブリカーゼの再投与は，ラスブリカーゼへの抗体産生から推奨されず，使用のタイミングは悩ましいが，治療開始時が尿酸による腎障害のリスクが最も高いため，アロプリノール，フェブキソスタット，輸液で改善が得られない場合には躊躇なく使用すべきである[3]．

- 以上のまとめから，化学療法による腫瘍崩壊症候群のリスクを把握し，それを乗り切るため輸液，適切な利尿薬を決定し，腫瘍崩壊症候群による腎不全の進行の予防，さらには透析の回避が最も肝要と考えられる．

参考文献

1）日本臨床腫瘍学会, 編. 腫瘍崩壊症候群（TLS）ガイダンス. 東京：金原出版；2013.

2）Hande KR, Garrow GC. Acute tumor lysis syndrome in patients with high-grade non-Hodgkin's lymphoma. Am J Med. 1993; 94: 133-9.

3）Coiffier B, Mounier N, Bologna S, et al; Groupe d'Etude des Lymphomes de l'Adulte Trial on Rasburicase Activity in Adult Lymphoma. Efficacy and safety of rasburicase (recombinant urate oxidase) for the prevention and treatment of hyperuricemia during induction chemotherapy of aggressive non-Hodgkin's lymphoma: results of the GRAAL1 (Groupe d'Etude des Lymphomes de l'Adulte Trial on Rasburicase Activity in Adult Lymphoma) study. J Clin Oncol. 2003; 21: 4402-6.

〈田中佑加〉

II 脊髄腫瘤性病変についての対応（脊髄圧迫症候群）

まとめ

- 血液疾患では，悪性リンパ腫，多発性骨髄腫で多くみられる．
- 疑った時点での迅速な対応がその後の神経学的予後に深く影響する．

疫学

- 多発性骨髄腫の約15%，悪性リンパ腫の約14%が脊髄圧迫症候群を起こすことが知られている．特に濾胞性リンパ腫の頸椎周囲への浸潤はよく知られており，低悪性リンパ腫の重大な副作用として知られている．

症状

- 背部痛が初期症状の95%以上を占める．当初の疼痛は浸潤部位に限局しているが，その後の病変の広がりにより，より疼痛の範囲は広がる．その後，神経根，脊髄への圧迫により，さまざまな神経症状が出現する．神経の障害部位以下での運動障害，腱反射の亢進などであり，約1/3に歩行障害が出現する．
- 特に膀胱直腸障害は晩期に発症する傾向があり，緊急性を示唆する．

診断

- 診断のgold standardはMRIであり，感度・特異度ともに高く病変を描出する．しかし，腫瘍性病変であるため，浸潤部位が一カ所のみならず，複数部位に存在する可能性もある．MRI撮像には時間がかかり，迅速な介入を必要とする状況において，必要最小限の撮像で済ませるべきである．そのためには神経診察による神経障害部位の高位診断は欠かせず，神経内科医のみならず，血液内科医も身につけるべき診察法と考える．

治療

- 治療の目的は疼痛コントロール，局所的な腫瘍コントロールによる神経学的機能の維持・回復である．治療は副腎皮質ステロイド，手術療法，放射線療法の3つが主にあげられる．
- 副腎皮質ホルモンはデキサメタゾンが主に使用されている．悪性リンパ腫，多発性骨髄腫自体への抗腫瘍効果が期待できるほか，そのほかの腫瘍においても，脊髄が腫瘍によって圧迫され生じる浮腫の改善につながる．開始量としては，デキサメタゾン16 mg/日が一般的に行われている[1)]．デキサメタゾンは血糖のコントロールを悪化させるため，糖尿病患者には血糖の測定，必要に応じてインスリンの併用を考慮すべきである．
- 手術療法に関しては，血液内科領域では，病変が脊髄以外にも存在している可能性が少なくないため，積極的に適応にはならない．しかし，脊髄腫瘍の除去術ののち，悪性リンパ腫の存在が明らかになる場合もある．
- 放射線療法は，血液腫瘍のいずれにも効果が認められるため，確定診断のついていない腫瘤による脊髄圧迫の第一選択として治療が行われる．治療スケジュールは疼痛コントロールを目的とした8 Gyから[1)]，長期

JCOPY 498-22507

的な予後が期待できる症例に関しては，45 Gy 以上の照射を行い，局所の腫瘍のコントロールを図る場合がある[2)].

参考文献

1）Kumar A, Weber MH, Gokaslan Z, et al. Metastatic spinal cord compression and steroid treatment: a systematic review. Clin Spine Surg. 2017; 30: 156-63.

2）Maranzano E, Trippa F, Casale M, et al. 8Gy single-dose radiotherapy is effective in metastatic spinal cord compression: results of a phase III randomized multicentre Italian trial. Radiother Oncol. 2009; 93: 174-9.

〈田中佑加〉

Ⅲ 大量出血への対応

まとめ

- 大量出血患者に対しては，救命を優先する輸血，すなわちノンクロスでの O 型赤血球輸血をただちに行う.
- 大量出血をきたす内科（血液学）的要因としては，血小板減少に加え，低フィブリノゲン血症と線溶亢進が重要である.
- 大量出血患者の止血治療としては，血小板輸血，新鮮凍結血漿もしくはクリオプレシピテートの投与，抗線溶剤の投与などを考慮する.

大量出血を診たら

- 大量出血とは「24 時間以内に循環血液量と同等あるいはそれ以上の出血」と定義されているが，欧米では「1 分間に 150 mL 以上の出血」または「3 時間以内に循環血液量の 50%を上回る出血」とされている.
- 循環血液量（≒体重 kg×70 mL）の 15%までの出血ではほとんど生理的変化はみられないが，30%になると血圧低下，脳貧血症状（なまあくび，冷汗，悪心，嘔吐），失神などが起き，40%（1,500～2,000 mL）を超えると出血性ショックに陥って生命の危機に瀕する[1)].
- 出血量が循環血液量の 20%（800 mL 前後）を超えた時点で輸血を準備し，すみやかに始める必要がある.

大量出血時の緊急輸血

- ABO 血液型が確定していない場合には，血管確保と同時に O 型 Rh（＋）の赤血球輸血を開始し，同時進行で ABO 血液型判定（所要約 5 分），Rh 血液型判定（所要約 5 分），不規則抗体検査（所要約 60 分）の 3 つの輸血検査を行う．ABO 血液型の判定後は，ABO 同型の赤血球製剤を輸血する．
- ABO（および Rh）の血液型判定だけなら行える時間的猶予がある場合，および ABO 血液型は確定している場合には，不規則抗体検査および交差試験（クロスマッチ検査）は施行せず（＝ノンクロス），ただちに ABO 同型の赤血球輸血を行う．
- 緊急輸血・大量輸血の際，冷却されたままの赤血球製剤を急速に中心静脈ルートから輸血すると，心筋の過冷却によって致死的な不整脈を生じることがあるので注意が必要である．

大量出血の原因

- 10,000/μL 以下の高度な血小板減少では止血不良を呈するが，大量出血に至るのは播種性血管内凝固症候群（DIC）の合併時（敗血症は除く）くらいである．
- 止血困難な大量出血の原因として血小板減少より重要なのは「低フィブリノゲン血症」と「線溶亢進」である．その出血症状の特徴は「出血点を特定できない複数箇所から湧き出すような出血(ウージング)」である．
- 大量出血をきたす凝固障害の本態は「**高度な低フィブリノゲン血症**」[2] である 図1．
  - ►フィブリノゲンは凝固反応の最終基質であり，代償できる因子がない．
  - ►止血に必要な最低濃度は凝固因子ごとに異なっており，フィブリノゲンがもっとも高い血中濃度を必要とする．つまり，大量出血時に凝固因子の中でまっさきに止血可能域を下回るのがフィブリノゲンである 図2[3]．
  - ►フィブリノゲンは血小板が凝集するために必須のタンパクであるため，血小板数が維持されていてもフィブリノゲンが足りなければ，血小板による一次止血も悪くなる．
- 大量出血をきたすもうひとつの病態が “**線溶亢進**” である．
  - ►線溶とは血栓溶解酵素プラスミンによるフィブリン分解反応を指し，フィブリン血栓形成とほぼ同時に

JCOPY 498-22507

血中フィブリノゲン値と止血能

<180mg/dL…凝固障害の予兆
<150mg/dL…止血不良
<100mg/dL…出血傾向著明
< 50mg/dL…止血不能
（止血栓形成能ゼロ）

電顕で見たフィブリン網

Fib. 値>200

Fib. 値<100

図1　大量出血時，凝固障害のターゲットは検査も治療もフィブリノゲン！

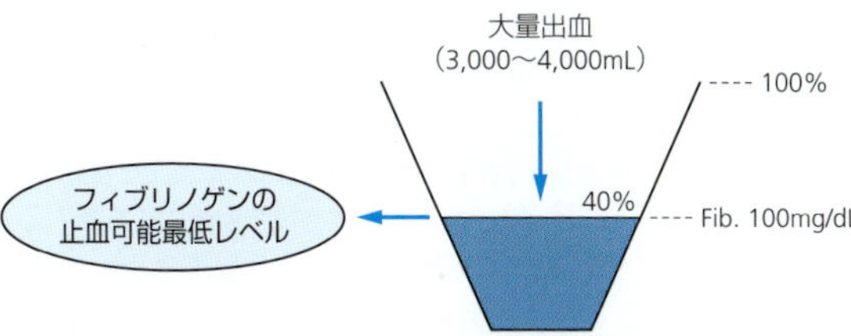

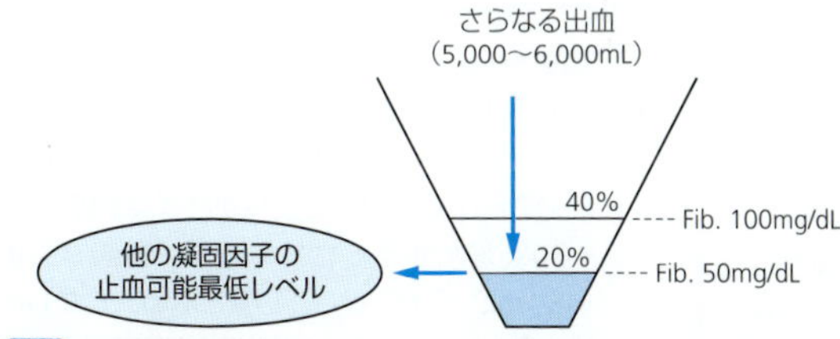

図2　大量出血時，フィブリノゲンは真っ先に止血可能最低レベルを下回る！

フィブリン上でプラスミノゲン・アクチベーターがプラスミノゲンを分解してプラスミンを生成することにより進行する．

►線溶亢進状態では，止血のために生成されたフィブリン血栓がプラスミンによってたちまち分解され，出血症状をきたすことになる．

- ►造血器悪性腫瘍に合併するDICでは，腫瘍細胞から分泌される線溶刺激物質により，線溶亢進状態を伴っていることが多い．
- ►線溶亢進状態は，検査上FDP値やD-ダイマー値の上昇で評価できるが，フィブリノゲン値の高度な低下をも招く．それは，大量に産生されたプラスミンがフィブリンだけでなくフィブリノゲン自体も分解するためである．

大量出血時の止血治療

- まず外科手技的・内視鏡的な止血を試みる．
- 血小板減少（<10,000〜30,000/μL）による出血が考えられた場合には，緊急でABO同型の血小板輸血を行う．
  - ►大量出血の場合，止血のために目標とすべき血小板数は50,000/μL以上である．
  - ►ABO同型の血小板製剤が手元にない場合，異型適合輸血となる血小板製剤を選択する必要がある．優先順位は，①AB型の血小板製剤，②AもしくはB型の血小板製剤，③O型の血小板製剤となる．
  - ►大量出血時に血小板補充による止血を優先する場合には，マイナー不適合（投与製剤中に含まれる抗A，抗B抗体と患者赤血球とが反応する）となる血液型の血小板製剤であっても輸血する．血小板製剤に含まれる血漿量はわずかであり，それによる溶血反応は弱いからである（ただしO型血小板は洗浄後の投与が望ましい）．
- 低フィブリノゲン血症を主体とする凝固障害による出血に対しては，新鮮凍結血漿（FFP）を輸血する．
  - ►8〜12 mL/kgのFFPを投与すれば凝固因子量は20〜30%増加するとされており，最低でも4単位（480 mL）のFFP投与が必要となる．しかし出血症状が激しい場合，FFP投与による凝固因子量の増加はわずかであり，止血は改善しない．
  - ►FFP投与による治療目標は，フィブリノゲン値>150 mg/dLに置く[4]．まずは4単位（480 mL）のFFPを投与しながら出血症状の改善を評価する．効果が悪ければ（フィブリノゲン値>150 mg/dLに至らなければ）さらに4〜8単位のFFPを投与追加する．
  - ►フィブリノゲン値が高度に低下（<100 mg/dL）し

ていて出血も激しいなら，フィブリノゲンが濃縮されているクリオプレシピテート3パック（FFP 12単位分）を投与する.

- FDP値やD-ダイマー値が高くて線溶亢進状態にあると判断された場合には，抗線溶剤トランサミンを1～2gほどone shot静注する．ただしDICを合併している場合には，トロンボモジュリン製剤投与など抗凝固療法を併用しないと，トランサミンによる線溶抑制のため微小血栓形成による急性腎不全を招来する危険が高まる.

参考文献

1）Waxman K, Shoemaker WC. Physiologic response to massive intraoperative hemorrhage. Arch Surg. 1982；117：470-5.

2）Levy JH, Szlam F, Tanaka KA, et al. Fibrinogen and hemostasis：a primary hemostatic target for the management of acquired bleeding. Anesth Analg. 2012；114：261-74.

3）Hiippala ST, Myllylä GJ, Vahtera EM. Hemostatic factors and replacement of major blood loss with plasma poor red cell concentrates. Anesth Analg. 1995；81：360-5.

4）Levy JH, Welsby I, Goodnough LT. Fibrinogen as a therapeutic target for bleeding：a review of critical levels and replacement therapy. Transfusion. 2014；54：1389-405.

〈山本晃士〉

 抗がん薬漏出時の対応

まとめ

・抗がん薬を投与する上で最も大切なことは，血管外漏出を起こさない投与経路を選択することである.
・血管外漏出を認めた場合はただちに点滴を中止し，各種抗がん薬の組織障害性に沿った対応を行う必要がある.
・アントラサイクリン系抗がん薬が血管外漏出した場合はサビーン®（デクスラゾキサン）の投与を検討する.

血管外漏出の予防

- 抗がん薬の血管外漏出を防ぐためには，安全に投与できる投与経路を選択することが重要である.
- 末梢静脈路を確保する場合は，原則として24時間以内とし，なるべく前腕にある太く，弾力性のある血管

が望ましい 表1.

- 末梢静脈路確保が困難と判断した場合は，中心静脈カテーテルの挿入やポート増設を検討する.
- 抗がん薬投与前には血液の逆流を確認し，生理食塩液などで滴下が良好であることを確認する.
- 抜針後の血管外漏出を防ぐため，抜針後は 5 分ほど強く圧迫止血する.

血管外漏出の早期発見

- 血管外漏出を早期発見するためには，疼痛・熱感などの自覚症状が重要である．抗がん薬投与を開始する前には必ず患者に血管外漏出の可能性を説明し，刺入部の違和感，疼痛，熱感，腫脹などを自覚した場合はただちに申し出るように指導する.
- 患者の自覚症状のみに頼らず，点滴の滴下速度の減少などが見られる場合は血管外漏出を疑う必要がある.

血管外漏出時の対応

- 血管外漏出が疑われた場合はただちに点滴を中止する.
- 血管外漏出の確認は，原則として医師を含めた医療従事者 2 名以上で行う.
- 血管外漏出を確認した際は，留置針をすぐには抜去せず，まずは抗がん薬の種類と量を確認し，各種抗がん薬の組織障害性 表2 に基づいた対応を開始する.

表1 静脈穿刺部位と血管選択の手順

血管選択の基準		静脈穿刺部位の適切な選択
最も望ましい ↓ 最も望ましくない	理想的な血管 / 最も望ましい位置 前腕の太く軟らかい弾力のある血管	前腕
	理想的な血管 / 望ましい位置 手背や手関節，前肘窩の太く軟らかい弾力のある血管	手背や手関節 前肘窩
	望ましい血管 / 最も望ましい位置 前腕の細く薄い血管	前腕
	望ましい血管 / 望ましくない位置 手背や手関節の細く薄い血管，前腕の触診または可視できない血管	手背や手関節
	望ましくない血管 / 望ましくない位置 前腕や手背や手関節の細く脆弱で容易に破裂する血管	中心静脈ラインの検討
	望ましくない血管 / 望ましくない位置 触診または可視できない前腕や手背の血管	中心静脈ラインの検討

表2 血管外漏出時の組織障害性

壊死起因性（vesicants）	炎症性（irritants）	非壊死性（nonvesicants）
DNA 結合型薬剤	アルキル化薬	三酸化二ヒ素
アルキル化薬	カルムスチン	L-アスパラギナーゼ
メクロレタミン	イホスファミド	ブレオマイシン
ベンダムスチン*	ストレプトゾシン	ボルテゾミブ
アントラサイクリン系	ダカルバジン	クラドリビン
ドキソルビシン	メルファラン	シタラビン
ダウノルビシン	アントラサイクリン系(その他)	エトポシドリン酸塩
エピルビシン	リポソーマルドキソルビシン	ゲムシタビン
イダルビシン	リポソーマルダウノルビシン	フルダラビン
その他	ミトキサントロン	インターフェロン
アクチノマイシン D	アクラルビシン	インターロイキン-2
マイトマイシン C	トポイソメラーゼⅡ阻害薬	メトトレキサート
ミトキサントロン*	エトポシド	モノクローナル抗体
DNA 非結合型薬剤	テニポシド	ペメトレキセド
ビンカアルカロイド系	代謝拮抗薬	ラルチトレキセド
ビンクリスチン	フルオロウラシル	テムシロリムス
ビンブラスチン	プラチナ系	チオテパ
ビンデシン	カルブプラチン	シクロホスファミド
ビノレルビン	シスプラチン	
タキサン系	トポイソメラーゼⅠ阻害薬	
ドセタキセル*	イリノテカン	
パクリタキセル	トポテカン	
その他	その他	
トラベクテジン	イキサベピロン	

＊ 壊死起因性，炎症性の両方に分類される場合もある

- 針や皮下に残存する抗がん薬を排除するために，サーフロー針に直接シリンジを接続し，数 mL 程度吸引しながら抜針する．血液が引けない場合はシリンジで吸引しながらルート内を陰圧にして抜針する．
- 漏出部位をマーキングし，可能であれば写真を撮り画像を保存する図1．
- 腫脹，発赤，疼痛の有無，硬結の大きさなどをしっかりとカルテ記載する．
- 血管外漏出部位は入院中であれば連日確認し，Grade 3 以上に進展しないように注意する表3．

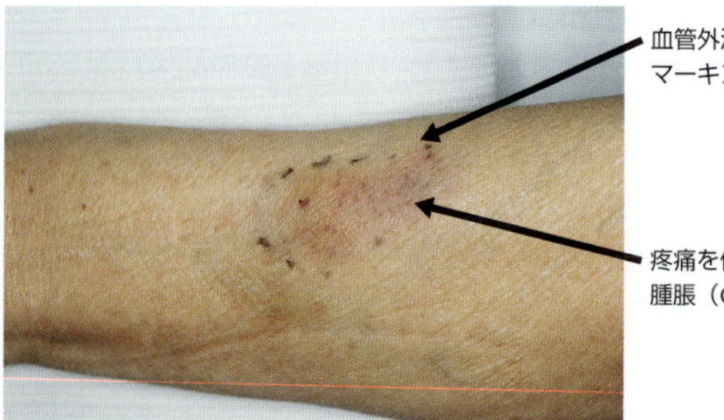

図1 血管外漏出部位のマーキング

- 皮膚状況によっては，各施設の担当診療科（皮膚科や形成外科）へのコンサルテーションを検討する．

1）壊死起因性（vesicants）

- 副腎皮質ステロイドの局所注射や軟膏塗布を検討する．

《処方例》
- ソル・コーテフ® 100～200 mg を生食 10 mL で調整し皮下注射
- デルモベート® 1 日数回塗布

- 通常の場合，患肢を挙上し安静を保ちつつ，冷罨法（1 日 4 回 20 分間）を検討する．
- ビンカアルカロイド系，タキサン系，プラチナ系では温罨法（1 日 4 回 20 分間）を検討する．
- 壊死起因性（vesicants）のアントラサイクリン系薬剤ではデクスラゾキサン（サビーン®）の投与を検討する．なお，デクスラゾキサンはその特性上，比較試験が実施されていないことや，血液毒性などの有害事象，高額（約 40 万円/3 日），頻度が少ないため院内在庫確保が困難であることから，投与の必要性は十分に検討する必要性がある．

表3 血管外漏出の Grade 分類

Grade	症状・所見
1	—
2	症状を伴う疼痛 （例：浮腫，疼痛，硬結，静脈炎）
3	潰瘍または壊死； 高度の組織損傷； 外科的処置を要する
4	生命を脅かす； 緊急処置を要する
5	死亡

《処方例》

- サビーン® 1000 mg/m^2 を 1〜2 時間かけて点滴（1，2 日目）
  500 mg/m^2 を 1〜2 時間かけて点滴（3 日目）

＊ 腎機能障害（CLcr＜40 mL/min）では 50%量に減量

＊ 血管外漏出後 6 時間以内に開始する.

＊ 調製後 150 分以内に投与を完了する.

＊ 2 日目および 3 日目は 1 日目と同時刻（±3 時間）に投与を開始する.

＊ 冷却している場合は投与 15 分以上前に血管外漏出部位から取り外す.

2）炎症性（irritants）

- 少量であれば冷罨法のみを実施する.
- 漏出量が多い場合や症状が強い場合は壊死起因性（vesicants）と同様の処置を行う.

3）非壊死性（nonvesicants）

- 特に処置の必要はなく，経過観察とする.
- 漏出量が多い場合にはステロイド軟膏を塗布する.
- 症状が強い場合は，冷罨法などの処置を行う.

参考文献

1）日本がん看護学会，編．外来がん化学療法看護ガイドライン 2014 年版．東京：金原出版；2014.

2）竹之内辰也．抗がん剤の血管外漏出への対応　新規薬剤デクスラゾキサンの導入．臨床皮膚科．2015; 69: 105-9.

3）橋口宏司．抗がん薬の血管漏出・血管炎．薬事．2018; 60: 640-5.

〈髙橋康之〉

VII

疾患各論

1 鉄欠乏性貧血（IDA）

まとめ

- ヘモグロビン（Hb）の構成成分である鉄イオンが体内で不足することによりHbの合成が低下した状態を鉄欠乏性貧血（iron deficiency anemia：IDA）とよぶ.
- IDAは小球性低色素性貧血を呈し，血清フェリチンの低下，血清鉄の低下，総鉄結合能（total iron binding capacity：TIBC）の増加を認める.
- 鉄欠乏の原因精査が重要であり，月経のある女性では過多月経や子宮筋腫などの婦人科的疾患による出血が多く，男性および閉経後女性では消化管出血が多い．消化管出血の場合には，悪性腫瘍からの慢性出血の可能性もあるので注意を要する.
- 治療は経口鉄剤を数カ月，Hbと血清フェリチンが正常化するまで投与する.

疫学

- IDAは世界で最も頻度の高い貧血である．日本人女性では8〜10%程度の罹患率があるといわれ，中でも月経のある女性での頻度が高い．また，小児期は成長による鉄の需要が加わるためIDAが好発する．一方，成人男性では2%以下と少ない.

病態

- 鉄欠乏性貧血は鉄の供給量，需要量，喪失量のバランスが負に傾くことによって生じる貧血である．鉄含有量の少ない食物をとる（偏食），消化管における鉄吸収の障害といった供給の不足，思春期の急激な成長・妊娠に伴う胎児への鉄補充といった需要量の増大，さらに中高年期の慢性出血の持続といった喪失量増加のいずれかの要因によって生じる.
- 鉄は消化管から吸収されるが，生体内では能動的に体外に排出する機構は有していない．通常，体内に3〜5g程度存在しているが，吸収，排泄ともに1〜2mg/日程度である．鉄代謝は閉鎖的回路を形成しており，老廃した赤血球は脾臓でマクロファージにより破壊され，そこから得られた鉄が骨髄へ運搬，再利用されて

 JCOPY 498-22507

新たな赤血球が産生される.
- 鉄欠乏が慢性的に進行すると，まず貯蔵鉄が減少し，血清フェリチン値が減少する．次いで潜在的鉄欠乏状態（貧血のない鉄欠乏）となり，血清鉄の低下，さらに TIBC の増加，トランスフェリン飽和率〔(血清鉄 / TIBC) ×100〕の低下が起こる．最終的に，Hb やミオグロビンなどの組織鉄の低下を認め，小球性貧血を呈する.

症状

- 一般的な貧血の自覚症状としては，めまい，頭痛，易疲労感，全身倦怠感，失神，動悸，息切れなどが出現する.
- こうした自覚症状は貧血の進行速度によって大きく異なり，急激に貧血が進行しているときは症状が出現しやすいが，緩徐な進行の場合には症状が出にくく，発見時には高度な貧血である場合がある.
- 一般的な貧血徴候の他に，IDA に特徴的な以下のような症状がある.
- さじ状爪（spoon nail）：爪表面の凹凸が激しくなったり，縦じわが強調されたり，もろくなったり，薄くなったり，平坦になったりする．より典型的なものはさじ状を呈する.
- 異食症（pica）：土や鉄鍋をかじる，氷やポテトチップスのようなパリパリと音のする食べ物を好んで摂取する傾向が時折経験される.
- 舌の痛み，咽頭違和感，嚥下困難（Plummer-Vinson 症候群）：舌の痛み・舌乳頭の萎縮，萎縮が咽頭や喉頭に及ぶと咽頭違和感や嚥下困難を訴える．また，web とよばれる食道のひだが咽頭直下，時には食道全域にわたって多数出現することがあり，嚥下困難を引き起こす．病変が胃まで及ぶと萎縮性胃炎を起こす.

診断・検査

- 貧血を疑う自他覚所見を認め，末梢血一般検査で Hb 低下（Hb12 g / dL 未満）を認めた場合は，次に平均赤血球容積（mean corpuscular volume：MCV）を算出し，80 fL 未満の小球性かどうか判断する.

  MCV = ヘマトクリット値（%）/ 赤血球数（10^6 / mm^3）×10
- 次に体内貯蔵鉄が減少していることを証明するため，血清鉄のみでなく，必ず総鉄結合能（total iron bind-

表 1　IDA の診断基準

	Hb（g / dL）	TIBC（μg / dL）	血清 Fer（ng / mL）
正常	≧12	<360	≧12
貧血のない鉄欠乏	≧12	≧360 or <360	<12
IDA	<12	≧360	<12

（日本鉄バイオサイエンス学会治療指針作成委員会，編．鉄剤の適正使用による貧血治療指針．改訂第 3 版．札幌：響文社：2015[3)]）

ing capacity：TIBC），血清フェリチンを測定する．日本鉄バイオサイエンス学会から出されている治療指針では，IDA の診断基準は，Hb12 g / dL 未満，TIBC≧360 μg / dL，血清フェリチン<12 ng / mL と示されている 表 1 .

- IDA の確定診断後，鉄欠乏をきたした原因の検索は必須である．月経のある女性では過多月経や子宮筋腫などの婦人科的疾患による出血が多く，男性および閉経後女性では消化管出血が多い. 消化管出血の場合には，悪性腫瘍からの慢性出血の可能性もあるので注意を要する．
- 小球性や正球性貧血で, 血清鉄が低値にもかかわらず，血清フェリチンが低値とならず，TIBC も高値とならず，網状赤血球数が増加していない場合は，慢性疾患（慢性炎症）に伴う貧血（anemia of chronic disease：ACD）を疑う．

治療

- IDA の治療法は, 鉄剤の経口投与と静脈内投与がある．急性失血で貧血症状が強い場合を除いて輸血は不要である．
- 経口鉄剤を第一選択で治療を開始する．鉄として合計 50～210 mg / 日を 1～2 回に分けて投与する．赤血球産生に用いられる鉄量は 0.4～0.9 mg / kg / 日とされており，吸収量を見込んでも投与量は 200 mg / 日で十分である．
- ビタミン C は鉄を還元して鉄吸収を増加させるため併用は有用である．
- 胃酸分泌抑制薬，テトラサイクリン系抗菌薬などは鉄吸収を低下させるため併用には注意する．
- 日本茶などに含まれるタンニンは，鉄と複合物を形成して鉄吸収を若干低下させるが，鉄剤中の鉄量は非常に多いため，事実上 Hb の増加に影響はないとされている．

- 経口鉄剤の副作用の大部分は悪心・嘔吐，便秘，腹痛，下痢といった消化器症状である．これには剤型の変更や投与量の減量，朝の服用を就寝前に変更するなどの服用時間の変更で対応できる場合も多い．また，経口鉄剤は便が黒くなるが問題はない．
- 鉄剤投与開始後数日で，まず網赤血球の増加がみられる．Hb や MCV は 6〜8 週間で正常化してくる場合が多いが，鉄剤投与中止の時期は，Hb 正常化に加え血清フェリチンが正常化した時とする．
- Hb および血清フェリチンが正常化し鉄剤投与を中止できても，鉄欠乏に至った原因が解決されていなければ再び低下するため，治療中止後の一定期間の経過観察は必要である．
- 鉄剤の静脈内投与の適応は，⑴副作用が強く経口鉄剤が飲めない，⑵出血など鉄の損失が多く経口鉄剤で間に合わない，⑶胃・小腸に病変があり，内服が不適切，⑷鉄吸収がきわめて悪い，などの場合に限って行う．
- 鉄過剰症にならぬよう事前に総鉄投与量を計算する．
（中尾式）投与量（mg）
= 〔2.72×(16−Hb)+17〕×体重（kg）
（Hb：治療前患者 Hb 値）
- 1 日当たり鉄として 40〜120 mg を投与する．静注用鉄剤は，生理食塩液を希釈に用いるとコロイドが不安定になるため避け，また他の薬剤や点滴内への混注も避ける．
- 静注鉄剤を使用するにあたって注意すべきことは，悪心，嘔吐，発疹やアナフィラキシーショックなどの副作用を引き起こすことがあるため，静注はできるだけ緩徐に行う必要がある．
- 鉄剤の経口投与と静注投与の併用や，静注投与直後からの経口投与は，静注によって鉄が体内に補充されると mucosal block とよばれる現象が起き，鉄の消化管からの吸収が抑制され，経口鉄剤がほとんど吸収されずに投与が無意味になるため行うべきでない．
- IDA では鉄剤投与のみならず食事療法も重要である．一般にヘム鉄の吸収がよく，非ヘム鉄の吸収は悪い．ヘム鉄は牛・豚・鶏の肉やレバーに多いが，ヘム鉄を含む食品はコレステロールも多く，過剰摂取には注意する．非ヘム鉄は，主に海藻類，ほうれん草などの野菜，大豆，ソラマメ，ピーナッツ，ゴマなどに多い．食事による鉄分摂取を施行する際は，鉄剤投与の場合より明らかに含有鉄量が少ないため，鉄吸収を促進するビタミンCの併用やお茶は食後時間を空けて飲むようにするなどの工夫も有用である．

- 近年，小児や若年者においてヘリコバクター・ピロリ感染が鉄欠乏性貧血に関わっているという報告がある．小児期は成長による鉄の需要が高まることに加え，ピロリ菌が鉄を収奪し，萎縮性胃炎による鉄吸収が低下することで鉄欠乏をきたすと考えられている．消化管出血がなく，鉄剤内服治療に反応が乏しい場合は，ピロリ菌感染も念頭において精査する必要がある．

《処方例》

- クエン酸第一鉄ナトリウム（フェロミア®）1回50〜100 mg 1日2回 朝夕食後 経口
- 乾燥硫酸鉄（フェロ・グラデュメット®）1回105 mg 1日1〜2回 朝夕食後（消化管の副作用が強い場合は食直後）経口
- 含糖酸化鉄（フェジン®）40〜120 mg＋20%ブドウ糖液20 mL 2分以上かけて静注（20〜50 mg / 分）1日1回
  または，フェジン® 40〜120 mg＋5%ブドウ糖液50〜100 mL 15〜30分で点滴 1日1回

参考文献

1）日本血液学会, 編. 血液専門医テキスト. 改訂第3版. 東京：南江堂；2019. p.171-3.
2）中尾眞二，松村　到，神田喜伸，編．血液疾患最新の治療 2020-2022．東京：南江堂；2019. p.97-9.
3）日本鉄バイオサイエンス学会治療指針作成委員会，編．鉄剤の適正使用による貧血治療指針．改訂第3版．札幌：響文社；2015.
4）日本小児栄養消化器肝臓学会, 編．小児期ヘリコバクター・ピロリ感染症の診断と管理ガイドライン2018（改訂2版）. 2018.

〈阿南朋恵・木崎昌弘〉

JCOPY 498-22507

2　自己免疫性溶血性貧血（AIHA）

まとめ

- AIHAは，赤血球膜上の抗原と反応する自己抗体が産生され，抗原抗体反応の結果，赤血球が溶血することで生じる貧血である．
- 抗赤血球自己抗体が赤血球と反応する至適温度により，体温付近を至適温度とする温式と，4℃付近を至適温度とする冷式に分類される．冷式はさらに寒冷凝集素症（cold agglutinin disease: CAD）とDonath-Landsteiner抗体を有する発作性寒冷ヘモグロビン尿症（paroxysmal cold hemoglobinuria: PCH）に分類される．
- 基礎疾患の有無により，続発性と特発性に分類される．多くは特発性であるが，続発性は自己免疫性疾患やリンパ増殖性疾患，感染症によって引き起こされるため，基礎疾患の検索が重要である表1．

疫学

- 溶血性貧血の全病型の推定患者数は人口100万人あたり12～44人で，その半数が後天性貧血であり，AIHAは全体の約1/3を占める．自己免疫性溶血性貧血（autoimmune hemolytic anemia: AIHA）の90%は温式抗体によるものであり，温式抗体による病型を単にAIHAとよぶことが通例である．

病態

- 自己抗体産生機序の詳細は不明であるが，抗原としてはRh関連蛋白や他の血液型物質（I型，P型），グリコフォリンA蛋白，バンド蛋白などが明らかにされている．
- 温式抗体は原則としてIgGである．冷式抗体では，寒冷凝集素はIgMであり，DL抗体はIgGである．
- 温式のIgG抗体を結合した赤血球は，貪食細胞のIgG Fcレセプターを介して捕捉され，貪食を受けて溶血する（血管外溶血）．冷式抗体による溶血では，補体系が活性化されて，C3b受容体をもつ網内系細胞（主に肝臓のKupffer細胞）によって貪食破壊される血管

表 1 続発性 AIHA の基礎疾患

〈温式抗体によるもの〉

1. **膠原病および類縁疾患**
   全身性エリテマトーデス，全身性強皮症，慢性関節リウマチ，甲状腺疾患
2. **非腫瘍性血液疾患**
   赤芽球癆，悪性貧血
3. **造血器腫瘍**
   骨髄異形成症候群，骨髄増殖性腫瘍，慢性リンパ性白血病，悪性リンパ腫，多発性骨髄腫，Castleman 病
4. **免疫異常症**
   無 γ グロブリン症，IgA 単独欠損症，後天性免疫不全症候群（AIDS）
5. **感染症**
   ウイルス，細菌，原虫（マラリアなど）
6. **その他**
   胸腺腫，卵巣嚢腫，奇形腫

〈冷式抗体によるもの〉

1. **感染症**
   マイコプラズマ肺炎，伝染性単核症，水痘，梅毒，マラリア，流行性耳下腺炎，亜急性心内膜炎
2. **腫瘍**
   リンパ増殖性疾患（慢性リンパ性白血病，原発性マクログロブリン血症，悪性リンパ腫，骨髄腫，など）

外溶血や，補体系が最終段階まで活性化されて膜侵襲複合体が形成されて膜が破壊される血管内溶血の双方をきたす．CAD における溶血発作は主に前者の機序であり，PCH は後者の機序になる．

症状

- 貧血の一般的な症状に加えて，黄疸，脾腫を認めることがある．
- 胆石を合併することがある．
- CAD では寒冷曝露で四肢末端，耳介などにチアノーゼを認める．低温部位の微小血管内で，赤血球が凝集し，末梢循環障害をきたす．
- PCH では，血管内溶血のため，ヘモグロビン尿（ワインレッドやコーラ色の褐色尿）を認める．急激に血管内溶血が進行した場合には，急性腎不全になる．

診断基準

- AIHA の診断基準は厚生労働省の研究班により作成されている．溶血性貧血の診断基準を満たし，直接 Coombs 試験が陽性であれば診断される表 2，表 3．

 溶血性貧血の診断基準

1. 臨床所見として，通常，貧血と黄疸を認め，しばしば脾腫を触知する．ヘモグロビン尿や胆石を伴うことがある．
2. 以下の検査所見がみられる．
   1）ヘモグロビン濃度低下
   2）網赤血球増加
   3）血清間接ビリルビン値上昇
   4）尿中・便中ウロビリン体増加
   5）血清ハプトグロビン値低下
   6）骨髄赤芽球増加
3. 貧血と黄疸を伴うが，溶血を主因としない他の疾患（巨赤芽球性貧血，骨髄異形成症候群，赤白血病，congenital dyserythropoietic anemia，肝胆道疾患，体質性黄疸など）を除外する．
4. 1.，2. によって溶血性貧血を疑い，3. によって他疾患を除外し，診断の確実性を増す．しかし，溶血性貧血の診断だけでは不十分であり，特異性の高い検査によって病型を確定する．

〔厚生労働省 特発性造血障害に関する調査研究班（平成 16 年度改訂）〕

- Coombs 試験は赤血球の凝集反応を用いた検査である．患者赤血球の膜上の抗原に結合した IgG 抗体や膜に誘導された補体の存在だけでは赤血球は凝集できないが，抗ヒト IgG 抗体（Coombs 抗体）や補体に対する抗体を用いると凝集反応を起こす．これを直接 Coombs 試験とよぶ 図1 ．患者血清中の自己抗体を 0 型赤血球に反応させて検出する場合は，間接 Coombs 試験とよばれる．
- 直接 Coombs 試験が陽性化しない自己抗体の結合量でも溶血を起こす場合を Coombs 陰性 AIHA とよび，AIHA の 5～10％に存在している．Coombs 陰性 AIHA の診断には赤血球結合 IgG 定量検査が有用である．

治療

- 温式 AIHA 治療の第一選択は副腎皮質ステロイドである．プレドニゾロン 1 mg/kg による初期治療を開始する．4 週間を目安として以後は漸減し，5 mg 以下の維持量を目指す．なお，高齢者や糖尿病などの合併症がある場合は，プレドニゾロン 0.5 mg/kg に減量して開始する．
- プレドニゾロンによる一次治療に不応の場合は，脾摘，免疫抑制薬（シクロホスファミド，アザチオプリンなど），リツキシマブなどの二次治療を検討する．なお，各種免疫抑制薬とリツキシマブは本邦において保険適

表 3　自己免疫性溶血性貧血（AIHA）の診断基準

1. 溶血性貧血の診断基準を満たす.
2. 広スペクトル抗血清による直接 Coombs 試験が陽性である.
3. 同種免疫性溶血性貧血（不適合輸血，新生児溶血性疾患）および薬剤起因性免疫性溶血性貧血を除外する.
4. 1～3 によって診断するが，さらに抗赤血球自己抗体の反応至適温度によって，温式（37℃）の 1）と，冷式（4℃）の 2）および 3）に区分する.
   1）温式自己免疫性溶血性貧血
   臨床像は症例差が大きい．特異抗血清による直接 Coombs 試験で IgG のみ，または IgG と補体成分が検出されるのが原則であるが，抗補体または広スペクトル抗血清でのみ陽性のこともある．診断は 2），3）の除外によってもよい.
   2）寒冷凝集素症
   血清中に寒冷凝集素価の上昇があり，寒冷曝露による溶血の悪化や慢性溶血がみられる．直接 Coombs 試験では補体成分が検出される.
   3）発作性寒冷ヘモグロビン尿症
   ヘモグロビン尿を特徴とし，血清中に二相性溶血素（Donath-Landsteiner 抗体）が検出される.
5. 以下によって経過分類と病因分類を行う.
   急性：推定発病または診断から 6 カ月までに治癒する.
   慢性：推定発病または診断から 6 カ月以上遷延する.
   特発性：基礎疾患を認めない.
   続発性：先行または随伴する基礎疾患を認める.
6. 参考
   1）診断には赤血球の形態所見（球状赤血球，赤血球凝集など）も参考になる.
   2）温式 AIHA では，常用法による直接 Coombs 試験が陰性のことがある（Coombs 陰性 AIHA）．この場合，患者赤血球結合 IgG の定量が診断に有用である.
   3）特発性温式 AIHA に特発性血小板減少性紫斑病（ITP）が合併することがある（Evans 症候群）．また，寒冷凝集素価の上昇を伴う混合型もみられる.
   4）寒冷凝集素価での溶血は寒冷凝集素価と平行するとは限らず，低力価でも溶血症状を示すことがある（低力価寒冷凝集素症）.
   5）自己抗体の性状の判定には抗体遊出法などを行う.
   6）基礎疾患には自己免疫疾患，リウマチ性疾患，リンパ増殖性疾患，免疫不全症，腫瘍，感染症（マイコプラズマ，ウイルス）などが含まれる．特発性で経過中にこれらの疾患が顕性化することがある.
   7）薬剤起因性免疫性溶血性貧血でも広スペクトル抗血清による直接 Coombs 試験が陽性となるので留意する．診断には臨床経過，薬剤中止の影響，薬剤特異性抗体の検出などが参考になる.

〔厚生労働省 特発性造血障害に関する調査研究班（平成 22 年度一部改訂）〕

用外である.

- その他の治療法としてシクロスポリン，免疫グロブリン，ダナゾール，ビンカアルカロイド血漿交換なども報告されている.

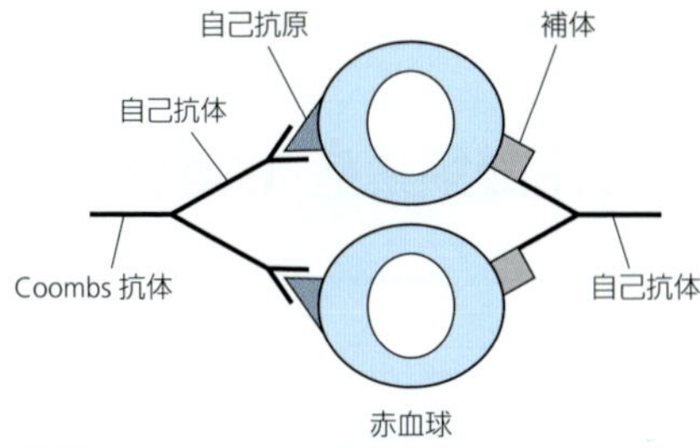

図1 直接 Coombs 試験

• AIHA では血清中の遊離抗体や赤血球抗原の被覆のため血液型判定や交差適合試験が干渉されやすく，不適合輸血の危険性が高まる．しかし，薬物治療が奏効するまでの期間には，生命維持に必要なヘモグロビン濃度（若年健常者で貧血の進行が緩徐である場合は Hb 4 g/dL，50 歳以上では Hb 6 g/dL が目安）を保つように輸血する必要がある．なお，輸注時には 1 mL/kg/ 時間以下を目安に緩徐に輸注する．

《処方例》

• 副腎皮質ステロイド
 プレドニゾロン 1 mg/kg/ 日 4 週間（初期治療）
• 脾摘
 術前のワクチン接種や発熱時の抗菌薬使用が重症感染症予防に重要
• 免疫抑制薬（保険適用外）
 エンドキサン® 50〜100 mg 分 1 朝食後
 イムラン® 50〜100 mg 分 1 朝食後
• リツキシマブ（保険適用外）
 リツキサン® 375 mg/m² 週 1 回 4 週間

参考文献

1）金倉　譲, 他．自己免疫性溶血性貧血 診療の参照ガイド（平成 26 年度改訂版）．2015.
2）木崎昌弘，編．カラーテキスト血液病学．2 版．東京：中外医学社；2013. p.396-99.
3）Go RS, Winters JL, Kay NE. How I treat autoimmune hemolytic anemia. Blood. 2017; 129: 2971-9.

〈髙橋康之〉

3 寒冷凝集素症（CAD）

まとめ

- 寒冷凝集素症（cold agglutinin disease: CAD）は冷式抗体による自己免疫性溶血性貧血（AIHA）の一型であり，寒冷凝集素のサブクラスは通常 IgM である.
- 臨床症状としては，溶血に伴う貧血症状と末梢循環障害によるものに分けられる.
- CAD の治療で最も大切なことは寒冷曝露の回避と保温である.

疫学

- AIHA の年間発症率は 100 万人あたり 1～5 人と報告されているが，その 4%が CAD の発症率である.
- 特発性慢性 CAD は 40 歳以降にほぼ限られ男性に多いが，続発性の場合は小児や若年成人に多い.

病態

- 寒冷凝集素のほとんどが IgM であり，I または i 血液型特異性を示す.
- 寒冷凝集素は健常者の血清中にも低濃度ながら存在するが，体温条件では活性を示さず無害である.
- 特発性慢性 CAD では多くの場合血中に単クローン性 IgM が検出され，多くの場合軽鎖が κ 型である．一方，続発性 CAD では悪性リンパ腫（リンパ形質細胞性リンパ腫，辺縁帯リンパ腫など）や感染症（マイコプラズマ，EB ウイルス，サイトメガロウイルス）に続発する場合がある．なお，悪性リンパ腫に伴う場合は単クローン性であるが，感染症に伴う場合は多クローン性である.
- 寒冷凝集素は四肢末端などの低温環境下では赤血球表面に結合し，補体成分である C1q がこれに結合する．体幹部にて加温されると寒冷凝集素は赤血球表面より遊離するが，活性化された補体の古典的経路（C1q → C1r → C1s → C4 → C2 → C3）と活性化が持続することで膜侵襲複合体を形成し血管内溶血をきたす．ほとんどの場合は血管内溶血を免れるが，C3b 受容体をもつ肝 Kupffer 細胞によって貪食されること

JCOPY 498-22507

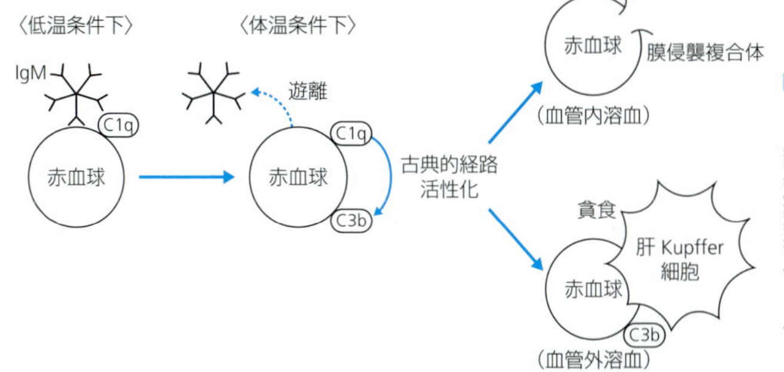

図 1　寒冷凝集における溶血様式

により血管外溶血をきたす 図 1.
- 四肢末端の低温環境下では寒冷凝集素が赤血球凝集を起こすことによって末梢循環障害をきたす.

症状

- 臨床症状としては, 溶血に伴う貧血症状と末梢循環障害によるものに分けられる.
- 貧血の症状は通常軽度から中等度とされているが, 半数以上の例で輸血を必要とする.
- 末梢循環障害として最も多いものは, 網状皮斑と先端チアノーゼ（指趾, 踵, 鼻尖, 耳介など）である. これらの部位を温めることによってこれらの症状は消失し, Raynaud 現象でみられる反応性の充血は通常みられない.
- 重篤な場合は皮膚潰瘍を形成する場合もある.
- マイコプラズマなどの感染症に続発する場合は, 原病の発症 2 週間後に CAD を発症する. 溶血は寒冷凝集素価が高値の期間に見られて, 通常 2〜4 週間程度で消失する. また, 寒冷凝集素価は 3〜4 カ月後に正常化する.
- 脾腫はあったとしても軽度である.

診断基準

- 溶血性貧血の検査所見を呈する（前項 AIHA の 表 2 を参照).
- 骨髄検査では赤芽球過形成を呈し, リンパ形質細胞の集簇像が見られる.
- 寒冷凝集素は IgM であるため, 直接 Coombs 試験の

IgG 成分は検出されないが，補体成分（C3，C4）は検出される．つまり，通常の直接 Coombs 試験は陽性となる．また，間接 Coombs 試験は通常陰性である．
- 寒冷凝集素価が高値でない場合（1000 倍未満）でも，30 度以上で凝集活性が残存するような温度作動域の拡大が認められれば CAD と診断する．低力価 CAD では，アルブミン法による寒冷凝集素価の上昇と温度差作動域の拡大がみられる．

治療

- CAD は治療において最も重要なことは寒冷曝露の回避と保温である．
- 通常，副腎皮質ステロイドや免疫抑制薬に不応である．
- 通常，脾摘の適応とならない．
- 悪性リンパ腫などを合併している場合は，原疾患に対する化学治療を行う．
- マイコプラズマに伴う場合は抗菌薬を投与するが，溶血所見そのものに対する効果とは別であり，保存的加療によって自然経過を待つことが原則である．
- 貧血が高度である場合は，保温した輸血を考慮する．なお，赤血球製剤を 40 度以上に加温すると溶血をきたすため注意が必要である．
- 特発性慢性 CAD に対して，リツキシマブ単剤が 60% 近くで奏効するとされているが，CAD に対するリツキシマブの投与は本邦において保険適用外である．
- 低力価 CAD では副腎皮質ステロイドが有効とされている．
- C5 阻害薬であるエクリズマブが CAD に有効という報告もあるが，こちらも本邦において保険適用外である．

《処方例》

- 寒冷曝露の回避と保温
- リツキシマブ（保険適用外）
  リツキサン® 375 mg/m² 週 1 回 4 週間

参考文献

1）金倉　譲, 他. 自己免疫性溶血性貧血 診療の参照ガイド（平成 26 年度改訂版）. 2015.
2）木崎昌弘, 編. カラーテキスト血液病学. 2 版. 東京: 中外医学社; 2013. p.396-9.
3）臼杵憲祐. 後天性溶血性貧血の診断・治療 冷式自己免疫性溶血性貧血 寒冷凝集症. 日本臨床. 2017; 75: 484-92.

〈髙橋康之〉

4 二次性貧血

まとめ

- 二次性（続発性）貧血（secondary anemia）とは，血液疾患以外の基礎疾患が原因で起こる貧血の総称である 表1.
- そのなかで悪性腫瘍，慢性感染症，慢性炎症に伴う貧血は，慢性疾患に伴う貧血 anemia of chronic disorders または anemia of chronic disease（ACD）とよばれている.
- 二次性貧血の診断は，ルーチン検査の手順を設けておくなどして，基礎疾患の存在を見逃さないことが重要である.
- 二次性貧血の治療は，基礎疾患を治療することが，最も有効である.

病態

1）Anemia of Chronic Disorders（ACD）

- 悪性腫瘍，慢性感染症，慢性炎症性疾患などに伴う貧血である.
- 病態生理学的に炎症性貧血（anemia of inflammation）の呼称が提唱されている.

a）鉄代謝の異常

- 貯蔵鉄の再利用障害がみられる.
- 炎症により IL-6 などを介し JAK-STAT 系が活性化し，肝臓でヘプシジンが産生される.
- ヘプシジンはフェロポーチンと結合しフェロポーチンと一緒にリソゾームで分解されてしまい，フェロポーチンを減少させてしまう．鉄はフェロポーチンを介して小腸から吸収されたりマクロファージから放出されたりするため，フェロポーチンの減少により鉄の吸収や放出が抑制され，鉄が供給されなくなる 図1.

b）赤血球産生の低下

- 腎臓でのエリスロポエチン（Epo）産生の低下，エリスロポエチン（Epo）に対する反応性の低下，IL-1，TNFαなどの炎症性サイトカインによる赤芽球系前駆細胞の抑制作用によるものである.

JCOPY 498-22507

表1 二次性（続発性）貧血の分類

1. Anemia of chronic disorders（ACD）
1）悪性腫瘍 2）慢性炎症 3）慢性感染症
2. 肝障害による貧血
3. 腎性貧血
4. 内分泌疾患に伴う貧血
1）下垂体機能低下症 2）甲状腺機能低下症 3）副甲状腺機能亢進症 4）副腎皮質機能低下症 5）性腺機能低下症
5. 妊娠に伴う貧血
6. 低栄養状態
7. 出血性貧血
8. 薬剤性貧血
9. 加齢による貧血

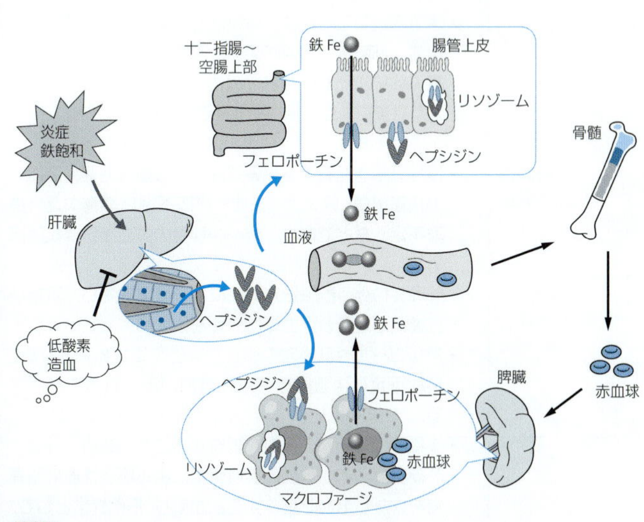

図1 鉄代謝とヘプシジン

c）赤血球寿命の短縮

- 活性化されたマクロファージによる赤血球の破壊亢進のため赤血球寿命は短縮する．IL-1 や TNFα による赤血球寿命低下作用や，NO などによる赤血球膜への作用も寿命短縮を引き起こす．

1）悪性腫瘍
- 悪性腫瘍では，ACD の要因以外に，抗がん薬による骨髄抑制，骨髄浸潤による貧血，出血，溶血，栄養障害などがある．これらを合わせると貧血の出現頻度は高い．

2）慢性炎症（非感染性）
- 膠原病が多く，関節リウマチ，全身性エリテマトーデス（SLE）では高頻度に貧血を伴う．
- 関節リウマチでは活動性と貧血が相関することがある．
- 全身性エリテマトーデス（SLE）では，自己免疫性溶血性貧血，赤芽球癆や再生不良性貧血の合併をみることがある．非ステロイド系消炎鎮痛薬（NSAIDs）による消化管出血の可能性を念頭に入れておくべきである．

3）慢性感染症
- 感染症として，結核，感染性心内膜炎，腎盂腎炎，敗血症，肝膿瘍，胆道感染症，深在性真菌症，ウイルス感染症によるものなどの報告がある．感染症では 1～2 カ月後に貧血が顕在化することが多い．

2）肝障害による貧血

- 慢性肝疾患を有する患者では，脾機能亢進症，溶血，消化管出血，鉄欠乏（失血や摂取不足），葉酸欠乏（摂取不足）などであり，軽～中程度の貧血をしばしば認める．
- 肝硬変に伴う門脈圧亢進症により脾腫を生じ，脾機能亢進症が起こり汎血球減少症を呈する．
- アルコール性肝障害の患者ではビタミン B_{12} や葉酸の摂取不足による巨赤芽球性貧血がみられることがある．
- 直接的に骨髄での造血を阻害することもある．
- 肝硬変では赤血球膜の構造変化による脆弱性と形態異常をきたし溶血を起こすことがあり，形態異常として，薄い大型の赤血球（thin macrocyte），標的赤血球

(target cell)，有棘赤血球（spur cell）がある．
・貧血の程度と肝障害の重症度や罹患機関とは相関するとは限らない．

3）腎性貧血

・腎臓でのエリスロポエチン（Epo）の産生低下に基づく赤血球産生障害である．
・尿毒症物質による造血抑制，赤血球寿命の短縮，エリスロポエチン（Epo）に対する反応性低下も原因となる．
・エリスロポエチン（Epo）に対する反応性の低下は鉄，葉酸，ビタミン B_{12}，脾腫なども関与している．
・治療は赤血球造血刺激製剤（erythropoiesis stimulating agent: ESA）の投与である．
・近年は低酸素誘導因子プロリン水酸化酵素（hypoxia-inducible factor-prolyl hydroxylase: HIF-PH）阻害薬も使用できる．

4）内分泌疾患に伴う貧血

1）下垂体機能低下症
・下垂体機能低下症では，造血機能不全によるものと考えられている．
・白血球減少および正球性正色素性貧血をきたす．
・甲状腺ホルモン，副腎皮質ホルモンおよび性ホルモンの補充が必要である．
2）甲状腺機能低下症
・甲状腺機能低下症では，末梢での酸素消費低下によるエリスロポエチン（Epo）の産生低下をきたす．
・一般的に正球性正色素性貧血が発現する．
・吸収障害による鉄欠乏性貧血や巨赤芽球性貧血を合併することがある．
3）副甲状腺機能亢進症
・原因は明確ではないが，副甲状腺ホルモンの直接的ないし間接的な赤血球産生抑制などが推測されている．
・副甲状腺切除により貧血は回復する．
4）副腎皮質機能低下症
・副腎皮質ホルモンは腎臓でのエリスロポエチン（Epo）産生の促進作用あるいは直接的な赤血球産生刺激作用を持つと考えられる．
・慢性副腎皮質機能低下症である Addison 病では赤血球産生が抑制され，正球性色素性貧血がみられる．
5）性腺機能低下症

- アンドロゲンや蛋白同化ステロイドはエリスロポエチン（Epo）の産生を亢進させ，造血細胞のエリスロポエチン（Epo）感受性を高めている．

5）妊娠に伴う貧血

- 妊娠後期に，需要の更新により鉄欠乏性貧血や葉酸欠乏性貧血，および循環血漿量の増加による貧血をきたす．
- 遺伝性疾患である鎌状赤血球症，ヘモグロビン SC 病，サラセミアなどがある場合には，妊娠中に問題が生じる危険が高くなる．
- 約 95%は鉄欠乏性貧血である．
- 胎児の赤血球も造るため，通常の約 2 倍の鉄が必要である．
- 貧血が続くと，切迫早産の危険が高くなる．
- 葉酸が不足していると，胎児に二分脊椎や神経管閉鎖不全症などが生じる危険が高くなる．

6）低栄養状態

- 鉄，ビタミン B_{12}，葉酸，亜鉛，銅などの欠乏により貧血をきたす．
- 高齢者で生じやすい．
- 低栄養による T_4 から T_3 への転換が減少し甲状腺機能低下症をきたす．
- 代謝率の低下に比例しエリスロポエチン（Epo）の産生が低下する．

7）出血性貧血

1）急性出血
- 下血などによる急性出血の直後は血漿量の増加が遅れるため検査値では貧血はみられないが，数時間後には循環血漿量の回復に伴い，検査値でも貧血を認められるようになる．

2）慢性出血
- 鉄欠乏性貧血を呈し，長期の貧血の場合には自覚症状が乏しいことがある．
- 高齢者の鉄欠乏性貧血患者を診た時には，便ヘモグロビン検査による消化管からの慢性出血のチェックも必要である．

8）薬剤性貧血

- 抗菌薬，解熱消炎鎮痛薬，消化性潰瘍治療薬など多くの医薬品で貧血を引き起こすことがある．
- 最も頻度が多い免疫的機序によるハプテン型溶血性貧

血では，投薬後 7〜10 日後に多い．

- 自己抗体による溶血では 3〜6 カ月後，赤芽球癆では数カ月後に生じることが多い．
- Glucose-6-phosphate dehydrogenase（G6PD）欠損症，グルタチオン系代謝の欠損症，不安定ヘモグロビン症の患者ではメトヘモグロビン血症をきたし，溶血性貧血の頻度が高い．
- 溶血性貧血では，網赤血球の増加，関節ビリルビンの増加，LDH 高値，ハプトグロビンの低下をきたす．
- 治療は医薬品の中止である．ステロイドホルモンや免疫抑制薬が必要になることもあるが非常に稀である．

1）ハプテン型

- 赤血球に結合しやすい医薬品で，医薬品＋赤血球に対して抗体が産生され脾臓で破壊される．
- 大量投与で発症しやすい．
- 投与後 7〜10 日で発症する．
- 医薬品中止後数日〜14 日で改善する．
- 報告例：ペニシリン，セファロスポリン，テトラサイクリン

2）免疫複合体型

- 医薬品に対し抗体ができ，医薬品＋抗体が赤血球に結合し，さらに補体に結合して溶血する．
- 血管内溶血をきたす．
- 悪寒，発熱，腰痛，腎障害，ショックなど激しい症状が出る．
- 報告例：セファロスポリン，テイコプラニン，オメプラゾール，リファンピシン

3）自己抗体型

- 医薬品により，赤血球に対する自己抗体が産生され溶血をきたす．
- 投与数日〜14 日で発症する．
- 医薬品の中止により速やかに軽快する．
- リバビリンによる溶血機序はハプテン型と自己抗体型の複合による免疫学的機序と考えられている．
- 報告例：リバビリン，メチルドパ，フルダラビン，レボフロキサシン，フルオロキノロン

4）赤血球修飾型

- 医薬品が赤血球の表面を修飾し，その結果，血清中蛋白，免疫グロブリン，補体などが非特異的に赤血球に結合する．

表 2　高齢者と貧血

1. 赤血球の生産低下
   1）慢性炎症に伴う貧血 anemia of chronic disorders（ACD）
      悪性腫瘍，慢性感染症，慢性炎症，など
   2）鉄，葉酸，ビタミン B_{12} の摂取量の低下・吸収障害
      萎縮性胃炎，*H.pylori* 感染性胃炎，低栄養　施設への長期入所，など
   3）腎性貧血〔エリスロポエチン（Epo）産生低下〕
   4）内分泌機能障害
      甲状腺機能低下症，など
   5）血液疾患
      骨髄異形成症候群，再生不良性貧血，など
2. 赤血球の喪失
   消化管出血〔胃がん，大腸がん，非ステロイド系消炎鎮痛薬（NSAIDs），など〕
3. 赤血球寿命の短縮
   溶血性貧血
4. 薬剤性貧血
   抗菌薬，非ステロイド系消炎鎮痛薬（NSAIDs），など

- 報告例：セファロスポリン

5）赤芽球癆

- 医薬品が直接赤血球の造血を抑制する．
- 赤芽球に対する自己抗体が産生されて生じるという報告があるが明らかではない．
- 報告例：リコンビナントエリスロポエチン，フェニトイン，イソニアジド，アザチオプリン

9）加齢による貧血

- 年齢を重ねるとともに Hb 値は低下するが，貧血の原因として合併症の有無も考えなければならない 表 2 ．

診断・検査

- 基礎疾患の存在を見逃さない．
- MCV のチェック → Fe，TIBC，フェリチンのチェック → 感染症，炎症，悪性腫瘍などを念頭に鑑別診断していく．
- 上記の鑑別を参照し，ルーチン検査の手順を設けておくと見逃しが少なくなる．

治療

- 基礎疾患の治療が最も有効である．
- 各疾患の治療

1）Anemia of chronic disorders

- 貧血の程度が強ければ赤血球輸血が必要になる．
- 低栄養状態や薬剤性の合併をできるだけ避けるように

する.

2）肝障害による貧血

- 鉄欠乏や葉酸欠乏を伴う場合はそれぞれ補充する.
- アルコール性肝障害ではアルコール制限をする.

3）腎性貧血

- 保存期慢性腎臓病 CKD 患者の赤血球造血刺激因子製剤（erythropoiesis stimulating agent: ESA）治療における目標 Hb 値は 11 g/dL 以上，13 g/dL 未満が提唱されている[8].
- 海外の臨床試験では，目標 Hb 値を高く設定して高用量の ESA を投与した場合，生命予後の改善や慢性腎臓病 CKD 進行の抑制には有意差はなく，かえって心血管疾患のリスクを上昇させる可能性がある.
- わが国の臨床試験では，複合エンドポイント（血清 Cr 値の倍加，RRT の開始，腎移植，死亡）のリスクは，年齢，性別，糖尿病の有無，血清 Cr および Hb で補正した Cox 比例ハザードモデルにおいて高 Hb 群で優位に低下していた.
- 低酸素誘導因子（hypoxia-inducible factor: HIF）は低酸素に対する防御機構を担う重要な転写因子であり，その発現量は酸素依存性に活性持つ HIF-prolyl hydroxylase（HIF-PH）により調節されている.
- HIF の代表的なターゲット分子としてエリスロポエチン（Epo）や血管内皮増殖因子（VEGF）がある.
- 低酸素応答機構の解明の功績により Gregg Semenza らが 2019 年のノーベル生理学・医学賞を受賞している.
- HIF-PH 阻害薬が新しい経口の腎性貧血治療薬として使用可能である.

4）内分泌疾患に伴う貧血

- 甲状腺ホルモン，副腎皮質ホルモンや性ホルモンなどの補充により改善する.
- 副甲状腺機能亢進症は，切除により回復する.

5）妊娠に伴う貧血

- 鉄や葉酸のサプリメントを摂取して予防する.
- 不足している場合には，鉄剤や葉酸を補充する.

6）低栄養状態

- 不足している鉄，葉酸やビタミン B_{12} などを補充する.

7）出血性貧血

- 消化管出血の原因となる食道静脈瘤，胃・十二指腸潰瘍，小腸出血，大腸ポリープ，痔核などの止血治療を行う．

8）薬剤性貧血

- 原因薬剤の中止．
- 稀にステロイドや免疫抑制が必要になる場合がある．

9）加齢による貧血

- 合併症の治療を行う．
- 貧血が心機能低下や認知症を悪化させる場合は，ヘモグロビン値はやや高めを維持するようにする．

参考文献

1）内山　卓，監修．三輪血液病学．第3版．東京：文光堂；2006．

2）日本血液学会，編．血液専門医テキスト．改訂第2版．東京：南江堂；2015．

3）東原正明，須永真司，編．血液内科クリニカルスタンダード．第3版．東京：文光堂；2015．

4）高久史麿，監修．血液内科診療マニュアル．東京：日本医学館；2004．

5）金倉　譲，編．臨床血液内科マニュアル．東京：南江堂；2014．

6）矢崎義雄，総編．内科学．第10版．東京：朝倉書店；2013．

7）池田康夫，押味和夫，編．標準血液病学．東京：医学書院，2000．

8）日本腎臓学会，編．エビデンスに基づくCKD診療ガイドライン2018．東京：東京医学社；2018．

〈岡村大輔〉

5 巨赤芽球性貧血（MA）

まとめ

- 巨赤芽球性貧血（megaloblastic anemia：MA）は巨赤芽球の出現を特徴とする造血障害である．ビタミン B_{12} もしくは葉酸の欠乏を原因とし，無効造血（骨髄内溶血）による溶血所見を伴う大球性貧血（MCV 高値）を呈する．
- ビタミン B_{12} もしくは葉酸の欠乏から，いずれも DNA 合成の補酵素であるテトラヒドロ葉酸（THF）の不足をきたし，プリン塩基（アデニン，グアニン）とピリミジン塩基（シトシン，チミン，ウラシル）の合成障害，つまり DNA 合成障害を起こす．
- RNA やタンパク質の合成までは正常に行われ，細胞質のみが成熟し大きな細胞となるため，巨赤芽球とよばれる．
- 巨赤芽球性貧血の原因は，ビタミン B_{12} 欠乏，葉酸欠乏，その他に大別される 表1 ．
- 欠乏しているビタミン B_{12} もしくは葉酸の補充により軽快する．

病態

1）ビタミン B_{12} 欠乏による巨赤芽球性貧血

- ビタミン B_{12} は動物性食品から摂取され，1 日必要量は 2～3 μg である．
- 極端な偏食者や菜食主義者（ビーガンなど）では摂取不足になることがある．
- ビタミン B_{12} は胃壁細胞から分泌される内因子と結合しビタミン B_{12}-内因子複合体となり，回腸末端で吸収される．
- 胃や小腸切除後の巨赤芽球性貧血は，ビタミン B_{12} の体内貯蔵 2～5 mg が枯渇し 5～6 年経過してから発症することが多い．
- 盲係蹄症候群（blind loop 症候群），消化管憩室などにより小腸内の細菌増殖があるとビタミン B_{12} の吸収障害をきたす．
- ビタミン B_{12} 欠乏による貧血と神経障害は，発症時期や重篤度が同じになるとは限らない．
- 悪性貧血は，巨赤芽球性貧血の中で抗内因子抗体や抗

表1 巨赤芽球性貧血の原因

1. ビタミン B_{12} 欠乏		
1）摂取不足		偏食，菜食主義（ベジタリアン，ビーガン），アルコール依存症
2）吸収障害	①胃に原因	
	a. 壁細胞の消失	胃切除術後
	b. ビタミン B_{12} の遊離障害	萎縮性胃炎，*H.pylori* 感染胃炎
	c. 内因子の欠乏	抗壁細胞抗体，抗内因子抗体（悪性貧血）
	②小腸に原因	
	a. 膵プロテアーゼ作用不全（ハプトコリンとビタミン B_{12} の分解不十分）	慢性膵炎，Zollinger-Ellison 症候群，など
	b 小腸でのビタミン B_{12} と内因子の結合低下	blind loop 症候群，憩室症，強皮症，寄生虫感染（広節裂頭条虫，など）
	c 回腸粘膜・内因子 - ビタミン B_{12} レセプターの減少	回腸バイパス術後，回腸切除術後，回腸瘻孔形成
	d. 回腸粘膜の構造・機能異常	Crohn 病，腸結核，リンパ腫，アミロイドーシス，全身性強皮症
	e. 内因子 - ビタミン B_{12} レセプターの欠損	トランスコバラミンII欠損症
3）先天性疾患	①ビタミン B_{12} の転送異常	先天性トランスコバラミンII欠損症
	②トランスコバラミン - ビタミン B_{12} レセプターの欠損	Imerslund-Grasbeck 症候群
2. 葉酸欠乏		
1）摂取不足		施設への長期入所，ダイエット，著しい偏食，アルコール依存症
2）需要増大		妊娠，授乳，甲状腺機能亢進症，乾癬などの皮膚疾患，悪性腫瘍，溶血性貧血
3）吸収障害	小腸疾患	
	a. 小腸粘膜の異常	Crohn 病，非熱帯スプルー，熱帯スプルー
	b. レセプターの減少	空腸切除術後
3. 薬剤性		
1）ビタミン B_{12} に関連	a. ビタミン B_{12} の不活性化	笑気 N_2O 亜酸化窒素（麻酔薬）
	b. ビタミン B_{12} の遊離障害	H_2 受容体拮抗薬（消化性潰瘍治療薬），プロトンポンプ阻害薬（消化性潰瘍治療薬）（長期投与）

表1 つづき

	c. 内因子-ビタミン B_{12} がレセプターに結合しない	メトホルミン（糖尿病治療薬），コレスチラミン（高脂血症治療薬），コルヒチン（高尿酸血症治療薬），塩化カリウム徐放薬（低カリウム血症治療薬）
	d. ビタミン B_{12} 代謝障害	レボドパ（パーキンソン病治療薬）
2）葉酸に関連	a. 葉酸代謝障害	アルコール，メトトレキサート（葉酸代謝拮抗約，抗悪性腫瘍薬，抗リウマチ薬），サラゾスルファピリジン（炎症性腸疾患治療薬），ST合剤（抗菌薬），ペンタミジン（ニューモシスチス肺炎治療薬）
	b. 吸収障害・異化促進	フェニトイン（抗てんかん薬），フェノバルビタール（抗てんかん薬）
	c. 機序不明	エチニルエストラジオール・レボノルゲストレル（経口避妊薬）
	d. 骨髄への直接障害作用	アルコール多飲
4. その他		
ビタミン B_{12}，葉酸の欠乏によらない	先天性DNA合成障害	Lesch-Nyhan症候群，congenital dyseryrhopoietic anemia（CDA），など
	後天性DNA合成障害	赤白血病，鉄芽球性貧血，アルコールを含む種々の毒性物質，など

壁細胞抗体などの自己免疫性機序により発症するものである．

- ビタミン B_{12} 欠乏により，破砕赤血球を伴う溶血などthrombotic thrombocytopenic purpura（TTP）と類似した検査所見をきたすことがあり，pseudo-TTPとよばれる．

2）葉酸欠乏による巨赤芽球性貧血

- 葉酸は植物性・動物性食物に幅広く含まれており，1日必要量は約200 μg，妊産婦は400～500 μg程度である．
- アメリカなどは穀物などに葉酸を添加することが義務付けられているが，日本では義務化されていないため長期入院患者や高齢者施設入所者でも葉酸欠乏になることがある．
- 葉酸は十二指腸，空腸上部で吸収される．

- ビタミン B_{12} と比較すると所要量に比べ貯蔵量が少ないため，欠乏から発症までの期間は比較的短い．
- ビタミン B_{12} 欠乏や葉酸欠乏による高ホモシステイン血症から血栓症を発症することがある．

疫学

- 日本での巨赤芽球性貧血の調査研究では，悪性貧血が 61%，胃切除後ビタミン B_{12} 欠乏が 34%，その他のビタミン B_{12} 欠乏が 2%，葉酸欠乏が 2%であった．
- 悪性貧血は北欧・アメリカの白人と比べ少なく，10 万人あたり 1～5 人と推測される．
- 欧米の検討では，ビタミン B_{12} は高齢者ほど低値，葉酸は年齢による差はない．

問診

- 貧血の鑑別や合併症（出血，悪性腫瘍，慢性炎症，慢性感染症，内分泌疾患など）を念頭におきながら問診を行う．
- 貧血の進行具合を尋ねる（徐々に進行する）．
- 年齢を確認する（ビタミン B_{12} は高齢者ほど低値である）．
- 消化管疾患や手術の有無を確認する（ビタミン B_{12} は萎縮性胃炎，ピロリ菌感染胃炎，胃切除，小腸切除，blind loop 症候群にて吸収障害，葉酸は空腸切除で吸収障害を起こす）．
- 神経疾患の有無を確認する（認知症，うつ病，パーキンソン病などといわれていることがある）．
- 生活様式を確認する（ベジタリアン，ビーガン，マクロビオティック，アルコール多飲，施設への長期入所による摂取不足）．
- 宗教を確認する（宗教によっては戒律でほとんど肉を食べないことがある）．
- 出身を確認する（世界には新鮮な野菜をほとんど摂取できない地域がある）．
- 妊娠の有無を確認する（葉酸の需要増大を起こす）．
- 内服薬を確認する（吸収障害や代謝障害を起こす薬がある）．

症状・身体所見

- 易疲労感，息切れ，動悸，頭痛などがある．
- 軽い黄疸のため皮膚が黄色調を帯びることがあり，lemon-yellow colour skin と表現されることがある．
- 消化器症状として，胃炎による食欲低下，もたれ，心窩部不快感，腹痛，悪心・嘔吐などがある．

- 神経症状は，ビタミン B_{12} 欠乏の症状として重要であり，末梢神経障害による四肢の痺れ感，手足の震え（振戦），感覚鈍麻，異常知覚がある．
- 進行すると振動覚・位置覚の異常，さらに痙性失調や歩行障害をきたし，Romberg 徴候陽性，筋力低下，腱反射亢進，病的反射陽性となることがある．
- 脊髄の側索・後索障害による深部感覚障害（亜急性連合性脊髄炎 subacute combined degeneration of spinal cord: SCDSC）をきたし，MRI・T2 強調画像にて後索の高信号が描出されることがある．
- 脳にも異常が及ぶと認知症，うつ病，せん妄や白質脳症と同様の症状をきたし，MRI にて大脳白質異常が認められることがある．
- 視神経の脱髄と萎縮および代償性の膠細胞の増生がみられ，視力障害をきたすこともあり，ビタミン B_{12} 欠乏患者が喫煙した場合に急性の視力障害が起きることがある（タバコ性弱視）．
- 高齢者ではビタミン B_{12} 欠乏による神経症状を認知症，アルツハイマー病やパーキンソン病などと診断されていることがあり，ビタミン B_{12} 欠乏症であれば改善する可能性がある．
- 貧血の強さと神経症状は必ずしも並行せず，神経症状の方が目立つことがある．
- その他の症状として，舌乳頭の萎縮・炎症（Hunter 舌炎），舌炎に伴う味覚障害，味覚障害による食欲低下，白髪などがある．
- 抗胃壁細胞抗体・抗内因子抗体（悪性貧血）症例では自己免疫疾患の合併があり，慢性甲状腺炎などの甲状腺疾患，悪性腫瘍として胃がんの合併がある．

診断・検査

- 血算では，大球性貧血（MCV 高値）を呈し，さらに白血球減少と血小板減少をきたしている（汎血球減少）ことがある．
- 鉄欠乏性貧血など小球性貧血も合併していると正球性（MCV 正常値）や胃切除後ビタミン B_{12} 欠乏性貧血では小球性（MCV 低値）のことがある．
- 末梢血の目視像では，過分葉好中球（6 分葉以上）がある．赤血球は大型で卵円形の赤血球（macro-ovalocyte）や小型の変形赤血球が目立ち，貧血が強くなると大小不同も著しくなる．網赤血球はやや高くなるが5万/μL以上となることは少ない．

- ビタミンB_{12}低値，葉酸低値もしくはその両方である．
- ビタミンB_{12}低下が正常下限程度のこともあり，組織にはビタミンB_{12}欠乏だが，血清ビタミンB_{12}は低下しない場合がある．
- 悪化すると，無効造血（骨髄内溶血）を反映し，LDH高値，間接ビリルビン高値，ハプトグロビリン低値を呈する．
- 骨髄穿刺検査では，正〜過形成，赤芽球の異形成として巨赤芽球様変化（megaloblastoid change）がある．正常より小さい構造のクロマチン構造が核に均一に分布し網目状，レース状もしくはスポンジ状とされる．細胞質の成熟度に比べ核の成熟度が遅れるため細胞質の広さがより顕著である（核－細胞質成熟解離）．
- 赤芽球に巨赤芽球様変化だけでなく，多核赤芽球，核間染色質橋，核の断片化や核融解像など様々な異形成を認めたら，骨髄異形成症候群（MDS）も鑑別する必要がある．
- 抗胃壁細胞抗体は抗内因子抗体より悪性貧血に対して感度は90%だが特異度が50%と低く，萎縮性胃炎，自己免疫性甲状腺疾患，SLEやシェーグレン症候群など自己免疫性疾患でも陽性になる．健常者でも5%程度陽性となる．
- 抗内因子抗体は悪性貧血に対する感度50%，特異度90%以上である．
- ビタミンB_{12}吸収試験（Schilling試験）は現在行えない．

治療

1）ビタミンB_{12}欠乏と葉酸欠乏による巨赤芽球性貧血に共通

- ビタミンB_{12}あるいは葉酸の補充で回復し，予後良好である．
- 貧血などによる症状が重篤であった場合，入院し赤血球輸血を考慮することがある．
- 摂取不足は生活習慣の改善で治療を終了できるが，抗内因子抗体（悪性貧血）や消化管切除による吸収障害は治療を継続する必要がある．
- 治療経過中に，鉄が利用され鉄欠乏性貧血が顕在化してくることがある．その際には血清鉄などを再度検査し鉄剤を補充する.
- アルコール多飲など生活習慣を改善し，場合によってはアルコール中毒症外来なども紹介する.

2) ビタミン B_{12} 欠乏による巨赤芽球性貧血

- 即効性から初期治療はビタミン B_{12} 欠乏では筋注が原則である〔例：コバマミド注（1 mg） 1 回 1 mg 1 日 1 回 筋注〕.
- 注射後 1 カ月で血液所見はほぼ正常近くなる.
- 注射製剤の貯蓄率（約 15%）と体内貯蔵量（2〜5 mg）より，1 mg/ 日でも 10〜20 回の注射が必要である.
- ビタミン B_{12} の吸収が良好な場合には経口投与でも有効との報告もある.〔例：メコバラミン（500 μg）3 錠分 3〕
- ビタミン B_{12} の血中濃度を維持するには 1 回 500 μg・2〜3 カ月ごとの注射が必要である.
- ビタミン B_{12} 欠乏症に対し葉酸の先行あるいは単独投与は，神経症状を悪化させることがある.
- 神経症状は不可逆的で改善しないことがある.
- 胃がんなど消化管疾患の合併に注意して，消化管内視鏡検査，ピロリ菌検査も考慮する.
- 笑気（N_2O）によるビタミン B_{12} の不活性化は，中止されれば数日かけてゆっくり回復する.

3) 葉酸欠乏による巨赤芽球性貧血

- 葉酸欠乏性貧血に対しては葉酸（フォリアミン®）を 15 mg 皮下・筋注，注射薬を用いる.
- 葉酸欠乏性貧血に対しては葉酸〔例：フォリアミン®（5 mg）3 錠分 3〕. 3〜6 カ月ごとに血液検査にて治療効果を確認する.

参考文献

1) 内山　卓，監修．三輪血液病学．第 3 版．東京：文光堂；2006.
2) 日本血液学会，編．血液専門医テキスト．改訂第 2 版．東京：南江堂，2015.
3) 東原正明，須永真司，編．血液内科クリニカルスタンダード．第 3 版．東京：文光堂；2015.
4) 高久史麿，監修．血液内科診療マニュアル．東京：日本医学館；2004.
5) 金倉　譲，編．臨床血液内科マニュアル．東京：南江堂；2014.
6) 矢崎義雄，総編．内科学．第 10 版．東京：朝倉書店；2013.

7）池田康夫，押味和夫，編．標準血液病学．東京：医学書院；2000.
8）矢崎義男，総編．内科学．第11版．東京：朝倉書店；2017.

〈岡村大輔〉

6 再生不良性貧血（AA）

まとめ

- 再生不良性貧血は造血幹細胞が減少し，骨髄低形成と汎血球減少を呈する症候群である．再生不良性貧血は先天性と後天性に大別される．
- 後天性の再生不良性貧血では，原因不明の特発性が大部分である．
- 典型例では低形成髄であり，汎血球減少をきたす原因となる他の疾患を除外できることが診断の前提となる．
- 再生不良性貧血は重症度と年齢に応じて治療法が選択される．

分類，病態

- 再生不良性貧血（aplastic anemia：AA）は，造血幹細胞が減少し，骨髄低形成と汎血球減少を呈する症候群である．
- 再生不良性貧血は先天性と後天性に大別される．後天性の再生不良性貧血には原因不明の特発性と，薬剤性，放射線被曝，などの二次性がある．特殊なものとして肝炎に伴って発症する肝炎関連再生不良性貧血と発作性夜間ヘモグロビン尿症（paroxysmal nocturnal hemoglobinuria: PNH）に伴うもの（再生不良性貧血－PNH 症候群）がある．わが国では大部分が特発性とされている 表1．
- 造血幹細胞が減少する機序は，造血幹細胞の質的異常と，免疫学的機序による造血幹細胞の傷害の 2 つが重要と考えられている．成人の再生不良性貧血は造血幹細胞に対する免疫学的な障害がほとんどである．

診断

- 複数血球系列の減少があり，典型例では骨髄は明らかに低形成（脂肪髄）であるが，穿刺部位によっては造血巣が保たれている場合がある．骨髄細胞密度の適切な評価には骨髄生検が必要である．広範囲の骨髄を画像で評価するために，さらに脊椎および腸骨 MRI の併用も有用である．
- 血球は異形成所見に乏しい．

表1 再生不良性貧血の病型分類

I．先天性 1. Fanconi 貧血 2. dyskeratosis congenita 3. その他
II．後天性 1. 一次性（特発性） 2. 二次性 a. 薬剤 b. 化学物質 c. 放射線 d. 妊娠 3. 特殊型 a. 肝炎関連再生不良性貧血 b. 再生不良性貧血 - PNH 症候群

（中尾眞二，他．再生不良性貧血診療の参照ガイド．令和1年改訂[1]）

再生不良性貧血（成人）の治療方針

- 基本的には除外診断であり，汎血球減少をきたす原因となる他の疾患を除外できることが前提になる．

- 再生不良性貧血の治療は，造血回復を目指す治療と支持療法の2つに分けられる．造血回復を目指す治療として，① 免疫抑制療法，② 蛋白同化ステロイド療法，③ 造血幹細胞移植がある．再生不良性貧血では，重症度 表2 [1]と年齢に応じて治療法が選択される．「特発性造血障害に関する調査研究班」の「診療の参照ガイド」[1]の治療アルゴリズムを 図1，図2 に示す．
- 造血幹細胞移植は failure-free survival（FFS）は，免疫抑制療法と比較して良好であるが，移植関連死亡のリスクがある．
- 免疫抑制療法では，重症再生不良性貧血においては，抗胸腺細胞グロブリン（antithymocyteglobulin: ATG）は単剤で投与するよりもシクロスポリン（CsA）を併用したほうが寛解導入率は高く，かつ FFS も高い．

1）stage 1 および 2a（軽症と，輸血を必要としない中等症） 図1

- この重症度の患者は，従来は無治療経過観察が勧められてきた．しかし，血球減少が自然に回復することは稀である．長期間の血球減少期を経て輸血依存性となった患者が免疫抑制療法によって改善する可能性は非常に低い．このため，軽症例に対しても積極的に治

表 2 再生不良性貧血の重症度基準（平成 29 年度修正）

stage 1	軽症	下記以外で輸血を必要としない
stage 2	中等症	以下の 2 項目以上を満たし，
	a	赤血球輸血を必要としない
	b	赤血球輸血を必要とするが，その頻度は毎月 2 単位未満． 網赤血球 60,000/μL 未満 好中球 1,000/μL 未満 血小板 50,000/μL 未満
stage 3	やや重症	以下の 2 項目以上を満たし，毎月 2 単位以上の赤血球輸血を必要とする 網赤血球 60,000/μL 未満 好中球 1,000/μL 未満 血小板 50,000/μL 未満
stage 4	重症	以下の 2 項目以上を満たす 網赤血球 40,000/μL 未満 好中球 500/μL 未満 血小板 20,000/μL 未満
stage 5	最重症	好中球 200/μL 未満に加えて，以下の 1 項目以上を満たす 網赤血球 20,000/μL 未満 血小板 20,000/μL 未満

（中尾眞二，他．再生不良性貧血診療の参照ガイド．令和 1 年改訂版 [1]）

療を考慮することが重要と考えられる．

- 血小板減少の先行，骨髄巨核球の減少，末梢血中の PNH タイプ血球の存在，血漿トロンボポエチンの高値（320 pg/mL 以上），などの免疫病態を疑わせる所見を認める場合には，CsA の高い奏効率が期待できるため，3.5 mg/kg 前後で CsA を開始し，反応の有無をみることが勧められる．血小板数が 10 万未満であれば，免疫病態マーカーの有無によらず，CsA を試みてもよい．
- CsA に反応せず血球減少が進行し，輸血が必要になった場合には，stage 2b 以上の重症度の例に対する治療指針にしたがって治療をする．血球減少が進行しているものの，輸血の必要性がない場合や，貧血症状や出血傾向がある場合には，TPO 受容体作動薬のエルトロンボパグ（EPAG）またはロミプロスチム（ROMI）を併用する．反応がみられなかった場合は，CsA＋メテノロンまたはダナゾール（保険適用外）への変更を考慮する．

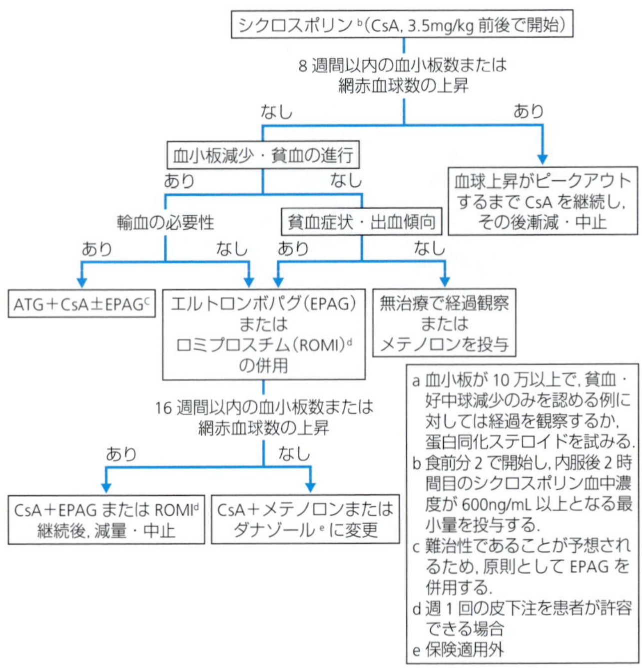

図 1 stage 1 および 2a（軽症と，輸血を必要としない中等症）に対する治療指針[a]

（中尾眞二，他．再生不良性貧血診療の参照ガイド．令和 1 年改訂版[1)]）

2）重症度が stage 2b 以上の再生不良性貧血（輸血を必要とする中等症例と重症例） 図 2

a）40 歳未満で HLA 一致同胞のいない患者，移植を希望しない患者と 40 歳以上の患者

ウサギ ATG（サイモグロブリン，2.5〜3.75 mg/kg 5 日間），シクロスポリン（5 mg/kg），EPAG（75 mg/ 日）の併用療法を行う．

b）40 歳未満で HLA 一致同胞を有する患者

18 歳以下の患者で HLA 一致同胞を有する場合には，免疫抑制療法を行わずに同種移植を行ったほうが FFS は良好である．20 歳くらいまでは同種移植が第一選択の治療と考えられる．それ以上の年齢の患者に関しては，個々の患者の希望に合わせた治療を総

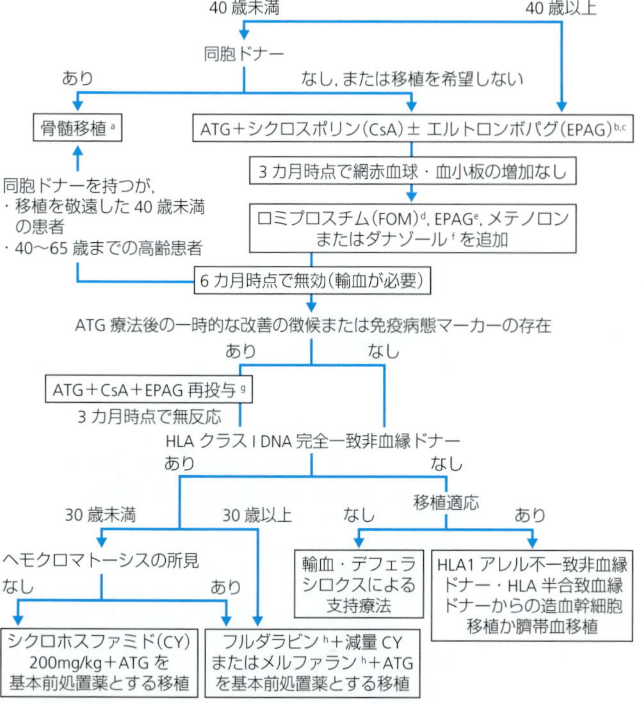

a 20 歳未満は通常絶対適応となる. 20 歳以上 40 歳未満については, 個々の状況により判断する.
b EPAG によって, 染色体異常を持つ造血幹細胞の増殖が誘発される可能性が否定できないため, 免疫病態マーカーが陽性の若年者に対しては, EPAG の併用は慎重に行う.
c 感染症を併発している場合は G-CSF を併用する.
d ATG 使用後に EPAG が使用されていた場合にが, EPAG を ROMI に切り替える.
e ATG 使用後に EPAG が使用されていなかった場合に限る.
f 保険適用外
g ATG の再投与は原則禁忌であり, 有効性を示す十分なエビデンスもないため, EPAG や ROMI に対する反応性をみたうえで, 適用は慎重に決定する.
h 保険適用外

図 2　重症度が stage 2b 以上の再生不良性貧血（輸血を必要とする中等症例と重症例）に対する治療指針

(中尾眞二, 他. 再生不良性貧血診療の参照ガイド. 令和 1 年改訂版 [1])

合的に判断する必要がある.

《処方例》

例 1) サイモグロブリン® 注 1 回 2.5〜3.75 mg/kg 1 日 1 回 5 日間連続
生理食塩液または 5%ブドウ糖注射液 500 mL で希釈して, 12 時間以上かけ緩徐に点滴静注する.

例 2) ネオーラル® カプセル (10・25・50 mg) 1 日 5〜6 mg/kg を 2 回に分けて投与. 朝・夕食後血中の CsA トラフ濃度を 150〜250 ng/mL に維持することが投与量調節の目安とされることが多い. また, 内服 2 時間後の血中濃度 (C2) も測定し, これが 600 ng/mL 以上となるように投与量を増量する.

例 3) レボレード® 錠 (12.5・25 mg)

- 抗胸腺細胞免疫グロブリンで未治療の場合
  抗胸腺細胞免疫グロブリンとの併用において, 通常, 成人には, エルトロンボパグとして 75 mg を 1 日 1 回, 食事の前後 2 時間を避けて空腹時に経口投与する. 患者の状態に応じて適宜減量する.
- 既存治療で効果不十分な場合
  通常, 成人には, エルトロンボパグとして初回投与量 25 mg を 1 日 1 回, 食事の前後 2 時間を避けて空腹時に経口投与する. 患者の状態に応じて適宜増減する. 1 日最大投与量は 100 mg とする.

例 4) プリモボラン® 錠 (5 mg) 1 回 1〜2 錠 1 日 2 回

参考文献

1) 中尾眞二, 他. 再生不良性貧血診療の参照ガイド. 令和 1 年改訂版. 厚生労働科学研究費補助金難治性疾患克服研究事業 特発性造血障害に関する調査研究班 (研究代表者 三谷絹子). 〈http://zoketsushogaihan.umin.jp/file/2020/02.pdf〉

〈松田　晃〉

7 赤芽球癆（PRCA）

まとめ

- 赤芽球癆では骨髄における赤血球系造血の選択的減少に起因する網赤血球の減少および正球性正色素性貧血がみられる.
- 急性赤芽球癆では，感染の終息，原因の除去あるいは経過観察によって1カ月以内に網赤血球の回復がみられ，それに引き続く貧血の改善が3カ月以内に認められる.
- 赤芽球癆は，病因によって治療方針が異なる.
- 特発性赤芽球癆および基礎疾患に対する治療によって貧血が改善しない続発性慢性赤芽球癆に対して，免疫抑制療法が適応となる.

分類，病態

- 赤芽球癆（pure red cell aplasia：PRCA）は骨髄における赤血球系造血の選択的減少に起因する網赤血球の減少および正球性正色素性貧血を呈する. 原則として，好中球および血小板の造血能の障害はない.
- 赤芽球癆は先天性と後天性に区分され，後天性には特発性と，基礎疾患（表1）に伴う続発性がある. 臨床経過から急性と慢性に分類される. 急性赤芽球癆は薬剤性あるいはウイルス感染症に伴うものが多い.

診断

- 正球性正色素性貧血と網赤血球数の著減があり，骨髄検査で赤芽球の著減を確認する. 通常白血球数および血小板数は正常範囲であるが，大顆粒リンパ球性白血病においては白血球数の異常を呈することがある.
- 感染の終息，原因の除去あるいは経過観察によって1カ月以内に網赤血球の回復がみられ，それに引き続く貧血の改善が3カ月以内に認められるものを急性赤芽球癆と定義するのが妥当と考えられる.
- 赤芽球癆の病因の診断では，薬剤服用歴の聴取と先行する感染症の有無の確認が重要である. 胸腺腫およびリンパ系腫瘍の有無を確認するために，胸部X線検査やCT検査などの画像検査，末梢血塗抹標本の検鏡，リンパ球サブセット解析（CD4/CD8）やT細胞抗原

表1 赤芽球癆の病型・病因分類

Ⅰ. 先天性低形成性貧血（Diamond-Blackfan 貧血）
Ⅱ. 後天性赤芽球癆
1. 特発性
2. 続発性
1）胸腺腫
2）リンパ系腫瘍
大顆粒リンパ球白血病など
3）慢性骨髄性白血病
4）原発性骨髄線維症
5）本態性血小板血症
6）骨髄異形成症候群
7）急性リンパ性白血病
8）固形腫瘍
9）感染症
10）慢性溶血性貧血
11）膠原病および類縁疾患
12）薬剤・化学物質
13）妊娠
14）重症腎不全
15）重症栄養失調
16）その他
ABO 不適合移植後など
17）EPO 治療後の内因性抗 EPO 抗体

（廣川　誠，他．赤芽球癆診療の参照ガイド令和元年度改訂版．第 6 版[1] より改変）

受容体のクロナリティ解析などを行う表2.

治療方針

1）急性赤芽球癆に対する治療

薬剤服用歴と先行感染症の有無の確認が重要である．被疑薬があれば中止して約 1 カ月間経過観察する．急性のヒトパルボウイルス B19 感染症は対症的に経過を観察する．病因別の治療法を表3に示す[2].

2）後天性慢性赤芽球癆に対する治療

- 赤芽球癆の診断から約 1 カ月間の経過観察で自然軽快しない場合や基礎疾患の治療によって改善しない場合には免疫抑制薬の使用を考慮する[1].
- 寛解導入療法に，シクロスポリン，副腎皮質ステロイド，シクロホスファミドが使用される．シクロスポリンの奏効率は 65～87%と高い[1].

JCOPY 498-22507

表2　赤芽球癆の診断

赤芽球癆の診断
正球性正色素性貧血（通常白血球数と血小板数は正常である） 網赤血球の著減 骨髄赤芽球の著減
病因診断
薬剤投与歴 先行感染の有無 自然寛解の有無 末梢血塗抹標本（末梢血における大顆粒リンパ球数） リンパ球サブセット解析（CD4/CD8） 染色体検査 T 細胞抗原受容体クロナリティ解析 画像検査（胸腺腫の有無） ヒトパルボウイルス B19-DNA 血清エリスロポエチン 自己抗体 固形腫瘍の有無

表3　続発性 PRCA の治療

病因	治療法
胸腺腫	シクロスポリン（胸腺摘出術）
大顆粒リンパ性白血病	シクロホスファミド，シクロスポリン，副腎皮質ステロイド
悪性リンパ腫（同時発症例）	化学療法
自己免疫性疾患	基礎疾患に対する治療
固形腫瘍	基礎疾患に対する治療
ヒトパルボウイルス B19 感染症	γグロブリン，免疫不全の改善
薬剤性	原因薬剤の中止
ABO major 不適合造血幹細胞輸血	保存的治療

（廣川　誠．臨床血液．2016；57：110-6[2] より改変）

《処方例》

ネオーラル® カプセル（10・25・50 mg）1 日 5〜6 mg/kg を 2 回に分けて投与．朝・夕食後血中の CsA トラフ濃度を 150〜250 ng/mL に維持することが投与量調節の目安とされることが多い．

- 寛解維持療法が必要になることが多い．初期投与量の約 50%までシクロスポリンを減量した後は，慎重に減量を行う[1]．

3）続発性赤芽球癆に対する治療

表3に示す[2]．

参考文献

1）廣川　誠, 他. 赤芽球癆診療の参照ガイド令和元年度改訂版. 第6版. 厚生労働科学研究費補助金難治性疾患克服研究事業 特発性造血障害に関する調査研究班（研究代表者　三谷絹子）〈http://zoketsushogaihan.umin.jp/file/2020/03.pdf〉
2）廣川　誠. 赤芽球癆診療の進歩と今後の展望. 臨床血液. 2016; 57: 110-6.

〈松田　晃〉

8 発作性夜間ヘモグロビン尿症（PNH）

まとめ

- PNH は，PIG-A 遺伝子に後天的体細胞突然変異をもった造血幹細胞がクローン性に拡大し，各種血液細胞においてグリコシルホスファチヂルイノシトール（GPI）アンカー蛋白が欠損する．
- 補体による血管内溶血や血栓症などが起こる．
- 再生不良性貧血や骨髄異形成症候群との相互移行や合併，稀に急性白血病への移行がある．
- CD55 および CD59 モノクローナル抗体を用いた赤血球のフローサイトメトリーにて PNH タイプ赤血球を証明し，確定診断を行う．
- 血管内溶血，血栓症，造血不全に対する対症療法が中心となる．エクリズマブ，ラブリズマブにより，溶血は軽減し諸症状も緩和される．

病態

- 発作性夜間ヘモグロビン尿症（paroxysmal nocturnal hemoglobinuria：PNH）は，phosphatidylinositol glycan-class A（PIG-A）遺伝子に後天的体細胞突然変異を有する造血幹細胞がクローン性に拡大し，各種血液細胞において glycosylphosphatidylinositol（GPI）アンカー蛋白が欠損し，補体による血管内溶血などを起こす[1]．
- PNH の合併症として胆石症，急性・慢性腎不全（近位尿細管におけるヘモジデリン沈着），鉄欠乏性貧血（遊離ヘモグロビンの尿中への放出）がある．
- 慢性血管内溶血に伴い赤血球アルギナーゼ放出による NO の生合成低下および遊離ヘモグロビンによる NO 消費の増加が起こる．血漿中の NO 濃度の低下は，平滑筋の収縮や攣縮，血小板の活性化や凝集能の亢進を生じ，肺高血圧症，慢性腎障害，男性機能障害，消化器症状（嚥下痛・嚥下障害・腹痛），血管内血栓症，倦怠感などを起こす[2]．

表 1　診断基準（令和元年度改訂）

1. 臨床所見として，貧血，黄疸のほか肉眼的ヘモグロビン尿（淡赤色尿～暗褐色尿）を認めることが多い．ときに静脈血栓，出血傾向，易感染性を認める．先天発症はないが，青壮年を中心に広い年齢層で発症する．

2. 以下の検査所見がしばしばみられる．
   1）貧血および白血球，血小板の減少
   2）血清間接ビリルビン値上昇，LDH 値上昇，ハプトグロビン値低下
   3）尿ヘモグロビン陽性，尿沈渣のヘモジデリン陽性
   4）好中球アルカリホスファターゼスコア低下，赤血球アセチルコリンエステラーゼ低下
   5）骨髄赤芽球増加（骨髄は過形成が多いが低形成もある）
   6）Ham（酸性化血清溶血）試験陽性または砂糖水試験陽性
   7）直接クームス試験が陰性

3. 上記臨床所見，検査所見より PNH を疑い，以下の検査所見により診断を確定する．
   1）グリコシルホスファチヂルイノシトール（GPI）アンカー型タンパク質の欠損血球（PNH タイプ赤血球）の検出と定量

4. 骨髄穿刺，骨髄生検，染色体検査等によって下記病型分類を行うが，必ずしもいずれかに分類する必要はない．
   1）古典的 PNH
   2）骨髄不全型 PNH
   3）混合型 PNH

5. 参考
   1）確定診断のための溶血所見としては，血清 LDH 値上昇，網赤血球増加，間接ビリルビン値上昇，血清ハプトグロビン値低下が参考になる．PNH タイプ赤血球（Ⅱ型＋Ⅲ型）が 1%以上で，血清 LDH 値が正常上限の 1.5 倍以上であれば，臨床的 PNH と診断してよい．
   2）国際分類では，GPI アンカー型タンパク質の欠損赤血球が検出されれば PNH とされるが，溶血所見が明らかでない微少 PNH タイプ血球陽性の骨髄不全症（subliclinical PNH: PNHsc）は，臨床的 PNH とは区別する．
   3）PNHsc は PNH ではないが，経過観察中に PNH に移行することがある．このため，骨髄不全患者をみた場合には，高リスク MDS 例を除くすべての例に対して高感度フローサイトメトリーを行い，PNH タイプ血球の有無を調べる必要がある．
   4）直接クームス試験は，エクリズマブまたはラブリズマブ投与中の患者や自己免疫性溶血性貧血を合併した PNH 患者では陽性となることがある．
   5）混合型 PNH とは，古典的 PNH と骨髄不全型 PNH の両者の特徴を兼ね備えたり，いずれの特徴も不十分で，いずれかの分類に苦慮したりする場合に便宜的に用いる．

（金倉　譲，他．発作性夜間ヘモグロビン尿症診療の参照ガイド令和 1 年度改訂版[1)]）

診断（診断基準：表 1，重症度分類：表 2[1)]）

- 代表的な初発徴候は貧血と肉眼的ヘモグロビン尿とされるが，診断時にヘモグロビン尿を認める症例の割合は，本邦では高くない．
- 血栓症の約 70%は静脈血栓症である．特に肝静脈，脳静脈，腸間膜静脈，皮膚静脈，門脈などにおける血栓は，PNH に比較的特徴的とされる．

表 2　溶血所見に基づいた重症度分類（令和元年度改訂）

軽症	下記以外
中等症	以下のいずれかを認める 溶血 ・中等度溶血，または時に溶血発作を認める 溶血に伴う以下の臓器障害・症状 ・急性腎障害，または慢性腎障害の stage の進行 ・平滑筋調節障害：胸腹部痛や嚥下障害（嚥下痛，嚥下困難）などはあるが日常生活が可能な程度，または男性機能不全
重症	以下のいずれかを認める 溶血 ・高度溶血，または恒常的に肉眼的ヘモグロビン尿を認めたり頻回に溶血発作を繰り返す ・定期的な輸血を必要とする 溶血に伴う以下の臓器障害・症状 ・血栓症またはその既往を有する（妊娠を含む） ・透析が必要な腎障害 ・平滑筋調節障害：日常生活が困難で，入院を必要とする胸腹部痛や嚥下障害（嚥下痛，嚥下困難） ・肺高血圧症

注 1　中等度溶血の目安は，血清 LDH 値で正常上限の 3～5 倍程度
　　　高度溶血の目安は，血清 LDH 値で正常上限の 8～10 倍程度
注 2　溶血発作とは，肉眼的ヘモグロビン尿を認める状態を指す．
　　　時にとは年に 1～2 回程度，頻回とはそれ以上を指す．
注 3　定期的な赤血球輸血とは毎月 2 単位以上の輸血が必要なときを指す．
注 4　妊娠は溶血発作，血栓症のリスクを高めるため，重症として扱う．
（金倉　譲，他．発作性夜間ヘモグロビン尿症診療の参照ガイド令和 1 年度改訂版[1]）

- NO 低下に伴い倦怠感，肺高血圧症（呼吸困難），慢性腎障害，男性機能障害，消化器症状（嚥下痛・嚥下障害・腹痛）がみられることもある．
- 臨床所見および検査所見（溶血性貧血の検査所見，尿上清ヘモグロビンおよび尿沈渣ヘモジデリンが陽性）より PNH を疑い，直接クームス試験陰性およびフローサイトメトリーにて補体感受性赤血球（CD55 と CD59 発現の中等度および完全欠損赤血球）の存在を証明して確定診断を行う（注意：直接クームス試験はエクリズマブ投与により陽性になることがある）．赤血球アセチルコリンエステラーゼ活性の低下および好中球アルカリフォスファターゼスコアの低下は PNH の補助診断に利用される．
- Ham 試験（酸性化血清試験），砂糖水試験（ないし蔗糖溶血試験）は補体感受性赤血球を同定する検査法で

ある．Ham 試験の特異性は高いが感度が低く，砂糖水試験の感度は高いものの特異性が低い．

- 骨髄検査では，血管内溶血を主病態とする場合は，正ないし過形成で赤芽球過形成像を呈する．骨髄不全を主病態とする場合には骨髄低形成を示す．
- 臨床的 PNH（溶血所見のみられる PNH）は診断時の主病態により古典的 PNH，骨髄不全型 PNH および混合型 PNH に分類される．

治療

1）根治療法

- 根治は，造血幹細胞移植であるが，適応基準は定まっていない．血栓症を繰り返す例や造血不全の進行例などの重症若年例が主に移植の適応となると考えられるが，PNH は，一般的に長期予後良好な疾患であり，移植が適応となる患者はきわめて限定される．

2）血管内溶血，血栓症，造血不全に対する治療

- 造血幹細胞移植を行わない患者に対しては，PNH の 3 大主徴である血管内溶血，血栓症，造血不全に対する療法が中心となる表3．

a）血管内溶血

- エクリズマブは補体成分 C5 に対するモノクローナル抗体で，補体による血管内溶血を阻止する．ラブリズマブはエクリズマブの誘導体で，抗体の半減期が長い．
- エクリズマブによる治療は，溶血のため赤血球輸血が必要と考えられ，今後も輸血の継続が見込まれる患者が主たる対象となる．エクリズマブにより，溶血は軽減し諸症状も緩和される．治療開始の明確な基準の設定はないが，GPI 完全欠損赤血球クローン（PNH タイプⅢ）が 10%以上あり，LDH 値が基準値上限の 1.5 倍以上を有し，溶血のため赤血球輸血の必要性が見込まれる患者に投与されることが望ましい．ラブリズマブの適応はエクリズマブに準ずる．
- エクリズマブ・ブリズマブ投与により，髄膜炎菌などによる感染症のリスクが高まるため，少なくとも開始 2 週間前までに髄膜炎菌ワクチンを接種する．

表3　溶血，骨髄不全，血栓症に対する治療

溶血（ヘモグロビン尿）	
慢性溶血	エクリズマブまたはラブリズマブ 副腎皮質ステロイド 輸血 支持療法（葉酸，鉄など） 経過観察
溶血発作	誘因除去 輸血 / 補液 / ハプトグロビン 副腎皮質ステロイドパルス
骨髄不全	
	再生不良性貧血の治療に準じる 抗胸腺細胞グロブリン シクロスポリン 副腎皮質ステロイド 蛋白同化ホルモン トロンボポエチン受容体作動薬 輸血 G-CSF デフェラシロクス 経過観察
血栓症	
急性期	血栓溶解剤（tPA） ヘパリン
予防投与	ワルファリン DOAC（direct oral anticoagulants）
血栓予防・改善効果	エクリズマブまたはラブリズマブ

（金倉　譲，他．発作性夜間ヘモグロビン尿症診療の参照ガイド令和1年度改訂版[1]より改変）

《処方例》

ソリリス®注
通常，成人には，1回600 mgから投与を開始する．初回投与後，週1回の間隔で初回投与を含め合計4回点滴静注し，その1週間後（初回投与から4週間後）から1回900 mgを2週に1回の間隔で点滴静注する．
生理食塩液，ブドウ糖注射液（5%）またはリンゲル液を用いて5 mg/mLに希釈する．

ユルトミリス®注
通常，成人には，体重を考慮し，1 回 2,400～3,000 mg を開始用量とし，初回投与 2 週後に 1 回 3,000～3,600 mg，以降 8 週ごとに 1 回 3,000～3,600 mg を点滴静注する．
1 バイアルあたり 30 mL の日局生理食塩液を用い，点滴バッグなどで，本剤を 5 mg/mL に希釈する．
1 回あたりの本剤の投与量

体重	初回投与量	2 回目以降の投与量
40 kg 以上 60 kg 未満	2,400 mg	3,000 mg
60 kg 以上 100 kg 未満	2,700 mg	3,300 mg
100 kg 以上	3,000 mg	3,600 mg

- 輸血が必要になる場合があるが，洗浄赤血球でなく，通常の赤血球液（赤血球液 -LR「日赤」，RCC-LR）で問題ないとされる．

b）血栓症

- 急性の血栓イベントに対しては，ヘパリン（または低分子ヘパリン）による抗凝固療法とエクリズマブ投与が推奨される．Budd-Chiari 症候群などの重篤な血栓症に対しては，組換え型組織プラスミノーゲンアクチベーターによる血栓溶解療法も考慮される．

c）造血不全

- 骨髄不全型 PNH では，再生不良性貧血に準じ，免疫抑制療法（シクロスポリン，抗胸腺細胞グロブリン），蛋白同化ホルモン投与，輸血療法を行う．

参考文献

1）金倉　譲，他．発作性夜間ヘモグロビン尿症診療の参照ガイド令和 1 年改訂版 厚生労働科学研究費補助金 難治性疾患克服研究事業 特発性造血障害に関する調査研究班（研究代表者 三谷絹子）（http://zoketsushogaihan.umin.jp/file/2020/06v2.pdf）
2）Rother RP, Bell L, Hillmen P, et al. The clinical sequelae of intravascular hemolysis and extracellular plasma hemoglobin: a novel mechanism of human disease. JAMA. 2005; 293: 1653-62.

〈松田　晃〉

9 骨髄異形成症候群（MDS）

まとめ

- MDS は造血幹細胞レベルでの後天的遺伝子変異により発症するクローン性造血器腫瘍である．アポトーシスにより血球減少（無効造血）が起きる．さらに driver mutation により，急性骨髄性白血病（AML）へ移行することがある（前白血病）．
- MDS の診断の基本は，細胞形態学的評価と他の血球減少症の除外である．細胞形態学的検査，骨髄病理学的検査，染色体検査を中心に総合的に診断が行われる．
- 予後予測システムにより MDS を低リスク群と高リスク群に層別化し，治療法が選択される．同種造血幹細胞移植が唯一の根治療法である．
- 低リスク群の MDS 患者では，条件によりレナリドミド療法，赤血球造血刺激因子製剤，免疫抑制療法が選択される．低リスク群の MDS へのアザシチジン療法の有用性も報告されている．高リスク群の MDS 患者では，原則として造血幹細胞移植を速やかに実施する．ドナーが不在の場合や移植適応のない患者の場合では，アザシチジン療法が推奨される．

疫学

- 一般には男性に多い．中高年齢者に好発するが，若年者にもみられる．

病因・病態

- 骨髄異形成症候群（myelodysplastic syndromes: MDS）は血球減少と急性骨髄性白血病への進展を特徴とする症候群である．
- MDS の特徴は，再生不良性貧血，発作性夜間血色素尿症などの他の骨髄不全症候群とオーバーラップする．
- 骨髄障害をきたす放射線治療や抗腫瘍薬の使用歴がある場合は二次性とする（原発性としない）．
- MDS はゲノム異常を伴うクローンが発生し発症する．主要な遺伝子変異プロファイルが明らかになった．

《例》

スプライシング複合体（*SF3B1*，*SRSF2*，*U2AF1*，*ZRSR2*，*LUC7L2*，*SF1*）
DNA メチル化因子（*TET2*，*DNMT3A*，*IDH1/2*）
クロマチン修飾因子（*ASXL1*，*EZH2*，*BCOR*，*BCORL1*，*KDM6A*，*ATRX*）
など

診断

- 臨床症状に，特異的なものはなく，血球減少に基づくものが多い．症状を欠くことも少なくない．
- 末梢血で 1 血球系以上の持続的な血球減少を認めるが，明確な血球減少を欠くこともある．
- 通常は，骨髄は正ないし過形成であるが，低形成のこともある．
- （WHO 分類の定義では）末梢血および骨髄中の芽球比率 20%未満である．
- 末梢血の単球数が 1×10^{9}/L 未満である（慢性骨髄単球性白血病の除外）．
- 骨髄塗抹標本において血球形態異常（異形成）を認める（WHO 分類では各血球系列のうちで異形成のある細胞が 10%を超えた場合に有意とする）．
- 染色体異常は半数強の症例に検出される．特に 5q−，−5，−7，+8，20q−など不均衡型異常の頻度が高い．t(8;21)(q22;q22)，t(15;17)(q22;q12)，inv(16)(p13q22）または t(16;16)(p13;q22）の染色体異常認められる場合は，たとえ芽球比率が 20%未満であっても急性骨髄性白血病と診断される．
- 血球減少や異形成の原因となる他の造血器あるいは非造血器疾患の除外が診断には必要である．

病型分類

- 現在では WHO 分類が使われることが多い．

a）FAB 分類

FAB 分類[1]では，骨髄および末梢血における芽球の比率，骨髄の環状鉄芽球の頻度，Auer 小体の有無，末梢血単球数により，MDS の病型が分類される 表 1．

b）WHO 分類第 4 版 / 第 4 版改訂版

WHO 分類[2]では，各系統で異形成ありと判定する閾値は 10%である．骨髄あるいは末梢血での芽球比率が 20%以上の場合は AML とすること，慢性骨髄単球性白血病が MDS の範疇でなくなったことが，FAB 分類からの大きな

表1 FAB分類による骨髄異形成症候群の分類

病型	末梢血所見	骨髄所見
RA	芽球 1%未満 単球 1×10^9/L 未満	芽球 5%未満 環状鉄芽球 15%未満*
RARS	芽球 1%未満 単球 1×10^9/L 未満	芽球 5%未満 環状鉄芽球 15%以上*
RAEB	芽球 5%未満 単球 1×10^9/L 未満	芽球 5～19% Auer 小体（－）
RAEB-t	芽球 5%以上 Auer 小体（±）	芽球 20～29% Auer 小体（±）
CMML	芽球 5%未満 単球 1×10^9/L 以上	芽球 20%未満

不応性貧血（refractory anemia：RA）
環状鉄芽球を伴う不応性貧血（refractory anemia with ringed sideroblasts：RARS）
芽球増加を伴う不応性貧血（refractory anemia with excess blasts：RAEB）
移行期の芽球増加を伴う不応性貧血（refractory anemia with excess blasts in transformation：RAEB-t），
慢性骨髄単球性白血病（chronic myelomonocytic leukemia：CMML）
*骨髄全有核細胞に占める比率

変更点である表2.

予後予測システム

- 原発性MDSは予後，白血病移行リスクなどが不均一であり，WHO分類の同じ病型の中でも臨床像は症例間で一致しないことも少なくない．したがって，治療法の選択には病型分類のみでは不十分である．患者のリスクに基づく層別化が必要であり，それを目的とした予後予測システムがある．

1) International Prognostic Scoring System（IPSS）と Revised IPSS（IPSS-R）

- IPSS[3]は，骨髄の芽球比率，染色体所見，血球減少の系統数を点数化して，4群に分ける表3a.
- IPSS-R[4]は染色体所見，骨髄の芽球比率，Hb濃度，血小板数，好中球数を点数化して，5群に分ける表3b.

2) WHO classification based prognostic scoring system（WPSS）と refined WPSS

- WPSSは，WHO分類第3版の病型，染色体所見（IPSSの染色体区分），輸血依存性を点数化[5]し，5群に分ける表4a.
- refined WPSS[6]では，赤血球輸血依存性の有無が重症貧血（男性：Hb<9 g/dL，女性：Hb<8 g/dL）の

表2　WHO 分類第 4 版改訂版による骨髄異形成症候群の病型分類

病型	異形成系統数	血球減少系統数*	骨髄赤芽球中の環状鉄芽球
MDS-SLD	1	1〜2	＜15%/＜5%†
MDS-MLD	2〜3	1〜3	＜15%/＜5%†
MDS-RS			
MDS-RS-SLD	1	1〜2	≧15%/≧5%†
MDS-RS-MLD	2〜3	1〜3	≧15%/≧5%†
MDS with isolated del（5q）	1〜3	1〜2	なし または 問わず
MDS-EB			
MDS-EB-1	1〜3	1〜3	なし または 問わず
MDS-EB-2	1〜3	1〜3	なし または 問わず
MDS-U			
with 1% blood blasts	1〜3	1〜3	なし または 問わず
with SLD and pancytopenia	1	3	なし または 問わず
based on defining cytogenetic abnormality	0	1〜3	＜15% §

MDS-SLD（myelodysplastic syndrome with single lineage dysplasia 単一血球系統の異形成を伴う骨髄異形成症候群）
MDS-MLD（MDS with multilineage dysplasia 多血球系異形成を伴う骨髄異形成症候群）
MDS-RS（MDS with ring sideroblasts 環状鉄芽球を伴う骨髄異形成症候群）
MDS-RS-SLD（単一血球系統の異形成と環状鉄芽球を伴う骨髄異形成症候群）
MDS-RS-MLD（多血球系異形成と環状鉄芽球を伴う骨髄異形成症候群）
MDS with isolated del（5q）（5 番染色体長腕の単独欠失を伴う骨髄異形成症候群）
MDS-EB（芽球増加を伴う骨髄異形成症候群），MDS-U（MDS, unclassifiable 分類不能型骨髄異形成症候群）

有無に変更された 表4b.

治療

- MDS は症例により，大きく経過が異なる．上記の予後予測システムに応じた治療戦略をとる．低リスク群には主に血球減少に対する対応をとる．高リスク群は血球減少の増悪や白血病への進展リスクが高く，自然経過での予後は不良であり，抗腫瘍的な対応が必要である．

骨髄（BM），末梢血（PB）の芽球	通常の染色体解析法による細胞遺伝学的検査
BM ＜5%，PB ＜1%，Auer 小体（-）	問わず，MDS with isolated del（5q）の定義を満たさない
BM ＜5%，PB ＜1%，Auer 小体（-）	問わず，MDS with isolated del（5q）の定義を満たさない
BM ＜5%，PB ＜1%，Auer 小体（-）	問わず，MDS with isolated del（5q）の定義を満たさない
BM ＜5%，PB ＜1%，Auer 小体（-）	問わず，MDS with isolated del（5q）の定義を満たさない
BM ＜5%，PB ＜1%，Auer 小体（-）	del（5q）単独または付加的染色体異常が 1 つ〔ただし，−7 と del（7q）は除く〕
BM 5～9% または PB 2～4%，BM ＜ 10% かつ PB ＜5%，Auer 小体（-）	問わず
BM 10～19%または PB 5～19% または Auer 小体（+），BM と PB ＜20%	問わず
BM ＜5%, PB ＝ 1%‡, Auer 小体（-）	問わず
BM ＜5%，PB ＜1%，Auer 小体（-）	問わず
BM ＜5%，PB ＜1%，Auer 小体（-）	MDS と診断可能な染色体異常

*血球減少の定義：ヘモグロビン濃度 ＜10 g/dL；血小板数 ＜100×10^9/L；好中球数 ＜1.8×10^9/L．稀に，MDS がこれらの定義より軽度の貧血または血小板減少症として現れることがある．単球数は ＜1×10^9/L でなければならない．

† *SF3B1* 変異がある場合．

‡末梢血の芽球 1%は 2 回以上の検査で確認

§ 環状鉄芽球が≧15%の場合は MDS-RS-SLD と分類する

(WHO Classification of tumours of haematopietic and lymphoid tissues. Revised 4th edition. 2017; IARC[2)])

1）支持療法

- 支持療法はリスク群に関係なく実施される．
- 症状を有する貧血への赤血球輸血，血小板減少による出血時や出血傾向に対する血小板輸血，感染症に対し顆粒球コロニー形成刺激因子（G-CSF）製剤投与が行われる．血小板減少時の予防的血小板輸血，感染症合併時を除いて好中球減少に対する継続的な G-CSF 投与は行わない．
- 鉄キレート療法は，一定以上の予後が見込まれる例が

表3 International Prognostic Scoring System（IPSS）と Revised IPSS（IPSS-R）

ⓐ International Prognostic Scoring System（IPSS）

予後因子の配点	0	0.5	1	1.5	2
骨髄での芽球	<5%	5～10%	—	11～20%	21～30%
核型	Good	Intermediate	Poor		
血球減少	0/1 系統	2/3 系統			

血球減少
好中球減少：好中球 <1,800/μL
貧血：ヘモグロビン < 10 g/dL
血小板減少：血小板 <10 万/μL

核型
Good：normal，20q-，-Y，5q-
Intermediate：その他
Poor：complex（≧3 abnormalities）or chromosome 7 anomalies

リスク群	点数	生存期間中央値（年）	25%白血病移行期間（年）
Low	0 点	5.7	9.4
Int-1	0.5～1.0 点	3.5	3.3
Int-2	1.5～2.0 点	1.2	1.1
High	>2.5 点	0.4	0.2

ⓑ Revised International Prognostic Scoring System（IPSS-R）

予後因子の配点	0	0.5	1	1.5	2	3	4
核型	Very good		Good		Intermediate	Poor	Very poor
骨髄での芽球	≦2%		>2～<5%		5～10%	>10%	
ヘモグロビン値	≧10g/dL		8～<10 g/dL	<8 g/dL			
血小板数	≧10 万/μL	5～<10 万/μL	<5 万/μL				
好中球数	≧800/μL	<800/μL					

核型
Very good：-Y，del（11q）
Good：Normal，del（5q），del（12p），del（20q），double including del（5q）
Intermediate：del（7q），+8，+19，i（17q），any other single or double independent clones
Poor：-7，inv（3）/t（3q）/del（3q），double including −7/del（7q），complex（3 abnormalities）
Very poor：complex（>3 abnormalities）

（つづく）

表 3 つづき

リスク群	点数	生存期間中央値（年）	25%白血病移行期間（年）
Very Low	≦1.5 点	8.8	NR
Low	>1.5～3 点	5.3	10.8
Intermediate	>3～4.5 点	3.0	3.2
High	>4.5～6 点	1.6	1.4
Very High	>6 点	0.8	0.73

※　NR：not reached

※※　Age-adjusted IPSS-R categorization（IPSS-RA）：
（年齢 -70）×[0.05-（IPSS-R スコア×0.005）]
を IPSS-R スコアに加算する

表 4 WHO classification-based prognostic scoring system（WPSS）と refined WPSS

ⓐ WHO classification based Prognostic Scoring System（WPSS）

予後因子の配点	0	1	2	3
WHO 分類(第 3 版)	RA，RARS，5q- synd	RCMD，RCMD-RS	RAEB-1	RAEB-2
核型	Good	Intermediate	Poor	
輸血依存性	なし	定期的		

核型

Good：normal，20q-，-Y，5q-
Intermediate：その他
Poor：complex（≧3 abnormalities）or chromosome 7 anomalies

輸血依存性

4 カ月間で，少なくとも 8 週に 1 度の輸血が必要．

リスク群	点数	生存期間中央値（月）	2 年白血病移行割合（%）	5 年白血病移行割合（%）
Very low	0 点	103	0	6
Low	1 点	72	11	24
Intermediate	2 点	40	28	48
High	3～4 点	21	52	63
Very high	5～6 点	12	79	100

（つづく）

対象となる．繰り返す輸血に伴う鉄過剰症に対し，鉄キレート療法を行う．

2）低リスク群骨髄異形成症候群に対する治療

- 定義：IPSS で Low および Intermediate-1 のもの，IPSS-R で Very low および Low のもの
- 原則として血球減少が軽度で自覚症状のない患者は無治療で経過観察する．
- 低リスク群の MDS 患者の貧血に対し，赤血球造血刺激因子製剤（ESA）は有効である．血清エリスロポエ

表4 つづき

ⓑ Refined WHO classification based Prognostic Scoring System (refined WPSS)

予後因子の配点	0	1	2	3
WHO 分類(第4版)	RCUD, RARS, MDS with del (5q)	RCMD	RAEB-1	RAEB-2
核型	Good	Intermediate	Poor	
重症貧血	なし	あり		

核型

Good: normal, 20q-, -Y, 5q-

Intermediate: その他

Poor: complex (≧3 abnormalities) or chromosome 7 anomalies

重症貧血

男性: ヘモグロビン<9 g/dL, 女性: ヘモグロビン<8 g/dL

リスク群	点数	生存期間中央値(月)	50%白血病移行期間(月)
Very low	0点	139	NR
Low	1点	112	176
Intermediate	2点	68	93
High	3〜4点	21	21
Very high	5〜6点	13	12

不応性貧血 (refractory anemia: RA)
環状鉄芽球を伴う不応性貧血 (refractory anemia with ringed sideroblasts: RARS)
多血球系異形成を伴う不応性血球減少症 (refractory cytopenia with multilineage dysplasia: RCMD)
多血球系異形成と環状鉄芽球を伴う不応性血球減少症 (refractory cytopenia with multilineage dysplasia and ringed sideroblasts: RCMD-RS)
芽球増加を伴う不応性貧血 (refractory anemia with excess blasts: RAEB)
単独染色体異常 del (5q) を伴う骨髄異形成症候群 (myelodysplastic syndrome associated with isolated del (5q) chromosome abnormality: 5q-synd)
単一血球系統の異形成を伴う不応性血球減少症 (refractory cytopenia with unilineage dysplasia: RCUD)
NR: not reached

チン (EPO) 濃度低値 (500 mIU/mL 以下) 例においては EPO の有効性が高い. 国内ではダルベポエチンアルファの使用が可能である.

《処方例》

ネスプ®注 1回 240μg 週1回 皮下注

• サリドマイドの誘導体であるレナリドミドは免疫調節

薬で，多彩な薬理作用を有する．症候性貧血の患者で5番染色体長腕の欠失（5q-）を有する症例にレナリドミドは，赤血球造血促進効果，細胞遺伝学的効果を認める[7]．5番染色体長腕部欠失を伴うMDSに対して使用が可能である．レナリドミドはヒトに対する催奇形性の可能性があり，胎児への曝露の防止を目的とした適正管理手順「レブメイト」を遵守する必要がある．

《処方例》

レブラミド®カプセル1回10mg 1日1回
(21日間投与後7日間休薬を28日サイクルで繰り返す)

- 抗胸腺細胞グロブリン（ATG）やシクロスポリンによる免疫抑制療法も一部の低リスクMDS（芽球比率が少ない例，若年例，低形成骨髄例，HLA-DR1501陽性例，微小PNHクローン陽性例など）の血球減少に対して有効とされるが保険適用外である．
- DNAメチル化阻害薬であるアザシチジンは，NCCNガイドライン[8]では低リスクMDSの血小板減少症や好中球減少症，また種々の治療に反応のない貧血が対象とされている．しかし低リスク群に対するアザシチジンの生存期間延長効果は明らかでない．
- 低リスク群に対する同種造血幹細胞移植の決断分析の手法を用いた移植時期の解析では，IPSSリスクLow，Int-1の症例は病期が進行してからの移植のほうが望ましいとされている．年齢，全身状態，ドナーなどを含め実施可能の場合に，一般的には，低リスク群では下記の症例が同種造血幹細胞移植の候補となる[9]．
  ① リスクの悪化または悪化傾向がある症例
  ② 高度の輸血依存例
  ③ 繰り返し感染症がみられる例
  ④ 他の治療に反応がみられない例

3）高リスク群骨髄異形成症候群に対する治療

- 定義：IPSSでIntermediate-2およびHighの全例，IPSS-RでHighおよびVery highの全例およびIntermediateの一部．
- 原則として標準的な同種造血幹細胞移植を速やかに実施する．55歳未満，HLA血清学的1座不適合以内の血縁ドナーが存在，同種移植に耐えられる全身状態の良好の症例が最もよい適応とされる．血縁ドナーが見出されない場合，速やかに非血縁臍帯血移植を検討する．55 歳以上 65 歳未満の患者で HLA 一致同胞ドナーを有する臓器機能の保たれている患者では RIST も選択肢になる[9]．

- 同種造血幹細胞移植が実施できない高リスク MDS 例では，DNA メチル化阻害薬であるアザシチジンによる治療を試みる．アザシチジンよるこの群の生存期間延長，急性白血病への移行遅延効果が示されており[10]，同種移植非実施例の第 1 選択治療である．病勢の悪化がなければ 4〜6 コースは継続し有効性を判断する．移植予定者でドナー準備を待つまでのつなぎ療法としてアザシチジン投与も行われる．

《処方例》

ビダーザ® 注 1 回 75 mg/m^2 1 日 1 回 皮下注または 10 分での静注
(7 日間投与後 21 日間休薬を 28 日サイクルで繰り返す)

- AML に準じた強力化学療法（アントラサイクリン＋シタラビン)によって完全寛解も得られる例もあるが，その寛解を維持できる期間は短く，化学療法のみによる長期生存例は少ない．

参考文献

1) Bennett JM, Catovsky D, Daniel MT, et al. Proposals for the classification of the myelodysplastic syndromes. Br J Haematol. 1982; 51: 189-99.
2) WHO classification of tumours of haematopoietic and lymphoid tissues. Revised 4th edition. 2017: IARC.
3) Greenberg P, Cox C, LeBeau MM, et al. International scoring system for evaluating prognosis in myelodysplastic syndromes. Blood. 1997; 89: 2079-88.
4) Greenberg PL, Tuechler H, Schanz J, et al. Revised international prognostic scoring system for myelodysplastic syndromes. Blood. 2012; 120: 2454-65.
5) Malcovati L, Germing U, Kuendgen A, et al. Time-dependent prognostic scoring system for predicting survival and leukemic evolution in myelodysplastic syndromes. J Clin Oncol. 2007; 25: 3503-10.
6) Malcovati L, Della Porta MG, Strupp C, et al. Impact of the degree of anemia on the outcome of patients with myelodysplastic syndrome and its integration into the WHO classification-based Prognostic Scoring System

(WPSS). Haematologica. 2011：96：1433-40.
7）List A, Dewald G, Bennett J, et al. Lenalidomide in the myelodysplastic syndrome with chromosome 5q deletion. N Engl J Med. 2006：355：1456-65.
8）National Comprehensive Cancer Network. NCCN Clinical Practice Guidelines in Oncology Myelodysplastic syndromes. Version 1. 2021. 〈https://www.nccn.org/professionals/physician_gls/pdf/mds.pdf〉
9）宮崎泰司，他．骨髄異形成症候群診療の参照ガイド 令和1年改訂版 厚生労働省科学研究費補助金 難治性疾患克服研究事業 特発性造血障害に関する調査研究班（研究代表者 三谷絹子）〈http://zoketsushogaihan.umin.jp/file/2020/04v2.pdf〉
10）Fenaux P, Mufti GJ, Hellstrom-Lindberg E, et al. Efficacy of azacitidine compared with that of conventional care regimens in the treatment of higher-risk myelodysplastic syndromes：a randomised,open-label, phaseⅢ study. Lancet Oncol. 2009：10：223-32.

〈松田　晃〉

10 急性骨髄性白血病（AML）

まとめ

・AML には初発例や二次性白血病があり，種々の細胞系列や遺伝子異常に由来する多彩な疾患群である．
・標準的な化学療法に加えて，同種造血幹細胞移植が広く行われ，予後が改善しつつある．強力化学療法や同種移植を行えない高齢者の治療が課題である．
・AML の予後因子は年齢，全身状態と染色体や遺伝子異常である．

AML の頻度

• 国立がん研究センターのがん登録から，白血病全体の発症率は年間人口 10 万人あたり男性 11.4 人，女性 7.9 人である．うち半数強が急性骨髄性白血病（acute myeloid leukemia：AML）と推定され，男性 6 人，女性 4 人となる．
• AML は全年齢層に発症する．40 歳以降に増加し，中央値は 60 歳代後半にある．近年，高齢者の発症や二次性白血病が増加している．

AML の症状・症候

• 白血病細胞により正常造血の抑制をきたし，貧血，感染症および出血が主な症状となる．
• 初発症状には，発熱，倦怠感および動悸や息切れなどの貧血症状が多く，AML に特徴的な症状は少ない．出血傾向などが加われば疑う必要がある．
• 病型により症状は異なり，急性前骨髄球性白血病（acute promyelocytic leukemia：APL，次項）は播種性血管内凝固（disseminated intravascular coagulation：DIC）による出血傾向が強い．単球性では歯肉浸潤，皮膚浸潤，肝脾腫などの臓器浸潤例が多い．髄膜浸潤例では頭痛や感冒様症状を認める．
• 症候として，貧血，発熱，皮下出血などの出血傾向が多い．発熱は感染症の合併例もあるが，腫瘍熱や貧血に由来することが多い．
• 稀に骨髄における発症に先駆けて，骨髄肉腫として腫瘤形成のみで発症する例がある．また，発症時や再発

表 1 AMLの診断に必要な検査

検査	所見
1. 血算	貧血，血小板減少，白血球数は減少～増加
2. 細胞形態	末梢血液・骨髄中の芽球≧20%，約半数例にAuer小体陽性
3. 細胞化学	Myeloperoxidase（MPO）陽性，M5aの一部とM0，M7では陰性 α-Naphtyl butyrate esterase（非特異的エステラーゼ）M4，M5で陽性 ASD-chloroacetate esteraseは骨髄系で陽性
4. 電子顕微鏡	M7ではplatelet peroxidase陽性（マーカー検査で代用される）
5. 血中・尿中リゾチーム	M4，M5で高値（保険適用外検査）
6. 細胞表面マーカー	細胞系列の決定に有用（M0，M7の診断に必須）表3参照）
7. 染色体検査	病型診断と予後予測に必須
8. 遺伝子検査	染色体転座や遺伝子変異による病型診断と予後予測に有用表6参照）

M0，M4，M5，M7はFAB分類の病型である．M0は最未分化型AML，M4は急性骨髄単球性白血病，M5は急性単球性白血病，M7は急性巨核芽球性白血病

時に髄外腫瘤を形成する場合もある．

AMLの検査成績

- 貧血，血小板減少を大半の症例で認める．
- 白血球数は増加が多いが，正常や減少例もある表1．単球性では数万～10数万/μLと著増例が多い．APLの白血球数中央値は2,000/μL前後で6割は汎血球減少を呈する．血液化学では白血球数に応じ，LDHや尿酸の上昇を認める．APLや白血球数の多い単球系では線溶過剰型のDICを併発し，フィブリノゲンの低下とFDP上昇などを認める．
- 末梢血液あるいは骨髄検査で芽球を20%以上認めることが診断につながる．稀に白血球数低下例において末梢血液に芽球が出現しない非白血性白血病例があるので注意を要する．

AMLの診断

- 急性白血病を疑う場合，血算とともに白血球分画の検査を行う．自動白血球分画では異常細胞を同定できないので目視の血液像をオーダーすることが末梢血液中に芽球を同定する重要なポイントとなる．

表2 AMLのWHO分類（2017年版）

カテゴリー	WHO分類

1） 反復性遺伝子異常を伴うAML
  （1） t(8;21)(q22;q22.1) /*RUNX1-RUNX1T1* 陽性AML
  （2） inv(16)(p13.1q22) or t(16;16)(p13.1;q22)/*CBFB-MYH11* 陽性AML
  （3） *PML-RARA* 陽性APL
  （4） t(9;11)(p21.3;q23.3) /*MLLT3-KMT2A* 陽性AML
  （5） t(6;9)(p23;q34.1) /*DEK-NUP214* 陽性AML
  （6） inv(3)(q21.3q26.2) or t(3;3)(q21.3;q26.2) / *GATA2, MECOM* 陽性AML
  （7） t(1;22)(p13.3;q13.3) /*RBM15-MKL1* 陽性AMgkL
  （8） *BCR-ABL1* 陽性AML*
  （9） *NPM1* 変異AML
  （10） *CEBPA* 両アレル変異AML
  （11） *RUNX1* 変異AML*

2） 骨髄異形成関連変化を伴うAML

3） 治療関連骨髄腫瘍

4） 非特定型AML
  （1） 最未分化型急性骨髄性白血病
  （2） 未分化型急性骨髄性白血病
  （3） 分化型急性骨髄性白血病
  （4） 急性骨髄単球性白血病
  （5） 急性単芽球性白血病・急性単球性白血病
  （6） 純粋赤血病
  （7） 急性巨核芽球性白血病
  （8） 急性好塩基球性白血病
  （9） 骨髄線維症を伴う急性汎骨髄症

5） 骨髄肉腫

6） ダウン症候群関連骨髄増殖症
  （1） 一過性異常骨髄造血（TAM）
  （2） ダウン症候群関連骨髄性白血病

*： 暫定的病型候補
（Arber DA, et al. Blood. 2016；127：2391-405[1] より改変）

- 血算の異常や末梢血液中に芽球を認めれば早急に血液内科へ紹介し，骨髄検査を行うべきである．
- 末梢血液あるいは骨髄中に芽球を20%以上認めれば急性白血病と診断できる表1．染色体転座t(8;21)とinv(16)例では芽球が20%未満であってもAMLと診断する．

 AML および混合表現型急性白血病の細胞表面マーカー

細胞表面 / 細胞質マーカーの発現	
AML	
前駆細胞マーカー 顆粒球マーカー 単球マーカー 巨核球マーカー 赤芽球マーカー	CD34, CD117, CD33, CD13, HLA-DR CD65, cytoplasmic MPO CD14, CD36, CD64 CD41（GPIIb/IIIa), CD61（GPIIIa) CD235a（glycophorin A), CD36
MPAL	
骨髄系細胞系列	MPO あるいは単球分化（以下の少なくとも 2 つ，非特異的エステラーゼ，CD11c, CD14, CD64, リゾチーム）
T 細胞系列	cyCD3 の強発現（CD3ε 抗体による） または細胞表面 CD3
B 細胞系列	CD19 強発現と以下の少なくとも 1 つ （cyCD79a，cyCD22，CD10） CD19 弱発現と以下の少なくとも 2 つ （cyCD79a, cyCD22, CD10）

cy：cytoplasmic（細胞質），MPAL：mixed phenotype acute leukemia（混合表現型急性白血病）
（Döhner H, et al. Blood. 2017；129：424-47[2] より改変）

AML の病型診断

- AML の WHO 2017 分類によって病型診断と予後予測を行う 表2．WHO 分類は FAB 分類を基本とし，染色体，遺伝子異常を加味した分類である．FAB 分類は細胞形態と表面マーカーによる細胞系列に基づいた分類である 表3．
- WHO 2017 分類のカテゴリーは WHO 2008 年版と大差なく，反復性遺伝子異常を伴う AML，骨髄異形成関連変化を伴う AML，治療関連骨髄腫瘍，非特定型 AML，骨髄肉腫およびダウン症候群関連骨髄増殖症からなる．
- WHO 2008 年版からの変更点は，反復性遺伝子異常を伴う群のうち APL において，染色体転座 t(15；17) の記載が外れ，*PML-RARA* 陽性 APL とされた．挿入や複雑核型などで t(15；17) 陰性であっても *PML-RARA* 陽性例があり，全トランス型レチノイン酸や亜ヒ酸が有効である．
- WHO 2008 では暫定的病型候補であった *NPM1* 変異と *CEBPA* 変異が独立した病型となった．ただし，*CEBPA* は両アレル変異例のみ取り入れられた．*CEBPA* 変異には両アレル変異と片アレル変異例があ

表4　強力な化学療法に不適応のAMLの診断基準

カテゴリー	診断基準
年齢	高齢者（75歳以上）
心機能	うっ血性心不全，重症心筋症（EF≦50%）
肺機能	重症肺病変（DLCO≦65%あるいは FEV_1≦65%）/ 安静時呼吸困難 / 酸素吸入 / 胸膜腫瘍 / 制御不能肺腫瘍例
腎機能	60歳以上の血液透析 / 制御不能腎腫瘍
肝機能	肝硬変（Child B / C）/60歳以上の重症肝障害（AST / ALT＞正常上限の3倍）/ 胆管腫瘍 / 制御不能肝腫瘍 / 急性ウイルス性肝炎
感染症	抗菌薬抵抗性の活動性感染症
精神障害	入院加療を要する精神障害
全身状態	ECOG performance status ≧3
他の合併症	化学療法不適と判断される他の合併症

（Ferrara F, et al. Leukemia. 2013; 27: 997-9[3] より改変）

り，前者はその他の遺伝子変異は少ないが，後者は *FLT3*，*NPM1*，*RAS* などのその他の遺伝子変異を伴うことが多く，両アレル変異例の予後が良好である．

- 暫定的候補として新たに *BCR-ABL1* 陽性AMLと *RUNX1* 変異AMLが取り上げられた．*BCR-ABL1* 陽性AMLは慢性骨髄性白血病の急性転化例との鑑別困難例もあるが，初発AMLとして発症する例もあり，イマチニブなどのABLチロシンキナーゼ阻害薬が有効である．*RUNX1* 変異はFAB分類のM0や治療関連AMLに多く，予後不良の可能性が高い．
- 非特定型AMLのうち，FAB分類のM6とされていた赤白血病が外された．赤芽球が50%以上と優位な症例においても全骨髄細胞中の芽球20%以上を一貫した白血病の定義とするものである．芽球が全骨髄細胞中の20%以下の赤白血病とされていた大部分は骨髄異形成症候群（myelodysplastic syndromes：MDS）へ組み込まれる．芽球が20%以上の例は骨髄異形成関連変化を伴うAMLあるいはその他の非特定型AMLへ組み入れられる．赤白血病は細胞形態異常が強く，複雑核型など染色体異常がMDS類似であることによると考えられる．しかしMDSに多いRNAスプライシング関連分子の変異は少ない．MDSとしての診断，治療については今後の多数例による解析が必要である．

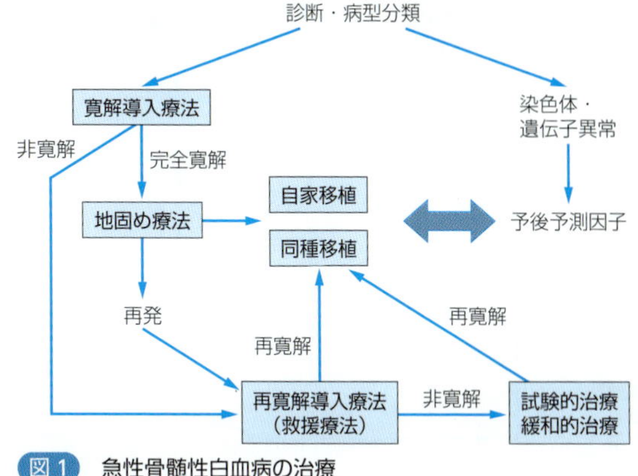

図 1　急性骨髄性白血病の治療

AML の治療方針

- 全身状態や合併症を検索し，強力化学療法が施行可能かどうかを検討する．強力化学療法に不適応の基準を参考にして客観的に判断する 表 4．
- AML の治療の第一目標は寛解導入療法により完全寛解へ導入することである 図 1．寛解後治療としての地固め療法は長期生存に必須であり，治癒を最終目標とする．
- AML では維持療法の有用性は示されていないので一般に施行しない．
- 予後不良が予測される例は第一寛解期における同種造血幹細胞移植を計画し，地固め療法中ないしは終了後に施行する．
- 二度の寛解導入療法において非寛解例あるいは再発例は救援療法としての再寛解導入療法を行い，寛解例は同種移植を目指す 図 1．
- 初発あるいは再発例において，強力化学療法不適応例は少量化学療法または試験的治療の適応となる．

AML の治療方法

- AML の強力寛解導入療法はイダルビシン（idarubicin：IDR）とシタラビン（cytarabine：Ara-C）の併用療法もしくはダウノルビシン（daunorubicin：DNR）と Ara-C の併用療法である（Ⅷ 実践に役立つ造血器腫瘍治療レジメン 参照）．IDR/Ara-C と DNR の投与日数を増やした DNR/Ara-C では寛解率に有意差なく，IDR/Ara-C の感染症発症率がやや高い．一般

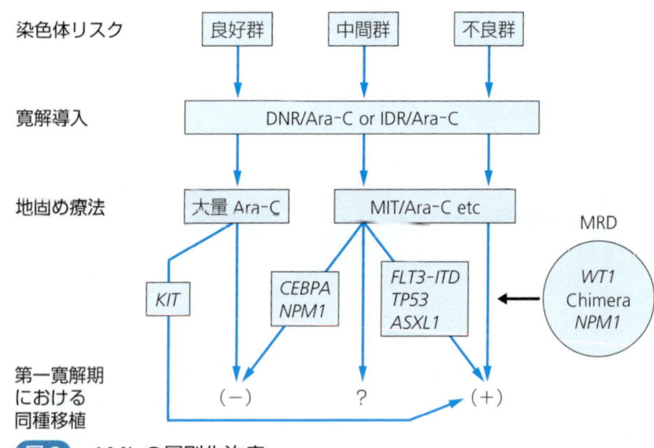

図 2　AML の層別化治療

に寛解導入療法を 2 コース行っても寛解に至らない場合非寛解とする．

- 地固め療法として，t(8;21)，inv(16) 陽性のいわゆる CBF 白血病例では大量 Ara-C を 3 コース行う 図 2．骨髄抑制が強度の治療であり，無菌室や G-CSF を使用する必要がある．骨髄抑制の程度や併発症により減量する．
- CBF 白血病以外の他の病型ではアントラサイクリン系と Ara-C の併用による地固め療法を行う．
- とくに治療前白血球数高値例では，髄膜浸潤の予防目的で地固め療法の開始前に少なくとも一度 Ara-C 40 mg，メトトレキサート 15 mg およびプレドニン 10 mg の髄注を行う．大量 Ara-C 施行例では髄液移行があるので不要とされる．
- 同種移植のドナーは同胞，骨髄バンク，臍帯血バンクなどから HLA 一致ドナーを検索する．最近は HLA 半合致のハプロ移植も行われつつある．55 歳以下の AML における前処置にはブスルファン（busulfan：BU）＋シクロホスファミド（cyclophosphamide：CY）もしくは全身放射線照射（total body irradiation：TBI）＋CY が多い．56 歳以上例では骨髄非破壊的移植が施行される．
- 再発時の治療として，再度強力化学療法の適応を検討し，治療法を考慮する．とくにアントラサイクリン系には蓄積性心毒性があるのでドキソルビシン換算で

500 mg/body を超えないように注意する．再発時の救援治療は前治療歴や全身状態などにより異なり，標準治療はない．大量 Ara-C とアントラサイクリン系の併用が多い．全身状態や治療歴から少量化学療法へ移行する例も多い．

AMLの補助療法

- 輸血による貧血の改善，血小板輸血による出血予防が重要である．年齢や全身状態，治療経過により輸血の基準は異なるが，血色素 7 g/dL 以上，血小板数 10,000/μL 以上を保つ．DIC など出血傾向が強いときには 30,000～50,000/μL 以上を保つ必要がある．
- 線溶過剰型の DIC では凍結血漿によるフィブリノゲンと血小板の補充を十分に行う．トロンボモジュリン製剤などの抗凝固薬も適宜使用する．
- 感染症の予防も必須であり，手洗いとうがいに加えて，無菌室やクリーンベッドを可能な限り使用する．また，骨髄抑制期には G-CSF 製剤を使用する．抗菌薬の予防投与は施設によって異なるが，イトラコナゾールの内用液などによる真菌予防が一般に行われる．
- 発熱時には培養や X 線検査後に，発熱性好中球減少症のガイドラインに沿って可及的速やかに経験的に抗菌薬を開始する．
- 悪心・嘔吐の予防もガイドラインに沿って十分行う．一般に DIC がなければ中心静脈カテーテルによる栄養補給も合わせて行う．
- 抗がん薬による口腔内や胃腸の粘膜障害は感染症や消化器症状へ進展するのでその対処も重要である．
- 白血球数高値例などでは初期治療において腫瘍崩壊症候群を併発するリスクがあるので補液や利尿薬，抗尿酸薬などによって予防する．
- アントラサイクリン系の心毒性や貧血による心負荷，発熱による脱水などがあるので水分バランスを保つことが重要である．心エコーの左室駆出率や BNP 測定は有用である．

AMLの治療成績

- 65 歳未満の APL を除く AML の完全寛解率は 80%前後である 表5．
- 65 歳未満の AML の全生存率は 35%前後であったが，近年は多くの症例に同種造血幹細胞移植を施行できるようになって 50%前後となりつつある 表5．

表5 JALSGにおけるAMLの治療成績と同種造血幹細胞移植

研究	症例数	寛解（%）	7年全生存率（%）	同種移植			
				第一寛解期	非寛解期	再発後	合計
AML87	198	154 (78)	28.6	7 (5%)	0	7	7%
AML89	239	183 (77)	35.6	10 (6%)	2	9	9%
AML92	582	440 (76)	35.1	47 (11%)	13	46	18%
AML95	430	347 (81)	36.2	41 (12%)	11	51	24%
AML97	809	627 (78)	35.9	58 (9%)	33	54	18%
AML201	1,057	823 (78)	48.0	132 (16%)	107	245	46%

APLを除く15～64歳のAMLを対象とした治療成績である.
（Miyawaki S. Int J Hematol. 2012；96：171-7[4] より改変）

- 同種造血幹細胞移植は臍帯血移植などのドナーの拡大，骨髄非破壊的移植による年齢適応の上昇など，その適応範囲が広がり，65歳未満では多くの症例に施行できるようになった．第一寛解期のみならず，非寛解期や再発後の同種移植の施行が全体の全生存率向上に寄与している表5.
- 65歳以上の高齢者では寛解率は年齢とともに低下する.
- 65歳以上のAMLの5年全生存率も年齢とともに低下し，60歳代後半は12%，70歳代前半5%，70歳代後半では2%とされる.

AMLの予後因子

- AMLの予後因子は年齢，合併症の有無，全身状態，発症様式（初発・二次性），病型・染色体異常・遺伝子異常である.
- European LeukemiaNet（ELN）によるAMLの予後リスク分類では，染色体による予後リスクに遺伝子変異による予後リスクも加えられている表6.
- 予後良好群には，t(8;21) とinv(16) に，*CEBPA* 両アレル変異と *NPM1* 陽性かつ *FLT3*-ITD 陰性もしくは低アレル頻度が加えられている．*FLT3*-ITD のアレル頻度はDNA断片解析の野生型と変異型のカーブの面積比をみるものであり，低アレル頻度例では陰性例と変わらないとされる.
- 予後不良群には，monosomal karyotype と *NPM1* 野生型かつ *FLT3*-ITD 高アレル頻度，*RUNX1* 変異，*ASXL1* 変異および *TP53* 変異が加えられた表6.
- 高齢者では，合併症や全身状態などのため強力治療が

表 6　2017ELN による遺伝子異常に基づく AML の予後リスク分類

リスク群	遺伝子異常
予後良好群	t(8;21)(q22;q22); *RUNX1-RUNX1T1* inv(16)(p13q22) /t(16;16)(p13;q22); *CBFB-MYH11* *NPM1* 変異陽性 *FLT3*-ITD 陰性 / 低アレル頻度 *CEBPA* 両アレル変異
予後中間群	*NPM1* 変異 *FLT3*-ITD 高アレル頻度 *NPM1* 野生型 *FLT3*-ITD 陰性 / 低アレル頻度 t(9;11)(p21.3;q23.3); *MLLT3-KMT2A* その他の染色体異常
予後不良群	t(6;9)(p23;q34.1); *DEK-NUP214* t(v;11q23.3); *KMT2A* 再構成 t(9;22)(q34.1;q11.2); *BCR-ABL1* inv(3)(q21.3q26.2) /t(3;3)(q21.3;q26.2); *GATA2*, *MECOM* (*EVI1*) -5/del(5q);-7;-17/abn(17p) 複雑核型[a]，monosomal karyotype[b] *NPM1* 野生型 *FLT3*-ITD 高アレル頻度 *RUNX1* 変異 *ASXL1* 変異 *TP53* 変異

a：3 個以上の関連のない異常，b：1 個のモノソミーに加えて少なくとも 1 個のモノソミーあるいは構造異常
(Döhner H, et al. Blood. 2017：129：424-47[2]) より改変)

できない場合も少なくない．さらに，一般に予後不良とされる骨髄異形成関連変化を伴う AML や治療関連骨髄腫瘍の割合が高い．また，予後良好群の染色体や遺伝子異常が少なく，予後不良群に属する染色体，遺伝子異常の頻度が高い．

- 微小残存病変（minimal residual disease：MRD）の検出も予後予測に有用である．キメラ遺伝子や *WT1* 発現量，さらに *NPM1* 変異の定量 PCR 検査などが臨床応用されている．
- AML の層別化治療は染色体リスク分類さらに遺伝子変異による予後予測と MRD の有無を加味して行う必要がある 図 2．

AML の新規治療薬

- AML の分子標的治療薬は，永く ATRA，Am80，ATO および GO のみであったが，ようやく新薬が承認され，使用可能となってきた 表 7．
- ATRA 以外は全て再発・難治例のみに保険適用である

表 7　急性骨髄性白血病の分子標的治療薬

疾患病型	標的分子	薬剤	発売年
APL	PML-RARα	ATRA（トレチノイン）	1995
APL	PML-RARα	Am80（タミバロテン）	2005
APL	PML-RARα	ATO（トリセノックス）	2004
AML	CD33	GO（ゲムツズマブ・オゾガマイシン）	2008
AML	FLT3-ITD/TKD	ギルテリチニブ	2018
AML	FLT3-ITD	キザルチニブ	2019
AML	IDH1	ivosidenib	–
AML	IDH2	enasidenib	–
AML	BCL2	ベネトクラクス	2021
AML	HDAC	アザシチジン	2021

が，今後特に FLT3 阻害薬などは初発例での使用による治療効果の増強が期待される．

- ベネトクラクスとアザシチジンの併用は，高齢者や強力な化学療法不適例において優れた成績が報告され，期待される薬剤である．
- この他，通常の併用療法より高い効果が期待されるシタラビンとダウノルビシンのリボソーム製剤（CPX-351）の治験も進められている．

参考文献

1）Arber DA, Orazi A, Hasserjian R, et al. The 2016 revision to the World Health Organization classification of myeloid neoplasms and acute leukemia. Blood. 2016; 127: 2391-405.

2）Döhner H, Estey E, Grimwade D, et al. Diagnosis and management of AML in adults: 2017 ELN recommendations from an international expert panel. Blood. 2017; 129: 424-47.

3）Ferrara F, Barosi G, Venditti A, et al. Consensus-based definition of unfitness to intensive and non-intensive chemotherapy in acute myeloid leukemia: a project of SIE, SIES and GITMO group on a new tool for therapy decision making. Leukemia. 2013; 27: 997-9.

4）Miyawaki S. Clinical studies of acute myeloid leukemia in the Japan Adult Leukemia Study Group. Int J Hematol. 2012; 96: 171-7.

5）日本血液学会, 編. 造血器腫瘍診療ガイドライン 2018 年版. 東京: 金原出版; 2018.

〈麻生範雄〉

11 急性前骨髄球性白血病（APL）

まとめ

・APL では汎血球減少と線溶過剰型の播種性血管内凝固（DIC）による出血傾向を認めることが多い．
・APL を疑った場合，*PML-RARA* キメラ遺伝子の早期同定が重要である．
・ATRA と化学療法により高い寛解率と長期生存が期待されるが，約 1/4 に再発を認める．再発例には亜ヒ酸が著効する．
・APL の予後不良因子は高齢と治療前白血球数 10,000/μL 以上である．

APL の頻度

• 国立がん研究センターのがん登録から，白血病全体の発症率は年間人口 10 万人あたり男性 11.4 人，女性 7.9 人である．その半数強の AML のうち，10～15% が急性前骨髄球性白血病（acute promyelocytic leukemia：APL）と推定され，男 0.75 人，女 0.5 人となる．
• APL は全年齢層に発症する．AML 全体と比し，やや若年者が多い．
• まれに，治療関連白血病として APL を発症することがある．

APL の症状・症候

• 白血病細胞により正常造血の抑制をきたし，貧血，感染症および出血が主な症状となる．
• 他の AML と異なり，DIC による出血傾向を伴うことが多い．皮下出血に加え，過多月経，痔出血，抜歯後止血困難，鼻出血，網膜出血あるいは頭蓋内出血などを初診時に認める．
• 初発症状には，発熱，倦怠感および動悸や息切れなどの貧血症状もある．
• 症候として，貧血，発熱，皮下出血などが多い．発熱は感染症の合併例もあるが，腫瘍熱や貧血に由来する場合も多い．

APLの検査成績

- 貧血，血小板減少を大半の症例で認める．
- 白血球数は減少が多いが，正常や増加例もある．白血球数中央値は2,000/μL前後で6割は汎血球減少を呈する．白血球10,000/μL以上例は約1/4である．
- 血液化学では白血球数に応じ，LDHや尿酸の上昇を認める．
- 線溶過剰型のDICを併発し，フィブリノゲンやα_2プラスミンインヒビターの低下とFDP上昇などを認める．
- 末梢血液あるいは骨髄検査で芽球や異常前骨髄球を20%以上認める．典型例の異常前骨髄球はアズール顆粒が豊富で核異形成を伴う（FAB分類のM3）．アウエル小体を多数有するFaggot細胞の出現が特徴的である．
- APLの1割前後にアズール顆粒が細かく光学顕微鏡で同定できない前骨髄球からなる例がある（FAB分類のM3v）．
- 細胞表面マーカー検査で，CD13，CD33陽性，CD34，HLA-DR陰性が多い．M3vではCD34あるいはHLA-DR陽性，汎T細胞抗原CD2も陽性となることが多い．
- 細胞形態からAPLと診断した症例の92%にt(15;17）染色体転座を認める 図1．挿入や複雑核型なども合わせて98%にt(15;17）に由来する*PML-RARA*キメラ遺伝子が陽性である．残る症例も*RARA*とのキメラ遺伝子形成例が多い．

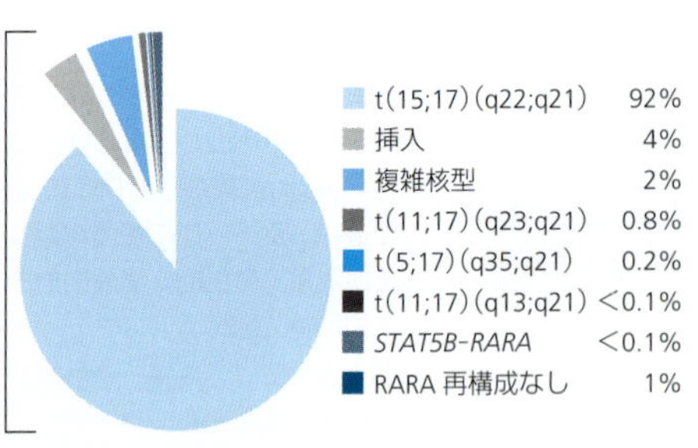

図1 APLの染色体異常

- 最近，*RARA* のみならず，*RARB* や *RARG* への転座例もまれながら見つかっている 表1 ．これらの例では *PML-RARA* の FISH 検査でも分離シグナルを認めないので注意を要する．
- APL では付加的染色体異常を伴う例があるが，治療反応にはあまり関係しない．*FLT3*-ITD を 30〜40%に認め，白血球数高値例に多い．他の AML に多い *NPM1*，*DNMT3A*，*ASXL1*，*CEBPA*，*IDH1/2* などの遺伝子変異はまれである．

APL の診断

- 末梢血液あるいは骨髄検査で芽球や異常前骨髄球を20%以上認めれば APL と診断できる．
- M3v の診断は形態的には困難な場合が少なくないので検査成績などからその存在を念頭に置くことが肝要である．M3v も t(15;17) 陽性である．M3v は白血球高値例が多く，DIC が強い傾向にある．
- WHO2017 分類において，APL では染色体転座 t(15;17) の記載が外れ，*PML-RARA* 陽性 APL とされた．挿入や複雑核型などで t(15;17) 陰性であっても *PML-RARA* 陽性例があり，全トランス型レチノイン酸（all-*trans* retinoic acid：ATRA）や亜ヒ酸（arsenic trioxide：ATO）が有効である．
- 細胞形態により APL を疑った場合，FISH 法もしくは RT-PCR 法により *PML-RARA* を早く同定することが重要である．診断のみならず，ATRA や ATO の有効性を早く知る必要がある．
- *PML-RARA* 以外のキメラ遺伝子形成例では ATRA や ATO の反応性が異なるので注意を要する 表1 ．

APL の治療方針

- 全身状態や合併症を検索し，強力化学療法が施行可能かどうかを検討する．
- APL の治療の第一目標は寛解導入療法により完全寛解へ導入することである．寛解後治療としての地固め療法は長期生存に必須であり，治癒を最終目標とする．
- 再発例は救援療法として，ATO による再寛解導入療法を行い，寛解例は自家移植あるいは同種移植を考慮する．
- 初発あるいは再発例において，強力化学療法不適応例は ATRA と ATO の併用や少量化学療法を考慮する．ただし，わが国では現時点で初発例における ATO の

表 1 APL の染色体異常と ATRA，ATO の反応性

染色体転座	キメラ遺伝子	頻度	ATRA の反応性	ATO の反応性
t(15;17)(q22;q21)	*PML-RARA*	>95%	+	+
t(11;17)(q23;q21)	*ZBTB16*（*PLZF*）*-RARA*	0.8%	-	-
t(5;17)(q35;q21)	*NPM1-RARA*	<0.5%	+	?
t(11;17)(q13;q21)	*NuMA-RARA*	まれ	+	?
t(17;17)(q11;q21)	*STAT5B-RARA*	まれ	-	-
t(4;17)(q12;q21)	*FIP1L1-RARA*	まれ	+	?
cryptic	*PRKAR1A-RARA*	まれ	+	?
t(X;17)(p11;q12)	*BCOR-RARA*	まれ	+	-
t(2;17)(q32;q21)	*OBFC2A-RARA*	まれ	+	?
t(3;17)(q26;q21)	*TBLR1-RARA*	まれ	+	?
cryptic	*IRF2BP2-RARA*	まれ	+/-	?
t(7;17)(q11;q21)	*GTF2I-RARA*	まれ	-	-
t(3;17)(q26;q21)	*FNDC3B-RARA*	まれ	+	-
cryptic	*STAT3-RARA*	まれ	-	-
t(12;15)(q13;q22)	*PML-RARG*	まれ	?	?
t(11;12)(p15;q13)	*NUP98-RARG*	まれ	?	?
cryptic	*CPSF6-RARG*	まれ	-	-
cryptic	*TBL1XR1-RARB*	まれ	-	?

使用は保険適用外である．

APL の治療方法

- APL の寛解導入療法は ATRA と化学療法の併用療法である．治療前白血球数や治療途中の白血球の増加に応じて，ATRA に化学療法としてイダルビシン（idarubicin：IDR）とシタラビン（cytarabine：Ara-C）の併用療法もしくはダウノルビシン（daunorubicin：DNR）と Ara-C の併用療法を行う（VIII 実践に役立つ造血器腫瘍治療レジメン 参照）．
- 地固め療法として，アントラサイクリン系と Ara-C の併用による地固め療法を 3 コース行う．
- 地固め療法の開始前に少なくとも一度 Ara-C 40 mg，メトトレキサート 15 mg およびプレドニン 10 mg の髄注を行って，髄膜浸潤を予防する．
- 維持療法として，ATRA あるいは合成レチノイン酸タミバロテン（tamibarotene：Am80）が有効なプロト

コールでは維持療法を3カ月ごと2週間行い2年間継続する.

- 再発時の治療として, ATOが第一選択である. 再寛解後はATOによる地固め療法を行い, 骨髄*PML-RARA*陰性となった例では末梢血自家幹細胞移植を行う. *PML-RARA*陽性例や若年者では同種移植も考慮する. 移植の適応がない場合はカリキアマイシン結合CD33抗体であるゲムツズマブ・オゾガマイシン(gemtuzumab ozogamicin: GO)の投与を考慮する.

APLの補助療法

- 輸血による貧血の改善, 血小板輸血による出血予防が重要である. 年齢や全身状態, 治療経過により輸血の基準は異なるが, 血色素7 g/dL以上, 血小板数10,000/μL以上を保つ. 初発時などのDICが強いときには30,000〜50,000/μL以上を保つ必要がある.
- APLの非寛解の主因はDICによる頭蓋内出血などの臓器出血である. 線溶過剰型のDICでは凍結血漿によるフィブリノゲンと血小板の補充を十分に行うことが重要である. フィブリノゲンを150 mg/dL以上に保つようにする. 抗がん薬の併用時にDICは悪化するので凍結血漿による輸注をあらかじめ行うように計画する. トロンボモジュリン製剤などの抗凝固薬も適宜使用する. また, 中心静脈カテーテル留置などの観血的処置はDICが強い病初期には控えた方がよい.
- APLではATRA症候群(現在APL分化症候群という)とよばれる特有の併発症が寛解導入療法中の20%前後の症例にみられる. APL細胞が分化増殖して肺や腎に浸潤し, 炎症性サイトカイン血症を引き起こすことにより, 発熱, 呼吸困難, 低血圧, 体重増加, 肺浸潤影, 胸水もしくは心嚢液貯留, 腎不全などを呈する重篤な病態で, 出血も合併しやすくなる.
- APL分化症候群は, 上記症候の一つでもあれば早期に疑って副腎皮質ステロイドホルモンを併用し, 重篤な場合はATRAを休薬する. 改善を待って, 慎重にATRAを再開する.
- 感染症の予防も必須であり, 手洗いとうがいに加えて, 無菌室やクリーンベッドを可能な限り使用する. 抗菌薬の予防投与は施設によって異なるが, イトラコナゾールの内用液などによる真菌予防が一般に行われる. また, 地固め療法後の骨髄抑制期にはG-CSF製

表2 ATRAと化学療法による初発APLの長期治療成績

	Euro APL93	JALSG APL97
症例数	576	283
年齢中央値（範囲）	46（28～72）	48（15～70）
治療前白血球数中央値（範囲）（×10⁹/L）	-	1.7（0.03～257.0）
治療前血小板数中央値（範囲）（×10⁹/L）	-	30（2～238）
M3v	81（15%）	18（6%）
完全寛解	533（92.5%）	267（94%）
10年累積再発率（CIR）	26.6%	26.5%
10年累積非再発死亡率（CINRM）	11%	8.6%
10年無イベント生存率（EFS）	61.7%	-
10年無病生存率（DFS）	-	67%
10年全生存率（OS）	77%	78.8%

剤を使用する．

- 発熱時には培養やレントゲン検査後に，発熱性好中球減少症のガイドラインに沿って可及的速やかに経験的に抗菌薬を開始する．
- 悪心・嘔吐の予防もガイドラインに沿って十分行う．
- 抗がん薬による口腔内や胃腸の粘膜障害は感染症や消化器症状へ進展するのでその対処も重要である．

表3 初発APLのATRAとATOによる治療成績

試験	寛解導入療法	症例数	年齢中央値	リスク群
APL0406	AIDA[a]	137	47（18～70）	低/中間
APL0406	ATRA＋ATO[b]	129	47（19～70）	低/中間
UK MRC AML17	AIDA[a]	119	47（16～77）	全
AML17	ATRA＋ATO＋（GO）[c]	116	47（16～75）	全
ALLG APML3	AIDA[a]	70	39（19～73）	全
ALLG APML4	ATRA＋ATO＋IDR[a]	124	44（3～78）	全

ATRA：全トランス型レチノイン酸，ATO：亜ヒ酸，GO：gemtuzumab ozogamicin ゲムツヅマブ　オゾガマイシン，AIDA：ATRA＋IDR イダルビシン，CR：完全寛解，DS：differentiation syndrome 分化症候群，CIR：cumulative incidence of relapse 累積再発率，DFS：無病生存率，EFS：無イベント生存率，OS：全生存率，（　）は観察期間（年）
a：ATRA＋MTX（メトトレキサート）＋6MP（メルカプトプリン）の維持療法あり，b：途中白血球数増加例にはハイドロキシウレア併用，c：高リスク群では寛解導入にGO併用，＊：$P<0.05$
（Sanz MA, et al. Blood. 2019; 133: 1630-43[2] 他より改変）

・白血球数高値例などでは初期治療において腫瘍崩壊症候群を併発するリスクがあるので補液や利尿薬，抗尿酸薬などによって予防する．
・アントラサイクリン系の心毒性や貧血による心負荷，発熱による脱水などがあるので水分バランスを保つことが重要である．心機能障害のモニターとして，心エコーの左室駆出率や BNP 測定は有用である．
・ATO の副作用は QT 延長に伴う心室性不整脈，肝障害，末梢神経障害などである．心電図を定期的に測定し，QTc 500 msec 以上に延長時には休薬する．また，カリウムやマグネシウムを適宜補給して正常値を保つ．
・GO 投与時には輸注時反応が起こるので NSAID や抗ヒスタミン薬で予防する．GO は骨髄抑制も強いので注意を要する．

APL の治療成績

・70 歳未満の未治療 APL の ATRA と化学療法による完全寛解率は 95%前後である 表2．非寛解の主因は臓器出血や APL 分化症候群による早期死亡であり，ATRA の治療抵抗例はまれである．
・ATRA と化学療法による治療では累積再発率 25%前後を認め，無イベント生存率 60%，無病生存率 70%弱，全生存率は 77～79%である 表2．

% CR	% DS	% CIR	% DFS	% EFS	% OS
97 100	13 17	14 (4) 2 (2)*	83 (4) 97 (4)*	80 (4) 97 (4)*	93 (4) 99 (4)*
89 94	21 26	18 (4) 1 (4)*	- -	70 (4) 91 (4)*	89 (4) 93 (4)
91 95	- 14	- 5 (5)	79 (5) 95 (5)*	72 (5) 90 (5)*	83 (5) 94 (5)*

- ATRAと化学療法後の再発例ではATOにより80%以上に再寛解が期待される．再寛解後は自家移植，同種移植あるいはGO治療などを行い，再び長期寛解を得る可能性も高い．
- ATRAと化学療法後の長期寛解後の再発例にはAm80が有効な場合も多い．
- わが国では初発例に対する保険適用はまだないが，初回寛解導入および地固め療法にATRAとATOを併用した成績では寛解率94%以上，累積再発率5%以下，無イベント生存率90%以上，全生存率93%以上が報告されている 表3．
- ATRAとATOの併用による初発例の治療においてもAPL分化症候群は高率に合併し，また，治療前白血球数10,000/μL以上例の治療が課題である．

APLの予後因子

- APLの予後因子は年齢と治療前白血球数である．
- 65歳以上の高齢者では，出血の合併症が多く，寛解率は年齢とともに低下する．また，地固め療法中の骨髄抑制時の感染症の合併も致命的となることがある．
- 治療前白血球数10,000/μL以上は無病生存に対する予後不良因子であり，ATRAと化学療法においては高リスク群となる．ATRAとATO併用療法においてもその治療は課題であり，化学療法の併用を必要とする．
- CD56陽性は白血球数とは独立した再発の予後不良因子である．CD56陽性APLは11～15%に認め，ATRAと化学療法における再発率はCD56陽性例で有意に高い．接着因子CD56陽性例では髄外再発も多いとされる．

参考文献

1) Arber DA, Orazi A, Hasserjian R, et al. The 2016 revision to the World Health Organization classification of myeloid neoplasms and acute leukemia. Blood. 2016; 127: 2391-405.
2) Sanz MA, Fenaux P, Tallman MS, et al. Management of acute promyelocytic leukemia: updated recommendations from an expert panel of the European LeukemiaNet. Blood. 2019; 133: 1630-43.
3) 日本血液学会, 編. 造血器腫瘍診療ガイドライン2018年版. 東京: 金原出版; 2018.

〈麻生範雄〉

12 急性リンパ性白血病（ALL）

まとめ

- 急性リンパ性白血病（acute lyphoblastic leukemia: ALL）ではフィラデルフィア染色体（Philadelphia chromosome: Ph）の有無により大きく治療方針が異なるため，ALL の診断時には Ph の有無がきわめて重要である．
- Ph 陰性 ALL については JALSG などのプロトコールに準じて多剤併用化学療法を行う．
- 思春期・若年成人 ALL は小児プロトコールで治療することが望ましい．
- Ph 陽性 ALL に対してはチロシンキナーゼ阻害薬（throsine kinese inhibitor: TKI）と化学療法を併用することで治療成績が向上しており 60 歳以上の高齢者でも寛解を目指した治療が可能になっている．

定義

- ALL は骨髄を主座としてリンパ球への分化が方向づけられたリンパ球前駆細胞（リンパ芽球）が分化を停止し単クローン性に増加する腫瘍性疾患である．

臨床症状・診断・検査

- 正常造血が抑制されることに伴う症状が主で，貧血による倦怠感や動悸，息切れ，血小板減少に伴う出血傾向，好中球減少によって上気道などの感染を繰り返すなどの非特異的な初発症状が認められる．白血病細胞の増殖による症状としては骨痛や関節痛，リンパ節腫大，肝脾腫などがあげられ，中枢神経浸潤があれば頭痛や嘔気，項部硬直，意識障害も生じることがある．
- 芽球の増加により白血球数が増加していることが多く，約 30%の症例で 30,000/mm^3 以上の高値を示すが，逆に 10,000/mm^3 以下と増加していないものが 40%程度存在する．末梢血に芽球の存在が明らかでない症例が 10%程度あることに注意する．貧血や血小板減少を認め，血小板数は急性骨髄性白血病（acute myelogenous leukemia: AML）に比べると病初期には比較的保たれていることが多い．血清 LD の上昇を認めることが多く，腫瘍崩壊による高尿酸血症や高カリウム血症，凝固系検査では播種性血管内凝固症候群（disseminated intravascular coagulation: DIC）による PT（prothrombin time），APTT（activated partial thromboplastin time）の延長，FDP（fibrinogen/fibrin degradation products）の上昇などを認める．

- 骨髄検査で確定診断を行うこととなるが，骨髄は過形成であり，ミエロペルオキシダーゼ（myeloperoxidase: MPO）陰性のリンパ球の形質を有する単一な芽球（リンパ芽球）がほとんどを占めることが多い．フローサイトメトリー（flow cytometry: FCM）による細胞表面および細胞内抗原検討，染色体・遺伝子検査により総合的に診断する．細胞数が過密な状態であるか，線維化を伴い骨髄が吸引できない場合（dry tap），骨髄生検が必要である．FAB（French-American-British）分類では，MPO 陰性のリンパ芽球が骨髄有核細胞の 30%以上，WHO（World Health Organization）分類では 25%以上を占める場合に ALL と診断する．Ph 陽性と Ph 陰性では異なる寛解導入療法を用いる必要があり，短期間で検査結果が判明する遺伝子検査（白血病キメラ遺伝子スクリーニング検査）を行い，Ph 陽性 ALL を早期に同定する[1]．

分類

- 1976 年に提唱された FAB 分類では骨髄および末梢血液標本を一般的な染色法で分類することが可能であった．骨髄系細胞への分化があれば急性骨髄性白血病（acute myeloid leukemia: AML）と診断し，AML の定義に当てはまらないものが ALL として L1〜L3 に分類されるが，現在では臨床的意義に乏しいため用いられなくなってきている．2016 年に改定された WHO 分類では ALL は，骨髄を主病変とするリンパ系悪性腫瘍であり，リンパ芽球性リンパ腫（lymphoblastic lymphoma: LBL）と同じカテゴリーに分類され，主に前駆細胞性リンパ腫瘍として，1. 特異的染色体異常を伴わない B リンパ芽球性白血病/リンパ腫，2. 特異的染色体異常を伴う B リンパ芽球性白血病/リンパ腫，3. T リンパ芽球性白血病/リンパ腫に分類される 表 1．WHO 分類は 2016 年に改訂され，暫定的な病型（provi sional entity）として，B-lymphoblastic leukemia/lymphoma, BCR-ABL1-like（BCR-ABL1-like

表1 急性リンパ性白血病の WHO 分類と頻度・予後

B リンパ芽球性白血病 / リンパ種				
反復性遺伝子異常を伴う B リンパ芽球性白血病		頻度（%）		予後
染色体異常	関連遺伝子	小児	成人	
t(9;22)(q34;q11.2)	BCR-ABL	1～3	11～29	不良？
t(v;11q23)	KMNT2A（MLL）再構成	1～2	4～9	不良
t(12;21)(p13;q22)	ETV6-RUNX1（TEL-AML1）	22～26	0～4	良好
t(5;14)(q31;32)	IL3-IGH	<1	<1	不明
t(1;19)(q23;p13.3)	TCF（E2A）-PBX	1～6	1～3	不明
数的異常				
高 2 倍体	染色体数 >50	23～30	7～8	良好
低 2 倍体	染色体数 >45	6	7～8	不良
Provisional				
B-LBL, BCR-ABL1-like	CRLF2, IKZF1, JAK2, ABL1	15	10～30	不良
B-LBL with iAMP21	RUNX1	2	<1	不良
T リンパ芽球性白血病 / リンパ腫		8～15	16～25	
Provisional				
Early T-cell precursor lymphoblastic leukemia	FLT3, Ras family, DNMT3A IDH1, IDH2			不明

(Arber DA, et al. Blood. 2016; 127: 2391[2])

ALL), B-lymphoblastic leukemia/lymphoma with intra-chromosomal amplification of chromosome 21 (iAMP21 ALL) および early T-cell precursor lymphoblastic leukemia (ETP-ALL) が提唱されている[2] 表2.

予後因子

- 従来, 年齢(35 歳以上)や初診時白血球数高値, t(4;11) 転座, 低倍体染色体異常, 完全寛解への到達時期, 寛解期間などが予後不良因子とされ, Ph 陽性 ALL も従来には予後不良とされていたが, 後述するように TKI 併用多剤併用化学療法によりその予後は飛躍的に改善しているため, 一概に予後不良とはみなされなくなってきている[3].
- 近年では微小残存病変 (minimal residual disease: MRD) が重要な予後因子と考えられてきている. これは白血病細胞特異的な抗原を有する少数の細胞を検出できる FCM や, 特異的な DNA やキメラ mRNA

表2 急性リンパ性白血病の免疫学的形質による分類

B 細胞性 ALL	CD19	cyCD79a	cyCD22	CD10	CD20	cyμ	TdT
Early precursor B-ALL	+	+	+	−	−	−	+
Common B-ALL	+	+	+	+	−/+	−	+
Pre B-ALL	+	+	+	−	+	+	+

T 細胞性 ALL	cyCD3	CD3	CD7	CD2	CD1a	CD4	CD8	CD34	TdT
Pro-T	+	−	+	−	−	−	−	−/+	+
Pre-T	+	−	+	+	−	−	−	−/+	+
Cortical-T	+	−	+	+	+	+	+	−	+
Medullary/ mature-T	+	+	+	+	+	−/+	−/+	−	+

(messenger RNA）を検出するポリメラーゼ連鎖反応（polymerase chain reaction: PCR）などの開発により可能となるものである[4].

- JSCTなどでは治療経過中におけるMRDの有無によりレジメンを切り替えるプロトコールを使用した臨床試験が進行中である.

治療（Ph 陰性 ALL）

- ALL全般にいえることであるが，多剤併用化学療法により白血病細胞の根絶を目指すのが基本である（total cell kill）. 治療プロトコールは寛解導入療法，地固め療法，維持療法に分類されており，L-アスパラギナーゼやprednisolone（PSL）を中心とした様々なレジメンが国内外で使用されている. 特に，近年では元来治療成績良好な小児ALLの治療レジメンが15～24歳のAYA世代ALLにおいて治療成績を向上させることが報告され，本邦でもJALSG202-Uの臨床試験により報告されている[5].

治療（Ph 陽性 ALL）

- TKIの登場により治療成績は飛躍的に改善している. 第2世代のTKIのなかではダサチニブの臨床応用の研究が進んでいる. ダサチニブをPSLと併用し，他の抗白血病薬を使用せずに寛解導入療法が施行されたイタリアからの報告では100%の血液学的CRが得られ，寛解導入療法期間の死亡例を認めず，高齢者にも使用できる寛解導入療法であることが報告された[6]. TKI治療に対する抵抗性の多くは*BCR-ABL1*遺伝子の変異に起因しT315I変異はイマチニブおよびダサチニブに抵抗性である．第3世代のTKIであるポナチニブはT315I変異にも有効な新規のTKIでその治療効果が期待されている．ポナチニブと化学療法の併用による造血幹細胞移植（hematopoietic stem cell transplantation: HSCT）なしでの治癒の可能性が報告されている[7)]が，ポナチニブは特に心血管関連有害事象が多い可能性が指摘されており，リスクの高い患者には慎重な対応が必要である．保険収載はなされていないが，ポナチニブなどのTKIの血中濃度を測定し有害事象を減少させる可能性が指摘されている．

治療（新規抗体薬・造血幹細胞移植）

- 近年では再発難治ALLに対する抗体薬が開発されている．イノツズマブ オゾガマイシン（inotuzumab ozogamicin）はCD22に対するモノクローナル抗体と細胞傷害性化合物カリケアマイシンの複合体であり，再発難治ALLを対象とした第III相試験において標準化学療法と比較して完全寛解率やMRD陰性化率の改善および無増悪生存期間の延長が示された[8)]．有害事象として肝類洞閉塞症候群（sinusoidal obstruction syndrome: SOS）が高頻度に認められ，特に移植症例において頻度が高いことに留意する必要がある．本邦では2018年1月に承認され使用されているが，再発難治ALLへの使用である以上，寛解後に造血幹細胞移植へ移行する必要がある症例も存在するためSOS発症を避けるための至適使用法や前処置の決定が今後の課題である．
- ブリナツモマブ（blinatumomab）はB細胞表面抗原であるCD19とT細胞表面抗原であるCD3の両方に結合することが可能な二重特異性を持つモノクローナル抗体でB細胞性腫瘍細胞とT細胞を架橋しT細胞を介した免疫反応で腫瘍細胞にアポトーシスを誘導する．本剤は再発難治ALLを対象とした第III相試験において標準化学療法と比較して完全寛解率の改善，完全寛解期間の延長，OSの延長が示された[9)]．本邦でも2018年に承認されている．投与時のサイトカイン放出症候群のリスクはあるが，再発難治例における有力な治療選択肢となっている．
- HSCTは有力な根治的治療法ではあるが，適応症例の選択や移植時期の検討などが今後の課題である．幹細胞ソースや移植方法も多様化しており，画一化は難しい．第一寛解期では MRD の有無などにより移植適応を検討することになるが，一般に第二寛解期以降においては可能な限り HSCT を実施すべきである．

参考文献

1）日本内科学会雑誌．2018; 107: 1269-393.
2）Arber DA, Orazi A, Hasserjian R, et al. The 2016 revision to the World Health Organization classification of myeloid neoplasms and acute leukemia. Blood. 2016; 127: 2391.
3）van Dongen JJ, van der Velden VHJ, Brüggemann M, et al. Minimal residual disease diagnostics in acute lymphoblastic leukemia: need for sensitive, fast, and standardized technologies. Blood. 2015; 125: 3996-4009.
4）Pui CH, Evans WE. Treatment of acute lymphoblastic leukemia. N Engl J Med. 2006; 354: 166-78.
5）Hayakawa F, Sakura T, Yujiri T, et al. Markedly improved outcomes and acceptable toxicity in adolescents and young adults with acute lymphoblastic leukemia following treatment with a pediatric protocol: a phase II study by the Japan Adult Leukemia Study Group. Blood Cancer J. 2014; 4: e252.
6）Foà R, Vitale A, Vignetti M, et al. Dasatinib as first-line treatment for adult patients with Philadelphia chromosome-positive acute lymphoblastic leukemia. Blood. 2011; 118 : 6521-8.
7）Jabbour E, Kantarjian H, Ravandi F, et al. Combination of hyper-CVAD with ponatinib as first-line therapy for patients with Philadelphia chromosome-positive acute lymphoblastic leukaemia: a single-centre, phase 2 study. Lancet Oncol. 2015; 16: 1547-55.
8）Kantarjian HM, DeAngelo DJ, Stelljes M, et al. Inotuzumab ozogamicin versus standard therapy for acute lymphoblastic leukemia. N Engl J Med. 2016; 375: 740.
9）Kantarjian HM, Stein A, Gökbuget N, et al. Blinatumomab versus chemotherapy for advanced acute lymphoblastic leukemia. N Engl J Med. 2017; 376: 836.

〈木村勇太〉

13 慢性リンパ性白血病（CLL）と類縁疾患

Ⅰ 慢性リンパ性白血病（CLL）/ 小リンパ球性リンパ腫（SLL）

まとめ

- 慢性リンパ性白血病（chronic lymphocytic leukemia：CLL）は，腫瘍化した成熟小型 B リンパ球が末梢血を中心に緩徐な増加を示す病態を示す．
- CD5 および CD23 が陽性となる．
- リンパ節，脾臓，肝臓などに浸潤する．
- 病期分類は改訂 Rai 分類もしくは Binet 分類が用いられている．
- 無症候性では経過観察を行うが，治療開始規準に準じ治療を考慮する．
- イブルチニブやフルダラビン＋シクロホスファミド療法が標準治療である．
- 染色体 17p 欠失もしくは TP53 遺伝子異常を認める症例は治療抵抗性で予後不良である．

疫学と症候

- 日本における発症頻度は年間 10 万人あたり 0.4 人前後であり，欧米の比率の 1/10 程度である．
- 発症年齢中央値は 65〜70 歳，男性に若干多く発症する．
- 白血球増多を契機に診断されることが多く，初診時は無症状が一般的である．
- 緩徐な経過が特徴的であるが，病勢が増悪するに従い臓器障害が出現し，B 症状（発熱，体重減少），易疲労感，肝脾腫などが認められる．
- 時に自己免疫性溶血性貧血や自己免疫性血小板減少症などの自己免疫疾患を合併する．
- 急激に進行する症例も存在する．
- 染色体 17p 欠失もしくは TP53 遺伝子異常を認める症例は予後不良である．
- CLL と細胞特性は同一であるが，末梢血や骨髄への浸潤を認めない症例は，小リンパ球性リンパ腫（small

表 1 CLL の病期分類

改訂 Rai 分類	Rai 分類病期	分類規準
低リスク	0	末梢血モノクローナル B リンパ球＞5,000/μL ＋ 骨髄リンパ球＞40%
中間リスク	I	病期 0 ＋ リンパ節腫脹
	II	病期 0～I ＋ 肝腫，脾腫（どちらかまたは両方）
高リスク	III	病期 0～II ＋ 貧血（Hb＜11 g/dL または Ht＜33%）
	IV	病期 0～III ＋ 血小板＜10 万 /μL

Binet 分類	分類規準
A	Hb≧10 g/dL ＋ 血小板≧10 万 /μL ＋ リンパ領域腫大が 2 カ所以下
B	Hb≧10 g/dL ＋ 血小板≧10 万 /μL ＋ リンパ領域腫大が 3 カ所以上
C	Hb＜10 g/dL または 血小板＜10 万 /μL リンパ節腫大領域数は規定しない

リンパ節領域は，① 頭頸部，② 腋窩，③ 鼠径部，④ 脾臓，⑤ 肝臓の 5 領域（両側でも 1 領域と評価）であり，身体診察のみの所見

lymphocytic lymphoma：SLL）の診断となる．

- 経過ともに 10%未満の患者がびまん性大細胞型 B 細胞性リンパ腫へと病型移行するが，これを Richter 症候群とよぶ．
- 3.5%程度の健常人に CLL と同じ細胞表現を有する B リンパ球が CLL の診断基準未満（末梢血リンパ球数≦$5\times10^3/\mu L$）の増加が認められ，単クローン性 B リンパ球（monoclonal B cell lymphoma: MBL）と分類する．
- この MBL は年間 1～2%の割合で CLL に移行する．

診断・検査

- WHO 分類では，CLL は，1）CD5 と CD23 が発現している成熟 B 小リンパ球の単クローン性腫瘍性増殖，2）末梢血中細胞数が $5\times10^3/\mu L$ より多い，と定義されている．
- 細胞表面には CD5，CD23 以外に CD19，20，43，免疫グロブリンなどが発現する．

病期分類

- 病期分類は改訂 Rai 分類もしくは Binet 分類が用いられている表 1．
- いずれもリンパ節腫脹を含めた臓器浸潤と，貧血，血小板減少が項目に入っているが，Binet 分類ではリンパ節腫脹に関して領域の規定が示されている．

表2 CLL の治療開始規準

以下の項目のいずれかに該当すれば治療を考慮

1）骨髄機能低下による進行性の貧血や血小板減少の進行・悪化
2）左肋骨弓下 6 cm 以上の脾腫，進行性または症候性の脾腫
3）長径 10 cm 以上のリンパ節塊，進行性または症候性のリンパ節腫脹
4）2 カ月以内に 50%を超える進行性のリンパ球増加や 6 カ月以下のリンパ球倍加時間
5）副腎皮質ステロイドや他の標準治療に反応の悪い自己免疫性貧血や血小板減少症
6）CLL に起因する以下のいずれかの症状のある場合
　① 減量によらない過去 6 カ月以内の 10%以上の体重減少
　② 労働や日常生活が困難である（ECOG PS 2 以上）倦怠感
　③ 感染症の所見なしに 2 週間以上続く 38℃以上の発熱
　④ 感染症徴候のない寝汗

治療・予後

- 治療開始基準に満たない状態での早期治療介入は生存期間延長に寄与しないことから経過観察が推奨される.
- 治療開始基準（表2）に達した場合は治療を考慮するが，全身状態および予後不良因子を念頭に治療選択を行う.
- 治療にはブルトン型チロシンキナーゼ阻害薬であるイブルチニブ，リツキシマブ単剤，もしくはリツキシマブと他剤の併用療法（ベンダムスチン，フルダラビンなど）が用いられる.
- 予後因子として，病期，17p 欠失や TP53 異常（変異と欠失）などの遺伝子異常，年齢，全身状態，治療反応性などが報告されている.
- 治療抵抗性や 3 年以内の早期再発は予後不良である.
- 改訂 Rai 分類の高リスクもしくは Binet 分類 C の 50%生存率は 6.5 年前後である一方で，改訂 Rai 分類の低リスクもしくは Binet 分類 A の予の 50%生存率は 10 年以上である.

効果判定

- 表3に基づき，治療効果判定を行う.
- 微小残存病変（MRD）陰性例では予後が良好であるとの報告から，近年では治療目標の 1 つとして検討されている.
- MRD の測定はフローサイトメトリーと定量 PCR の 2 つの測定法があるが，一般的に用いられているのは 6 種類のマーカー（とともに CD5，CD43，CD79b，CD81, CD19, CD20 または 22）を用いる前者である.

表 3　治療判定基準

1. 完全奏効（complete response：CR）：以下の基準をすべて満たす状態が 3 カ月以上継続
（1）末梢血中にクローナルな B リンパ球がないこと（4,000/μL 以下） （2）径 1.5 cm 以上のリンパ節がないこと （3）診察で肝脾腫がないこと（CT では長径が 13 cm 未満） （4）消耗性の症状がないこと （5）血球が以下の条件を満たすこと 　1）好中球＞1,500/μL 　2）血小板＞10 万 /μL 　3）輸血しない状況で Hb＞11.0 g/dL
2. 部分奏効（partial response：PR）：以下の基準を少なくとも 2 つ以上満たす状態が 2 カ月以上継続
（1）末梢血中にクローナルな B リンパ球が 50%以上減少 （2）リンパ節が 50%以上減少 （3）肝脾腫が 50%以上減少 （4）血球が以下の条件 　1）好中球＞1,500/μL または治療前より 50%以上の改善 　2）血小板＞10 万 /μL または治療前より 50%以上の改善 　3）輸血しない状況で Hb＞11.0 g/dL，または治療前より 50%以上の改善
3. 進行（progression：PD）：以下の基準を少なくとも 1 つ以上満たす状態
（1）リンパ節腫脹 　1）径 1.5 cm 以上の新たなリンパ節腫脹，新たな肝脾腫，臓器浸潤 　2）最大径 50%以上の増加，径 1～1.5 cm のリンパ節では 50%の増加，または径 1.5 cm 以上，1.5 cm 以上のリンパ節では長径 2.0 cm 以上になること 　3）多発しているリンパ節の径の和の 50%以上の増大 （2）肝臓，脾臓のサイズの 50%以上の増大 （3）末梢血中リンパ球数の 50%以上の増大または B リンパ球数 5,000/μL 以上 （4）Richter 症候群のような増殖が速い腫瘍への形質転換（可能な限り，リンパ節などの生検で確認する） （5）CLL と関連のある血球減少の出現
安定（stable disease）：CR や PR に達せず，進行にもあたらない場合

参考文献

1）Campo E, et al. Chronic lymphocytic leukaemia/small lymphocytic lymphoma. Swerdlow SH, Campo E, Harris NL, et al, editors. WHO classification of tumours of haematopoietic and lymphoid tissues. 4th ed. Lyon: IARC; 2017. p.216-21.
2）日本血液学会，編．造血器腫瘍診療ガイドライン．2020. http://www.jshem.or.jp/gui-hemali/table.html
3）NCCN Clinical Practice Guidelines in Oncology. Chronic lymphocytic leukemia/small lymphocytic lymphoma. Version 2. 2020.
4）Ladetto M, Buske C, Hutchings M, et al. ESMO Lymphoma Consensus Conference Panel Members. ESMO con-

sensus conference on malignant lymphoma: general perspectives and recommendations for prognostic tools in mature B cell lymphomas and chronic lymphocytic leukaemia. Ann Oncol. 2018; 29: 525.

〈得平道英〉

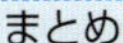

Ⅱ 有毛細胞白血病（HCL）

まとめ

- HCL は骨髄および脾臓を主座として緩徐な増殖を示す成熟 B 細胞性白血病である.
- 腫瘍細胞は酒石酸抵抗性酸性ホスファターゼ活性が陽性であり，BRAF V600E 遺伝子変異を認める.
- クラドリビンやペントスタチンが高い有効性を示す.

疫学と症候

- HCL は発症年齢中央値は 60 歳前後，男女は 4：1 と男性に好発する.
- リンパ性白血病の 2%前後の稀な疾患である.
- 自覚症状として，全身倦怠感，脾腫に伴う左上腹部痛，発熱，出血などを認める.
- 検査として汎血球減少，脾腫を認める.

診断・検査

- 診断はまず塗抹標本で HCL 細胞を確認することが必要である.
- HCL 細胞は小型から中型の腎臓様の丸い形態を示し，核小体は認めず, 細胞質の広いリンパ球の形態を示す.
- 細胞表面に毛髪状の突起が特徴的であるが，自然乾燥した標本で確認することが大切である.
- 骨髄では腫瘍細胞の浸潤によりレチクリン線維症となっていることから，dry tap であることが多い.
- 細胞表面マーカーでは CD20，CD22，CD11c，CD103，CD25，CD123，TBX21，annexin A1，FMC7，CD200，cyclin D1 が陽性となる一方で，CD5 と CD10 は陰性を示すことが多い.
- 腫瘍細胞は酒石酸抵抗性酸性ホスファターゼ活性が陽性であり，特徴的である.
- BRAF V600E 遺伝子変異を 90%以上の患者に認め，診断および残存病変マーカーとして用いられている.

I 血液内科を目指す若い先生方へ
II 造血の仕組みと造血因子の基本
III 血液疾患の診断に必要な形態アトラス
IV 血液診療に必要な検査とその解釈
V 主要な徴候の鑑別診断
VI 造血器腫瘍に対して必要な治療総論
VII 疾患各論
VIII 実践に役立つ造血器腫瘍治療レジメン

治療・予後

- 予後はきわめて良好で，プリンアナログのクラドリビンやペントスタチンが特異的に効果を示し，90%以上の患者が完全寛解に到達する．
- これらの薬剤に対して治療抵抗性や再燃を示す症例ではリツキシマブ併用療法やインターフェロンα，脾摘などが行われることがある．本邦では未承認であるがBRAF阻害薬であるベムラフェニブにおいても90%以上の治療反応性を認める．

参考文献

1） Campo E, et al. Chronic lymphocytic leukaemia/small lymphocytic lymphoma. Swerdlow SH, Campo E, Harris NL, et al, editors. WHO classification of tumours of haematopoietic and lymphoid tissues. 4th ed. Lyon: IARC; 2017. p.216-21.
2） Cross M, Dearden C. Hairy cell leukaemia. Curr Oncol Rep. 2020; 22: 42.
3） Thompson PA, Ravandi F. How I manage patients with hairy cell leukaemia. Br J Haematol. 2017; 177: 543-56.
4） Kreitman RJ, Arons E. Update on hairy cell leukemia. Clin Adv Hematol Oncol. 2018; 16: 205-15.

〈得平道英〉

JCOPY 498-22507

14 慢性骨髄性白血病（CML）

まとめ

- 慢性骨髄性白血病（chronic myeloid leukemia: CML）は，多能性造血幹細胞レベルでの染色体転座 t(9;22)(q34;q11.2)（フィラデルフィア Philadelphia；Ph 染色体）が生じることで発症する骨髄増殖性腫瘍の 1 つで，顆粒球系細胞の異常増殖を特徴とする．
- Ph 染色体により形成される *BCR-ABL1* 融合遺伝子は，恒常的チロシンキナーゼ活性を有し，CML の発症や進展に直接関与する．
- CML は無治療で経過をみると，数年間の慢性期（chronic phase: CP）より移行期（accelerated phase: AP）を経て急性転化期（blast crisis: BC）へと進行し予後はきわめて不良である．
- 慢性期 CML の治療は，BCR-ABL1 キナーゼを標的としたチロシンキナーゼ阻害薬（TKI）が第一選択である．長期にわたり深い分子遺伝学的奏効（deep molecular response: DMR）が得られた症例では，無治療寛解（treatment-free remission: TFR）を目指した治療中断も治療目標となるようになった．

疫学と症候

- CML の年間発生率は 10 万人あたり 1〜2 人であり，発症年齢中央値はおよそ 55 歳であり，やや男性に多く発症する．
- CP では自覚症状に乏しく，健診にて発見されることも多い．
- 白血球数が増加すると，全身倦怠感や肝脾腫による腹部膨満感，高ヒスタミン血症による痒みなどを自覚する．
- 理学的には脾腫を約半数の症例に認め，時として巨脾を認めることもある．
- BC では急性白血病と同様に，血球減少に応じて感染症による発熱，貧血，出血症状などを認める．稀ではあるが，初診時 BC も存在する．

診断	・CP では末梢血および骨髄での各分化段階の顆粒球系細胞の増加を認める（急性白血病と異なり白血病裂孔を認めない）．好塩基球増加を認めることが特徴であり，好中球アルカリフォスファターゼ（NAP）活性は低値を示す． ・軽度の貧血を認め，血小板数は正常ないし増加する． ・骨髄は過形成で，分化傾向を示す顆粒球系細胞が増殖し，しばしば巨核球は増加する． ・生化学検査で LDH，尿酸，ビタミン B_{12} が増加する． ・確定診断には G-バンド法による染色体検査で，9 番染色体と 22 番染色体の転座（Ph 染色体）を証明するか，FISH 法あるいは RT-PCR 法にて *BCR-ABL1* 融合遺伝子を証明する．
Sokal, Hasford, EUTOS リスクスコアによる予後評価	・Sokal スコアは，診断時の年齢，脾臓のサイズ（肋骨下の最大値 cm），血小板数，末梢血中の芽球比率により計算される．しかし，このリスク分類は TKI 導入以前の古いものであり，インターフェロン-αが導入されてからは Hasford スコア，TKI 導入されてからは EUTOS スコアが作成された． ・Sokal スコア＝ EXP［0.016×（年齢－43.4)］＋0.0345×［脾臓サイズ（cm）－7.51］＋0.118×{［(血小板数 /700)^2－0.563］＋0.0887×［末梢血芽球%－2.10]} ・Sokal スコアでは，高リスク，中間リスク，低リスク群に分類される． 低リスク≦0.8，中間リスク 0.8－1.2，高リスク＞1.2 TKI 導入前の予後予測スコアであるが，高リスク群ではイマチニブをはじめとする TKI の効果が若干劣る．
病期進行の診断基準（WHO 分類第 4 版）[1)]	・**AP への進行** 以下のいずれか 1 つ以上に該当するもの ・治療が奏効しない持続する白血球増加（＞10,000/μL） ・治療が奏効しない持続する脾腫の増大 ・治療が奏効しない持続する血小板増加（＞100 万 /μL） ・治療に無関係の血小板減少（＜10 万 /μL） ・末梢血における好塩基球割合≧20% ・末梢血あるいは骨髄の芽球割合 19〜20% ・診断時あるいは治療中における Ph 染色体の付加的染色体異常（second Ph，＋8，isochrome 17，＋19）の出現または 3q26.2 異常，複雑核型

TKI に対する治療反応性に関する暫定基準は下記のいずれかに該当するもの
・初回の TKI による治療で血液学的抵抗性（あるいは血液学的完全奏効の不成功）である
・2 種類の TKI に連続して治療抵抗性である
・TKI 治療中に *BCR-ABL1* 遺伝子変異が 2 つ以上生じる

• **BC への進行**：CML 細胞は分化能を失い，芽球のみが増加する．主に骨髄系 BC とリンパ球系 BC に分けられる．骨髄系 BC では，芽球は骨髄系マーカーの他にリンパ系マーカーが陽性になることがある．リンパ球系 BC では B リンパ球系がほとんどであり，この場合もリンパ球系マーカーに加えて骨髄系マーカーを認めることがある．

下記のいずれか 1 つに該当するもの
・末梢血または骨髄芽球割合：≧20%
・髄外浸潤，髄外病変の出現

治療

1）慢性期（CP）の治療

• TKI が第一選択の治療である．現在，初発例に使用できるのは第 1 世代 TKI イマチニブと第 2 世代 TKI ダサチニブ，ニロチニブ，ボスチニブである．

《処方例》

1）グリベック®錠（100 mg）4 錠 分 1 朝食後
2）スプリセル®錠（50 mg）2 錠 分 1 朝食後
3）タシグナ®カプセル（150 mg）4 カプセル 分 2 朝夕食間
スプリセル®は臨床試験の結果より，投与量は 140 mg/ 日とされていたが，50～100 mg/ 日で効果を示すことがほとんどであり，有害事象に注意しながら使用すれば，優れた効果が得られる．
4）ボシュリフ®錠（100 mg）4 錠 分 1 朝食後
初発慢性期 CML には，1 回投与量は 400 mg とする．

• イマチニブは，BCR-ABL1 の ATP 結合領域に競合的に結合し，BCR-ABL1 のシグナルを阻害する．第 2 世代 TKI のニロチニブ，ダサチニブはイマチニブより各々 20～30 倍，300 倍の ABL キナーゼ阻害活性を有している．臨床試験においてもニロチニブ，ダサチニブはイマチニブに比較して，早く深い奏効を得ることができるので，CML-CP の第一選択は最初から第 2

世代 TKI であるダサチニブあるいはニロチニブを用いることが多い．2020 年 6 月より，ボスチニブも初発慢性期 CML への使用が承認された．

- IRIS 試験ではイマチニブの CML-CP に対する 8 年全生存率（OS）は 85%（CML 関連死のみに限定すれば 93%）である．無増悪生存率（PFS）は 92%と良好な治療成績を示している．
- TKI により長期生存が可能となり，特に第 2 世代 TKI を長期服用した際の有害事象が問題になっている．ニロチニブでは，投与開始数年後より，心血管系事象（虚血性心疾患，脳梗塞，末梢動脈閉塞症など）の発症が指摘されている．ダサチニブでは肺高血圧症などに注意が必要である．ボスチニブは，下痢などの副作用を認めることがあるが，心血管系の有害事象は比較的少ない．
- **TKI の特徴**

1）イマチニブ：2002 年に承認され，長期有効性と安全性が確立している．c-KIT や PDGFR も抑制するために off-target 効果が出やすく，c-KIT の異常を認める消化管間質腫瘍（GIST）にも効果を有する．浮腫，皮疹，消化器症状，筋攣縮，血球減少などが主な副作用である．

2）ダサチニブ：ABL キナーゼのみならず多くの Src ファミリーキナーゼを阻害する．1 日 1 回投与でよいことや，食事に影響されない特性を有し，顆粒リンパ球増加と治療効果の相関が報告されている．胸水貯留，肺高血圧症，出血傾向などに注意する必要がある．

3）ニロチニブ：イマチニブを改良し，ABL キナーゼ阻害により特化した TKI である．1 日 2 回服用が原則で，薬剤の吸収が食事に影響されるので食間に服用する．高血糖，リパーゼやアミラーゼなどの膵酵素の上昇を認めることがあり，糖尿病や慢性膵炎などの基礎疾患を有する場合は注意が必要である．

4）ボスチニブ：イマチニブやダサチニブ，ニロチニブによる前治療に耐性あるいは不耐用症例とともに，2020 年 6 月より初発慢性期 CML への適応が追加された．ABL キナーゼのみならず Src ファミリーキナーゼを阻害するが，c-KIT や PDGFR に対する抑制効果は弱い．下痢が問題になることが多く，その他，皮疹，嘔吐，全身倦怠感などが主な副作用である．初発例の

1 日投与量は 400 mg であるが，患者の状態により適宜増減し，1 日 600 mg まで増量できる.

5）ポナチニブ: イマチニブ抵抗性の原因となる *BCR-ABL1* 融合遺伝子の点突然変異の 1 つである T315I 変異は，他の TKI は無効であるが，現時点では第 3 世代 TKI である本剤のみが有効である．適応は，前治療薬に抵抗性または不耐容の CML と再発・難治 Ph 染色体陽性急性リンパ性白血病（ALL）である．CML 治療の目標が TFR を得ることになりつつある現在において，重要な治療選択肢となる薬剤である.

2）治療効果の判定

- TKI による治療開始後は，血液検査による血液学的奏効（hematological response: HR）や G-バンド分染法あるいは FISH 法による細胞遺伝学的奏効（cytogenetic response: CyR）（Ph 染色体の比率）を評価する．最近の European LeukemiaNet 2020 によると，TKI の反応性は，分子遺伝学的奏効（molecular response: MR）を *BCR-ABL1* 融合遺伝子発現量により RT-PCR 法を用いて評価する 図 1.
- RT-PCR 法では，*BCR-ABL1* 融合遺伝子の量を対象となる *ABL* 遺伝子量との比を国際指標（international scale: IS）で補正し，*BCR-ABL1*^{IS} と表す．*BCR-ABL1*^{IS} 定量 RT-PCR 検査は，2015 年 4 月より保険診療可能となった.

3）治療効果モニタリング

- CML-CP に対して TKI による治療を開始した際は，European LeukemiaNet（ELN）の推奨に従い，3 カ月，6 カ月，12 カ月およびそれ以降は 3〜6 カ月ごとに定期的な治療効果モニタリングと治療効果判定を行う[2)]表 1.
- ELN2020 による効果判定基準においては，これまでと異なり初回（1st line）治療および 2nd line の治療も同一の判定基準を用いるようになった．TKI 治療の目指すべき至適治療効果（optimal response）は，治療後 3 カ月までに IS ≦ 10%，6 カ月後 IS ≦ 1%，12 カ月後 IS ≦ 0.1%を達成することである．TKI 変更が必要とされるのは，治療失敗（failure）の基準を満たした場合である 表 1.
- 治療効果を判定することは予後予測に重要である．長期予後と TFR を目指すための DMR を達成するには，

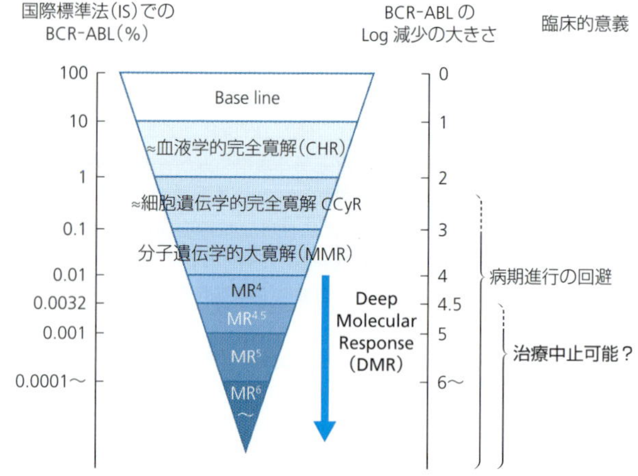

図1 CML 治療効果と残存細胞数およびその臨床的意義

表1 CML に対する効果判定基準

評価時期	Optimal(至適効果)	Warning(要注意)	Failure(治療失敗)
診断時	NA	High risk ACA/ELTS[1)]	NA
3 カ月	IS ≦ 10%	IS > 10%	IS > 10%
6 カ月	IS ≦ 1%	IS > 1〜10%	IS > 10%
12 カ月	IS ≦ 0.1%	IS >0.1〜1%	IS > 1%
時期を問わない	IS ≦ 0.1% (TFR を目指す場合は, ≦ 0.01% [$MR^{4.0}$])	IS >0.1〜1% MMR の消失	IS > 1% *BCR-ABL1* 変異 High risk ACA

NA: not applicable, IS: international scale, ELTS: EUTOS long term survival score
ACA: additional chromosomal abnormality (+8, second Ph, i(17q), +19, $-7/7q^{-}$, 11q23 あるいは 3q26.2, 複雑核型)
(Hochhaus A, et al. Leukemia. 2020; 34: 966-84[2)])

早期の分子遺伝学的奏効(early molecular response: EMR)が重要である. EMR は, 治療開始 3 カ月後 IS ≦ 10%あるいは 6 カ月後 IS ≦ 1%と規定されている.

- 深い分子遺伝学的奏効: Deep Molecular Response (DMR)

IS ≦ 0.01%を MR4, IS ≦ 0.0032%を $MR^{4.5}$, IS ≦ 0.001%を MR^5 と定義し[2)], 最近では MR^4 以上の効果を DMR とよんでおり(図1), 将来的には治療中止

を考慮する場合の指標となる.

4）治療の目標と TKI 治療中止の可能性

- TKI による現在の治療目標は，DMR を得ることが可能になったので長期間の無治療寛解（TFR）を得ることに変わりつつある.
- 日本血液学会造血器腫瘍診療ガイドライン 2018 年版補訂版では，「TKI により DMR を達成し *BCR-ABL1* 遺伝子が検出されなければ，TKI 中止が勧められるか」との CQ（clinical question）に対して，臨床試験以外での TKI 中止は勧められないとしつつも，特別な事情がある場合（妊娠を希望する女性や重篤な副作用の合併など）は，完全には否定できない急性転化に関する十分な説明同意と定期的な定量 PCR によるモニタリングを行い，MMR を失った場合は速やかに治療を再開するとの条件で，断薬を認めている[3].

5）移行期（AP），急性転化期（BC）に対する治療

- **AP に対する治療**
  TKI は一定の効果を示すが，長期的な効果に関するエビデンスはない．TKI としては，高用量イマチニブである 600 mg QD または 400 mg BID，ニロチニブ 400 mg BID，ダサチニブ 70 mg BID，ボスチニブ 500 mg QD が推奨されている．TKI により至適奏効が得られない場合は，同種造血幹細胞移植を考慮する.
- **BC に対する治療**
  BC に移行すると予後は数カ月とされきわめて不良である．TKI 単独での充分な効果は期待できないが，感受性のある TKI 単剤または化学療法併用で最大効果を得た後，可能な限り速やかに同種造血幹細胞移植を実施することが推奨されている.

参考文献

1）Vardiman JW, Melo JV, Baccarani M, et al. Chronic myeloid leukaemia. *BCR-ABL1*-positive. In: Swerdlow SH, Campo E, Harris NL, et al., eds. WHO classification of tumours of haematopoietic and lymphoid tissues. Lyon: IARC; 2017. p.30-6.
2）Hochhaus A, Baccarani M, Silver RT, et al. European LeukemiaNet 2020 recommendations for treating chronic myeloid leukemia: 2020. Leukemia. 2020; 34: 966-84.
3）日本血液学会，編．造血器腫瘍診療ガイドライン 2018 年版補訂版［2020 年 4 月］．慢性骨髄性白血病 / 骨髄増殖性腫瘍．東京：金原出版；2020. p.89-120.

〈木崎昌弘〉

15　骨髄増殖性腫瘍（MPN）

まとめ

- 骨髄増殖性腫瘍（myeloproliferative neoplasms：MPN）は，造血幹細胞レベルでの腫瘍化によって発症する疾患である．
- MPN には慢性骨髄性白血病（CML）の他に，真性多血症（PV），本態性血小板血症（ET），原発性骨髄線維症（PMF）などが含まれる．
- 有効造血が亢進し，末梢血では少なくとも 1 系統以上の血球増加を認める．骨髄では，骨髄系細胞（顆粒球，赤芽球，巨核球）の過形成を特徴とする．
- 髄外造血のために肝脾腫を認め，病態形成に *JAK2* 遺伝子変異が関与する[1]．

I　真性多血症（PV）

まとめ

- 有効造血の亢進により全ての血球増加を認めるが，特に赤血球増加が顕著である．
- ほとんどの症例（≧95%）に *JAK2* 遺伝子変異（V617F 変異）を認める．
- 約 3%の症例に *JAK2* exson12 変異を認める．この変異を有する polycythemia vera（PV）は，V617 変異に比べて，年齢が若く，血小板数や白血球数が低い．予後は V617 変異を有する症例よりも良好である．
- 診断には反応性の二次性多血症，他の MPN の鑑別が重要であり，血栓症のリスクとなる他の要因についても評価する．
- 血栓症の予防が重要である．

病態

- 造血幹細胞レベルでの *JAK2* 遺伝子変異により，赤芽球系前駆細胞に対するエリスロポエチン（EPO），IL-3，インスリン様成長因子（IGF-1）の感受性が増強し，EPO 非依存性に赤芽球系前駆細胞由来のコロニーが形成される[1]．

表1　真性多血症の診断基準（WHO 分類 改訂第 4 版に基づく）

大項目

1. 男性では Hb>16.5 g/dL あるいは Ht>49%，女性では Hb>16.0 g/dL あるいは Ht>48%，もしくは，赤血球量が平均正常予想値の 25%を超える．
2. 骨髄生検にて，赤芽球系，顆粒球系および巨核球系細胞の増殖と，大小さまざまな成熟巨核球を伴う汎過形成（年齢に比して）を認める．
3. *JAK2V617F* 変異，または *JAK2 exon12* 変異が認められる．

小項目

1. 血清エリスロポエチンの低下．

大項目を 3 つすべて満たすか，大項目 1 および 2 と小項目を満たす．

注：大項目 2 の骨髄生検は，持続する赤血球増加（男性で Hb>18.5 g/dL あるいは Ht>55.5%，女性で Hb>16.5 g/dL あるいは Ht>49.5%）を認め，大項目 3 と小項目を満たす場合は，必須ではない．ただし，骨髄線維化の初期は，骨髄生検のみで検出可能で（約 20%の症例で認められる），線維化の所見により，二次性骨髄線維症へのより早期の進行を予想可能である．

（Swerdlow SH, et al., eds. WHO classification of tumours of haematopoietic and lymphoid tissues. Lyon: IARC, 2017[2]）

- 以下の 2 期に分類される（WHO 分類改訂第 4 版）．
  多血症期：Hb, Hct, 赤血球量の増加を示す．
  消耗期：汎血球減少とともに骨髄線維化，髄外造血，脾腫を示す．
- 一部の症例は，骨髄異形成症候群（MDS）や急性白血病に移行する．

症候，身体所見

- 問診では喫煙歴，飲酒歴，心呼吸器系疾患の既往，多血症の家族歴，薬剤使用歴を聴取する．血栓症のリスクとなる高血圧症，糖尿病，脂質異常症などの治療歴などもチェックする．
- 循環赤血球量の増加と血液粘稠度亢進による症状：顔面紅潮，頭痛，頭重感，めまい，赤い手掌，眼瞼結膜充血など．
- 合併症：血栓症，高血圧，血小板機能異常による出血傾向．
- 好塩基球からのヒスタミン放出による皮膚の痒み．
- 血小板増加を伴う例では肢端紅痛症を認めることがある．これは，血栓により四肢末端の痛みを伴う赤く充血した腫脹であり下肢に多い．
- 脾腫は稀である．

表 2　真性多血症における血栓症発症リスク

低リスク群：以下の全てを満たす 　年齢＜60 歳 　血栓症の既往なし 　血小板数＜150 万 /μL
中間リスク群：低リスク群，高リスク群のいずれにも属さない
高リスク群：以下のいずれかを満たす 　年齢≧60 歳 　血栓症の既往あり

鑑別診断 表 1

- 反応性の二次性多血症との鑑別が重要である．*JAK2* 遺伝子変異がある場合，二次性多血症は否定的である．
- 血清 EPO 濃度が上昇している場合，真性多血症は否定される．
- 他の骨髄増殖性腫瘍を否定する．

治療[3] 表 2

- 血栓症のリスクによって治療法を選択する．年齢（60 歳以上）および血栓症のリスクを有することが高リスク群である．
- 高血圧，高脂血症，肥満，糖尿病などの，いわゆる血栓症の一般的なリスクファクターがある場合は，これらの治療を行う．
- 瀉血療法は，ヘマトクリット値 45%未満を目標に行う．
- 低リスク群では，瀉血と低用量アスピリン（75～100 mg/ 日）により血栓症の予防を行う．
- 高リスク群では，低用量アスピリン，瀉血療法に加えて細胞減少療法としてハイドロキシウレアを併用する．血小板数≧100 万 /μL の症例で，vWV 因子 30%未満の場合はアスピリンが出血症状を助長するので控える．
- ハイドロキシウレア抵抗性の場合，JAK 阻害薬ルキソリチニブを用いる．
- ハイドロキシウレアには催奇性の問題があり，妊娠中や挙児希望者には interferon（IFN）-α 療法を考慮する．また長期投与による二次発がんのリスクが完全には否定されていないため，40 歳未満の若年者においても，IFN-α を考慮することある[3]．

《処方例》

1. バイアスピリン®錠（100 mg）分 1 朝食後
2. ハイドロキシウレア（ハイドレア®カプセル 500 mg）1〜4 カプセル 分 1 朝食後
3. ルキソリチニブ（ジャカビ®錠 5 mg）血小板数 10 万/μL 以上の例に対して，1 日 10 mg を開始用量とし，1 日 2 回 12 時間ごとに服薬する．1 日 25 mg 1 日 2 回を超えないこと．血小板数 5 万/μL 未満の症例には避ける．

予後

- 年齢，白血球数，血栓症の既往歴が関与する．
- 治療された例では平均 9.1〜12.6 年と向上する．海外の報告では平均生存期間 15〜20 年程度との報告もある．
- 年間数%が急性白血病や骨髄線維症に移行する．
- 診断後，平均 10 年経過すると約 15%の症例が消耗期とよばれる状態に移行し，貧血，進行性の脾腫，骨髄線維化を認める．

〈木崎昌弘〉

II 本態性血小板血症（ET）

まとめ

・血小板増加を主体とする多能性造血幹細胞に由来するクローナルな疾患であり，*JAK2* V617F 遺伝子変異を約半数に認める．
・特徴的な症状はないが，一過性の視力障害，頭痛，めまいなどの他に肢端紅痛症を認めることがある．
・essential thrombocythemia（ET）の疾患概念が十分に確立しているとはいえない部分もあり，除外診断が重要である．PV や原発性骨髄線維症（PMF）とオーバーラップする症例も存在する．

病態

- *JAK2* 遺伝子変異を約 50%，*MPL*W515K/L 遺伝子変異を約 5%の症例に認める．*CALR*（calreticulin）遺伝子変異を約 20〜25%の症例に認めるが，これらの症例では *JAK* 遺伝子変異を認めない[1]．
- これらの遺伝子変異がチロシンキナーゼの恒常的活性化をもたらし，腫瘍細胞の自律的増殖に関与する．

表1 本態性血小板血症の診断基準（WHO 分類 改訂第 4 版に基づく）

大項目
1. 血小板数≧45 万/μL 以上
2. 骨髄生検にて，大型で過剰に分葉した成熟巨核球を伴った，おもに巨核球系細胞の増殖を認める．顆粒球系や赤芽球系細胞の明らかな増殖や，好中球の左方移動は認めない．細網線維の軽度の増加（グレード 1）はきわめて稀である．
3. *BCR-ABL* 陽性 CML，PV，PMF，MDS や他の骨髄系腫瘍の WHO 基準をみたさないこと．
4. *JAK2*，*CALR*，*MPL* いずれかの遺伝子変異を認める．
小項目
1. 染色体異常などのクローナルマーカーが存在，あるいは，反応性血小板増加症の所見がないこと．
大項目を 4 つすべて満たすか，大項目 1〜3 すべてと小項目を満たす．

(Swerdlow SH, et al., eds. WHO classification of tumours of haematopoietic and lymphoid tissues. Lyon: IARC, 2017[2])

症候，身体初見

- 特徴的な症状は乏しい．
- 四肢先端部に発赤とともに灼熱感を自覚する肢端紅痛症を認めることがある．一過性の頭痛，めまい，構音障害や視力障害を認めることもある．

鑑別診断 表1

- 反応性の血小板増加症を除外する 表2．

治療[3] 表3

- 治療の目標：血栓や出血を起こさないようにすることである．
  1) 低リスク群では，少量アスピリンが推奨される．
  2) 高リスク群では少量アスピリンに加えハイドロキシウレアの併用が推奨される．
  3) 高リスク群ではアナグレリドも使用される．アナグレリドは，血小板産生を抑制し，血小板凝集も阻害する．副作用は，頭痛，動悸，浮腫，貧血などである．
  4) 血小板数の著増に伴い vWF(von Willebrand 因子)が低下し，後天性 von Willebrand 症候群を発症することがある．血小板数 100 万≧/μL の場合，血栓症予防を目的としたアスピリン単独投与は出血を助長する可能性があるので注意が必要である．

表2 反応性血小板増加症を示す疾患や病態

悪性腫瘍：ホジキンリンパ腫が有名
感染症
炎症性疾患
出血，溶血
鉄欠乏性貧血：軽度白血球減少を伴うこともある
血小板減少症からの回復期
摘脾後

表3 本態性血小板血症の血栓症発症リスク

低リスク群：以下のすべてを満たす
年齢＜60 歳
血栓症の既往なし
血小板数＜150 万 /μL
高リスク群：以下のいずれかを満たす
年齢≧60 歳
血栓症の既往あり
血小板数≧150 万 /μL

《処方例》

アナグレリド（アグリリン® カプセル 0.5 mg）1 回 0.5 mg，1 日 2 回
増量は 1 週間以上間隔をあけ，1 日用量として 0.5 mg ずつ，1 日 4 回を超えない範囲で分割
1 回最大：2.5 mg，1 日最大：10 mg

- 生活習慣の改善．喫煙者には禁煙を指導し，高血圧，糖尿病，高脂血症などの合併症が存在する場合は，適切な治療を行う．

予後

- 生命予後は同年齢の健常人と変わらない．長期にわたる観察により，骨髄線維症や急性白血病への移行がみられるが，頻度としては PV より少ない．
- 死因は血栓症や心血管系合併症が主なものである．

〈木崎昌弘〉

III 原発性骨髄線維症（PMF）

まとめ

- 造血幹細胞レベルでの異常に起因し，骨髄の線維化をきたす疾患である．
- 約 50%の症例に *JAK2* 遺伝子変異，25%に *CALR* 遺伝子変異，数%に *MPL* 遺伝子変異を認める[1]．
- 髄外造血により肝脾腫（時に巨脾）を認め，末梢血では，幼若顆粒球系細胞と赤芽球が出現する白赤芽球症（leukoerythroblastosis）を認める．末梢血では涙滴赤血球を認める．
- 前線維化期 / 初期：病初期は，骨髄過形成，巨核球の増加・集簇，骨髄球系細胞の増加を特徴とし，必ずしも骨髄の線維化を認めない．
- 進行すると造血不全や急性白血病への移行を認める．

病態

- 造血幹細胞レベルで種々の遺伝子異常が生じ，骨髄巨核球などの血液細胞が増加する．
- *JAK2*V617F，*CALR*，*MPL* 遺伝子変異を認め，これらの変異により下流シグナルが恒常的に活性化され造血細胞が増殖する．特に巨核球が産生する TGF-β，TNF などの造血因子により骨髄の線維化や骨硬化が進行する[1]．

診断

表 1, 2

- 骨髄生検により骨髄の広範な線維化を伴う巨核球の増加と異形成，骨梁の増加を確認する．骨髄穿刺は dry tap であることが多い．
- 病期[2]
  1）前線維期（prefibrotic/early stage）：病初期においては異形成を伴う巨核球の増加が特徴で，線維化は認めないかあっても軽度である．
  2）線維化期（overt fibrotic stage）：進行すると，骨髄の線維化，骨硬化が著明になる．末梢血での涙滴赤血球や赤芽球，骨髄芽球の出現などの白赤芽球症を示し，臨床的にも髄外造血による肝脾腫を認める．

予後

- 予後因子としては，貧血（Hb<10 g/dL），発熱や体重減少などの臨床症状，末梢血芽球割合，白血球数，血小板数などである．

 前線維期 / 初期 PMF の診断基準

大項目
1. 巨核球の増殖と異形成が存在するが，グレード 1 をこえる細網線維の増生は伴わない．年齢に比して骨髄の細胞数の増加を認め，顆粒球系細胞の増殖としばしば赤芽球系細胞の減少を伴う．
2. *BCR-ABL* 陽性 CML，PV，ET，MDS や他の骨髄性腫瘍の WHO 基準を満たさないこと．
3. *JAK2*，*CALR*，*MPL* いずれかの遺伝子変異を認める．これらの遺伝子変異がない場合は，他のクローナルマーカーが存在するか，クローナルマーカーを認めない場合には，反応性の骨髄細網線維増生の所見がないこと．
小項目
下記のいずれかを 2 回連続して認める．
a. 併存症によらない貧血
b. 白血球数≧11,000/μL
c. 触知可能な脾腫がある
d. 血清 LDH の上昇
大項目 3 つすべてと小項目を 1 つ以上満たす．

注：*JAK2*，*CALR*，*MPL* いずれの遺伝子変異も認めない場合には，他の頻度の高い遺伝子変異（*ASXL1*, *EZH2*, *TET2*, *IDH1*/*IDH2*, *SRSF2*, *SF3B1*）の検索が診断の助けとなる．

注：反応性（二次性）の軽度細網線維増加（グレード 1）を生じる病態としては，感染症，自己免疫疾患，慢性炎症，ヘアリー細胞白血病や他のリンパ系腫瘍，がんの転移，中毒による骨髄障害があげられる．

（Swerdlow SH, et al., eds. WHO classification of tumours of haematopoietic and lymphoid tissues. Lyon: IARC, 2017[2]）

• 本邦での原発性骨髄線維症の生存期間中央値は 3.8 年，5 年生存率 38%，死因は感染症 23%，白血化 23%である．
• 予後不良因子を組み合わせたリスク分類表3．

治療[3]

• IPSS, DIPPS, DIPPS plus により予後評価を行い，治療法決定の参考とする．
• 中間Ⅱリスク群，高リスク群

1. 同種造血幹細胞移植：primary myelofibrosis（PMF）に対して唯一治癒が期待できる治療である．同種造血幹細胞移植にて約半数に長期生存が期待できる．
   2. JAK 阻害薬 ruxolitinib：移植が難しい場合に考慮する．30〜40%の症例に脾腫の改善，50%の症例に自覚症状の改善が認められ，生命予後の改善も期待できる．有害事象は貧血，血小板減少などの血液毒性である．

表 2 線維化期 PMF の診断基準

大項目

1. 細網線維もしくはコラーゲン線維の増生（グレード 2, 3）を伴う巨核球の増加と異形成を認める.
2. *BCR-ABL* 陽性 CML, PV, ET, MDS や他の骨髄系腫瘍の WHO 基準を満たさないこと.
3. *JAK2*, *CALR*, *MPL* いずれかの遺伝子変異を認める. これらの遺伝子変異がない場合は, 他のクローナルマーカーが存在するか, クローナルマーカーを認めない場合には, 反応性の骨髄細網線維増生の所見がないこと.

小項目

下記のいずれかを 2 回連続して認める.

a. 併存症によらない貧血
b. 白血球数≧11,000/μL
c. 触知可能な脾腫がある
d. 血清 LDH の上昇
e. 白赤芽球症

大項目を 3 つすべてと少なくとも 1 つ以上の小項目を満たす.

注: *JAK2*, *CALR*, *MPL* いずれの遺伝子変異も認めない場合には, 他の頻度の高い遺伝子変異（*ASXL1*, *EZH2*, *TET2*, *IDH1/IDH2*, *SRSF2*, *SF3B1*）の検索が診断の助けとなる.

注: 反応性（二次性）の軽度細網線維増加（グレード 1）を生じる病態としては, 感染症, 自己免疫疾患, 慢性炎症, ヘアリー細胞白血病や他のリンパ系腫瘍, がんの転移, 中毒による骨髄障害があげられる.

(Swerdlow SH, et al., eds. WHO classification of tumours of haematopoietic and lymphoid tissues. Lyon: IARC, 2017[2])

表 3 予後不良因子を組み合わせたリスク分類

予後因子	IPSS（スコア）	DIPSS（スコア）	DIPPS plus（スコア）
年齢	>65（1）	>65（1）	>65（1）
持続する症状（発熱, 夜間盗汗, 体重減少）	有（1）	有（1）	有（1）
Hb（g/dL）	<10（1）	<10（2）	<10（1）
WBC（×10⁹/L）	>25（1）	>25（1）	>25（1）
Plt（×10⁹/L）			<10（1）
芽球（末梢血）（%）	≧1（1）	≧1（1）	≧1（1）
赤血球輸血依存			有（1）
予後不良染色体			有（1）
予後分類	**スコア（生存期間中央値）**	**スコア（生存期間中央値: 月）**	**スコア（生存期間中央値: 月）**
低リスク群	0（11.3 カ月）	0（未達）	0（15.4 カ月）
中間 I リスク群	1（7.9 カ月）	1, 2（14.2 カ月）	1（6.5 カ月）
中間 II リスク群	2（4.0 カ月）	3, 4（4.0 カ月）	2, 3（2.9 カ月）
高リスク群	≧3（2.3 カ月）	5, 6（1.5 カ月）	4〜6（1.3 カ月）

《処方例》

ルキソリチニブ（ジャカビ®錠 5 mg）1 日 2〜10 錠 分 2

- 低リスク群，中間 I リスク群
  1. Watch and wait. 支持療法のみで長期生存が期待できる症例が存在する.
  2. 貧血や血小板減少による出血傾向を認める際は，赤血球輸血，血小板輸血で対応する.
  3. 薬物療法：保険承認されていないが蛋白同化ホルモンやサリドマイドが貧血や血小板減少による出血症状の改善に有用であることがある.
  4. 脾摘や脾臓への照射：脾腫による腹部症状の改善に脾臓への照射が有用である．1 日 0.15〜1 Gy，トータル 2.5〜6.5 Gy 程度の少量の分割照射を行う．脾摘は血球減少や脾腫による腹部症状の改善が期待されるが，出血，感染症，血栓などによる周術期の死亡や合併症が問題となる.

参考文献
(15-Ⅰ〜Ⅲ)

1) Vainchenker W, Kralovics R. Genetic basis and molecular pathophysiology of classical myeloproliferative neoplasms. Blood. 2017; 129: 667-79.

2) Swerdlow SH, Campo E, Harris NL, et al., eds. WHO classification of tumours of haematopoietic and lymphoid tissues. Myeloploliferative neoplasms. Lyon: IARC; 2017. p.29-59.

3) 日本血液学会，編．造血器腫瘍診療ガイドライン 2018 年版補訂版［2020 年 4 月］．慢性骨髄性白血病 / 骨髄増殖性腫瘍．東京：金原出版；2020. p.89-120.

〈木崎昌弘〉

16 ホジキンリンパ腫（HL）

まとめ

・ホジキンリンパ腫（Hodgkin lymphoma：HL）は B 細胞由来であり，EBV や炎症がその発生機序に関与している.
・古典的 HL（classical HL：CHL）と結節性リンパ球優位型 HL があり，CHL はさらに結節硬化型，混合細胞型，リンパ球豊富型，リンパ球減少型の 4 つの亜型に分類される.
・化学療法，放射線療法が有効であり，限局期では両者を併用，進行期では化学療法を行う.
・予後は良好で，進行期においても 70%以上の 10 年生存率を示すが，二次がんや心血管系疾患など長期合併症としての遅発性死亡リスクが問題点である.
・最近では予後良好例に有害事象の軽減を目的に治療強度を低めた治療法や，interium PET 検査で腫瘍残存がみられた予後不良症例に治療強度を高めた治療法などの層別化治療が検討されている.

疫学

• HL は 1832 年に Thomas Hodgkin が最初に発見した疾患であり，その発生頻度は欧米では全悪性リンパ腫の約 30～40%に認める一方で，本邦では約 10%前後である.
• 好発年齢は若年期（15～30 歳前後）と壮年期（50 歳以上）の 2 峰性を示す.
• ただし，HL の亜型別にみるとそれぞれ発症年齢には特徴があり，結節硬化型は若年者に多く，混合細胞型は高齢者に好発する傾向がある.

病態および病理分類

• HL は B 細胞由来の腫瘍であり，その発症には Epstein-Barr ウイルス（Epstein-Barr virus：EBV）の関与が指摘されている.
• また，炎症性サイトカインや NF-κB の恒常的活性化なども原因として報告されている.
• CHL の 30～40%の症例では NF-κB の制御を行っている染色体 6q23 における A20 遺伝子変異が出現す

る.

- 特に EBV 陰性例では 70%の症例で陽性となるが，この異常により NF-κB が恒常的に活性化する.
- したがって，HL では EBV 感染や A20 の不活性化により強い炎症が生じることで，Hodgkin/Reed-Sternberg（HRS）細胞の発症に関与している[1].
- HL の病理的特徴は HRS 細胞やリンパ球優位細胞（ポップコーン細胞）など B 細胞由来の腫瘍細胞を認めることであり，前者の増生を示す CHL と，後者の増生を示す結節性リンパ球優位型 HL（nodular lymphocyte-predominant Hodgkin lymphoma：NLPHL）の 2 つに大別することができる.
- HRS 細胞では PD-1 の発現が認められ，特に結節硬化型では 9p24.1 の増幅による PD-L1，PD-L2 の発現増強がみられる[2].
- さらに CHL は，壊死や線維化の程度，好酸球，好中球，形質細胞，リンパ球などの細胞浸潤の具合により結節硬化型，混合細胞型，リンパ球豊富型，リンパ球減少型の 4 つの亜型に分類する 表1 [3].

臨床症状・検査所見

- HL は一般的に緩徐な増殖を示し，その多くは無症候性に進行する.
- 主訴として一番多い事象は上頸部リンパ節腫脹であり，約 3/4 を占める.
- 一方，結節硬化型では約 60%に縦隔病変が出現するため，検診などで指摘されることも多い.
- これまで連続性病変が HL の特徴であり節外病変は稀とされてきたが，PET-CT により遠隔転移を有する症例も稀ではないことが判明している.
- その他として脾臓の浸潤は約 35%に認め，5～10%は肺，肝臓，骨髄，骨などの節外組織に浸潤するが，中枢神経系や精巣への浸潤は稀である.
- HL の約 1/3 で B 症状（発熱，体重減少，盗汗）を呈する.
- また Pel-Ebstein 型の発熱が HL には特異的である.
- 血液検査所見は，白血球増多，リンパ球減少，好酸球増多，貧血，アルカリフォスファターゼの上昇，赤沈亢進，CRP 異常高値，細胞性免疫能の低下などを認める.
- 進行期ではこれらのデータ異常の出現率は高く，貧血

表1 ホジキンリンパ腫の亜型とその特徴

		病変部位
古典的	結節硬化型	・80%に縦隔病変 ・約半数に巨大病変 ・節外病変は稀で通常Ⅰ/Ⅱ期
	混合細胞型	・末梢性のリンパ節腫脹が主体 ・縦隔病変は稀 ・節外病変は稀で通常Ⅰ/Ⅱ期
	リンパ球豊富型	・末梢性のリンパ節腫脹が主体 ・縦隔病変や巨大病変は稀 ・節外病変は稀で通常Ⅰ/Ⅱ期
	リンパ球減少型	・後腹膜リンパ節に好発 ・腹腔内，骨髄にしばしば浸潤 ・Ⅲ/Ⅳ期が一般的
結節性リンパ球優位型		・頸部，腋窩，鼠径部に好発 ・縦隔，脾臓，骨髄は稀 ・3/4はⅠもしくはⅡ期

は全体の40%に認める．

病期分類

- HLを含む悪性リンパ腫の病期分類はAnn Arbor分類を用いるのが一般的で，Ⅰ～Ⅳ期に分類される表2．
- 近年肝臓，脾臓，骨髄などの臓器浸潤に鋭敏なPET-CT所見を加味した病期分類が提唱されており，その一つにLugano分類がある表3．
- これはⅠ～Ⅳ期に加え，巨大腫瘤を有するⅡ期（Ⅱ-bulky）が加わった分類であり，巨大腫瘤の定義としてCTで10 cm以上，または縦隔腫瘤の評価を含めて胸郭の1/3以上と規定された．
- また，節外病変のみの評価として，IEもしくはIIE期の記載がなされている．
- 一般的な悪性リンパ腫の全身検索は，CT，PET-CT，骨髄検査，髄液検査などを行うが，HLの場合，PETにおける骨髄所見の偽陽性率は1%未満であることから，PET診断で病期Ⅰ/Ⅱ期とされた症例では骨髄検査は不要としてもよい．
- 治療効果判定は，CT，PET，および治療前に腫瘍が存

JCOPY 498-22507

病理的特徴	ホジキン細胞の特徴
・一つ以上の結節を含む結合組織の帯状増生 ・凹窩細胞（RS 細胞の特殊型）が存在 ・結節内に好酸球性，好中球性の膿瘍や壊死	・$CD20^{-}CD45^{-}$ ・$CD15^{+}CD30^{+}$ ・EBV^{+} ・$BCL6^{-}$
・結節性硬化像のないびまん性・反応性の背景 ・典型的な RS 細胞の増生 ・びまん性に組織球，好中球，好酸球，形質細胞，リンパ球などが浸潤	
・CHL の初期病変 ・小リンパ球からなる結節性，もしくはびまん性増殖を示す反応性背景 ・RS 細胞は散在性に少数出現 ・背景に好酸球．好中球，線維化がない	
・びまん性に RS 細胞が増生 ・びまん性線維化に RS 細胞が散在する病態と RS 細胞の肉腫様増殖を示す病態がある	
・結節性に増殖 ・線維化は稀 ・多核のホジキン細胞 ・典型的な RS 細胞は稀	・$CD20^{+}CD45^{+}$ ・$CD15^{-}CD30^{-}$ ・EBV^{-} ・$BCL6^{+}$

表 2　ホジキンリンパ腫の病期分類 ①

Ann Arbor 分類（Cotswold 修正分類）	
病期	病変部位
Ⅰ	1 つのリンパ節領域やリンパ組織への侵襲（1），または 1 つのリンパ組織以外の臓器・部位への限局性侵襲（ⅠE）
Ⅱ	横隔膜の片側の 2 カ所以上のリンパ節領域の侵襲（Ⅱ），または横隔膜同側のリンパ節以外の 1 つの臓器・部位の限局連続性病変と所属リンパ節領域の病変（ⅡE）
Ⅲ	横隔膜の上下にわたる複数のリンパ節領域の侵襲（Ⅲ），これに伴うリンパ節以外の 1 つの臓器・部位の限局連続性侵襲（ⅢE），または脾臓への侵襲（Ⅲs），あるいはこの両方（ⅢSE）
Ⅳ	1 つあるいは複数のリンパ節外臓器・組織またはリンパ節外臓器組織のびまん性（または多発性）の侵襲
A / B	A および B：以下に定義される全身症状のないものを A，あるものを B とする 1）初診後 6 カ月以内における説明のつかない 10%以上の原因不明の体重減少 2）継続または繰り返す原因不明の発熱（38℃以上） 3）盗汗
X	X：巨大病変：最大径 10 cm 以上の病変，もしくは胸部 X 線の第 5/6 胸椎レベルの胸郭の横径 1/3 以上の縦隔腫瘤を X とする

表3 ホジキンリンパ腫の病期分類 ②

Lugano 分類			
病期		病変部位	節外病変
限局期	I	1つのリンパ節領域の病変	リンパ節病変を伴わない1つのみの節外病変
	II	横隔膜の1側かつ2つ以上のリンパ節領域病変	横隔膜の1側かつ2つ以上のリンパ節領域病変
II bulky		巨大病変を伴うII期	—
進行期	III	横隔膜の両側にわたる複数のリンパ節領域 もしくは横隔膜の上側の病変＋脾臓	—
	IV	非連続性の節外病変を認める	—

在していた部位（骨髄など）の検査を行う.
- PET での腫瘍の陽性所見は，縦隔および肝臓の集積を基準とした5つのスコアによる判断基準が提唱されている.

治療・成績

- HL では放射線療法および抗がん薬治療が奏効するため，放射線療法単独，化学療法単独，化学療法と放射線療法を併用（combined modality therapy：CMT）のいずれかを選択する治療方針となっている.
- 限局期と進行期において治療方法は異なる 図1[4].
- 化学療法は ABVD 療法 表4 が標準治療であり，放射線療法では involved field radiotherapy（IFRT）が標準治療として推奨されている.
- HL では予後因子が検討されており，表5 に示す International Prognosis Score（IPS）が重要である.
- 近年これに基づく層別化治療も検討されている.

1）初回治療

a）限局期

① CHL
- 化学療法（ABVD 療法）4 コースと放射線療法（IFRT）30 Gy の CMT を用いるのが一般的である.
- CMT では ABVD 療法終了時に明らかな病勢進行が認められない限り，IFRT を予定通り行い治療終了する.

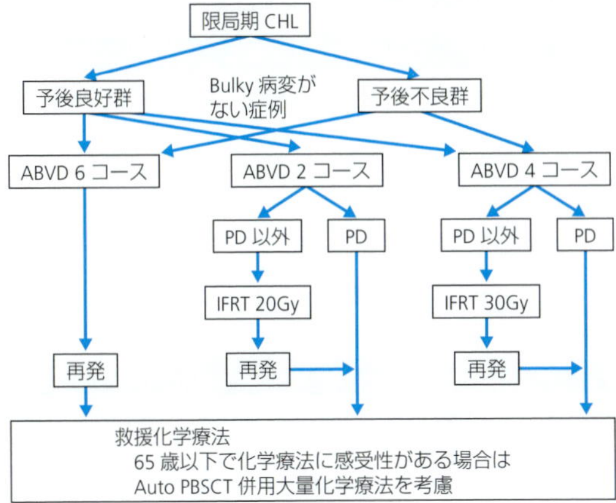

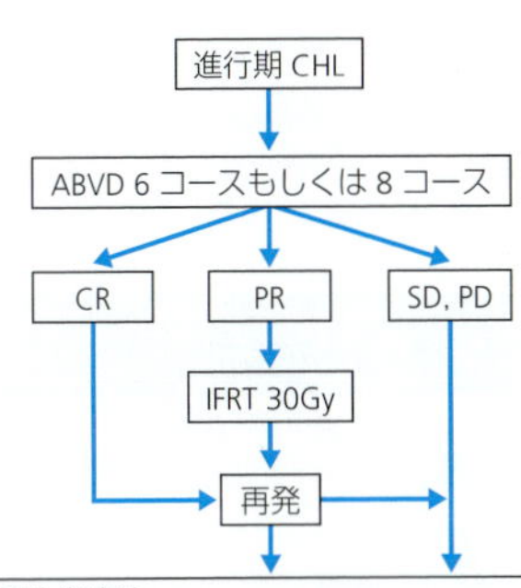

図 1　古典的ホジキンリンパ腫の治療方針

限局期 CHL では初回治療として ABVD 療法と放射線療法との併用が行われる．予後不良群に対しては ABVD 療法 4 コース後 IFRT 30 Gy が推奨されるが，予後良好群に対しては ABVD 療法 2 コース後 IFRT 20 Gy も推奨される．再発症例は進行期再発症例と同様の治療法がとられることが多い．

進行期 CHL の初回治療としては ABVD 療法（6 もしくは 8 コース）あるいは A＋AVD 療法 6 コースが施行される．PR の場合は IFRT が追加される．初回治療後に SD 以下あるいは再発症例では救援化学療法が施行される．合併症のない 65 歳以下で救援化学療法に感受性がある場合は自家造血幹細胞移植併用大量化学療法が施行される．再発・難治症例では，ブレンツキシマブ ベドチン，ニボルマブ，ペムブロリズマブが有効性である．

表4　ホジキンリンパ腫で用いられる化学療法

ABVD	投与量	投与経路	投与日	特徴的な副作用
ドキソルビシン	25 mg/m²	点滴	Day 1，15	心毒性，骨髄抑制，消化管障害，脱毛
ブレオマイシン	10 mg/m²（max 15 mg）	点滴	Day 1，15	間質性肺炎
ビンブラスチン	6 mg/m²（max 10 mg）	点滴	Day 1，15	末梢神経障害，イレウス，SIADH
ダカルバジン	375 mg/m²	点滴	Day 1，15	血管炎，血管痛

＊ 1サイクル28日

A+AVD	投与量	投与経路	投与日	特徴的な副作用
ドキソルビシン	25 mg/m²	点滴	Day 1，15	心毒性，骨髄抑制，消化管障害，脱毛
ビンブラスチン	6 mg/m²（max 10 mg）	点滴	Day 1，15	末梢神経障害，イレウス，SIADH
ダカルバジン	375 mg/m²	点滴	Day 1，15	血管炎，血管痛
ブレンツキシマブ・ベドチン	1.2 mg/kg	点滴	Day 1，15	末梢神経障害，骨髄抑制，感染症

＊ 1サイクル28日，＊＊ FN発症頻度が18%以上なのでG-CSFの一次予防をすること（ジーラスタは不可）

escalated BEACOOP	投与量	投与経路	投与日	注意点
ブレオマイシン	10 mg/m²（max 15 mg）	点滴	Day 8	間質性肺炎
エトポシド	200 mg/m²	点滴	Day 1～3	骨髄抑制
ドキソルビシン	35 mg/m²	点滴	Day 1	心毒性，骨髄抑制，消化管障害，脱毛
シクロフォスファミド	1250 mg/m²	点滴	Day 1	出血性膀胱炎，脱毛，消化器障害
ビンクリスチン	1.4 mg/m²（max 2 mg）	点滴	Day 8	末梢神経障害，イレウス，SIADH
プロカルバジン	100 mg/m²	経口	Day 1～7	骨髄抑制，肝機能異常，消化管障害
プレドニゾロン	40 mg/m²	点滴	Day 1～14	高血圧症，糖尿病，骨粗鬆症

＊ 1サイクル28日．白血球減少に対してDay 8よりG-CSFを併用

- 予後はきわめて良好で，10年生存率は90%を超え，長期生存が可能であるが，抗がん薬や放射線の晩期障害を含む有害事象のリスクが問題点である．

表5 ホジキンリンパ腫における予後因子

病期Ⅰ/Ⅱ期の予後因子	
縦隔腫瘤	MMR>0.33，もしくはMTR≧0.35，または10 cm以上
B症状	あり
病変数	3以上
血沈	≧50 mm（B症状なし）/≧30 mm（B症状あり）

MMR：縦隔胸郭比，MTR：第5/6胸椎レベル縦隔胸郭比

進行期における予後因子（International Prognosis Score：IPS）	
血清アルブミン	<4 g/dL
ヘモグロビン	<10.5 g/dL
性別	男性
病期	Ⅳ期（Ann Arbor分類）
年齢	≧45歳
白血球数	≧15,000/μL
リンパ球数	<600/μL，または<白血球数の8%

予後因子の数がIPSと定義

- 例えば，放射線療法を受けた患者では晩期障害として特に肺，乳房，消化管の二次がんや心血管系疾患による遅発性死亡リスクが認められる．
- そこで，近年では，予後不良因子をもたない限局期CHLに対しては，有害事象の軽減を目的とした化学療法のコース数や放射線照射量を減じる治療法の検討が行われている．
- 特に予後良好群に対してはABVD療法2コース後IFRT 20 Gyに減弱した治療法を用いても通常治療と同等の奏効性が得られることが判明しており，今後長期生存の結果の解析が待たれている．
- 一方，予後不良因子を有する限局期に関しては，ABVDのコース数を6コースまで増加させる方法も試みられている．

② NLPHL

- その多くが限局期であり，放射射線療法のみでも95%が治癒可能であることから，限局期NLPHLの標準治療はIFRTである．

b）進行期

- CHLおよびNLPHLいずれにおいてもABVD療法6～8コースが推奨される．

- 限局期とは異なり，IPS による層別化治療は推奨されていないが，難治例もある一定の確率で出現することから，治療強度を高めた治療法も検討されている．
- しかしながら，確かに奏効率においては，治療強度を高めた治療法は ABVD 療法と比較し良好な成績を示す一方で，有害事象も高率に出現すること，二次性発がん，不妊など晩期毒性も高まることから，現在は否定的な意見が多い．
- 初回治療 2 コース後の interim PET による治療効果判定で，残存病変を有する症例では完全奏効（complete response：CR）を示した症例と比較し有意に予後不良である．
- そこで残存症例に対して治療強度を高めた escalated BEACOOP 療法を施行したところ，予後が著明に改善した[5]．
- 最近では，抗 CD30 モノクローナル抗体に薬物を抱合したブレンツキシマブ・ベドチンと AVD の併用療法も選択肢の 1 つとなった．

2）再発症例

- いずれの症例であっても，再発例においては救援療法が必要となる．
- 基本的には初回治療と交差耐性のない薬剤を選択する．
- etoposide，cisplatin，cytarabine などを組み合わせた治療が行われている．
- ESHAP（etoposide，cytarabine，cisplatin，methylprednisolone）療法，ICE（ifosfamide，carboplatin，etoposide）療法，DHAP（cisplatin，cytarabine，dexamethasone）療法などがある．
- しかし，救援療法では治癒困難であることから，治療に感受性がある移植適応例では大量化学療法を用いた自家末梢血幹細胞移植（AutoPBACT）が 1 つの選択肢となる．
- また，AutoPBACT においても根治が困難と考えられる症例においては，同種幹細胞移植も 1 つの選択肢となる．
- 一方，移植非適応患者においては病勢コントロールを目指した治療を考慮する．
- HL に対して 2 種類の分子標的薬が登場した[6]．
- 抗 CD30 モノクローナル抗体に微小管阻害剤モノメ

チルアウリスタチンEが結合した抗体薬物複合体（ブレンツキシマブ・ベドチン）と，免疫チェックポイント阻害薬である抗ヒトPD-1モノクローナル抗体（ニボルマブ，ペムブロリズマブ）である．

- これらの薬剤は分子標的薬であることから，通常の抗がん薬より有害事象の傾向が異なることが特徴である．
- 依然これらの薬剤においても治癒をもたらすことは困難であるが，生存期間のさらなる延長をもたらすことが期待されている．

予後

- Ⅰ/Ⅱ期のHLの長期生存率は90%を超え，その中でも予後不良因子を有さない症例ではさらに良好な予後が得られている．
- 進行期HLにおいては，IPSが3以下の症例においては，治癒率は約70%である一方，4以上の症例では約50%前後の成績となっている．
- 前述したescalated BEACOPP療法を用いることで，10年全生存率は86%まで改善することから，今後はinterum PET検査による層別化などの治療法が取り入れられる可能性が高い．
- 一方，長期生存とともに増加する晩期障害リスクが問題点である．
- 特にHLでは若年者に1つの発症のピークがあることから，二次がんや心血管系疾患による遅発性死亡リスクの回避に向けて現在でも減弱した治療法の取り組みなど積極的に行われている．
- HLにおいてはたとえ治癒したとしても，その晩期障害の発症には長期にわたり十分に留意すべきである．

参考文献

1) Kuppers R. Hematology Am Soc Hematol Educ Program. 2009. p.491-6.
2) Green MR, Monti S, Rodig SJ, et al. Integrative analysis reveals selective 9p24.1 amplification, increased PD-1 ligand expression, and further induction via JAK2 in nodular sclerosing Hodgkin lymphoma and primary mediastinal large B-cell lymphoma. Blood. 2010; 116: 3268-77.
3) 田丸淳一．Hodgkinリンパ腫．日本臨牀．2015；73：258-64.
4) 日本血液学会，編．造血器腫瘍ガイドライン2013年度版．〈http://www.jshem.or.jp/gui-hemali/2_10.html#soron〉
5) Gallamini A, Hutchings M, Rigacci L, et al. Early interim 2-

[18F] fluoro-2-deoxy-D-glucose positron emission tomography is prognostically superior to international prognostic score in advanced-stage Hodgkin's lymphoma: a report from a joint Italian-Danish study. J Clin Oncol. 2007; 25 (24): 3746-52.
6) 丸山　大. ホジキンリンパ腫の新規治療薬. 血液フロンティア. 2016; 26: 215-21.

〈照井康仁〉

17 非ホジキンリンパ腫（NHL）

まとめ

・悪性リンパ腫とは，リンパ球が成熟過程で異常をきたし，リンパ組織において腫瘍化した病態であり，ホジキンリンパ腫と非ホジキンリンパ腫に大別される．
・非ホジキンリンパ腫は，成熟B細胞腫瘍，成熟T細胞およびNK細胞腫瘍由来に分類され，さらに約80の亜型に分類される．また予後別にインドレント群，アグレッシブ群，高アグレッシブ群の3群として分類可能である．
・それぞれの亜型により治療方法，および予後は異なるが，B細胞腫瘍の抗CD20抗体医薬であるリツキシマブ，T細胞腫瘍の抗CCR4抗体医薬であるモガムリズマブなどの細胞表面抗原を標的とした抗体医薬など，現在も分子標的治療薬の開発が進められている．

病態

• 骨髄で造血幹細胞からリンパ球へ分化し，末梢に流出後の細胞が腫瘍化した病態が悪性リンパ腫である．
• 組織学的にホジキンリンパ腫（Hodgkin lymphoma：HL）と非ホジキンリンパ腫（non Hodgkin lymphoma：NHL）に大別される．
• わが国における悪性リンパ腫の罹患率は，2011年で人口10万人あたり19.4人と報告されており，年々増加傾向にあり，NHLの頻度は全悪性リンパ腫のうち90%程度である．男女比は約3：2と男性に多く，70歳代で発症のピークを示す．

診断

• 診断はWHO分類に基づいて行われる．
• 非ホジキンリンパ腫では成熟B細胞腫瘍，成熟T細胞およびNK細胞腫瘍の大項目に分類され，2016年度の改訂版ではそれぞれ42および26の病型が定義された表1[1]．
• 非ホジキンリンパ腫の約40%を占める病型はびまん性大細胞型B細胞リンパ腫（diffuse large B-cell lymphoma：DLBCL）であり，次に多い病型が濾胞性リ

表 1　非ホジキンリンパ腫の病期分類

① 成熟 B 細胞腫瘍
慢性リンパ性白血病 / 小リンパ球性リンパ腫
単クローン性 B リンパ球増加症
B 細胞前リンパ球性白血病
脾辺縁帯リンパ腫
有毛細胞白血病
脾 B 細胞リンパ腫 / 白血病，分類不能
びまん性赤脾髄小型 B 細胞リンパ腫
有毛細胞白血病亜型
リンパ形質細胞性リンパ腫
ワルデンシュトレーム・マクログロブリン血症
意義不明の単クローン性ガンマグロブリン血症，IgM
μ重鎖病
γ重鎖病
α重鎖病
意義不明の単クローン性ガンマグロブリン血症，IgG / A
形質細胞骨髄腫
骨の孤立性形質細胞腫
骨外性形質細胞腫
単クローン性免疫グロブリン沈着病
粘膜関連リンパ組織型節外性辺縁帯リンパ腫（MALT リンパ腫）
節性辺縁帯リンパ腫
小児節性辺縁帯リンパ腫
濾胞性リンパ腫
原位置濾胞性腫瘍
小腸原発濾胞性リンパ腫
小児濾胞性リンパ腫
IRF4 転座を伴う大細胞型 B 細胞リンパ腫
原発性皮膚濾胞中心リンパ腫
マントル細胞リンパ腫
原位置マントル細胞腫瘍
びまん性大細胞型 B 細胞性リンパ腫，非特異型
胚中心 B 細胞性
活性型 B 細胞性
T 細胞 / 組織球豊富型大細胞型 B 細胞リンパ腫
原発性中枢神経びまん性大細胞型 B 細胞リンパ腫
皮膚原発びまん性大細胞型 B 細胞リンパ腫，下肢型
EBV 陽性びまん性大細胞型 B 細胞リンパ腫，非特定型
EBV 陽性粘膜皮膚潰瘍
慢性炎症に伴うびまん性大細胞型 B 細胞リンパ腫
リンパ腫様肉芽腫症
縦隔（胸腺）発生大細胞型 B 細胞リンパ腫
血管内大細胞型 B 細胞リンパ腫
ALK 陽性大細胞型 B 細胞リンパ腫
形質芽細胞性リンパ腫
原発性滲出液リンパ腫

表 1 つづき

HHV8 陽性びまん性大細胞型 B 細胞リンパ腫，非特定型
バーキットリンパ腫
11q 異常を伴うバーキット様リンパ腫
MYC および BCL2±BCL6 陽性高悪性度 B 細胞リンパ腫
高悪性度 B 細胞リンパ腫，非特定型
B 細胞リンパ腫，分類不能型，びまん性大細胞型 B 細胞リンパ腫と古典的ホジキンリンパ腫との中間型
② 成熟 T 細胞腫瘍および NK 細胞腫瘍
T 細胞前リンパ球性白血病
T 細胞大顆粒リンパ球性白血病
NK 細胞慢性リンパ増殖異常症
アグレッシブ NK 細胞白血病
小児全身性 EBV 陽性 T 細胞リンパ腫
種痘様水疱症類似リンパ増殖異常症
成人 T 細胞白血病 / リンパ腫
節外性鼻型 NK / T 細胞リンパ腫
腸管症関連 T 細胞リンパ腫
単形性上皮向性腸管 T 細胞リンパ腫
インドレント消化管 T 細胞リンパ増殖異常症
肝脾 T 細胞性リンパ腫
皮下脂肪織炎様 T 細胞リンパ腫
菌状息肉症
セザリー症候群
原発性皮膚 CD30 陽性 T 細胞リンパ増殖異常症
リンパ腫様丘疹症
原発性皮膚未分化大細胞リンパ腫
原発性皮膚 $\gamma\delta$T 細胞リンパ腫
原発性皮膚 CD8 陽性アグレッシブ表皮向性細胞障害性 T 細胞リンパ腫
原発性皮膚 CD4 陽性小・中 T 細胞リンパ増殖異常症
末梢性 T 細胞リンパ腫，非特定型
血管免疫芽球性 T 細胞リンパ腫
濾胞性 T 細胞リンパ腫
TFH 形質の節性末梢型 T 細胞リンパ腫
未分化大細胞リンパ腫，ALK 陽性
分化大細胞リンパ腫，ALK 陰性
乳房インプラント関連未分化大細胞リンパ腫

（Arber DA, et al. Blood. 2016；127：2391-405[1]）

ンパ腫（follicular lymphoma：FL）である．

- 予後別により，インドレント群，アグレッシブ群，高アグレッシブ群の 3 群で表現することもある 表 2 .
- 代表的なインドレント群の病型は FL や MALT，マントルリンパ腫であり，アグレッシブ群では DLBCL，高アグレッシブ群ではバーキットリンパ腫などが代表

表2 非ホジキンリンパ腫の悪性度分類

	B細胞性	T細胞性もしくはNK/T細胞性
低悪性度（インドレント群）	濾胞性リンパ腫 辺縁帯リンパ腫 　MALTリンパ腫 　脾辺縁帯リンパ腫 　節性辺縁帯リンパ腫 リンパ形質細胞性リンパ腫 マントル細胞リンパ腫	皮膚未分化大細胞リンパ腫 菌状息肉症
中等度悪性度（アグレッシブ群）	びまん性大細胞型B細胞リンパ腫	末梢性T細胞リンパ腫 分類不能型 血管免疫芽球性T細胞リンパ腫 節外性NK/T細胞リンパ腫・鼻型 　腸管関連T細胞リンパ腫 肝脾T細胞リンパ腫 皮下脂肪織炎様T細胞リンパ腫
高悪性度（高アグレッシブ群）	バーキットリンパ腫 リンパ芽球性白血病/リンパ腫	成人T細胞白血病/リンパ腫 リンパ芽球性白血病/リンパ腫

的な病型である．

- また，インドレント群とアグレッシブ群の間に中等度アグレッシブ群を設定し，4群とする分類も存在する．
- 診断には組織生検が必須であるが，同時に，組織の一部を用いて細胞浮遊液を作成，細胞表面マーカーおよび染色体検査，遺伝子検査を合わせて行うことが望ましい．
- ただし，ホルマリン固定を行うと細胞浮遊液が作成できないため，生理食塩水に浸したガーゼで採取した組織を覆い処理を行う．免疫染色/細胞表面マーカーではB細胞ではCD5，CD19，10，20，T細胞ではCD2，3，4，7，8，NK細胞ではCD16，56などを用いて診断を行う（「Ⅳ-3 フローサイトメトリー」を参照）．
- 血液腫瘍では疾患特有な染色体異常や遺伝子異常・変異が検出されるため，可能な限り染色体検査や遺伝子検査を行う必要がある．
- CT検査，PET-CT検査，骨髄検査，髄液検査などが病期診断の主たる検査であり，Ann Arbor分類（病期Ⅰ期，Ⅱ期，Ⅲ期，Ⅳ期）で評価する．
- 悪性リンパ腫ではPET検査で高率に陽性となるが，その評価を取り入れたLugano分類が新しい病期分類として提唱されている.
- ただし，特にインドレント群のリンパ腫ではPET検査での陰性例も稀ではないことから，そのような症例ではCTを基に判断する.

臨床症状

- ホジキンリンパ腫では連続性病変を示すことが多いが，多くの非ホジキンリンパ腫では非連続性病変が認められ，身体所見，画像所見を含めた全身検索が必須である.
- インドレント群は発熱，盗汗，体重減少などのB症状を含め無症状であることが多いが，アグレッシブもしくは高アグレッシブ群ではしばしば自覚症状を認める.
- 非ホジキンリンパ腫では腫瘍細胞による中枢神経（CNS）への浸潤や，CNS原発リンパ腫も存在することから，神経学的異常にも留意する.

必要な問診，身体所見，検査

- 初発状況とこれまでの経過，全身症状（発熱，体重減少，盗汗など），治療中の疾患，合併症，既往症などをチェックする.
- しばしば節外病変を呈することから，自覚症状も含め問診にも十分に注意を払う.
- 成人T細胞白血病・リンパ腫（adult T cell leukemia-lymphoma：ATLL）などのように地域性がある疾患を疑う場合では出生地も問診する.
- 身体学的所見では，表在リンパ節の数や大きさ（最大長径とそれに直行する短径の二方向で測定），性状（硬さ，可動性の有無など）などを正確に記録する.
- また，performance status，肝脾腫の有無，神経学的所見も忘れずに記載する.
- 全身検索ではCT検査，PET-CT検査，骨髄検査，髄液検査が基本である.
- ただし，アグレッシブもしくは高アグレッシブ群で，扁桃咽頭，生殖器，副腎などが原発である場合は髄液検査を積極的に行う．インドレント群では，中枢神経浸潤が稀であるであるが，状況によって髄液検査を施行する.
- 軟部組織などの節外病変はMRIがその描出に優れていることもあり，必要に応じて考慮する.
- マントル細胞リンパ腫やMALTリンパ腫，バーキットリンパ腫（Burkitt lymphoma：BL）などは消化管にも浸潤しやすいので，症状がある場合や PET 検査で陽性所見が得られた場合は内視鏡検査も行う．

治療方針

1）総論

- 非ホジキンリンパ腫における治療は，病型（組織診断），病期，年齢，全身状態などを考慮して決定する．
- さまざまな治療ガイドラインが存在するが，本邦では日本血液学会による「造血器腫瘍診療ガイドライン」が提唱されている[2)]．
- インドレント群では腫瘍増殖が緩徐であるが，限局期以外通常の抗がん薬では治癒は困難である．
- インドレント群の治療開始規準の 1 つである GELF 規準の評価で腫瘍量が少なく，臓器障害が存在しない症例ではすぐに治療を行わない watchful waiting（WW 無治療経過観察）も 1 つの選択肢となる．
- アグレッシブ群では腫瘍増殖が速いため，組織診断が確定するとともに治療を開始する．高アグレッシブ群では腫瘍増殖が極めて速いため，治療強度を高めた治療を行う．
- バーキットリンパ腫やリンパ芽球性リンパ腫が高アグレッシブ群に属する．
- 高齢者や重篤な基礎疾患を有している患者に対しては，投与量や治療間隔の調整を考慮することも実臨床では重要である．
- 積極的に治療を行う場合には強い免疫抑制状態となるため，ニューモシスチス肺炎予防として ST 合剤（バクタ®配合剤，1 錠 / 日）の予防投与を行う．
- ステロイド薬に対する胃粘膜保護としてプロトンポンプ阻害薬などの投与を行い，血糖値や血圧をモニタリングする．

2）治療判定基準

- 治療判定は治療終了後に CT 検査，PET-CT 検査（治療前に PET 検査で陽性所見が得られた症例）を行う（PET-CT 検査は治療終了後約 6〜8 週に行う）．
- 治療前に骨髄，髄液，消化管などに病変が存在していた場合は，それらの確認検査を行う．
- それによって，完全奏効（CR），部分奏効（PR），病勢安定（SD），病勢進行（PD）の治療効果判定を行う．

3）副作用管理

- CD20陽性B細胞リンパ腫で用いられるリツキシマブの主たる副作用には輸注反応があり，くしゃみ，熱感，皮疹，瘙痒感，アナフィラキシーなどの症状が出現する．
- その予防のためリツキシマブ投与前30分に抗ヒスタミン薬（d-クロルフェニラミン：ポララミン®6 mg）および解熱鎮痛薬（アセトアミノフェン：カロナール®500 mg）などの投与を行う．
- CHOP療法などの化学療法に対しては，制吐薬として5-HT_3受容体拮抗薬やNK1受容体拮抗薬を用いる．
- 抗がん薬投与初期には悪心，嘔吐，倦怠感などが出現，症状に合わせて対症療法を行う．
- 抗がん薬投与後1週間から10日程度で血球減少，特に白血球および好中球減少が出現し，20%前後の患者で発熱性好中球減少症（FN）を認める．
- FNが出現した際にはG-CSF（フィルグラスチム，ノイトロジン®，グラン®など）や抗菌薬の投与を行う．
- FNの中〜高リスクには一次予防としてペグ化G-CSF製剤（ジーラスタ®）の使用を考慮する．
- 2〜3コース以降になると，脱毛やビンクリスチンによる末梢神経障害（しびれなど）が出現する．
- 基本的に対症療法で対応するが，症状に合わせて減量，休薬，中止を考慮する．
- 便秘も出現しやすい副作用の一つで，症状に合わせて緩下剤を投与する．
- ドキソルビシンの副作用には蓄積性心毒性があり，総投与量500 mg/m^{2}以上で高頻度に出現するため，CHOP療法は6〜8コース内で行う．

4）腫瘍残存もしくは再燃時の治療

- 再燃を疑う場合には画像検査を行い，その有無を確認する．
- 他腫瘍との鑑別が難しい場合やインドレント群におけるアグレッシブ群への形質転換を疑わせる場合（血清LDH高値など）などでは，積極的に病変の再生検を行い，病理診断を行う．
- インドレント群の腫瘍残存や再燃時には，腫瘍量や増殖速度などを考え合わせて抗がん薬投与を考慮する．
- アグレッシブ群では，合併症のない65歳未満の患者で救援化学療法に感受性を認める場合には，自家末梢血幹細胞移植（Auto PBSCT）を用いた大量化学療法

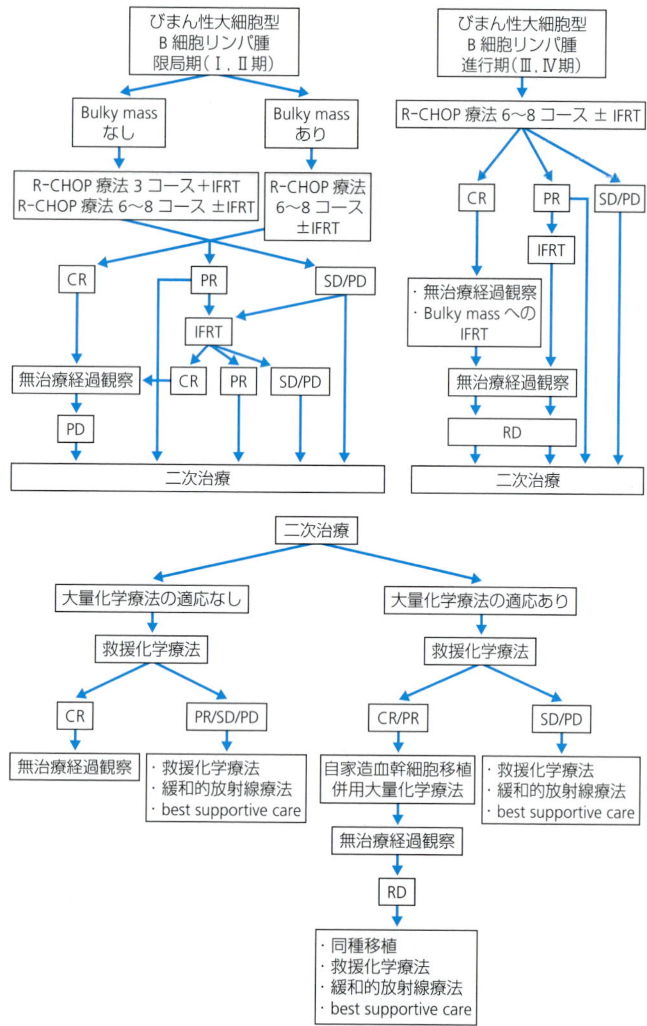

図 1　びまん性大細胞型 B 細胞性リンパ腫の治療方針
(日本血液学会, 編. 造血器腫瘍診療ガイドライン 2018 年版補訂版. 東京: 金原出版; 2020[2)])

限局期でも R-CHOP 療法が基本である. 放射線療法を考慮する場合, Ⅱ期では病変が連続性で 1 照射野にて照射可能である必要がある. 限局期 (病期Ⅰ, Ⅱ期) では巨大

がよい適応となる.

- 高アグレッシブ群では，自家末梢血幹細胞移植（Auto PBSCT）による治癒はしばしば困難であるので，同種造血幹細胞移植（Allo SCT）が適応となる.

5）各亜型における治療方針

a）DLBCL

- アグレッシブ群に属し，悪性リンパ腫全体の約 30% を占める．WHO 分類においては DLBCL には多彩な亜型が含まれていて 表1，インドレント群からの形質転換も含めて不均一な疾患である.
- 初発治療は R-CHOP 療法（リツキシマブ，シクロフォスファミド，ドキソルビシン，ビンクリスチン，プレドニゾロン）が標準治療である.
- 限局期（病期Ⅰ，Ⅱ期）では R-CHOP 療法 3 コース＋局所的放射線療法，進行期（病期 Ibulky 期，Ⅲ期，Ⅳ期）では 6〜8 コースを行う 図1 [2].
- 予後予測因子として International Prognosis Index（IPI）があり，さらに年齢補正をかけた Aged IPI もまた用いられている 表3 [3].
- 進行期の初回治療における R-CHOP の成績は 5 年生存率で 70%を超えるが，依然として予後不良群が存在し，その群に対しては治療強度を高めた治療方法や，積極的な自家末梢血幹細胞移植の検討が進められている.
- 再燃時の代表的な救援（サルベージ）療法には R-ESHAP 療法（リツキシマブ，エトポシド，シタラビン，シスプラチン，メチルプレドニゾロン）や R-CHASER 療法（リツキシマブ，エトポシド，シタラビン，デキサメタゾン)，R-ICE 療法（リツキシマブ，イフォスファマイド，カルボプラチン，エトポシド)，R-GDP（リツキシマブ，ゲムシタビン，デキサメタ

病変がない場合には R-CHOP 療法 3 コース後に局所的放射線療法（involed field radiation therapy：IFRT）を行うか，再燃しやすいと判断される場合には局所的であっても，進行期と同様に R-CHOP 療法 6〜8 コース行った後に IFRT を追加してもよい．進行期（病期 Ibulky 期，Ⅱ〜Ⅳ期）では R-CHOP 利用法 6〜8 コースが標準であり，R-CHOP 療法後に腫瘍が残存する場合や，巨大病変がある場合には IFRT の追加も検討する.
再燃時などの救援療法では自家末梢血幹細胞移植併用大量化学療法の適応がある患者は積極的に行うが，非適応患者では救援療法を行い，再度完全奏効（complete response：CR）を目指す．それでも部分奏効（partial response：PR）以下の反応しか得られない場合には緩和治療を含めた best supportive case を考慮する.
SD：stable disease（状態安定)，PD：progressive disease（病勢進行）

表3 **国際予後因子**（International Prognosis Index：IPI）

International Prognosis Index（IPI）	
予後因子	予後不良因子
年齢	61歳以上
血清 LDH	正常上限を越える
Performance Status	2～4
病期	ⅢまたはⅣ期
節外病変数	2つ以上
年齢調整 International Prognosis Index（age-adjusted IPI）	
血清 LDH	正常上限を越える
Performance Status	2～4
病期	ⅢまたはⅣ期

IPI のリスク分類

予後因子0または1：低リスク（Low risk）
予後因子2：低中間リスク（Low-Intermediate risk）
予後因子3：高中間リスク（High-Intermediate risk）
予後因子4または5：高リスク（High risk）

年齢調整 IPI

予後因子0：低リスク（Low risk）
予後因子1：低中間リスク（Low-Intermediate risk）
予後因子2：高中間リスク（High-Intermediate risk）
予後因子3：高リスク（High risk）
※年齢調整 IPI は，自家造血幹細胞移植のように，若年者のみで高齢者は対象とならない治療や，高齢者のみを対象とした治療の臨床研究への適応に用いられている

ゾン，シスプラチン）などがあり，それらを複数回行って再度完全奏効を目指す．

- 救援療法に部分奏効以上に到達した移植適応症例では，救援療法に合わせて自家末梢血幹細胞を採取し，Auto PBSCT 併用大量化学療法を行う．

b）FL

- 非ホジキンリンパ腫の7～15%を占める2番目に多い組織型である．
- 緩徐な経過をたどることから，GELF の評価基準などによる低腫瘍量であり臓器障害を伴わないような症例では無治療経過観察（watchful waiting：WW）も一つの治療選択となる図2[2)]．
- 限局期の場合には WW 以外では局所的放射線療法やリツキシマブ単剤などが用いられる進行期の場合ではオビヌツズマブ（G）あるいはリツキシマブ（R）を併用したベンダムスチン（GB 療法あるいは RB 療法），

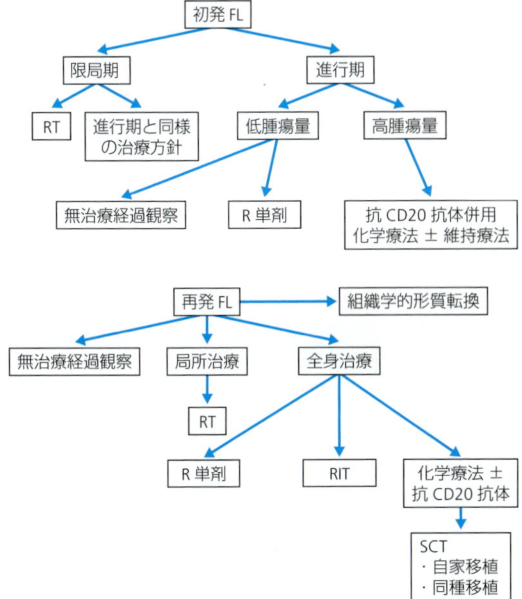

図 2　濾胞性リンパ腫の治療方針

（日本血液学会，編．造血器腫瘍診療ガイドライン 2018 年版補訂版．東京：金原出版；2020[2)]）

限局期の場合には放射線療法（radiotherapy：RT），化学療法＋放射線療法併用療法（combined modality therapy：CMT），もしくは無治療による経過観察を行う．進行期の場合には GELF 基準などにおいて低腫瘍量であれば，リツキシマブ（rituximab：R）単剤や無治療経過観察を行うが，高腫瘍量では G または R を含む化学療法を行った後，G または R 単剤による維持療法を行うかどうか考慮する．

再燃した場合は，状況に合わせて，限局期であれば放射線療法，経過観察，化学療法，RIT のいずれかを選択，進行期であれば，移植適応例で治癒を希望する場合には，毒性を軽減した前処置（reduced-intensity conditioning：RIC）を用いた同種造血幹細胞移植も含め考慮する．またリツキシマブに放射性同位元素が標識された放射線免疫療法（radioimmunotherapy：RIT）も再燃時の一つの選択となる．

CHOP（G-CHOP 療法あるいは R-CHOP 療法），CVP（G-CVP 療法あるいは G-CVP 療法）を行う 図2.

- 一般的に予後は良好で，進行期においても化学療法を用いることで 5 年生存率は 80%以上を示すが，限局期の一部を除きほとんどの症例で再燃と寛解を繰り返す.
- 治療が必要な場合には，フルダラビン，クラドリビンなどのプリン代謝拮抗薬やリツキシマブに放射性同位元素を標識したイブリツモマブチウキセタンなどの選択も考慮する.
- また移植適応症例では腫瘍増殖の程度により，Auto PBSCT も選択肢の一つとなるが，無病生存率を延長させるが治癒は難しい.
- Allo SCT も行われているが，合併症による死亡や再燃などを認めるので，難治性の若年症例が適応となる.
- 予後予測モデルとして，年齢，血清 LDH, ヘモグロビン値，節性病変領域数，病期による FLIPI と，年齢，血清 β_2 ミクログロブリン値，ヘモグロビン値，最大のリンパ節病変の長径，骨髄浸潤による FLIPI2 が提唱されている 表4.

c）MALT（mucosa associated lymphoid tissue）リンパ腫

- MALT リンパ腫は，細菌，ウイルス，自己免疫性疾患などの感染症や炎症が病態の一因と考えられおり，胃，大腸，肺，甲状腺，唾液腺，乳腺，眼科領域などに好発する.
- 胃では *Helicobacter pylori*（HP）感染により慢性炎症の結果，t(11；18)(q21；q21）などの特徴的な染色体異常が生じ，API2-MALT1 融合遺伝子や A20 遺伝子変異によって NF-κB の恒常的活性化が出現して腫瘍化する.
- HP 除菌にて 90%以上の患者で腫瘍は消退する[4].
- 胃以外の MALT リンパ腫の治療方針は，一般的なインドレント群（濾胞性リンパ腫など）の基本方針に準じて行われる.

d）マントル細胞リンパ腫

- リンパ節濾胞のマントル層を構成する B 細胞が腫瘍化したリンパ腫であり，染色体転座 t(11；14)(q13；q32）に伴う BCL-1 遺伝子再構成によって生じる.
- 60 歳代半ば，男性に多く，初発時に節外病変を有す

表4 FLIPI と FLIPI2

Follicular Lymphoma International Prognostic Index：FLIPI	
予後因子	予後不良因子
年齢	61 歳以上
血清 LDH	正常上限を超える
ヘモグロビン値	12 g/dL 未満
節性病変領域数	5 領域以上
病期	ⅢまたはⅣ期
FLIPI2	
年齢	61 歳以上
β_2 ミクログロブリン	正常上限を超える
ヘモグロビン値	12 g/dL 未満
最大のリンパ節病変の長径	6 cm を超える
骨髄浸潤	あり

予後因子の数により，以下の 3 つのリスクグループに分類する.
予後因子数 0 または 1：低リスク（Low risk）
予後因子 2：中間リスク（Intermediate risk）
予後因子 3 以上：高リスク（High risk）
（Solal-Céligny P, et al. Blood. 2004; 104: 1258-65[6], Federico M, et al. J Clin Oncol. 2009；27：4555-62[7]）

ることが多く，骨髄浸潤は 50%，脾腫は 30%以上，消化管浸潤は 20～30%の症例で認められる.

- 難治性であり，通常の化学療法では根治は困難である.
- 予後予測モデルとして，年齢，performance status，血清 LDH，末梢血白血球数の 4 因子について配点を規定し総合点により予後を層別化した MCL International Prognostic Index（MIPI）が提唱されている 表5.
- また，Ki-67 染色陽性率を加えた予後因子モデルも提唱されている.
- 根治を目指す移植適応例では Allo SCT が適応となる.

e）バーキットリンパ腫（Burkitt lymphoma：BL）

- きわめて進行が速い高アグレッシブ群に属する.
- 小児においては全小児悪性腫瘍の過半数を占めるが，成人では悪性リンパ腫全体の 1～2%程度で男性に多い.
- 回盲部腫瘤などの腹部腫瘤で好発し，卵巣，腎，乳房，骨髄，中枢神経などの節外へしばしば浸潤する.

表 5　MIPI

ポイント	年齢	ECOG PS	LDH/ 正常値上限比	白血球数（/μL）
0	50 歳未満	0～1	＜0.67	＜6700
1	50～59 歳	-	0.67～0.99	6700～9999
2	60～69 歳	2～4	1～1.49	10000～14999
3	70 歳以上	-	≧1.5	≧15000

リスク	ポイント
低	0～3
中間	4～5
高	6～12

（Hoster E, et al. Blood. 2008; 111: 558-65[5]）

- Ki-67 が 95%以上の細胞で陽性となり，MYC 転座を認めるのが特徴である．
- 予後不良因子としては，年齢（40 歳以上），LDH 上昇，中枢神経系浸潤，骨髄浸潤，10 cm 超の巨大腫瘤，＋7q，del（13）の染色体異常が知られている．
- BL では PET 検査が感度，特異度ともに高いため有用であるが，腫瘍増殖により検査が間に合わないことも稀ではない．
- 以前は予後がきわめて不良とされていたが，大量メトトレキサート療法が中枢再発を予防することが判明し，リツキシマブを併用した R-HyperCVAD 療法や R-CODOX-M/IVAC 療法などにより，現在では 5 年生存率は 90%前後のきわめて良好な成績となった．

f）ATLL

- 本邦において，T 細胞性および NK 細胞性リンパ腫のなかで最も多い組織型が成人 T 細胞白血病・リンパ腫（ATLL）である．
- 特に九州・沖縄地方を主とする西南日本に多発する．
- human T-lymphotropic virus type-I（HTLV-1）により発症するが，その感染経路には輸血，性交，母乳があり，最も問題視されているのが母乳による母子感染である．
- 母乳から感染した児の一定の割合でウイルスキャリアとなり，日本では 110 万人程度存在するとされている．
- 年間 1,000 人に 0.6～0.7 人の発症率と考えられている．
- キャリアから ATLL の発症率は 20 歳から始まり 60

歳頃をピークにして以降徐々に減少する.

- 急性型, リンパ腫型, 慢性型, くすぶり型があり, この順に予後不良である.
- 特に急性型はきわめて予後不良であり, 高カルシウム血症, 高 LDH 血症が出現, 意識障害を呈する場合もある.
- 末梢血リンパ球のフラワー（花）細胞が特徴である.
- いったん急性型として発症すると, 通常の化学療法では根治は難しいので, Allo SCT が適応となるが, 発症年齢が 60 歳以上を占めており移植適応症例は限られ, 予後はきわめて不良である.
- ATLL 細胞には CCR4 とよばれる抗原が発現しており, これに対する抗体医薬（モガリズマブ）が ATLL に使用可能である.
- 2014 年から初発患者にも承認され, 現在さまざまな薬剤の組み合わせで検討が進められている.

参考文献

1）Arber DA, Orazi A, Hasserjian R, et al. The 2016 revision to the World Health Organization classification of myeloid neoplasms and acute leukemia. Blood. 2016; 127: 2391-405.
2）日本血液学会, 編. 造血器腫瘍診療ガイドライン 2018 年版補訂版. 東京: 金原出版; 2020. http://www.jshem.or.jp/gui-hemali/table.html.
3）The International Non-Hodgkin's Lymphoma Prognostic Factors Project. A predictive model for aggressive non-Hodgkin's lymphoma. N Engl J Med. 1993. 30: 329: 987-94.
4）中村昌太郎. H.pylori 感染による MALT リンパ腫発症機構. 日本臨牀. 2015; 73: 75-9.
5）Hoster E, Dreyling M, Klapper W, et al.; German Low Grade Lymphoma Study Group (GLSG); European Mantle Cell Lymphoma Network. A new prognostic index (MIPI) for patients with advanced-stage mantle cell lymphoma. Blood. 2008; 111: 558-65.
6）Solal-Céligny P, Roy P, Colombat P, et al. Follicular lymphoma international prognostic index. Blood. 2004; 104: 1258-65.
7）Federico M, Bellei M, Marcheselli L, et al. Follicular lymphoma international prognostic index 2: a new prognostic index for follicular lymphoma developed by the international follicular lymphoma prognostic factor project. J Clin Oncol. 2009; 27: 4555-62.

〈照井康仁〉

18 成人T細胞白血病・リンパ腫（ATLL）

まとめ

- HTLV-1 ウイルスによる ATLL は，このウイルスの endemic area（西南日本，中南米ほか）の成人に多発する難治性の成熟 T 細胞の白血病 / リンパ腫であり，臨床病態は多様で急性から慢性の経過をとるが，造血器腫瘍の中でも極めて難治性である．
- 臨床病型分類により低悪性度と高悪性度の ATLL に区分され，それぞれ watchful waiting と強力な化学療法 / 同種造血幹細胞移植が標準治療とされている．
- HTLV-1 ウイルスによる ATLL の予防・治療法には 3 ステップがある．1 つ目は HTLV-1 の感染予防であり，endemic area では輸血感染はドナーのスクリーニングにより，母児感染はキャリア妊婦への人工栄養の推奨により予防法が確立したが，水平感染は未解決である．2 つめは HTLV-1 キャリアの ATLL 発症予防だが，ATLL 発症ハイリスクキャリアは同定できたが，発症予防法は未確立である．3 つめは ATLL の治療であり，標準治療法は確立しているがその改良が望まれるとともに，患者の高齢化が進む中，高齢者の高悪性度 ATLL の標準治療法の確立が望まれる．

成人T細胞白血病・リンパ腫（ATLL）とは

- 成人 T 細胞白血病・リンパ腫（adult T-cell leukemia-lymphoma: ATLL）は，ヒトTリンパ球向性ウイルスⅠ型（HTLV-1）が腫瘍細胞の染色体 DNA にプロウイルスとして単クローン性に組み込まれている成熟 T 細胞白血病・リンパ腫であり，HTLV-1 の endemic area 出身の成人に好発する．
- 1977 年に高月らによって成人に発症する特徴的な花弁状の核を有する T 細胞性の白血病として報告された ATLL は，当初から患者の出生地が九州に偏在していること，さらには家族内発症の好発などからウイルスなどの病原体の関与が示唆されていた[1]．1980 年に米国の黒人の皮膚 T 細胞リンパ腫患者（後に ATLL と判明）と日本の ATLL 患者の腫瘍細胞からレトロウイルスが同定され，1982 年にその塩基配列の高い相同性が確認され，human T cell leukemia virus type 1（HTLV-I）として報告された．臨床的には，血清中の抗 HTLV-1 抗体，多彩な細胞・組織学的形態を有する CD4 / CD25 陽性の成熟 T 細胞腫瘍，さらにはサザンブロット法により病変での単クローン性の HTLV-1 プロウイルスの腫瘍細胞への組み込みの同定による診断法が確立している[2, 3]．

疫学

- HTLV-1 / ATLL のグローバルな疫学研究により，西南九州を主とした日本以外に中南米，中央アフリカ，およびそこから移住した欧米在住者にも ATLL が報告された．日本での HTLV-1 / ATLL の疫学研究により，母乳によって感染した HTLV-1 キャリアのうち数%が平均約 60 歳で ATLL を発症することが明らかになった．2010 年代の同様の疫学調査では，ATLL 患者の平均年齢は約 70 歳であり，高齢化が著しいことが明らかとなった．初回献血者の HTLV-1 抗体スクリーニング検査から，1980 年代には日本に約 120 万存在すると推定されていた HTLV-1 キャリアは，2010 年代の同様の調査で約 108 万人いて，ATLL 患者同様に高齢化していた．
- 感染経路としては，輸血，性交渉，主に母乳を介した母児感染の 3 つが知られている．日本では，1980 年代から献血時の HTLV-1 抗体のスクリーニング検査により，輸血感染は予防されている．またキャリア妊婦に母乳遮断と人工栄養指導を行うと感染率を約 20%から数%へ低下させることが日本の endemic area から報告され，2009 年からは全国の妊婦健診時に HTLV-1 スクリーニングが行われている．一方水平感染については，2010 年代の日赤での複数献血者の経時的検査から，日本で年間約 4000 人の青年期以降の新規 HTLV-1 感染者が存在し，うち 77%が女性であることが明らかとなっている．HTLV-1 は，脊髄とぶどう膜にそれぞれ HTLV-1 関連脊髄症 / 熱帯性痙性麻痺（HAM / TSP）と HTLV-1 関連ぶどう膜炎（HAU）という慢性炎症性疾患も生じる．日本では少ないが中南米から小児の HTLV-1 キャリアに好発する感染性皮膚炎も報告された．

ウイルス学と多段階発がん

- HTLV-1 はヒトに感染するレトロウイルスとしては初めて発見されたが，その後同じく CD4 陽性のヒト T リンパ球に感染するレトロウイルスとして HTLV-2（南米の原住民と北米の麻薬常習者に感染者が多いが，疾病は生じない）と HTLV-3（後に HIV：human immunodeficiency virus と呼称変更）が発見された．HTLV-1 は ATLL を含む上記のいくつかの疾患を，HIV は後天性免疫不全症候群を発症するが，HTLV-2 は潜伏感染のままである．母乳を介して母児感染した HTLV-1 キャリアの数%のみが平均発症年齢 60 歳代で ATLL を発症すること，HTLV-1 はがん遺伝子を有さず，染色体ゲノム組み込み部位はランダムであること，HIV と異なり HTLV-1 はキャリアと ATLL 患者の体内でほとんど発現しないことから，HTLV-1 は ATLL の病因ウイルスではあり，PCR で同定されているように感染細胞のオリゴクローナルな増殖をキャリアにもたらすが，本疾患の発症には宿主ゲノム異常の蓄積が必要と推定されていた．実際に慢性型 ATLL が急性型へ転化するときには，がん抑制遺伝子の付加的な変異・欠損を多く認める．最近の網羅的なゲノム異常解析によって低悪性度 ATLL と高悪性度 ATLL でそれぞれ特徴的な異常，後者でのより複雑な経路での多彩な異常（ATLL 以外の末梢性 T 細胞リンパ腫と同一の経路異常も多い）が明らかとなった．

症候

- リンパ節腫脹，肝脾腫，皮膚浸潤が多く，消化管，肺，腎，中枢神経，骨などに浸潤による場合もある．しばしば合併する高カルシウム血症（副甲状腺ホルモン関連蛋白などのホルモン / サイトカインによる）や細胞性免疫低下（CD4 陽性細胞の腫瘍化による正常 CD4 陽性リンパ球の減少）による AIDS と同様の日和見感染症が，さらに徴候を多彩にする．くすぶり型や慢性型は無症状の時期に，検診などでの末梢血液像異常により発見される場合も多い．

検査

- 白血化した急性型，慢性型，くすぶり型では末梢血に，リンパ腫型ではリンパ節病変に，特徴的な花弁状の核形態をもつ腫瘍細胞を認める．血清 LDH，Ca や可溶性インターロイキン 2 受容体の上昇は ATLL の病勢を示すよいマーカーである．血清学的に抗 HTLV-1 抗体

JCOPY 498-22507

が陽性であり，典型的な ATLL 細胞は活性化した成熟 Th2 / 制御性 T 細胞の表面形質（$CD3^+$, $CD4^+$, $CD8^-$, $CD25^+$, $CCR4^+$, FoxP3$^-$ or $^+$）を有する．

診断

• 以上より典型例の診断は容易である．非典型例では，ATLL 細胞の DNA に HTLV-1 プロウイルスが単クローン性に組み込まれていることをサザンブロット法などの遺伝子診断で証明して確定診断する．

予後因子と病型分類

• JCOG-LSG から 1991 年に報告された ATL 全国調査では 813 名の予後因子として，年齢，全身状態，総病変数，高 Ca 血症，高 LDH 血症が重要であった．予後因子解析，自然史と臨床病態の特徴から，白血化，臓器浸潤（リンパ節，皮膚，肺，肝脾，骨，消化管，胸水，腹水，中枢神経），高 LDH 血症，高 Ca 血症の有無と程度により病型分類が提唱され，これが治療法選択の重要な指標とされる[4]．表 1 に示すようにくすぶり型，慢性型，リンパ腫型は規定されており，急性型はその除外診断によりなる．これらの相対頻度は急性型 57%，リンパ腫型 19%，慢性型 19%，くすぶり型 6%であった．急性型，リンパ腫型，予後不良因子（LDH，アルブミン，BUN のいずれか 1 つ以上が異常値）をもつ慢性型 ATLL は急速な経過をたどることが多く，それぞれの生存期間中央値は 6 カ月，10 カ月，15 カ月であることから一括してアグレッシブ（高悪性度）ATLL とよばれる．一方，くすぶり型および予後不良因子を有していない慢性型 ATLL は比較的緩徐な経過をたどり，それぞれの 4 年生存割合は約 63%と約 70%であることから，インドレント（低悪性度）ATLL とよばれる．

治療

• ATLL は，病型分類に基づいて，図 1 のアルゴリズムによって治療法を選択する．悪性度が高いアグレッシブ ATLL は，末梢性 T 細胞リンパ腫，非特定型などの非ホジキンリンパ腫の標準的治療法である CHOP 療法などに抵抗性であるため，G-CSF を併用して他の抗がん薬を併用し短い治療間隔で強力な化学療法を繰り返す．また，しばしば中枢神経系に再発するため予防的に抗がん薬の髄注を併用する．日本のガイドラインでは 70 歳未満のアグレッシブ ATLL を対象とした

表 1　ATLL 臨床病型の診断規準

	くすぶり型	慢性型*1	リンパ腫型*1	急性型*1
抗 HTLV-1 抗体*2	＋	＋	＋	＋
リンパ球数（×10³/mm³）*3	＜4	≧4	＜4	
異常リンパ球数*4	≧5%*7	＋*8	≦1%	＋*8
Flower cell	*5	*5	no	＋
LDH	≦1.5N	≦2N		
補正 Ca 値（mg/dL）	＜11.0	＜11.0		
組織学的に腫瘍病変が確認されたリンパ節腫大	No		＋	
腫瘍病変				
皮膚	*7			
肺	*7			
リンパ節	no		yes	
肝腫大	no			
脾腫大	no			
中枢神経	no	no		
骨	no	no		
胸水	no	no		
腹水	no	no		
消化管	no	no		

空欄は他の病型で規定される条件以外の制約はないことを示す.
N: 正常値上限
＊1: 予後不良因子を有する慢性型: BUN＞施設基準値上限, LDH＞施設基準値上限, 血清アルブミン＜施設基準値下限の 1 つでも満たす場合
＊2: PA 法あるいは ELISA 法や Western blot 法のいずれかで陽性であること. Immunofluorescence 法や Western blot 法により, 陽性反応が確認されていることが望ましい. 測定可能な施設では, Southern blot 法により, HTLV-1 provirus の ATLL 細胞への組み込みを確認する.
＊3: 正常リンパ球と異常リンパ球を含むリンパ球様細胞の実数の和
＊4: 形態学的に明らかな ATLL 細胞
＊5: ATLL に特徴的な flower cell が認められてもよい.
＊7: 末梢血中の異常リンパ球が 5%未満でくすぶり型と診断されるには, 皮膚あるいは肺に組織学的に腫瘍病変が確認されることが必要である.
＊8: 末梢血中の異常リンパ球が 5%未満で慢性型または急性型と診断されるには, 組織学的に腫瘍病変が確認されることが必要である.

第Ⅲ相比較試験（JCGG9801）結果により CHOP-14 療法と比べて完全奏効割合（40% vs. 25%）と 3 年生存割合（24% vs. 13%）が上回った VCAP-AMP-VECP 療法による導入と, 年齢, 臓器能などが許せば多くの後方視的解析結果から graft versus ATLL 効果による治癒が期待できる同種造血幹細胞移植（al-

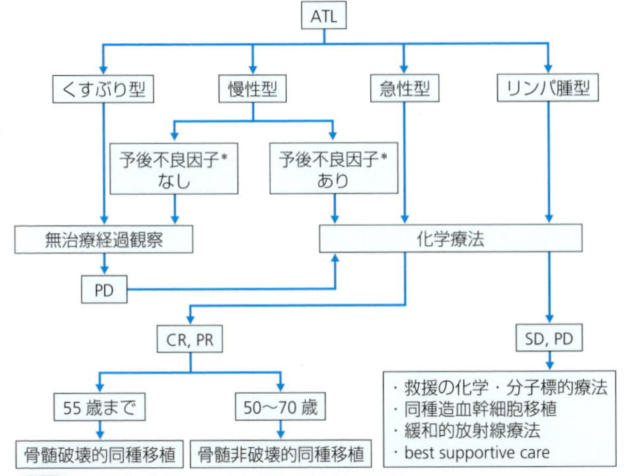

図 1　本邦における ATL に対する標準的治療
（日本血液学会，編．造血器腫瘍診療ガイドライン 2018 年版補訂版．東京：金原出版；2020）

※　予後不良因子：BUN>施設基準値上限，LDH>施設基準値上限，血清アルブミン<施設基準値下限の 1 つでも満たす場合．

lo-HSCT）を化学療法開始後早期（upfront）に行うことを推奨している．2019 年の ATLL についての国際コンセンサスレポートでは，Upfront allo-HSCT の効果を高めかつ毒性を軽減するための，導入化学療法，移植のタイミング，前処置，ドナー選択，移植後のフォローアップ法などについて，エビデンスレベルは高くはないが考慮すべき項目を上げ，解説している[5]．ATLL 患者の高齢化が進む中，70 歳以上のアグレッシブ ATLL に対する標準治療は確立していないが，減量した VCAP-AMP-VECP 数コース後の経口抗がん薬による維持療法などを考慮することが，国際コンセンサスレポートでは推奨されている．

- 悪性度が低いインドレント ATLL の治療法は，急性転化するまでは非進行期の慢性リンパ性白血病と同様に watchful waiting が原則とされる．くすぶり型で皮膚病変のみを持つ症例の局所治療は，皮膚悪性腫瘍診療ガイドラインの参照が推奨される．関連して，皮膚病変を有する ATLL 患者を血液内科医と皮膚科医が併診する場合のガイドライン解説書が出版された[6]．皮膚病変を有するインドレント ATLL の多くが長期生存するが，腫瘤性などの皮膚病変を有するインドレント ATLL は予後不良であるとの報告が複数ある．前述の国際コンセンサスレポートでは，皮膚原発の節外性のリンパ腫型 ATLL はアグレッシブ ATLL と同様に治療することを考慮することを推奨しているが，その皮膚病変の性状の定義などは未確立である．

- 抗 CCR4 抗体の mogamulizumab と免疫調整薬の lenalidomide は，再発を主とした前治療歴のある高悪性度 ATLL への単剤での有効性と安全性が示され，薬事承認されている．さらに初発の高悪性度 ATLL に対して VCAP-AMP-VECP 療法への mogamulizumab の併用の有無のランダム化第 II 相試験では高い完全奏効割合が示され，初発 ATLL への併用療法も薬事承認された．その後の実地医療で mogamulizumab を含む治療後の Allo-HSCT では，本剤が ATLL 細胞に加えて同じく CCR4 陽性である制御性 T 細胞も除去することから，重症型 / 致死的な GvHD が高頻度であることが明らかとなり，upfront の Allo-HSCT の適応がある場合には mogamulizumab を併用しない化学療法を用いること，難治 / 再発で使用した場合には一定期間をおいてから移植することが国際コンセンサスレポートでも推奨されている．Lenalidomide は再発難治の ATLL での有用性が示されたが，本剤も allo-HSCT 後の免疫調整作用が GvHD を惹起する懸念が指摘されている．
- 合併症対策としては，高 Ca 血症の治療と日和見感染症の予防（ニューモチスチス・ジロベッキは必須）/ 治療が重要である．

参考文献

1) Takatsuki K. Adult T-cell leukemia, Oxford: Oxford University Press, New York; 1994.
2) Ohshima K, Jaffe ES, Kikuchi M. Adult T-cell leukemia/lymphoma, In: Swerdlow SH, Campo E, Harris NL, et al., eds. WHO Classification of tumour of haemaopoietic and lymphoid tissues. 281-4. 4th edition. Lyon: IARC Press; 2017.
3) Tsukasaki K, Hermine O, Bazarbachi A, et al. Definition, prognostic factors, treatment, and response criteria of adult T-cell leukemia-lymphoma: a proposal from an international consensus meeting. J Clin Oncol. 2009; 27: 453-9.

4) Shimoyama M. Diagnostic criteria and classification of clinical subtypes of adult T-cell leukaemia-lymphoma: a report from the Lymphoma Study Group (1984-87). Br J Haematol. 1991; 79: 428-37.
5) Cook LB, Fuji S, Hermine O, et al. Revised adult T-cell leukemia-lymphoma international consensus meeting report. J Clin Oncol. 2019; 37: 677-87.
6) 石田高司，伊藤　旭，戸倉新樹，他．血液内科医・皮膚科医のための統合 ATL 診療ガイドライン解説書 2014．臨床血液．2014; 55: 2257-61，日本皮膚科学会雑誌．2014; 124: 2275-9.

〈塚崎邦弘〉

19　多発性骨髄腫（MM）

まとめ

・多発性骨髄腫（multiple myeloma: MM）は形質細胞が腫瘍化したものであり，腫瘍細胞（骨髄腫細胞）はモノクローナルな免疫グロブリン（M 蛋白）を産生・分泌する．
・ベンスジョーンズ蛋白（Bence Jones Protein: BJP）は遊離した軽鎖のみからなる異常免疫グロブリンで，M 蛋白の一種であり，腎障害の原因となる．
・骨髄腫細胞は，種々のサイトカイン・ケモカインを産生・分泌し，骨融解性（溶骨性）病変，血球減少（貧血）など特徴的な症状を引き起こす．
・2014 年 の IMWG（International Myeloma Working Group）診断基準にて臓器障害あるいはバイオマーカーのいずれかを有する症例が治療適応となる．
・MM に対する治療は自家造血幹細胞移植の適応の有無により大別される．いずれも初期治療は新規薬を含む 2～4 剤の併用によるものが推奨されている．

疫学と病因

・MM の発症頻度は 10 万人あたり 2～6 人であり，40 歳以上，特に 60～80 歳代の高齢者に多い．
・病因となる染色体・遺伝子の異常としては，高 2 倍体（hyperdiploidy）などの染色体の数的変化，t（11;14）（q13;q32），t（4;14）（p16;q32），t（14;16）（q32;q23）などの染色体転座，13 番染色体の欠失，17 番染色体短腕の欠失，Ras 遺伝子の変異，などがあげられている．
・骨髄腫細胞の増殖因子として IL-6 などが知られており，骨髄微小環境が骨髄腫細胞の生存・増殖に必要である．

症状・併発症 図 1

・骨病変（溶骨性病変）：骨髄腫細胞から産生されるマクロファージ炎症性蛋白〔macrophage inflammatory protein（MIP）-1α,β〕というケモカインを介して破骨細胞が活性化され，骨吸収が促進される．また，

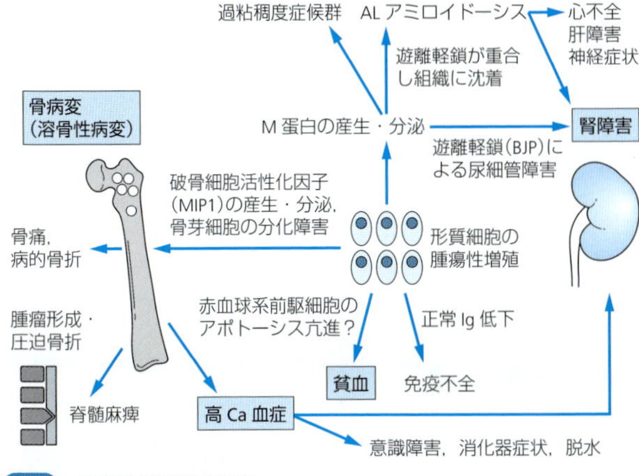

図1 多発性骨髄腫の病態

骨髄腫細胞由来の可溶性因子であるDKK-1，sFRP-2による骨芽細胞の分化阻害により骨形成も抑制される．これらにより，特徴的な骨融解性（溶骨性）病変を生じ，骨痛（腰背部痛など）や病的骨折を起こす．

- 高カルシウム血症：骨吸収の促進による．口渇，多飲，多尿，腎障害，嘔気・嘔吐，便秘，意識障害などの症状がみられる．
- 血球減少：貧血のみのことが多い（赤芽球系前駆細胞のアポトーシス亢進などが原因として考えられている）が，白血球減少，血小板減少を伴うこともある．
- 腎障害：免疫グロブリン遊離軽鎖（free light chain: FLC）は分子量が小さいため糸球体から濾過され，遠位尿細管でTamm-Horsfall蛋白と結合し，円柱を形成し，管腔を閉塞し腎障害をきたす．これが進行すると尿細管の萎縮や間質の線維化をきたし，不可逆的な障害となる．他に，AL（amyloid light chain）アミロイドーシス，高カルシウム血症，高尿酸血症，脱水，薬剤なども腎障害の原因となる．
- 以上の4つはよくみられる徴候であり，「CRAB徴候」〔C：高カルシウム血症（Hypercalcemia），R：腎不全（Renal failure），A：貧血（Anemia），B：骨病変（Bone lesion）〕とよばれている．

- 易感染性：正常形質細胞の減少・正常免疫グロブリンの産生低下による.
- AL アミロイドーシス：FLC がみられるものの一部では，FLC 分子が重合してアミロイドとなり，腎（糸球体あるいはその周辺部位であることが多い），心，肝，消化管，舌，神経などに沈着し，臓器障害をきたす.
- 過粘稠度症候群：M 蛋白により血液の粘稠度が増加し，中枢神経症状などをきたす.
- 脊髄麻痺：脊椎骨の破壊や椎体からの腫瘤形成性病変による圧迫により起こる.

検査所見

- 血算・血液像では，貧血，赤血球の連銭形成がみられることが多い．時に白血球減少や血小板減少もみられる.
- 骨髄検査では異型形質細胞の腫瘍性増殖像がみられる.
- 血清生化学では，総蛋白上昇，アルブミン低下，カルシウム上昇，β_2 ミクログロブリン（MG）上昇がみられる.
- 血清あるいは尿の蛋白電気泳動（蛋白分画）にて M スパイクが認められ，免疫電気泳動・免疫固定法で M 蛋白，ベンスジョーンズ蛋白（Bence Jones Protein：BJP）が確認される．BJP はモノクローナルな FLC が尿中に排泄されたものである．血清 FLC の異常（κ 鎖あるいは λ 鎖のどちらか一方への偏位）が認められる.
- ただし，BJP（light chain only）型 MM では，通常，血中に M スパイクは認められず，低蛋白（低ガンマグロブリン）血症となる.
- 骨単純 X 線では，打ち抜き像，骨粗鬆症，病的骨折像などがみられ，CT，MRI，PET-CT などの画像診断では，腫瘤形成像がみられることがある.

診断基準

- IMWG の 2003 年版の診断基準では，症候性多発性骨髄腫の定義として，M 蛋白の存在，クローナルな形質細胞増加，臓器障害・症状（myeloma-defining events: MDE）があげられ，MDE を欠くものは無症候性骨髄腫として扱われていたが，2014 年版[1]では表 1 のように改訂された.
- なお，2003 年の診断基準にて MDE に含まれていた，

表1 多発性骨髄腫の診断基準（2014年改訂版 IMWG 基準）

MGUS（monoclonal gammopathy of undetermined significance）
血清中M蛋白<3 g/dL 臓器障害や症状なし 骨髄中のクローナルな形質細胞<10%
くすぶり型多発性骨髄腫（smoldering multiple myeloma）
血清中M蛋白≧3 g/dL or 尿中M蛋白≧500 mg/日 　and/or 骨髄中の単クローン性形質細胞≧10% 臓器障害や症状なし．
多発性骨髄腫（multiple myeloma）
骨髄中にクローナルな形質細胞増殖（≧10%），あるいは形質細胞腫 （M蛋白量は問わない） これに加えて，以下の1つ以上を認める． ・臓器障害（前述のCRAB徴候） 高カルシウム血症：>正常上限の1 mg/dL，あるいは>11 mg/dL 腎機能障害：クレアチニンクリアランス<40 mL/分，あるいは血清クレアチニン>2 mg/dL 貧血：Hb<正常下限の2 g/dLを下回る低下，あるいはHb<10 g/dL 骨病変：骨単純X線，CTあるいはPET-CT検査で1つ以上の溶骨性病変 ・バイオマーカー 骨髄中のクローナルな形質細胞の高比率：≧60% 血清FLCの高度の異常：involved/uninvolved FLC比≧100 ・MRI検査異常：2カ所以上の限局性病変（>5 mm）

（Rajkumar SV, et al. Lancet Oncol. 2014; 15: e538-48[1]）

アミロイドーシス，過粘稠度症候群，年2回以上の細菌感染症は2014年基準では，MDEから除外されている．

臨床病期分類

- Durie & Salmon（DS）病期分類は長年にわたり用いられてきたが，予後との相関性や骨病変の評価においての問題点が指摘され，2005年以降は国際病期分類（International Staging System：ISS）が標準的となっている．しかし，現在でもDS分類がISS分類に併記されることがある 表2 ．
- ISS分類は予後因子を解析・抽出した結果，指標を血清アルブミン（Alb）と β_2MGの2つのみとしたもので簡便となっている．血清Alb値の低下は炎症性サイトカイン量を，血清 β_2MG値の上昇は腫瘍量と腎機能低下度の両者を反映しているといわれている 表3 ．
- さらに近年では，染色体異常と血清LDH値を加えた

表2 Durie & Salmon 病期分類

病期	基準
I期	次の全ての基準を満たす 1. Hb>10 g/dL，2. 血清 Ca 正常，3. 骨 X 線：正常 or 孤立性病変のみ， 4. M 蛋白量：IgG<5 g/dL，IgA<3 g/dL，尿中 BJP<4 g/日
II期	I期でもIII期でもない
III期	次の 1 つ以上の基準を満たす 1. Hb<8.5 g/dL，2. 血清 Ca>12 mg/dL，3. 骨 X 線：広範な骨融解像， 4. M 蛋白量：IgG>7 g/dL，IgA>5 g/dL，尿 BJP>12 g/日
亜分類	A：腎機能が正常かそれに近い（血清クレアチニン<2.0 mg/dL） B：腎機能障害あり（血清クレアチニン≧2.0 mg/dL）

（Durie BG, et al. Cancer. 1975; 36: 842–54[2)]）

表3 国際病期分類（ISS）

病期	基準
I期	β2MG<3.5 mg/L で Alb≧3.5 mg/dL
II期	β2MG<3.5 mg/L で Alb<3.5 mg/dL，あるいは 3.5≦β2MG<5.5 mg/L
III期	β2MG≧5.5 mg/L

（Greipp PR, et al. J Clin Oncol. 2005; 23: 3412–20[3)]）

表4 Revised (R)-ISS

病期	基準
I期	ISS I期でかつ LDH 正常・高リスク染色体異常*なし
II期	R-ISS の I期でもIII期でもない
III期	ISS III期に加え，LDH 高値あるいは高リスク染色体異常*を有する

＊高リスク染色体異常：間期核 FISH にて検出される del(17p)，t(4;14)，t(14;16)
（Palumbo A, et al. J Clin Oncol. 2015; 33: 2863–9[4)]）

Revised ISS（R-ISS）が提唱されている表4．

治療効果判定基準

治療の進歩に伴い奏効基準は変遷し，また微小残存病変評価のための項目も加わって，現在は 2014 年改訂版 IMWG 基準[5)]にての判定が推奨されている．詳細は文献を参照されたいが，要約すると表5のようになる．

治療

治療開始時期

2003 年の IMWG 基準では，MDE を呈する症例は症候性骨髄腫として治療対象としたが，一方，これらを欠く症例は「無症候性骨髄腫」として，治療適応外とされていた．

JCOPY 498-22507

表5　治療効果判定基準（抜粋）

・PR（partial response）：腫瘍（M 蛋白）量が 50%以上減少
・VGPR（very good partial response）：腫瘍（M 蛋白）量が 90%以上減少，あるいは蛋白電気泳動での M スパイクが消失
・CR（complete response）：免疫固定法にて M 蛋白が消失，かつ軟部形質細胞腫が消失，かつ骨髄の形質細胞が 5%以下
・sCR（stringent complete response）：CR に加え，FLC が正常，かつ免疫組織あるいはフローサイトメトリーにて骨髄中の単クローン性形質細胞が消失
・immunophenotypic CR：sCR に加え，4 カラー以上のマルチフローサイトメトリー解析にて異常形質細胞クローンが消失
・molecular CR：CR に加え，PCR 解析にて単クローン性形質細胞が消失

その後，かかる症例の中に早期に症候性骨髄腫に進展するものが存在し，その危険因子として，前述のバイオマーカー（骨髄中の形質細胞≧60%，FLC の異常，MRI 検査異常）があげられることが報告された．これにより IMWG では，CRAB 徴候を欠いてもバイオマーカーのうちのいずれかを有する症例は早期の治療介入が推奨されている[1]．しかし，このような症例についてのエビデンスが多く存在するわけではなく，慎重に経過観察するという方針もあり得る．

一方，CRAB 徴候もバイオマーカーも欠く「くすぶり型多発性骨髄腫」は治療適応とはならない．

- MM に対する治療は自家造血幹細胞移植の適応の有無により大別される．わが国の日常診療においては，日本血液学会のガイドライン[6]や日本骨髄腫学会の診療指針（治療アルゴリズム）[7]に基づくことが一般的である．近年，プロテアソーム阻害薬〔ボルテゾミブ（BOR），カルフィルゾミブ（CFZ），イキサゾミブ（IXA）〕，免疫調整薬〔サリドマイド（THAL），レナリドミド（LEN），ポマリドミド（POM）〕，抗体薬（エロツズマブ（ELO），ダラツムマブ（DARA），イサツキシマブ（ISA）〕の新規薬剤の導入によって治療成績は格段に向上しており，移植適応の有無によらず初回治療からこれらの薬剤を使用することが推奨されている．ただし，本邦にて初回治療より保険適用となるものは，現時点にては，BOR，LEN，DARA のみであることに留意されたい．多くの治療レジメンにて副腎皮質ステロイド薬であるデキサメサゾン（DEX）が併用される．従来型のアルキル化薬であるメルファラン（MEL）やシクロフォスファミド（CPA）も一部にて

用いられる.

1）初発移植適応症例に対する治療

- 65 歳未満で，重篤な合併症なく，心肺機能正常である症例は「移植適応症例」となり，自家造血幹細胞移植併用大量化学療法が標準的治療である.
- 初期治療（導入療法）としては，すみやかに深い抗腫瘍効果が得られること，造血幹細胞採取への影響が最小限であることが必要であり，新規薬を含む 2〜3 剤の併用によるものを 3〜4 コース行うことが推奨されている．BD（BOR+DEX）療法，Ld（LEN+DEX）療法，BAD（BOR+ドキソルビシン+DEX）療法，BCD（CBD）（BOR+CPA+DEX）療法，VRD（BLD）（BOR+LEN+DEX）療法などが行われることが多い.

《処方例》

VRD 療法
ベルケイド® 1 回 1.3 mg/m² 1 日 1 回皮下注 第 1，4，8，11 日
レブラミド® カプセル（5 mg）5 カプセル 分 1 朝食後 第 1〜14 日
レナデックス® 錠（4 mg）10 錠 分 1 朝食後 第 1，2，4，5，8，9，11，12 日
21 日ごとに繰り返す.

- ある程度（通常 PR 以上）の治療効果が得られたら，初期治療に引き続き，シクロフォスファミド大量療法（3〜4 g/m²）と顆粒球コロニー刺激因子（G-CSF）の併用あるいは G-CSF 単独投与により末梢血造血幹細胞を採取する．必要に応じて plerixafor の使用も考慮する．十分な量（2×10^6/kg 個以上の CD34 陽性細胞）が採取できれば，自家末梢血幹細胞移植併用メルファラン大量療法を行う.

《処方例》

アルケラン® 注 1 回 200 mg/m² 1 日 1 回 点滴 1 日（移植の 2 日前）

- 移植後の地固め療法については，現時点にて確立されたエビデンスはなく，臨床試験として行うことが推奨されている.
- 維持療法については，LEN，THAL，BOR，IXA によるものなどの有用性が示されているが，至適投与法は確立されておらず，やはり臨床試験として行うか，症

例ごとによく検討して実施すべきである.

2）移植非適応症例に対する治療

- 65 歳以上あるいは重篤な臓器障害を有するもの，あるいは移植治療を拒否したものが「移植非適応症例」となる．症例は多様であることを留意しなければならない．年齢や全身状態・合併症に応じて，治療適応や治療目標の設定を検討する必要がある．初期治療としては，DARA を含む新規薬の併用によるもの［D-MPB〔DARA＋MEL＋プレドニゾロン（PSL）＋BOR〕療法，D-Ld（DARA＋LEN＋DEX）療法］が推奨されている．VRD-lite 療法（前記の VRD 療法の強度をやや減弱させたもの），MPB（VMP）（MEL＋PSL＋BOR）療法，BD 療法，Ld 療法，MP（MEL＋PSL）療法などが行われることもある．
- 高齢者では有害事象が発現しやすいため，既往歴・併存疾患をふまえた上で，患者の活動度や臓器機能を評価して，使用する薬剤を選択し，投与量や投与日数を適宜減ずることも考慮する．

《処方例》

1）D-MPB 療法
　（1 コース目）
　アルケラン®錠 9 mg/m² 分 1 朝食前（空腹時）第 1～4 日
　プレドニン®錠 60 mg/m² 分 2 朝昼食後 第 2～4 日
　ベルケイド®1 回 1.3 mg/m² 1 日 1 回皮下注 第 1，4，8，11，22，25，29，32 日
　デキサート®1 回 16.5 mg 1 日 1 回点滴 第 1，8，15，22，29，36 日
　ダラザレックス®1 回 16 mg/kg 1 日 1 回点滴 第 1，8，15，22，29，36 日
　42 日後に次コースに進む.
　（2～9 コース目）
　アルケラン®錠 9 mg/m² 分 1 朝食前（空腹時）第 1～4 日
　プレドニン®錠 60 mg/m² 分 2 朝昼食後 第 2～4 日
　ベルケイド®1 回 1.3 mg/m² 1 日 1 回皮下注 第 1，8，22，29 日
　デキサート®1 回 16.5 mg 1 日 1 回点滴 第 1，22 日
　ダラザレックス®1 回 16 mg/kg 1 日 1 回点滴 第 1，22 日
　42 日ごとに繰り返す.
　（10 コース目以降）

デキサート®1回16.5 mg 1日1回点滴 第1日
ダラザレックス®1回16 mg/kg 1日1回点滴 第1日
28日ごとに繰り返す.

2) D-Ld療法
(1・2コース目)
レブラミド®カプセル(5 mg)5カプセル 分1 朝食後 第1〜21日
デキサート®1回33 mg(75歳以上では16.5 mg) 1日1回点滴 第1, 8, 15, 22日
ダラザレックス®1回16 mg/kg 1日1回点滴 第1, 8, 15, 22日
28日ごとに繰り返す.
(3〜6コース目)
レブラミド®カプセル(5 mg)5カプセル 分1 朝食後 第1〜21日
デキサート®1回33 mg(75歳以上では16.5 mg) 1日1回点滴 第1, 8, 15, 22日
ダラザレックス®1回16 mg/kg 1日1回点滴 第1, 8, 15, 22日
28日ごとに繰り返す.
(7コース目以降)
レブラミド®カプセル(5 mg)5カプセル 分1 朝食後 第1〜21日
デキサート®1回33 mg(75歳以上では16.5 mg) 1日1回点滴 第1, 8, 15, 22日
ダラザレックス®1回16 mg/kg 1日1回点滴 第1日
28日ごとに繰り返す.

3) 再発・難治症例に対する治療

- 年齢, 全身状態, 合併症に加え, 前治療の有効性・有効期間や生じた副作用, 予後因子, 社会的状況などを評価の上, 治療法を検討する. 条件によっては, 前治療の再施行や自家移植・同種移植も選択肢となりうる.
- 治療レジメンとして新規薬を含むものが多数あげられており, POM+DEX, CFZ+DEX, CFZ+LEN+DEX, ELO+LEN+DEX, ELO+POM+DEX, IXA+LEN+DEX, DARA+BOR+DEX, BOR+POM+DEX, POM+CPA+DEX, ISA+POM+DEX, DARA+CFZ+DEXなどの併用による治療などが可能である. 個々の症例において, 各薬剤の特性や副作用などを吟味した上で

の治療法決定が望ましい．

4）その他

・限局性の病変（孤立性形質細胞腫）に対しての根治的放射線治療や脊髄圧迫，病的骨折予防，疼痛緩和のための放射線治療が行われることがある．
溶骨性病変に対しては，病的骨折など骨関連事象の予防のため，ビスフォスフォネート薬（ゾレドロン酸）やデノスマブの投与が行われることが多い．

参考文献

1）Rajkumar SV, Dimopoulos MA, Palumbo A, et al. International Myeloma Working Group updated criteria for the diagnosis of multiple myeloma. Lancet Oncol. 2014; 15: e538-48.
2）Durie BG, Salmon SE. A clinical staging system for multiple myeloma. Correlation of measured myeloma cell mass with presenting clinical features, response to treatment, and survival. Cancer. 1975; 36: 842-54.
3）Greipp PR, San Miguel J, Durie BG, et al. International staging system for multiple myeloma. J Clin Oncol. 2005; 23: 3412-20.
4）Palumbo A, Avet-Loiseau H, Oliva S,et al. Revised international staging system for multiple myeloma: a report from international myeloma working group. J Clin Oncol. 2015; 33: 2863-9.
5）Palumbo A, Rajkumar SV, San Miguel JF, et al. International Myeloma Working Group consensus statement for management, treatment, and supportive care of patients with myeloma not eligible for standard autologous stem-cell transplantation. J Clin Oncol. 2014; 32: 587-600.
6）多発性骨髄腫．In：日本血液学会，編．造血器腫瘍診療ガイドライン2018年版補訂版．東京：金原出版；2020．p.320-67.
7）多発性骨髄腫患者に対する治療アルゴリズム．In：日本骨髄腫学会，編．多発性骨髄腫の診療指針．第4版．東京：文光堂；2016．p.41-8.

〈中村裕一〉

Ⅰ 血液内科を目指す若い先生方へ
Ⅱ 造血の仕組みと造血因子の基本
Ⅲ 血液疾患の診断に必要な形態アトラス
Ⅳ 血液診療に必要な検査とその解釈
Ⅴ 主要な徴候の鑑別診断
Ⅵ 造血器腫瘍に対して必要な治療総論
Ⅶ 疾患各論
Ⅷ 実践に役立つ造血器腫瘍治療レジメン

20 原発性マクログロブリン血症（WM）・原発性アミロイドーシス・キャッスルマン病（CD）

Ⅰ 原発性マクログロブリン血症（WM）

まとめ

- 原発性マクログロブリン血症は，発見者の名前に由来し Waldenström macroglobulinemia（WM）と表記される．WHO 分類では，リンパ形質細胞性リンパ腫（lymhoplasmacytic lymphoma：LPL）として分類されている．
- 腫瘍細胞からの単クローン性 IgM 産生を特徴とし，過粘稠度症候群など様々な症状を呈する．
- 高齢者に多いが，一部の移植適応年齢の患者には自家末梢血幹細胞移植（autologous stem cell transplantation：ASCT）の有用性が知られる．
- CD20 陽性細胞であり，リツキシマブが治療に用いられる他，低悪性度リンパ腫，多発性骨髄腫の治療薬が有用である．
- 近年，新規ブルトン型チロシンキナーゼ（BTK）阻害薬が保険適用となった．

疫学と症候

- 欧米においては WM の年間発生率は 100 万人あたり 2〜3 人であり，発症年齢中央値は 63〜66 歳で男性にやや多い．
- 無症状の場合もあるが，血中の IgM という分子量の多い蛋白増加により，過粘稠度症候群など様々な症状を呈する 表1 ．無症状の場合は経過観察のみでよいが，症候性の場合は治療の適応が考えられる 表2 ．
- 多発性骨髄腫の類縁疾患として取り扱われることが多いが，低悪性度リンパ腫と同様にびまん性大細胞型 B 細胞性リンパ腫に形質転換が認められる．
- *MyD88* 遺伝子変異が 90%以上に認められ，鑑別診断や治療薬の選択に有用であるが，本邦では一般検査として行えない．

JCOPY 498-22507

表1 WM 患者の IgM の増加によるさまざまな症状

過粘稠度症候群 （五量体構造）	頭痛，目のかすみ，皮下出血，眼底出血，腓腹筋痙攣，意識障害，頭蓋内出血
クリオグロブリン血症（Ⅰ型） （寒冷時の沈着）	レイノー現象，先端チアノーゼ，潰瘍，紫斑，寒冷蕁麻疹
末梢神経障害 （神経に対する自己抗体）	知覚障害，しびれ，有痛性神経症状，失調性歩行，下垂足
クリオグロブリン血症（Ⅱ型） （IgG に対する自己抗体）	紫斑，関節痛，腎不全，知覚神経障害
寒冷凝集素症 （赤血球抗原に対する自己抗体）	溶血性貧血，レイノー症状，先端チアノーゼ，網状皮疹
臓器障害	皮膚：水疱形成，丘疹，Schnitzler 症候群 消化管：下痢，栄養障害，出血 腎臓：蛋白尿，腎不全（軽鎖成分による）
アミロイドーシスによる臓器障害	全身倦怠感，体重減少，浮腫，肝腫大，巨舌，アミロイドーシスによる心臓，腎臓，肝臓，末梢神経，自律神経の障害

表2 WM 患者の治療開始の適応

治療適応となる臨床症状 繰り返す発熱，盗汗，体重減少，全身倦怠感 過粘稠度症候群 巨大なリンパ節腫脹（5 cm 以上） 症候性の肝脾腫 症候性の臓器腫大，組織や臓器への浸潤 WM に伴う末梢神経障害
治療適応となる検査所見 症候性のクリオグロブリン血症（レイノー症状） 寒冷凝集素症による貧血 免疫性の溶血性貧血または血小板減少症 WM に伴う腎症 WM に伴うアミロイドーシス Hb≦10 g/dL Plt≦100×10^9/L

診断

- WM の確定診断は，骨髄あるいは浸潤臓器におけるリンパ形質細胞の増殖を組織学的に証明する．この細胞は表面形質として，sIgM，CD19，CD20，CD22，κまたはλのいずれかが陽性である．CD5，CD10，CD23 は通常陰性である．
- 血清免疫電気泳動では IgM とκまたはλの単クローン性増加を示す．
- 鑑別を要する疾患として，IgM 型多発性骨髄腫，慢

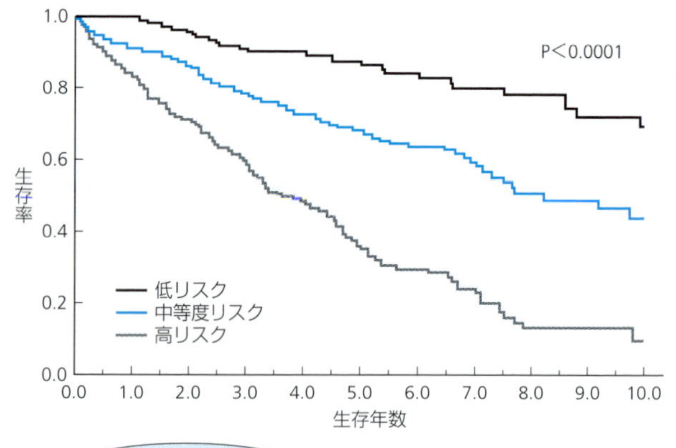

予後に関連する因子

①年齢	>65 歳
②ヘモグロビン	≦11.5(g/dL)
③血小板数	≦10 万(/μL)
④血清 β2 ミクログロブリン	>3(mg/L)
⑤単クローン性 IgM	>7(g/dL)

生存期間

カテゴリー	予後因子の数	生存中央期間
低リスク	0 または 1	142.5 カ月
中等度リスク	2 または年齢>65 歳	98.5 カ月
高リスク	>2	43.5 カ月

図 1 国際予後スコアリングシステムによる WM 患者の予後

性リンパ性白血病，低悪性度 B 細胞性リンパ腫があげられる．

- WM 腫瘍細胞の遺伝子解析で約 90%以上に *MYD88* 変異が認められることが知られている．本疾患に特異的ではないが，他の鑑別すべき疾患にくらべ高率であることから有用性が示されている．

予後因子

- 5 つの予後因子による生存期間の違いが示されている図 1．一方近年，*MyD88* 遺伝子変異を有する症例に BTK 阻害薬イブルチニブ（本邦では保険未承認）が奏効することから，新たな予後因子として検討されている．

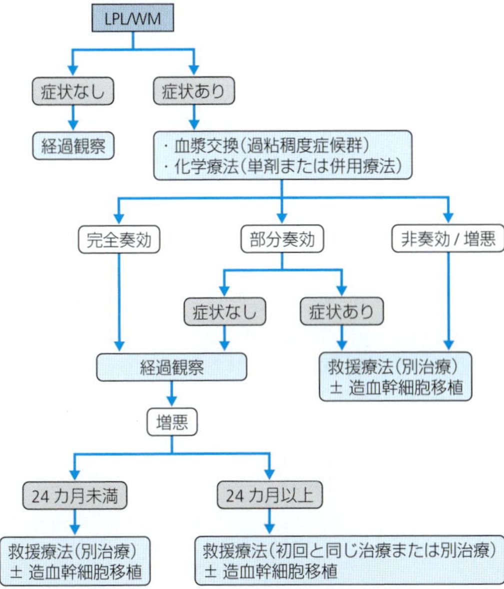

通常の化学療法では治癒は望めない．症状のない場合には，未治療で経過観察をおこない，症状がある，または，出現した場合に，治療開始を考慮する．初回，および，再燃・再発時の化学療法としては，① アルキル化剤を中心とした化学療法，② プリンアナログを中心とした化学療法，③ 抗体療法（リツキシマブ），④ 多剤併用化学療法（リツキシマブ併用も含む），⑤ ボルテゾミブ，⑥ サリドマイド・レナリドミド（未承認）が挙げられる．大量化学療法 / 造血幹細胞移植は，若年のハイリスク患者や再発・再燃時の治療選択の一つとなり得るが，適応，実施時期，方法については未確立である．

図 2 日本血液学会による原発性マクログロブリン血症治療のアルゴリズム

（日本血液学会，編．造血器腫瘍診療ガイドライン 2018 年版補訂版．東京：金原出版；2020）

治療

- 治療のアルゴリズムを示す 図 2．
- 過粘稠度症候群による症状がある場合は，血漿交換が推奨されている．
- CD20 陽性であり，リツキシマブが有用である．しかし，IgM が多い場合は，リツキシマブ単剤（または多剤併用においても）治療時にフレア現象が起こり，IgM の増加，過粘稠度症候群の悪化が生じる可能性がある．そのため初回治療時は化学療法を先行させる．

- 多発性骨髄腫の治療薬が奏効することが知られ，ボルテゾミブが使用可能である．リツキシマブ，デキサメタゾンなどと併用が可能であるが，海外のレジメンであり，投与量，スケジュールの変更が必要である．ボルテゾミブは末梢神経障害の合併に注意が必要である．
- リツキシマブによるB型肝炎の劇症化の可能性もあり留意する．
- ASCTの適応が考えられる症例には，初回治療として造血幹細胞に障害を与える薬剤（フルダラビン，ベンダムスチンなど）は回避する．
- BTK阻害薬のチラブルチニブ（ベレキシブル®）が新規治療薬として本邦で使用可能となった．
- 基本的には低悪性度B細胞性リンパ腫と同様の考え方でよいが，高齢者で合併症を有する場合も多く，有害事象に注意が必要である．

《化学療法》

1）リツキシマブ単剤投与（375 mg/m^2）点滴静注 day1 休薬6日以上
2）BR（ベンダムスチン，リツキシマブ併用）療法 1サイクル28日
　トレアキシン® 90 mg/m^2 点滴静注 day1,2
　リツキサン® 375 mg/m^2 点滴静注 day1
3）DRC（デキサメタゾン，リツキシマブ，シクロフォスファミド併用）療法 1サイクル21日
　デカドロン® 20 mg 静注 day1
　リツキサン® 375 mg/m^2 点滴静注 day1
　エンドキサン® 100 mg/m^2 内服 day1〜5
4）ボルテゾミブ療法 1サイクル21日
　ベルケイド® 1.3 mg/m^2 皮下注射 day1, 4, 8, 11
　（5サイクル以後は1サイクル35日としday1, 8, 15, 22）
5）ベレキシブル® 単独投与 480 mg 1日1回空腹時に内服
　（患者の状態により適宜減量）

〈渡部玲子〉

Ⅱ 原発性アミロイドーシス

まとめ

・形質細胞性腫瘍として，多発性骨髄腫の類縁疾患として取り扱われる．
・多発性骨髄腫に比べ腫瘍細胞は少ないが，大量の免疫グロブリン軽鎖由来のアミロイドが産生され，様々な臓器，軟部組織などに沈着する．
・心臓，腎臓，末梢神経，肝臓にアミロイド沈着が生じることが多く，特に心アミロイドーシスは心筋症を生じ，不整脈による突然死の原因となりうる．
・早期診断と治療介入が必要であるが，診断に苦慮するケースも少なくない．
・大量メルファラン投与および自家末梢血幹細胞移植が有用と考えられているが，移植関連死も高いことから，適応は慎重に判断しなければならない．

疫学と症候

- 発症率は 100 万人に 8 人などの報告があり，大変まれな疾患である[5]．
- 非糖尿病性ネフローゼ症候群，心臓エコーで非虚血性，心肥大を伴う心拡大，肝腫大またはアルカリフォスファターゼの増加，慢性炎症性脱髄性の多発性神経炎で M 蛋白が認める場合は本疾患を疑う．
- 原因不明の全身倦怠感，浮腫，体重減少，感覚障害とともに M 蛋白やフリーライトチェーンの異常を認める場合は本疾患の可能性を考える．

診断

- 確定診断はアミロイド沈着を病理組織学的に証明する（コンゴーレッド染色で赤色，偏光顕微鏡下で黄緑色の変更を呈する）．組織としては骨髄，皮下脂肪組織で高率に認められる．その他皮膚，口唇，十二指腸粘膜，直腸粘膜，腎臓などの生検材料でアミロイド沈着を証明する．
- その他の検査としては，血清フリーライトチェーンの測定，血液と尿の免疫固定法による M 蛋白の証明，免疫グロブリン定量，心エコー検査，腎機能検査，アルカリフォスファターゼ．NT-pro BNP，心筋トロポニン T，心筋シンチグラフィーなどを行う

予後

- 心アミロイドーシスの進行と，血清フリーライトチェーンによる予後スコアが示されている（表1）.

表1　原発性アミロイドーシスのステージング

スコア	生存期間中央値
0	94.1 カ月
1	40.3 カ月
2	14.0 カ月
3	5.8 カ月

1 項目 1 点
・心筋トロポニン T≧0.025 mg/mL
・NT-pro BNP≧1800 pg/mL
・血清フリーライトチェーン（κとλ）の差>180 mg/L

Gertz MA. Am J Hematol. 2016; 91: 948-56.[3] より引用

治療

- 日本血液学会からの治療のアルゴリズムを示す（図1）.
- メルファラン，デキサメタゾン併用療法が古くから行われている.
- 自家造血幹細胞移植（ASCT）の適応が考えられる症例には，初回治療として造血幹細胞に障害を与える薬剤は回避する.

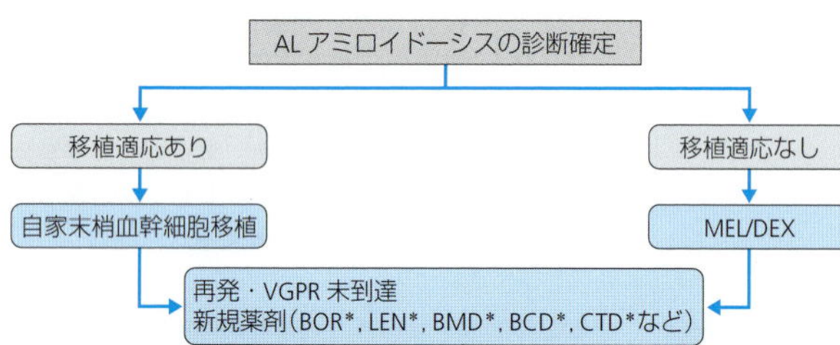

* MEL/DEX: melphalan/dexamethasone, LD-DEX: low-dose dexamethasone, BOR: bortezomib, LEN: lenalidomide, BMD: bortezomib/melphalan/dexamethasone, BCD: bortezomib/cyclophosphamide/dexamethasone, CTD: cyclophosphamide/thalidomide/dexamethasone

まず，自家移植の適応があるかを慎重に検討する．自家移植の適応があれば，リスクに応じてメルファランの減量も考慮して実施する．CR が得られれば経過観察する．移植の適応がない場合は，標準療法として，MEL/DEX, LD/DEX が推奨される．VGPR 未到達あるいは再発時はボルテゾミブ，レナリドミドなどの新規薬剤を検討する.

図1　日本血液学会によるアルゴリズム

（日本血液学会，編．造血器腫瘍診療ガイドライン 2018 年版補訂版．東京：金原出版；2020）

表 2 AL における治療への効果判定基準

血液学的奏効率	
Complete Response（CR）	血清と尿の免疫固定法で陰性，フリーライトチェーンの κ/λ 比正常
Very good partial response（VGPR）	AL 由来のフリーライトチェーン＜40 mg/L
Partial response（PR）	AL 由来のフリーライトチェーン減少率が＞50%
No response（NR）	上記以外
臓器奏効率	
心臓	心室中隔壁肥厚が平均 2 mm 以上減少，左心室駆出率が 20%以上改善，利尿剤以外の原因で NYHA 分類で 2 段階の改善，eGFR≧45 mL/min/1.73 m^2 の患者で心室壁肥厚のない NT-proBNP の減少（≧30%または 300 ng/L）
腎臓	eGFR≧25%の低下または血清クレアチニン≧0.5 mg/dL の増加のない症例での 24 時間の尿蛋白量が 50%以上の減少
肝臓	ALP 高値の場合 50%の減少，画像所見で 2 cm 以上の肝臓の縮小

- 若年者には大量メルファランおよび ASCT の有用性が知られているが，多発性骨髄腫と異なる点として，心，腎，肝などにアミロイドーシスが存在する場合，移植関連死亡が高いことに注意が必要である．そのため，移植前に患者への移植適応を慎重に検討する．臓器障害が進行している場合は，大量メルファラン投与のメリットが少ない可能性がある．
- 治療の効果判定は，血液学的および臓器の奏効性の両方に関して行う 表 2．
- ダラツムマブ，ボルテゾミブ，シクロフォスファミド，デキサメタゾン併用療法が，本邦でも近く承認される予定で，治療のアルゴリズムが変化することが考えられる．

《化学療法》

1）M-Dex（メルファラン，デキサメタゾン併用）療法
1 サイクル 28 日
アルケラン® 0.22 mg/kg 内服　day1〜4
デカドロン® 40 mg/body 内服　day1〜4

参考文献
(20-Ⅰ, Ⅱ)

1) Dimopoulos MA, Kastritis E. How I treat Waldenstrom macroglobulinemia. Blood. 2019. 134: 2022-35.
2) Morel P, Duhamel A, Gobbi P, et al. International prognostic scoring system for Waldenstrom macroglobulinemia. Blood. 2009; 113: 4163-73.
3) Gertz MA. Immunoglobulin light chain amyloidosis: 2016 update on diagnosis, prognosis, and treatment. Am J Hematol. 2016; 91: 948-56.

〈渡部玲子〉

Ⅲ キャッスルマン病（CD）

まとめ

- キャッスルマン病（Castleman disease: CD）は，リンパ節腫脹，発熱など，多彩な症状と臓器障害を生じる．
- 発症頻度は 100 万人に 10 人未満の希少疾患であり，未だ不明な点が多いが，近年，厚生労働省研究班による診断，重症度，治療に関するガイドラインが示されている．
- CD は原因不明の難治性リンパ増殖性疾患であり，診断には，腫大したリンパ節または組織の病理組織診断を行うとともに，症候が類似する他の疾患を除外することが必須である．
- 高γグロブリン血症，CRP 高値などが認められ，炎症性サイトカイン IL-6 が病態に関与し，抗サイトカイン療法が有用である．

病型分類

- CD は，小児から 70 歳代まで認められる．図 1 に病型分類を示す．
- 病変が限局する場合は単中心性 CD（unicentric CD: UCD）とよび，多発性の場合は多中心性 CD（multi-

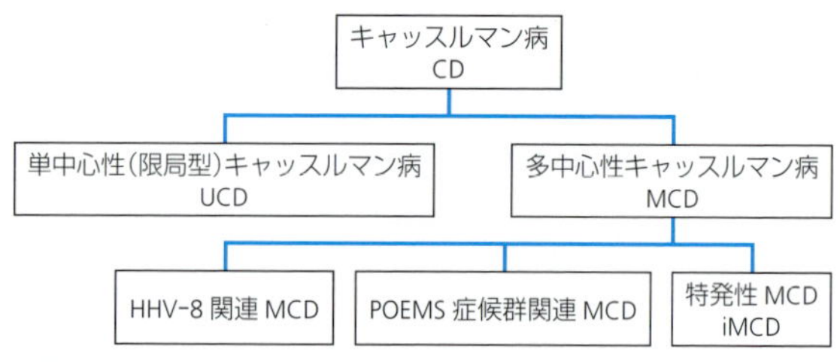

図 1 キャッスルマン病の臨床学的病型分類
（キャッスルマン病診療ガイドライン 令和 2 年度初版: 2020 より改変）

centric CD: MCD）と表現する．MCDにはHIV感染者に多いHHV-8関連MCDが分類されるが，本邦ではきわめて稀である．また希少疾患である多発神経炎polyneuropathy（P），臓器腫大organomegaly（O），内分泌異常endocrinopathy（E），M蛋白血症M-protein（M），皮膚症状skin change（S）を特徴とするPOEMS症候群では，多発性リンパ節腫大を生じ，その組織像がMCDと同様である症例がしばしば認められ，POEMS症候群関連MCDと分類される．本邦で最も高頻度な病型は，特発性MCD（ideopathic MCD: iMCD）であり，治療も含めて未だ課題が多い．

- さらに，血小板減少thrombocytopenia（T），全身性浮腫anasarca（A），発熱fever（F），骨髄の巨核球増多と細網線維化またはreticulin fibrosis or renal failure（R），リンパ節または臓器腫大organomegaly（O）を生じるTAFRO症候群において，病理組織学的にCDの所見を呈する場合があり関連が示唆されている．

疫学，症候

- UCDの発症年齢中央値は30歳代であり，小児でも発症する．UCDの多くは硝子血管型（hyaline vascular type: HV）の病理像が示し，これらは全身症状を伴わないことが多い．腫大するリンパ節としては，後腹膜を含む腹部，頸部，縦隔の順に多い．診断時にiMCDの症状を伴うこともあるが，病変の外科的切除により症状も改善する．
- POEMS症候群関連MCDでは，両方の診断基準を満たし，骨髄検査ではλ型軽鎖を発現する形質細胞が単クローン性に増加する．通常POEMS症候群に対する治療が選択される．
- 臨床的に問題となるのは，iMCDである．発症年齢の中央値が50歳前後とUCDに比べて高齢で，小児では稀である．診断時に無症状から重篤な場合までさまざまであるが，高頻度の症状は，発熱，全身倦怠感，易疲労感，体重減少，盗汗，リンパ節腫脹である．時に皮膚病変，腹部膨満感，浮腫，息切れ，呼吸困難感，出血傾向あるいは脳梗塞などの血栓症，末梢神経などが生じる．CTなど画像検査では，リンパ節腫脹，肝脾腫のほか，胸腹水，肺の間質性陰影が認められる．血液検査では，CRP高値で，血中IL-6濃度の増加が

表1　キャッスルマン病の診断基準（キャッスルマン病・TAFRO症候群・その類縁疾患調査研究班による）

A および B を満たすものをキャッスルマン病と診断する.

A　以下の2項目を満たす.

1　腫大した（長径1cm異常の）リンパ節を認める.

2　リンパ節の病理組織所見が下記のいずれかのキャッスルマン病の所見に合致する.

HHV-8陰性の場合　1）硝子血管型　2）過剰血管型　3）形質細胞型　4）混合型

HHV-8陽性の場合　1）形質芽球亜型

B　リンパ節腫大の原因として，以下の疾患が除外できる.

1　悪性腫瘍

悪性リンパ腫，濾胞樹状細胞肉腫，腎癌，悪性中皮腫，肺がん，子宮頸がんなど.

2　感染症

非結核性抗酸菌症，ねこひっかき病，リケッチア感染症，トキソプラズマ感染症，真菌性リンパ節炎，伝染性単核球症，慢性活動性EBウイルス感染症，急性HIV感染症など.

3　自己免疫疾患

SLE，関節リウマチ，シェーグレン症候群など.

4　その他の類似した症候を呈する疾患

IgG4関連疾患，組織球性壊死性リンパ節炎，サルコイドーシス，特発性門脈圧亢進症，肺硝子化肉芽腫など.

（キャッスルマン病診療ガイドライン 令和2年度初版：2020）

認められる．正～小球性貧血，血小板増多，高LDH血症，低アルブミン血症，高アルカリホスファターゼ血症，多クローン性高ガンマグロブリン血症，高IgE血症，高VEGF血症を生じることが多い．一部の症例では，腎障害，肺病変，肺高血圧症，拡張型心筋症，自己免疫性の血小板減少症，溶血性貧血，内分泌異常，アミロイドーシスなどを合併する.

診断

- 診断基準のガイドラインが研究会により示されている 表1．病理組織検査で特徴的な所見を確認することに加え，悪性腫瘍，感染症，自己免疫性疾患など，類似症候を示す疾患を除外する必要がある.
- リンパ節の病理組織型でUCDではHV型が多い．iMCDでは形質細胞型（plasma cell type: PC）が多く，またPC型と過剰血管型（hypervascular type）との混合型（mixed type）も認められる.

治療

- UCDの場合は，外科的に除去することで治癒が可能である．病変が残存する場合や切除が難しい場合には

JCOPY 498-22507

表2 キャッスルマン病のCHAPスコア

項目	0	1	2	3	4
CRP（mg/dL）	1未満	1以上 5未満	5以上 10未満	10以上 20未満	20以上
ヘモグロビン（g/dL）	12以上	10以上 12未満	8以上 10未満	8未満	輸血が必要
アルブミン（g/dL）	3以上	2.5以上 3未満	2以上 2.5未満	1.5以上 2未満	1.5未満
ECOG Performance status（g/dL）	0	1	2	3	4

iMCDに対する治療が検討される．一方iMCDの根治療法は確立していない．そのため症状が軽度な場合は，無治療経過観察のみを行う．全身症状を伴う場合，腎臓，肺などの臓器障害を呈する場合は，治療を検討する．

- 症状により，通常中等量（0.3～0.5 mg/kg）のプレドニゾロン投与を開始し，症状の改善により漸減する．CDに対するプレドニゾロン治療は長期化するため，糖尿病，骨粗鬆症などの合併症，各種感染症への配慮が必要である．
- iMCDの重症度の指標として，貧血，血小板減少，低アルブミン血症，腎機能障害，肺病変による呼吸状態，胸腹水，心不全，アミロイドーシスの存在があげられる．また治療効果の判定としてはCRP，ヘモグロビン，アルブミン，ECOGによるpreformance statusによるCHAP score 表2 の有用性が知られる（合計0～16点，病状の改善により点数が減少する）．
- プレドニゾロンの維持量としては10 mg/日以下が望ましく，減量により症状が悪化する場合は，抗IL-6抗体のトシリズマブを2週間ごとに投与する．症状の改善があれば，投与間隔を広げることも可能である．一方，トシリズマブの中断により症状悪化が生じる可能性もあるため注意が必要である．

トシリズマブ療法

アクテムラ®（トシリズマブ）8 mg＋生理食塩水100 mL（1時間）

開始時は緩徐に，2週ごとに投与．

〈渡部玲子〉

21　血球貪食症候群（HPS）

まとめ

- 血球貪食症候群（hemophagocytic syndrome：HPS）は，遺伝子異常や種々の基礎疾患により過剰に起きた免疫反応によって，組織球，マクロファージが自己の血球を貪食し，発熱，汎血球減少，急性多臓器障害などを引き起こす予後不良の病態である．
- 一次性 HPS は遺伝子変異に基づくもので，多くは小児に発症する．二次性 HPS では，基礎疾患として，感染症，悪性腫瘍（特に悪性リンパ腫），自己免疫疾患が認められることが多い．
- 発熱，汎血球減少，肝脾腫とともに血清 LDH，フェリチン，トリグリセリドの著明な高値，凝固異常がみられ，骨髄検査では活性化マクロファージによる血球貪食像がみられる．診断基準は小児の一次性 HPS をもとに作成された HLH-2004 や種々の成人 HPS 診断基準が用いられることが多い．
- しばしば急速に進行し致命的となるため，早期の治療介入が必要であるが，一方で診断が容易ではないこともあり，診療に難渋する．軽症の場合はステロイド薬の投与が行われるが，重症例ではエトポシドやシクロスポリンが併用される．症状が持続したり再燃する場合は造血幹細胞移植が推奨される．

定義・概念

- HPS は遺伝子異常，感染症，悪性腫瘍，自己免疫などにより細胞傷害性 T 細胞や NK 細胞がリンパ網内系に存在する組織球，マクロファージを活性化させた結果，これらが自己の血球を貪食し，高熱，汎血球減少，急性多臓器障害などを引き起こす．血球貪食性リンパ組織球症（hemophagocytic lymphohistiocytosis：HLH）という用語も用いられるが，慣習的に内科領域では HPS，小児科領域では HLH とよぶことが多い．
- HPS は一次性と二次性に大別される．一次性 HPS（HLH）は遺伝子変異に基づくもので，多くは乳児期に発症する．稀に思春期や若年成人での発症が報告されている．家族性血球貪食性リンパ組織球症（familial hemophagocytic lymphohistiocytosis：FHL），Ché-

JCOPY 498-22507

diak-Higashi 症候群，Griscelli 症候群，X-linked lymphoproliferative disorder などが知られている．

- 二次性 HPS はすべての年齢層で発症がみられ，基礎疾患として，感染症，悪性腫瘍（特に悪性リンパ腫），自己免疫疾患が認められることが多いが，ときに発症要因を特定できないこともある．

疫学と症候

- 発症頻度は稀である．血球貪食症候群の全国調査では，5 年間に 799 例の報告があった[1]．欧米からの報告では，入院患者の 3000 人に 1 人というものもある[2]．希少疾患であり，十分な疫学データがないため，実際の発生数を表しているかどうかはわからないが，ウイルス（感染症）関連 HPS はアジアからの報告が圧倒的に多い．
- 臨床症状としては発熱，肝脾腫，リンパ節腫脹がみられる．発熱は頻度が高く，程度も高度であることが多いが，肝脾腫，リンパ節腫脹は軽度か，明らかでないこともある．皮膚症状としては，紫斑，点状出血に加え，多形紅斑などの発疹を伴うことがある．
- 臨床検査では，汎血球減少，凝固異常，肝機能障害，血清 LDH，フェリチン，可溶性インターロイキン 2 受容体（soluble interleukin-2 receptor：sIL-2R）が高値を示す．FHL では血清トリグリセリドが高値となる．
- sIL-2R が特に高値である場合はリンパ腫関連 HPS の可能性が高い．sIL-2R/ フェリチンの比が高い症例はリンパ腫関連 HPS を積極的に疑い検査を進める．
- 自己免疫関連 HPS では，凝固異常を呈する頻度が低く，発熱や高フェリチン血症を呈しないこともあり，注意を要する．
- 骨髄やリンパ節を生検すると，標本中に活性化されたマクロファージの増加とこれらによる血球貪食像が種々の程度で認められる図 1．ただし，組織における血球貪食像の有無は感度も特異度も低く，骨髄やリンパ節で明らかな血球貪食像が認められないからといって，HPS を否定することはできない．
- 病態が悪化すると，黄疸，神経症状（脳症，痙攣など）を伴うようになる．

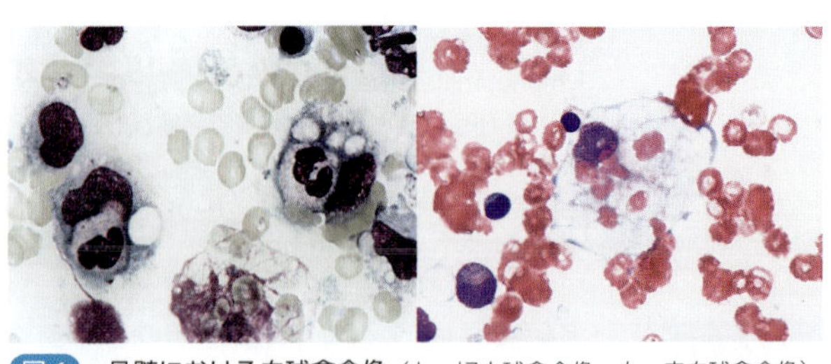

図1 骨髄における血球貪食像（左：好中球貪食像，右：赤血球貪食像）

診断

- 発熱，脾腫などの臨床症状，血球減少，高フェリチン血症などの検査値異常，組織における血球貪食像の有無を組み合わせて総合的に診断する．元々，一次性HPS（HLH）の診断基準が1994年に策定され，2004年に改訂版が発表されたが，二次性HPSを含めた包括的な基準ではない．このため，二次性HPSを含めた包括的な診断基準が種々作成されている．ここではSchcramらのHLH-2004診断基準[3]と今宿[4]のHPSの診断基準を示す 表1 ．*PRF1* などの遺伝子異常の確定には時間を要するため，実際上はperforinフローサイトメトリーあるいはMUNC13-4，syntaxin 11蛋白発現解析で異常があれば遺伝子異常ありとみなされることが多い．症例によっては発症時に診断基準のいくつかのみを満たし，診断確定に至らないことがあるが，経過追跡中に症状・所見が揃うことがあるので，慎重に観察する．
- 血清フェリチン増加はHPS診断の鍵となる所見である．通常，血清フェリチンは3000 ng/mL以上となり，10000 ng/mLであればHPSの可能性は非常に高くなる．
- 脾摘や肝生検は容易ではないため，組織診断の手段として行いやすいのは骨髄穿刺・生検である．ごく少数の血球貪食像はHPSでなくとも認められるため，津田は血球貪食像の目安として，骨髄中の有核細胞の3%以上あるいは2500/μL以上をあげている[5]．
- 「血球貪食症候群」という名称に引きずられて血球貪食像の存在を金科玉条としないよう留意する．HPSは短期間に病態悪化をみるため，骨髄等に血球貪食像を認めなくても，診断基準に照らして合致するようなら治療に着手する．

表 1　HPS / HLH の診断基準

HLH-2004 診断基準[3)]

A. 分子学的診断
PRF1, *UNC13D*（*MUNC13-4*）, *STX11*, *STXBP2*（*MUNC18-2*）, *RAB27a*, *STX11*, *SH2D1A*, *BIRC4* 遺伝子変異のいずれかが認められる.

B. 以下の 8 項目中 5 項目が該当
1. 38.5℃以上の発熱
2. 脾腫
3. 2 系統以上の血球減少
   ヘモグロビン＜9 g/dL
   血小板＜10 万 / μL
   好中球＜1000/ μL
4. 高トリグリセリド血症および / または低フィブリノゲン血症
   トリグリセリド＞265 mg/dL
   フィブリノゲン＜150 mg/dL
5. 骨髄，脾臓またはリンパ節における血球貪食
6. NK 細胞活性の低下または欠損
7. 血清フェリチン＞500 ng/L
8. sCD25（sIL-2R）＞2400 U/mL

HPS の診断基準[4)]

1. 臨床および検査値基準
   発熱持続（7 日以上，ピークが 38.5℃以上）
   血球減少
   　末梢血で 2 系統以上の細胞の減少を認め，かつ骨髄の低・異形成によらない.
   　ヘモグロビン 9 g/dL 以下，血小板 10 万 / μL 以下，好中球 1000/ μL
   高フェリチン血症および高 LDH 血症
2. 病理組織学的基準
   骨髄，脾臓，リンパ節に血球貪食像をみる．しばしば成熟した，または幼弱な大顆粒リンパ球（LGL）の増生を認める.

（Schcram AM, et al. Blood. 2015; 125: 2908-14[3)], Imashuku S. Int J Hematol. 1997; 66: 135-51[4)]）

治療

- しばしば急速に進行し致命的となるため，早期の治療介入が必要であるが，一方で診断が容易ではないこともあり，高熱と汎血球減少が認められたら，血清フェリチン，sIL-2R を積極的に測定し，早期診断から早期治療につなげる.
- HPS の治療は，1）基礎疾患に対する治療（二次性 HPS の場合），2）高サイトカイン血症の制御，3）異常細胞の除去，4）支持療法からなる．感染症，悪性腫瘍，自己免疫疾患が背景に存在する場合はまずこれらに対する治療を行う必要がある.
- 高サイトカイン血症による急激な病勢進行がみられる

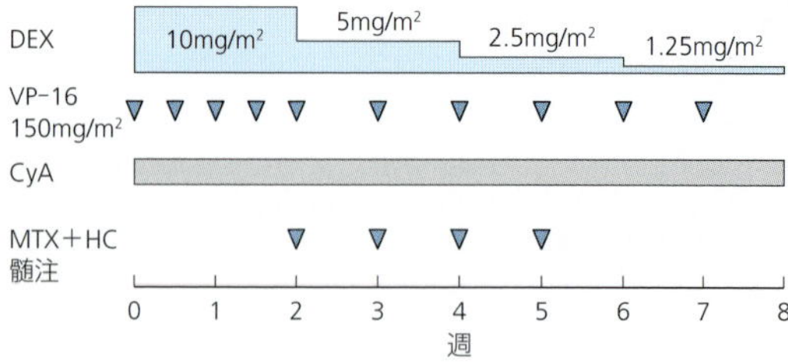

図2 HLH-2004 プロトコルによる寛解導入療法

DEX：デキサメタゾン, VP16：エトポシド, MTX：メトトレキサート, HC：ヒドロコルチゾン, CyA：シクロスポリン
CyA は 6 mg/kg で開始し，200 μ/L 前後となるように用量調節する.
MTX/HC の投与量は，1 歳未満で 6/8 mg，1～2 歳で 8/10 mg，2～3 歳で 10/12 mg，3 歳超で 12/15 mg
髄注は中枢神経浸潤が確認された場合のみ.

場合や初期治療に抵抗性で進行する場合に，サイトカイン除去を目的として血漿交換が行われることがある.

- 異常に活性化された T 細胞やマクロファージの除去を目的として，ステロイド薬，シクロスポリン，エトポシドなどが単剤あるいは併用で投与される．軽症例ではステロイドかシクロスポリン単独投与，大量ガンマグロブリン療法が行われる．より重症例では，HLH-94 プロトコルに修正を加えた HLH-2004 プロトコルで示されるデキサメタゾン＋エトポシドシクロスポリンが行われる[3]図2．中枢神経浸潤が確認された場合は，メトトレキサート＋ヒドロコルチゾンの髄注が行われる.
- 自己免疫関連 HPS の治療法として，シクロホスファミド・パルス療法が施行されることも多く，シクロスポリン療法，大量ガンマグロブリン療法よりも奏効率が高い.
- 寛解導入療法後は，造血幹細胞移植を行うか，維持療法を継続する．維持療法は，シクロスポリン経口投与を継続し，2 週に 1 回，デキサメタゾンとエトポシドを交互に投与する.
- HLH-2004 プロトコルには再発・難治例に対するサルベージ療法の記載はない．この病態における有用性が確立した治療法はなく，可能な限り造血幹細胞移植

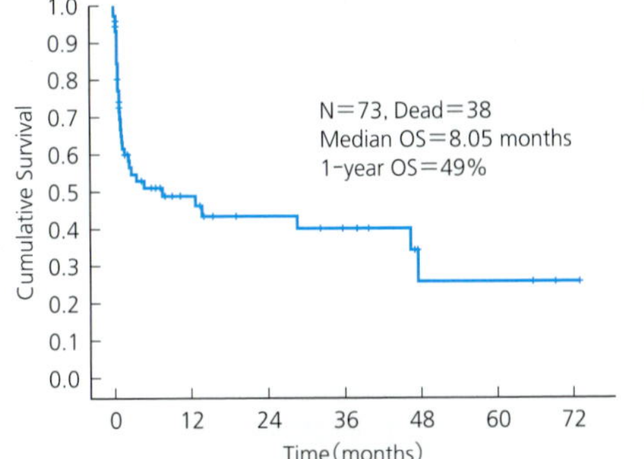

図3 HPS 症例 73 例の診断確定からの全生存
（Otrock ZK, et al. Am J Hematol. 2015; 90: 220-4[6]）

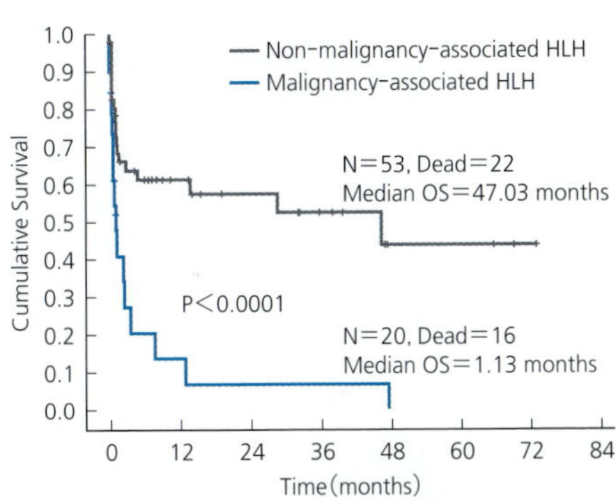

図4 基礎疾患としての悪性腫瘍の有無によって層別化した全生存
（Otrock ZK, et al. Am J Hematol. 2015; 90: 220-4[6]）

の可能性を追求する．

- HPS の予後はきわめて不良であり，成人 HPS の 73 例を後方視解析した結果，生存期間の中央値は 8.05 カ月で，1 年以内に 50％が死亡したとの報告がある[6]（図3）．特に基礎疾患として悪性腫瘍を有する HPS の予後が不良である（図4）．
- 自己免疫関連 HPS は他の要因による HPS よりも軽症であることも多く，ステロイド薬単独投与や大量ガンマグロブリン療法だけで軽快する例もあるが，重症化することも少なくないため，慎重な病態の見極めと厳重な治療効果の評価が必要である．

参考文献

1）Ishi E, Ohga S, Imashuku S, et al. Nationwide study of hemophagocytic lymphohistiocytosis in Japan. Int J Hematol. 2007; 86: 58-65.
2）Jordan MB, Allen SE, Weitzman S, et al. How I treat hemophagocytic lymphohistiocytosis. Blood. 2011; 118: 4041-52.
3）Schcram AM, Berliner N. How I treat hemophagocytic lymphohistiocytosis in the adult patient. Blood. 2015; 125: 2908-14.
4）Imashuku S. Differential diagnosis of hemophagocytic syndrome: underlying disorders and selection of the most effective treatment. Int J Hematol. 1997; 66: 135-51.
5）Tsuda H. Hemophagocytic syndrome（HPS）in children and adults. Int J Hematol. 1997; 65: 215-26.
6）Otrock ZK, Eby CS. Clinical characteristics. prognostic factors, and outcomes of adult patients with hemophagocytic lymphohistiocytosis. Am J Hematol. 2015; 90: 220-4.

〈脇本直樹〉

22 伝染性単核症（IM）

まとめ

- 伝染性単核症は，Epstein-Barr virus の初感染によって惹起される急性感染症であり，多くの場合，経口感染で思春期〜若年成人にキスや濃厚接触を契機に感染する．
- 発熱，咽頭痛，頸部リンパ節腫脹の三徴がみられ，特に後頸部および側頸部を含む頸部全般のリンパ節が腫脹する．他に口蓋部の点状出血，肝脾腫，黄疸などがあるが，肝脾腫は目立たないこともある．
- 末梢血のリンパ球比率は 50%以上となり，このうち 10%程度が異型リンパ球で占められる．90%以上の症例に肝機能障害が認められ，LDH の上昇も顕著である．
- 抗 VCA-IgM 抗体陽性，抗 VCA-IgG 抗体陽性，抗 EBNA 抗体陰性であることが診断上重要である．

定義・概念

- 伝染性単核症（infectious mononucleosis：IM）は，Epstein-Barr virus（EBV）の初感染によって惹起される急性感染症である．
- 伝染性単核球症，感染性単核球増加症と記載されることもあり，その名称は感染者の血液中に大量の単核球（リンパ球）がみられることに由来する．
- IM は米国陸軍士官学校の士官候補生が女性医学生とキスしたことを契機に感染したことにより発症したという報告がマスコミに “kissing disease” として報道され，この俗称が知られるようになった．
- サイトメガロウイルスや HIV など，他の病原体の感染でも同様の病態を呈し得ることが知られているが，これらは単核症症候群として別に扱われる 表1 .

疫学と症候

- 世界人口の 95%は EBV に感染しているとされるが，先進諸国では，約半数が 1〜5 歳で初感染を起こすのに対し，発展途上国では幼小児期に人口の大部分が EBV の初感染を受けるといわれている．
- キスやその他の濃厚な接触によって口から侵入した

表 1 単核症症候群を起こし得る病原体

1. サイトメガロウイルス
2. HIV
3. HHV-6（突発性発疹ウイルス）
4. 風疹ウイルス
5. アデノウイルス
6. A 型肝炎ウイルス
7. インフルエンザウイルス
8. トキソプラズマ
9. リケッチア
10. リステリア
11. その他

EBV はまず咽頭上皮細胞に感染する．咽頭上皮細胞から B 細胞表面にある CD21 を介して，ウイルスは B 細胞内に取り込まれる．

- 核内に移行したウイルスは B 細胞を不死化させ，増殖させるが，これに呼応して当初は NK 細胞，次いで細胞傷害性 T 細胞が動員され，種々の免疫反応が起こる．
- 乳幼児期に無症候性感染の成人から唾液を介して EBV 感染が起こると，症状はほとんどないか軽微で終息するが，思春期などの若年で感染すると IM を発症する．
- IM は EBV に感染後，30〜50 日の潜伏期を経て前駆症状として全身倦怠感から始まり，次いで発熱と両側上眼瞼浮腫（Hoagland sign）がみられる[1)]．その後，リンパ節腫脹と扁桃腫大が漸次出現する．発熱，咽頭痛，頸部リンパ節腫脹の三徴は IM 患者の 98%にみられる[2)]．
- 細菌性扁桃炎では胸鎖乳突筋より前の，顎下部周辺のリンパ節が腫脹するのに対し，IM では後頸部および側頸部を含む頸部全般のリンパ節が腫脹し得る点が触診上の鑑別に有用とされる[3)]．前頸部のリンパ節は目立たないこともある．腋窩部および鼠径部のリンパ節腫脹は稀である．
- 他の症状としては，口蓋部の点状出血，全身倦怠感，食欲不振，頭痛，筋肉痛，肝脾腫，黄疸などがあるが，触診で明らかな肝脾腫を触れる頻度は 10〜20%程度に過ぎない[3, 4)]．

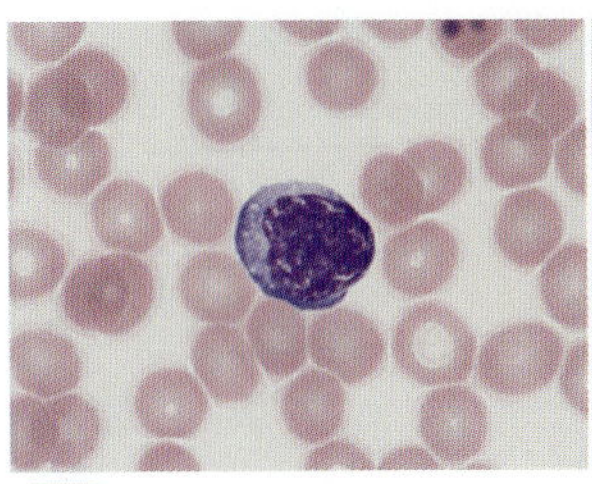
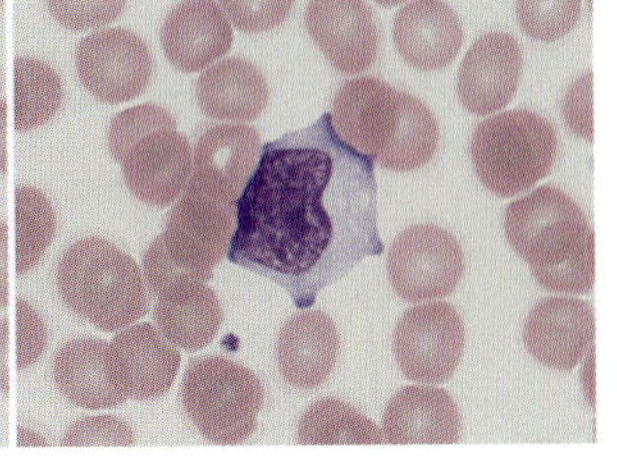

図1 **IM 患者の末梢血にみられた異型リンパ球**（May-Giemsa 染色×1000）

左のパネルは形質細胞様変化を示し，馬蹄形の核変形が認められる．右のパネルは芽球様変化を示している．いずれも大型で好塩基性の細胞質をもつ．

診断

- 末梢血の白血球数は，感染初期には正常か減少する．その後，第 2～3 週に 1 万～2 万 /μL に増加し，そのうちの 50%強がリンパ球，10%程度が異型リンパ球で占められる 図1．異型リンパ球は単球様，形質細胞様，芽球様に変化し，白血病や悪性リンパ腫と見紛うことがある．
- 異型リンパ球は活性化 T 細胞と NK 細胞である．CD8 陽性 T 細胞が CD4 陽性 T 細胞より増えて，CD4/CD8 比が逆転する．このような状態が 2 週間程度続き，改善がみられてくると，続いて軽度の好中球減少と血小板減少がみられる．その後は 2～3 週間かけて緩徐に終息に向かう．
- 90%以上の症例に肝機能障害が認められるが，トランスアミナーゼの上昇は 200～500 U/L 程度であることが多い．
- 血清 LDH と ALP の上昇も認められ，血清 LDH の増加は顕著である．通常，総ビリルビンの増加はあっても軽度である．
- 欧米ではヒツジやウマなどの異種赤血球に対する親和性抗体を調べる Paul-Bunnell 反応が頻用されているが，EBV に対する各種の特異的抗体が容易に測定可能になったため，わが国では用いられなくなった．
- EBV 特異的抗体は，viral capsid antigen（VCA）に対する抗 VCA 抗体，早期抗原（early antigen）に対する抗 EA 抗体，EBV nucleoside antigen に対する抗 EBNA 抗体が存在する．
- 抗 VCA 抗体には IgM 抗体と IgG 抗体があり，抗

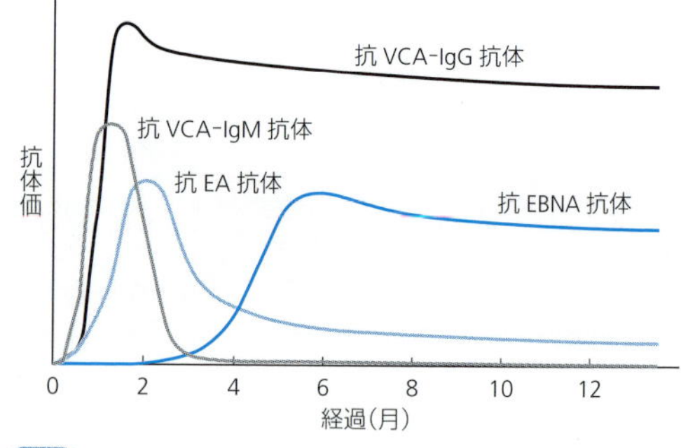

図 2 EBV 感染後の各抗体価の推移

表 2 EBV 感染諸相における各抗体価の挙動

	抗 VCA-IgG 抗体	抗 VCA-IgM 抗体	抗 EA 抗体	抗 EBNA 抗体
未感染	−	−	−	−
急性感染症	+	+	+	−
回復期	+	+→−	+→−	+
既感染	+	−	low+〜−	+
再活性化	high +	+〜−	high +	+〜−

VCA-IgM 抗体は感染早期〜感染後 2，3 カ月間のみ陽性となり，以後低下するのに対し，抗 VCA-IgG 抗体は IgM 抗体よりやや遅れて上昇し，終生陽性が持続する．抗 EA 抗体は感染後 2 カ月をピークとして緩やかに上昇し，低下する．抗 EBNA 抗体は発症後，3〜6 週で陽性化して終生陽性が持続する 図2．これらの抗体価を組み合わせることによって EBV 感染の諸相を鑑別することができる 表2．

- 免疫不全や慢性活動性 EBV 感染症の患者においては終生陽性であるはずの抗 VCA-IgG 抗体や抗 EBNA 抗体が低下したり，陰性化することがあるため，注意が必要である．

治療

- 現在, IM に対する特異的な治療法はなく, 治療は安静, 補液，解熱鎮痛薬投与などの対症療法が主体となる．
- アシクロビルは *in vivo* では EBV に対して抗ウイルス効果があることはわかっているが，臨床的有効性は証明されていない．バラシクロビル, ガンシクロビルは,

表3 IMの重篤な合併症

神経障害 脳炎，髄膜炎，けいれん，視神経障害，難聴，顔面神経麻痺，Guillain-Barré 症候群
血液学的障害 溶血性貧血，血小板減少症，汎血球減少症，無顆粒球症，脾破裂，血球貪食症候群
心血管系障害 心筋炎，心膜炎，刺激伝導系障害
実質臓器の障害 間質性肺炎，間質性腎炎，膵炎
その他 横紋筋融解症，上気道閉塞，心理学的変化

重症例や免疫不全者に対しては有効である可能性が示唆されているが，現時点では推奨されず，保険適用もない．

- ステロイド薬の投与も咽頭痛緩和に一定の効果はありそうだが，質の高いエビデンスとなっていない．ただし，気道閉塞のリスクがある症例などではステロイド薬の投与を検討すべきである．
- IM に対するアミノペニシリンの投与が発疹の原因になるため，避けるべきである．ただ，その発現率は20〜30%である．
- IM は，通常，1〜3 カ月で自然軽快する．稀ではあるが，重篤な合併症を認めることがあるので，注意が必要である 表3．
- 脾破裂は発生率 1%未満の稀な合併症であるものの，多くの IM 患者に脾腫は認められるため，たとえ触診で脾臓を触れなくとも，超音波検査で脾腫が認められたら，少なくとも 3 週間は激しい運動を避けるよう助言する．
- EBV は終生にわたって体内に潜伏し，後の EBV 関連疾患のリスクとなって残存する．特に，ホジキンリンパ腫については，IM 罹患によるリスクが非罹患者に比べて 2〜3 倍程度に増加することが示されている[5]．

参考文献

1）Hoagland RJ. Infectious mononucleosis. Am J Med. 1952; 12: 158-71.

2）Hoagland RJ. Infectious mononucleosis. Prim Care. 1975; 2: 295-37.

3）Lennon P, Crotty M, Fenton JE. Infectious mononucleosis. Brit Med J. 2015; 350: h1825.

4）Dunmire SK. Infectious mononucleosis. Curr Top Microbiol Immunol. 2015; 390: 211-40.

5）Hjalgrim H, Smedby KE, Rostgaard K, et al. Infectious mononucleosis, childhood social environment, and risk of Hodgkin lymphoma. Cancer Res. 2007; 67: 2382-8.

〈脇本直樹〉

23 慢性活動型 EB ウイルス感染症（CAEBV）

まとめ

・慢性活動型 EB ウイルス感染症は，EBV に感染した T 細胞もしくは NK 細胞の clonal expansion により，血球貪食症候群や悪性リンパ腫などの致命的な疾患をきたす，予後不良の疾患である．
・これまで，小児発症（<9 歳）が多いと考えられていたが，日本の大規模調査報告では，発症年齢中央値は 21 歳で最高齢は 78 歳であった．診断は，末梢血の単核球分画の EBV-DNA 量（> $10^{2.5}$ copies/μg DNA），EBV に感染した T 細胞もしくは NK 細胞の確認，全身性の炎症反応が 3 カ月以上見られること，EBV の初感染，自己免疫性疾患，先天性免疫不全，HIV を始めとした後天性免疫不全状態，免疫抑制薬の使用などの除外が必要になる．
・標準的治療の確立は未だなく，現状は造血幹細胞移植が唯一，長期生存につながる治療法である．

定義・概念

• 慢性活動性 EB ウイルス感染症（chronic active EB virus infection: CAEBV）は Epstein-Barr virus（EBV）の再活性化による慢性持続性・再発性の発熱，リンパ節腫脹，肝脾腫，皮疹などの伝染性単核球症様の症状を呈し，かつ EBV に感染した T 細胞，NK 細胞が腫瘍化していく進行性の希少疾患である[1]．原因は不明とされていたが，近年の次世代シークエンサーを用いた報告で，EBV に感染した血液細胞がさまざまな遺伝子異常が蓄積し，特に，DDX3X 遺伝子変異がこの病気の進展に重要な役割を果たしていることが示唆されている[2]．また，EBV 自体の遺伝子解析でも，CAEBV に関わる EBV は，EBV がヒト細胞に潜伏感染するのに必要な遺伝子や，他の動物やヒトに感染する際に必要とするウイルス粒子を作成するのに必要な遺伝子が失われていることが明らかとなり，それら遺伝子を失った EBV は異常活性化し，ヒト細胞をがん化に向かわせる可能性が提唱されている[2]．

疫学と症候

- CAEBV は我が国を中心とした，東アジアからの報告が多数を占め，欧米からの報告は稀である[1]．近年に発表された我が国の全国調査の結果では，年齢中央値が 21 歳で，半数以上が成人例であり，最も高齢で 78 歳の症例が認められた．また,症例を 9 歳未満（小児発症），10〜45 歳（思春期 / 成人発症），45 歳以上（高齢発症）の 3 群で比較し，高齢発症の 85%が女性であり，発症年齢で性差が認められた[3]．CAEBV はほとんど無症候から急速に進行するまでさまざまな経過をたどるが，伝染性単核球症様症状に加え，黄疸，貧血，血小板減少などさまざまな症状がみられる．特徴的な合併症として蚊過敏症，種痘様水疱症があるが，成人発症の CAEBV 54 例の臨床的検討では，小児例と比較して，既往歴で蚊過敏症，種痘様水疱症の頻度が低かった[4]．

診断

- 成人例の CAEBV にみられる一般的な所見は貧血，血小板減少，LDH 上昇，トランスアミナーゼ上昇，血球貪食症候群である[4]．また，日本の全国調査に使用された診断基準は，末梢血単核球分画中の EBV-DNA 量の増加（>$10^{2.5}$ copies/μg DNA），T 細胞もしくは NK 細胞に EBV 感染が確認できること，全身性の症状（発熱，リンパ節腫脹，肝障害など）が 3 カ月以上継続すること，EBV の初感染，自己免疫性疾患，先天性免疫不全，HIV を始めとした後天性免疫不全状態，免疫抑制薬の使用などの除外である[3]．これまでの診断基準の詳細は表1を参照されたい．特に，EBV の抗体が既往感染パターンで，末梢血単核球中の EBV-DNA の増加を証明することが診断上有益であり，EBV-DNA 定量が保険収載されたことは，今後の早期診断に向け朗報である．
- また，CAEBV の組織像は多岐にわたるが，Ohshima らは Category A1〔polymorphic LPD composed of T-cells（CD8>CD4）or NK-cells without clonal proliferation of EBV-infected cells (infectious mononucleosisi-like pattern)〕，Category A2（polymorphic LPD with clonal proliferation of EBV-infected cells)，Category A3〔monomorphic LPD（either peripheral T-cell lymphoma or NK-cell lymphoma/leukemia) with clonal proliferation of EBV-infected cells〕の 3

 EBウイルス感染症研究会によるCAEBV診断基準

① 持続的あるいは再発する伝染性単核球症様症状 ② VCA, EA抗体価高値を伴う異常なEBウイルス抗体反応または病変組織（含末梢血）におけるEBウイルスゲノム量の増加 ③ 慢性に経過し既知の疾患とは異なること※
以上の3項目をみたすこと. ※ 経過中しばしばEBウイルス関連血球貪食性リンパ組織球症，主にT細胞・NK細胞リンパ増殖性疾患/リンパ腫などの発症をみる．一部は蚊刺過敏症などの皮膚病変を伴う.
補足条項 1）伝染性単核球症様症状とは，一般に発熱・リンパ節腫脹・肝脾腫などをさす．加えて，伝染性単核球症に従来主に報告される血液，消化器，神経，呼吸器，眼，皮膚あるいは心血管系合併症状・病変（含動脈瘤・弁疾患）などを呈する場合も含む.
2）VCA，EA抗体価高値とは一般にVCA-IgG抗体価640倍以上，EA-IgG抗体価160倍以上がひとつの目安となる．加えて，VCAおよびEA-IgA抗体がしばしば陽性となる.
3）診断の確定，病型の把握のために以下の臨床検査の施行が望まれる. A）病変組織（含末梢血）のEBウイルスDNA，RNA，関連抗原およびクロナリティの検索 a）PCR法（定量，定性） 末梢血における定量を行った場合，一般に$10^{2.5}$コピー/μg DNA以上がひとつの目安となる．定性の場合，健常人でも陽性となる場合がある. b）In situ hybridization法（EBERなどの同定） c）蛍光抗体法など（EBNA，LMPなどの同定） d）Southern blot法（含EBウイルスクロナリティの検索） e）EBウイルス感染標的細胞の同定 蛍光抗体法，免疫組織染色またはマグネットビーズ法などによる各種マーカー陽性細胞（B細胞，T細胞，NK細胞，単球/マクロファージ/組織球などを標識）とEBNA，EBERあるいはEBウイルスDNA検出などを組み合わせて行う. B）病変組織の病理組織学的・分子生物学的評価 a）一般的な病理組織所見 b）免疫組織染色 c）染色体分析 d）遺伝子再構成検査（免疫グロブリン，T細胞受容体など） C）免疫学的検討 a）一般的な免疫検査（細胞性免疫［含NK細胞活性］・抗体・補体・食細胞機能など） b）末梢血マーカー分析（含HLA-DR） c）各種サイトカイン検索

（Okano M, et al. Am J Hematol. 2005；80：64-9[5]）を基に作成）

パターンを提唱している[6].

治療

- 症状を抑える方法としてはエトポシド，シクロスポリン，プレドニゾロン，modified CHOP を用いた cooling 療法があるが，同種造血幹細胞移植（HCT）が長期生存のための唯一の治療法であり，前処置として，meyeloablative conditioning（MAC）から reduced intensity conditioning（RIC）に変更されたことで，移植関連合併症での死亡が激減し飛躍的に小児発症例，思春期/成人発症例の生存率は向上している[7]．しかし，高齢発症例では HCT を施行できない例も多く，3 年生存率は 3 年と，予後は非常に不良のままである．HCT の施行できない症例のために，新たな治療法の開発が必要とされている．

参考文献

1) Quintanilla-Martinez L, Ko YH, Kimura H, et al. EBV-positive T-cell and NK-cell lymphoproliferative disease of childhood. In: Swerdlow SH, Campo E, Harris NL, et al. WHO classification of Tumours of haematopietic and lymphoid tissues. Revised 4 th ed. Lyon: IARC; 2017. p.355-63.
2) Okuno Y, Murata T, Sato Y, et al. Defective Epstein-Barr virus in chronic active infection and haematological malignancy. Nat Microbiol. 2019; 4: 404-13.
3) Yonese I, Sakashita C, Imadome KI, et al. Nationwide survey of systemic chronic active EBV infection in Japan in accordance with the new WHO classification. Blood Adv. 2020; 4: 2918-26.
4) Kawamoto K, Miyoshi H, Suzuki T, et al. A distinct subtype of Epstein-Barr virus-positive T/NK-cell lymphoproliferative disorder: adult patients with chronic active Epstein-Barr virus infection-like features. Haematologica. 2018; 103: 1018-28.
5) Okano M, Kawa K, Kimura H, et al. Proposed guidelines for diagnosing chronic active Epstein-Barr virus infection. Am J Hematol. 2005; 80: 64-9.
6) Ohshima K, Kimura H, Yoshino T, et al. CAEBV Study Group. Proposed categorization of pathological states of EBV-associated T/natural killer-cell lymphoproliferative disorder（LPD）in children and young adults: overlap with chronic active EBV infection and infantile fulminant EBV T-LPD. Pathol Int. 2008; 58: 209-17.
7) Kawa K, Sawada A, Sato M, et al. Excellent outcome of allogeneic hematopoietic SCT with reduced-intensity conditioning for the treatment of chronic active EBV infection. Bone Marrow Transplant. 2011; 46: 77-83.

〈田中佑加〉

24 特発性血小板減少性紫斑病（ITP）

まとめ

・特発性血小板減少性紫斑病（idiopathic thrombocytopenic purpura：ITP）は，血小板数が 10 万 /μL 以下に減少する自己免疫疾患.
・治療の目標は血小板数を正常化することではなく，致死的な深部出血を回避するために血小板数を 3 万 /μL 以上に保つことである.
・成人と異なり，小児の 8 割は自然寛解する.
・海外では免疫性血小板減少症（immune thrombocytopenia：ITP）と呼ばれる.

疫学

• 国内患者数は約 2 万人，罹患率の人種差はない.
• 成人患者は，女性が男性より約 3 倍多い.
• 女性は自己免疫疾患の好発年齢である 30 歳代と 60 歳以上に多い．男性は 60 歳以上の高齢者に多い.
• 日本人の高齢 ITP 患者には，*Helicobacter pylori* 感染症による二次性 ITP が多い.

症候

• 小児は鼻血，あざで発見されることが多い
• 無症状の成人が健康診断で，血小板数減少を偶然指摘されて診断されることもある.
• 女性では過多月経を示すことがある．特に子宮筋腫などの基礎疾患があると，鉄欠乏性貧血になりやすい.

病態

• 血小板に対する自己抗体により，脾臓において血小板の破壊が亢進する. 自己抗体の発生機序は不明である.
• 血小板造血因子であるトロンボポエチンの不足も血小板減少の原因であり，トロンボポエチン受容体作動薬が有効な理由となる．血小板寿命の短縮により，血液中のトロンボポエチンのクリアランスが亢進することが原因である.
• 肝炎ウイルス，HIV ウイルス，*Helicobacter pylori* などの感染症に合併する場合，海外では二次性 ITP と扱

われる.

診断

- 国際的に，ITP の診断は除外診断による.
- 血小板減少の初診患者を診たら，偽性血小板減少症，ウイルス感染症，薬剤性血小板減少，がんの骨転移，造血器悪性腫瘍，膠原病などの基礎疾患がないか注意する.
- 他に原因がなく，血小板が 10 万 /μL 以下であれば ITP を疑う.
- 白血球と赤血球に異常があれば，他の血液疾患（再生不良性貧血，白血病など）を慎重に鑑別診断する.
- 骨髄検査は必須ではないが，造血器悪性腫瘍が多い高齢者では施行が望ましい.
- 国内では幼弱血小板比率（immature platelet fraction：IPF）を測定する施設が多いが，国際的には有用性が定まっておらず補助診断として扱う.

病型分類

- 古くは発症から 6 カ月以内を急性型，6 カ月以降を慢性型と分類していた.
- 近年，国際的に診断初期（0～3 カ月），移行期（3～12 カ月），慢性期（12 カ月以降）に分類している.
- 海外では原因不明を原発性（一次性），基礎疾患があるものを二次性として区別するが，国内では両者をまとめて特発性として扱っている.

予後評価

- 血小板が 3 万 /μL 以下になると，健常人と比べて深部出血リスクが約 4 倍高くなる．このため治療を開始する目安となる.
- 特に血小板数が 1 万以下 /μL に低下し，粘膜出血（鼻腔，口腔内，不正性器出血，血便）を認めると，深部出血（脳，消化管，肺）の危険性が高く，積極的な治療が必要である.

1）成人の治療 表 1

a）治療の目標

- 血小板数を正常化させる必要はなく，致命的な出血を回避すればよい．血小板数を 3 万 /μL 以上に保つのが目安となる.
- 無理に血小板数を正常化させると，治療による副作用が多くなることに注意する.

表 1　特発性血小板減少性紫斑病（成人例）の治療方針

	アメリカ	日本
第一選択	副腎皮質ステロイド	副腎皮質ステロイド
第二選択	脾臓摘出術，トロンボポエチン受容体作動薬，リツキシマブ	脾臓摘出術，トロンボポエチン，受容体作動薬，リツキシマブ
緊急時	免疫グロブリン大量療法，血小板輸血，副腎皮質ステロイド併用も考慮	免疫グロブリン大量療法，血小板輸血，ステロイドパルス*
備考		*Helicobacter pylori* 感染陽性の慢性期症例には，除菌療法をまず行う．

※　欧米では免疫グロブリン製剤 1 g/kg を 1 回投与．国内で承認された用法・用量は 0.4 g/kg を 5 日間投与．＊は保険適用外．

（柏木浩和，他．臨床血液．2019; 60: 877-96[1]，Neunert C, et al. Blood Adv. 2019; 3: 3829-66[3]）

b）*Helicobacter pylori* 除菌

- *Helicobacter pylori* 感染陽性の慢性期の成人症例は，最初に除菌療法を試みる．約 6 割に根治を期待できる．
- 初回の除菌療法が無効でも，メトロニダゾールを含む二次除菌に成功すれば，約 6 割の患者の血小板が増加する．
- 白人患者への治療効果は 5%と乏しい．人種差，*pylori* 菌の種類の違いが，除菌の有効性の原因として知られている．

《処方例》

Helicobacter pylori 除菌：ボノサップ®パック 400
分 2　7 日間内服

c）副腎皮質ステロイド

- 副腎皮質ステロイド（プレドニゾロン 1 mg/kg）の有効性は，約 8 割と高い．
- 高齢者，糖尿病合併例では，副作用を減らすためプレドニゾロン 0.5 mg/kg への減量を検討する．
- 欧米ではプレドニン®は治療開始から 2 カ月で漸減・中止するが，国内では再発予防のため 10 mg 以下の維持量を続ける主治医が多い．
- 長期投与例では，骨粗鬆症，病的骨折，胃十二指腸潰瘍の合併に注意する．

《処方例》

副腎皮質ステロイド: プレドニゾロン 1 mg/kg/ 日（高齢者・糖尿病の場合は，0.5 mg/kg/ 日） 分 1　朝食後に内服

d）脾臓摘出術（脾摘）

- 脾摘は約 6 割に根治を期待できる.
- 開腹手術ではなく，出血量が少なく早期退院できる腹腔鏡下手術が推奨される.
- 肺炎球菌ワクチンの接種が望ましい（保険適用).
- 特にこれから妊娠を希望する若い女性患者に，根治を期待できる治療法として確立している.
- 手術前に有効性を事前に予測する指標は，残念ながら確立していない.

e）トロンボポエチン受容体作動薬

- 骨髄中の血小板造血を刺激して，血小板を増加させる薬剤である．レボレード® 錠とロミプレート® 注射薬は，約 8 割に効果を期待できる.
- 治療を中止すると約 2 週間で効果が消えるため，治療の継続が必要である.
- レボレード® は空腹時に服用する必要がある．乳製品，ミネラル（鉄，マグネシウム，カルシウムなど）は薬効を減弱させるため，服薬指導を薬剤師と協力して丁寧に行う.
- 血栓症の既往がある患者への処方は慎重にする．特に抗リン脂質抗体症候群の既往例では血栓症の再発リスクがあり，投与を避けることが望ましい.

《処方例》

トロンボポエチン受容体作動薬:
（例 1）: レボレード®　12.5～50 mg　分 1　就寝前に内服
（例 2）　ロミプレート®　1～10 μg/kg　週 1 回　皮下注

f）リツキシマブ

- リツキシマブは B リンパ球に対するモノクローナル抗体製剤である．国内では悪性リンパ腫，ネフローゼ症候群，顕微鏡的多発血管炎などに適応症がある.
- 欧米では侵襲性の高い脾摘を回避する治療として，広く行われている.
- 約 6 割に効果を示す．一部が再発するが，再投与で

も治療効果を期待できる．

- 国内では再発・難治例に対して，第Ⅲ相医師主導治験（厚生労働科学研究）が行われ，2017年6月に適応拡大した．

《処方例》

リツキサン® 375 mg/m² 週1回 4週間 点滴静注

g）免疫抑制薬

- 有効性が報告されている免疫抑制薬（アザチオプリン，シクロスポリンなど）はガイドラインでも推奨されているが，国内では保険適用外である．

2）小児の治療

- 欧米では出血症状が軽微であれば，血小板数にかかわらず経過観察．
- 約8割が発症から半年〜数年かけて自然軽快する．
- 標準的治療は成人例と同様，副腎皮質ステロイド，免疫グロブリン大量療法が中心となる．緊急時は血小板輸血，免疫グロブリン大量療法を選ぶ．
- *Helicobacter pylori* 菌の感染率は低く，除菌療法の有用性はあきらかではない．
- 副腎皮質ステロイドの長期投与による肥満，成長障害が起きないよう留意する．
- 自然軽快する症例が多く，脾摘はなるべく回避する．やむを得ず行う場合は，発症から2年以上の難治例か中学生以上に成長してから検討する．
- 海外では1歳以上の小児に，レボレード® が承認されている．

3）緊急時の治療 表1

- 脳出血，消化管出血，血小板1万/μL以下の重症例は，入院措置が望ましい．
- 血小板輸血，免疫グロブリン大量療法が基本となる．副腎皮質ステロイド（特にステロイドパルス）を併用すると，血小板数の回復が早まる．
- 血小板に対する自己抗体があるため，血小板輸血後の血小板数の回復は限定的であるが，止血効果を期待できる．

4）ITP合併妊娠の管理 表2

- 妊娠と周産期管理に役立つ診療ガイドが存在する[2)]．
- 妊娠に必要な血小板数の基準は，特に定められていない．

- 管理可能な状況であれば，血小板 3 万 /μL 以下でも妊娠は可能である.
- 分娩様式は産科的適応に基づく．帝王切開により，児の脳出血を回避できるという科学的根拠はない.
- 分娩時の血小板数は，経腟分娩>5 万 /μL，帝王切開>8 万 /μL が目安であるが，施設と担当医（麻酔科，産科）の考えにより対応が異なる.
- 産後，母親がプレドニン® 内服中でも授乳は可能である.

5）周術期管理

- 侵襲度と予想される出血量により必要な血小板数の目安が異なる.
- ガイドラインで推奨される血小板数の目安を 表3 にまとめた.
- 待機手術では，事前にプレドニゾロン，免疫グロブリン大量療法，トロンボポエチン受容体作動薬で血小板数を増やす.
- 緊急手術では，血小板輸血，免疫グロブリン大量療法を選択する.

表 2　ITP 合併妊娠管理のポイント

項目	内容
妊娠の可否	妊娠に必要な血小板数の基準は定められていない
妊娠中の血小板数の目標値	妊娠初期から中期の出血症状がない場合，血小板数>3 万 /μL 以上を目標
妊娠中の治療法	副腎皮質ステロイド，免疫グロブリン大量療法
分娩様式	産科的適応に基づく
分娩時に必要な血小板数	経腟分娩は>5 万 /μL，帝王切開>8 万 /μL が目安
授乳	副腎皮質ステロイド，免疫グロブリン大量療法を受けていても授乳可能

（宮川義隆．臨床血液．2014；55：934-47[2)]）

表3 手術に必要な血小板数の目安

手術		目安となる血小板数（/μL）
抜歯		≧3万
小手術		≧5万
大手術		≧8万
脳外科手術		≧10万
脾摘		≧5万
分娩	経腟分娩	≧5万
	帝王切開	≧8万

参考文献

1）柏木浩和，桑名正隆，羽藤高明，他，厚生労働省難治性疾患政策研究事業血液凝固異常症等に関する研究班「ITP 治療の参照ガイド」作成委員会．成人特発性血小板減少性紫斑病治療の参照ガイド 2019 改訂版．臨床血液．2019；60：877-96.

2）宮川義隆，妊娠合併特発性血小板減少性紫斑病診療の参照ガイド．臨床血液．2014；55：934-47.

3）Neunert C, Terrell DR, Arnold DM, et al. American Society of Hematology 2019 guidelines for immune thrombocytopenia. Blood Adv. 2019; 3: 3829-66.

4）宮川義隆，ITP と TTP に対するリツキシマブ．日内会誌．2014；103：1654-9.

5）白幡　聡，小児特発性血小板減少性紫斑病―診断・治療・管理ガイドライン―．日小血会誌．2004；18：210-8.

6）Miyakawa Y. Efficacy and safety of rituximab in Japanese patients with relapsed chronic immune thrombocytopenia refractory to conventional therapy. Int J Hematol. 2015；102：654-61.

〈宮川義隆〉

25 血栓性血小板減少性紫斑病（TTP）

まとめ

・血栓性血小板減少性紫斑病（thrombotic thrombocytopenic purpura：TTP）は，細血管の血栓症を特徴とする致死的な急性疾患．
・TTP はフォンビルブランド因子（VWF）を分解する ADAMTS 13 酵素の減少により発症する．
・先天性（常染色体劣性遺伝形式）はきわめてまれで，臨床現場で遭遇する症例の多くが後天性 TTP.
・後天性 TTP を疑えば，速やかに血漿交換を開始する．

疫学

• 年間発症率は人口 100 万あたり 4 名．
• 先天性の国内患者数は約 60 名．
• 後天性は年間約 400 名が発症．約 3 割が再発例．
• 性差と人種差はあきらかではない．
• 好発年齢（中央値）は 40〜50 歳代．

症候

• 古典的には，発熱，動揺する精神神経症状，溶血性貧血，血小板減少，腎障害の 5 徴候が有名である．
• クームス試験陰性の溶血性貧血，血小板減少，臓器障害（動揺する精神神経症状）で発症し，発熱と腎障害を合併しないこともある．
• 精神神経症状として多いのは，一過性の意識混濁，麻痺，構語障害など．一過性脳虚血発作（TIA）と類似している．
• 発症初期は，破砕赤血球を認めないこともある．
• 血小板が 3 万/μL 以下に減少している症例が多いが，血小板が減る特発性血小板減少性紫斑病（ITP）と播種性血管内凝固症候群（DIC）と異なり出血症状に乏しい．

病態

• ADAMTS13 酵素活性の低下により VWF が超巨大分子となり，細血管内に血小板血栓を生じる．
• 先天性は常染色体劣性遺伝形式．*ADAMTS13* 遺伝子

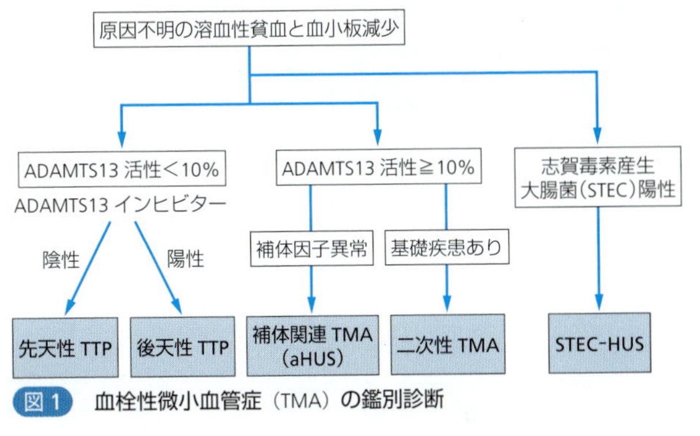

図1 血栓性微小血管症（TMA）の鑑別診断

の変異が原因.

- 後天性は ADAMTS13 酵素に対する自己抗体により，同酵素活性が＜10%に低下して発症する.
- フィブリン血栓が主体となる DIC と病態が異なる.
- DIC と異なり，APTT と PT は延長しない．D- ダイマーは上昇する.
- 先天性は新生児黄疸として治療を受けた後に，末期の腎不全に移行することがある．女性は妊娠中に TMA を発症して，先天性 TTP と診断されることがある.
- 後天性 TTP は全身性エリテマトーデスなどの膠原病に合併することもある.

診断 図1

- ADAMTS 13 活性＜10%を示す溶血性貧血と血小板減少は，TTP と診断する.
- ADAMTS 13 活性＜10%かつ ADAMTS 13 に対するインヒビターが陽性であれば，後天性 TTP と診断.
- ADAMTS 13 自己抗体が陰性で，家族歴があるなど先天性 TTP を疑う場合は，*ADAMTS 13* 遺伝子のゲノム解析が必要となる.
- 外注検査が可能な ADAMTS 13 自己抗体は，*in vitro* 検査で酵素活性を抑えるインヒビター抗体である．仮にインヒビター抗体が陰性でも，体内で ADAMTS 13 のクリアランスを早める自己抗体の存在を否定できない.

表 1　主な血栓性微小血管症（TMA）

	国内患者数（年間）	診断	治療	特徴
後天性 TTP	約 400 名	ADAMTS 13 活性＜10%	血漿交換，免疫抑制療法	動揺する精神神経症状
aHUS	約 200 名	C3 低下と C4 正常（約半数に認める）	血漿交換，ソリリス	急性期の約 8 割は血液透析を要する。約半数に補体関連因子の異常あり
STEC-HUS	約 200 名	便中の志賀毒素，STEC の検出	支持療法	血便，急性腎不全，血小板減少。食中毒による集団感染あり
二次性 TMA	不明	基礎疾患による TMA	基礎疾患の治療，必要に応じて血漿交換	基礎疾患として，感染症，がん，膠原病，薬剤，妊娠，悪性高血圧，移植など

※　TTP：血栓性血小板減少性紫斑病，aHUS：非典型溶血性尿毒症症候群，STEC：志賀毒素産生大腸菌，HUS：溶血性尿毒症症候群，TMA：血栓性微小血管症

鑑別診断

図 1，表 1

- TMA の鑑別診断として，血便と急性腎不全を認めたら，志賀毒素産生大腸菌（STEC）による溶血性尿毒症症候群（STEC-HUS）を疑う．STEC-HUS は集団食中毒（バーベキュー，焼き肉など）として発症することもあり，食歴を丁寧に問診する．
- ADAMTS13 活性≧10%で，膠原病，がん，感染症，悪性高血圧などの基礎疾患があれば，二次性 TMA と診断する．二次性 TMA の場合，基礎疾患の治療を優先し，必要に応じて血漿交換を検討する．
- 補体経路の異常活性化で発症するのは，非典型溶血性尿毒症症候群（atypical HUS, aHUS）．ADAMTS13 活性は≧10%となる．aHUS は血液透析を必要とする重症な急性腎不全を特徴とする．

予後評価

- 脳梗塞や虚血性心疾患を合併すると，生命予後は悪い．
- 血漿交換無効例も予後が悪い．
- ADAMTS 13 インヒビター高値例は予後が悪い．
- 約 3 割が再発する．

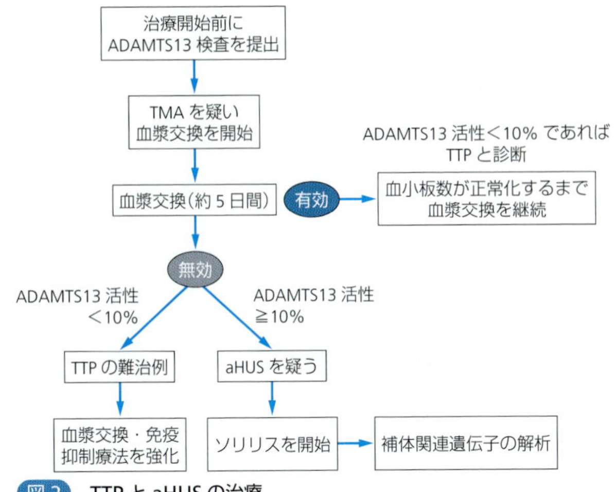

図 2　TTP と aHUS の治療

1）先天性 TTP の治療

- 定期的に ADAMTS 13 酵素を含む新鮮凍結血漿を補充する.
- 将来的には，現在国際共同治験が進められている遺伝子組換え型 ADAMTS 13 酵素製剤の実用化を期待する.

2）後天性 TTP の治療 図 2

a）血漿交換

- 臨床的診断に基づき，速やかに血漿交換を開始する.
- 未治療では 2 週間以内に 9 割が死亡する．血漿交換により 8 割を救命できる.
- 血小板数が 2 日続けて正常化するまで，血漿交換を連日で行う.

《処方例》

血漿交換：1 日 1 回　新鮮凍結血漿（FFP）は 50～75 mL/kg 使用　血小板数が 2 日続けて正常化するまで連日

b）副腎皮質ステロイド

- 自己免疫疾患であり，副腎皮質ステロイドを併用する.
- プレドニゾロン 1 mg/kg が一般的であるが，重症例ではステロイドパルスを選択してもよい．高齢者または糖尿病合併例では，プレドニン® を 0.5 mg/kg に減量することもある．

- ステロイドパルス後のプレドニゾロンによる後療法の有用性は明確ではないが，多くの施設で再発予防として行われている．

《処方例》

副腎皮質ステロイド：
（例 1）プレドニゾロン　1 mg/kg（高齢者，糖尿病患者では 0.5 mg/kg）
（例 2）ソル・メドロール®（保険適用外）　1,000 mg　1 日 1 回，3 日間の点滴静注

c）リツキシマブ

- 海外の系統的レビューによれば，再発・難治例に対するリツキサン® の治療効果は 9 割以上と高い．
- 再発・難治例，心臓や脳の虚血症状を示す高リスク群には，欧米ではリツキサン®（375 mg/m^2，週 1 回，4 回投与）が強く推奨されている．
- 国内で後天性 TTP の難治例に対するリツキサン® の第Ⅱ相医師主導治験が行われ適応拡大した．
- 海外では寛解後も ADAMTS13 活性を定期的に測定し，活性が低下（もしくは自己抗体の抗体価が上昇）した時点で，リツキサン® を投与して再発予防をする試みがされている．

《処方例》

リツキサン：
リツキサン®（保険適用外）　375 mg/m^2　週 1 回
4 週間の点滴静注

d）カプラシズマブ

- VWF に対する低分子抗体カプラシズマブの海外第Ⅱ相試験が 2016 年の N Eng J Med 誌に公開された．カプラシズマブは VWF と血小板の粘着を阻害することにより，急性期の致死的な血栓症を予防し，血漿交換の回数を減らすこと，TTP の再燃を防ぐ効果が期待されている．

非典型溶血性尿毒症症候群（aHUS）との違い 表1

- aHUS は補体第 2 経路の異常活性化で発症する．
- aHUS の約 8 割は急性期に血液透析を必要とする重症な急性腎不全を合併する．TTP に血液透析が必要になるのは，きわめてまれである．
- TTP は血漿交換で寛解するが，aHUS に血漿交換を行っても約半数は末期の腎不全に移行して維持透析が必要となる．
- aHUS には抗ヒト補体 C5 モノクローナル抗体製剤ソリリス® が臨床応用されている．ソリリス® 投与により，末期の腎不全への移行を阻止することが期待できる．
- aHUS の約 6 割に補体関連因子の異常（遺伝子異常，自己抗体）を認める．

参考文献

1）「血液凝固異常症に関する調査研究」TTP グループ．血栓性血小板減少性紫斑病（TTP）診療ガイド 2017．臨床血液．2017；58：271-81．

2）宮川義隆，他，編．血栓性微小血管症（TMA）診断・治療実践マニュアル．大阪：医薬ジャーナル社；2016．

3）宮川義隆．ITP と TTP に対するリツキシマブ．日内会誌．2014；103：1654-9．

4）Miyakawa Y. Efficacy and safety of rituximab in Japanese patients with acquired thrombotic thrombocytopenic purpura refractory to conventional therapy. Int J Hematol. 2016；104：228-35．

5）George JN, Nester CM. Syndromes of thrombotic microangiopathy. N Engl J Med. 2014；371：654-66．

6）非典型溶血性尿毒症症候群診断基準改定委員会．非典型溶血性尿毒症症候群（aHUS）診療ガイド 2015．日腎会誌 2016；58：62-75．

〈宮川義隆〉

26 播種性血管内凝固症候群（DIC）

まとめ

・播種性血管内凝固症候群（disseminated intravascular coagulation: DIC）は基礎疾患によって持続性の凝固もしくは線溶の活性亢進状態が出現，凝固線溶いずれの因子も枯渇して著明な凝固線溶障害が出現し，広範な臓器障害を呈する病態を示す．
・基礎疾患は悪性腫瘍，感染症，外傷，手術など多様である．
・DIC の治療は基礎疾患の治療が第一であり，その間，補充療法や，抗凝固療法や抗線溶療法などを用いる．

基本病態

• DIC では，さまざまな原因により凝固因子もしくは線溶因子が活性化された結果，凝固線溶系のバランスが持続的に崩れ，凝固，線溶のいずれの因子が消費された結果，全身にわたる著明な血栓，出血傾向が生じる．
• その結果，各臓器は微小血管における虚血状態が生じ臓器不全に発展する．
• 多様な背景は線溶亢進型 − 線溶均衡型 − 線溶抑制型のバランスで考えると理解しやすい 図1．
• 代表的な DIC では，線溶亢進型が急性前骨髄性白血病，線溶抑制型が固形がんで出現する．

診断基準

• 日本血栓止血学会の診断アルゴリズムおよび診断基準を 図2 と 表1 に示した．
• 血小板，凝固因子，線溶系，凝固系の測定項目および肝不全を点数化して診断を行う．
• 基本型，造血障害型，感染症型で診断点数が異なる．
• ただし，画一的な診断ではなく，経時的，総合的な判断が必要となる．

検査所見

• 計測する項目は血小板，FDP，フィブリノゲン，プロトロンビン時間比，アンチトロンビン，D-ダイマー，TAT，PAI-1，SF または F1+2 などがある．
• DIC の病態が進行すると消費される因子，例えば血小板，フィブリノゲン，アンチトロンビンなどは枯渇し

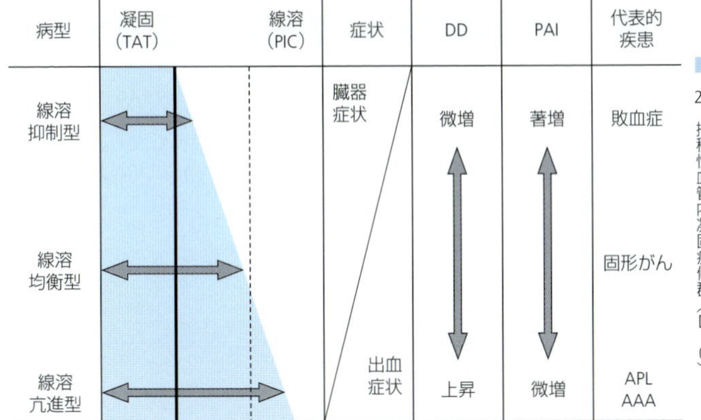

図1 DICにおける病型分類

TAT：トロンビン-アンチトロンビン複合体，PIC：プラスミン-α2プラスミンインヒビター複合体，DD：D-ダイマー，PAI：プラスミノゲンアクチベーターインヒビター，APL：急性前骨髄性白血病，AAA：腹部大動脈瘤

（日本血栓止血学会学術標準化委員会DIC部会．血栓止血誌．2009; 20: 77-113[2]より）

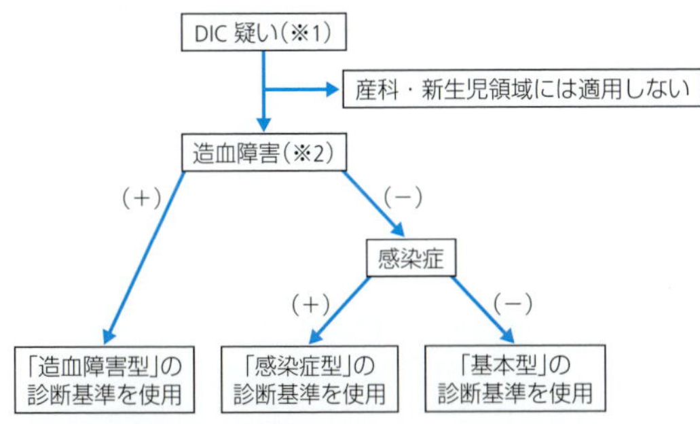

図2 DIC診断基準適用のアルゴリズム

・※1：DICの基礎疾患を有する場合，説明の付かない血小板数減少・フィブリノゲン低下・FDP上昇などの検査値異常がある場合，静脈血栓塞栓症などの血栓性疾患がある場合など．

・※2：骨髄抑制・骨髄不全・末梢循環における血小板破壊や凝集など，DIC以外にも血小板数低下の原因が存在すると判断される場合に（＋）と判断．寛解状態の造血器腫瘍は（－）と判断．

・基礎病態を特定できない（または複数ある）あるいは「造血障害」「感染症」のいずれにも相当しない場合は基本型を使用する．例えば，固形がんに感染症を合併し基礎病態が特定できない場合には「基本型」を用いる．

・肝不全では3点減じる．

（日本血栓止血学会．DIC診断基準2017年度版[3]より）

表1　日本血栓止血学会 DIC 診断基準

項目		基本型	
一般止血検査	血小板数（×10⁴/μL）	12<	0点
		8<　≦12	1点
		5<　≦8	2点
		≦5	3点
		24時間以内に30%以上の減少	+1点
	FDP（μg/mL）	<10	0点
		10≦　<20	1点
		20≦　<40	2点
		40≦	3点
	フィブリノゲン（mg/dL）	150<	0点
		100<　≦150	1点
		≦100	2点
	プロトロンビン時間比	<1.25	0点
		1.25≦　<1.67	1点
		1.67≦	2点
分子マーカー	アンチトロンビン（%）	70<	0点
		≦70	1点
	TAT, SF または F1+2	基準範囲上限の 2倍未満	0点
		2倍以上	1点
	肝不全	なし	0点
		あり	−3点
	DIC 診断	6点以上	

（日本血栓止血学会．DIC 診断基準 2017 年度版[3]より）

低下するが，その過程で生成される FDP，D- ダイマー TAT，PAI-1 などは上昇する．

- 検査値に影響を及ぼす基礎疾患，肝疾患などにおける DIC は経時的な判断が必要となる．

治療・予後予測

- DIC 治療の基本はそのトリガーとなる原病の治療である．
- 治療には血液製剤による補充療法や，抗凝固療法や抗線溶療法がある．
- いずれの症例においても状態に合わせて治療選択を行う．

1）補充療法

a）血小板

- 消化管出血や脳出血といった重篤な出血や緊急手術においては，血小板数を 50,000/μL 以上を維持するよ

造血障害型		感染症型	
		12< 8<　≦12 5<　≦8 ≦5 24 時間以内に 30%以上の減少	0 点 1 点 2 点 3 点 +1 点
<10 10≦　<20 20≦　<40 40≦	0 点 1 点 2 点 3 点	<10 10≦　<20 20≦　<40 40≦	0 点 1 点 2 点 3 点
150< 100<　≦150 ≦100	0 点 1 点 2 点		
<1.25 1.25≦　<1.67 1.67≦	0 点 1 点 2 点	<1.25 1.25≦　<1.67 1.67≦	0 点 1 点 2 点
70< ≦70	0 点 1 点	70< ≦70	0 点 1 点
基準範囲上限の 2 倍未満 2 倍以上	 0 点 1 点	基準範囲上限の 2 倍未満 2 倍以上	 0 点 1 点
なし あり	0 点 −3 点	なし あり	0 点 −3 点
4 点以上		5 点以上	

う血小板輸血を適宜行う．

b）新鮮凍結血漿

- aPTT や PT の著明な延長や，フィブリノゲン値が 50 mg/dL 以下となり，重篤な出血が生じている場合には新鮮凍血漿の補充を行う．

2）抗凝固療法

a）ヘパリン

- ヘパリンにはヘパリン類似物質であるダナパロイドナトリウム（DS），低分子量ヘパリン，未分画ヘパリンの 3 種類が存在する．
- それぞれ作用時間が異なる．
- DS および低分子量ヘパリンは未分画ヘパリンより出血の副作用が少ない．

b）アンチトロンビン

- 活性化凝固因子阻害作用

- 3000 単位 / 日を点滴静注
- 産科・外科 DIC では 40～60 単位 /kg/ 日，それ以外の DIC では 30 単位 /kg/ 日の投与
- 投与最長期間は一般的に 5 日間

c）合成プロテアーゼ阻害薬

- アンチトロンビン非依存性に抗トロンビン作用を有する.
- シル酸ナファモスタット（1.44～4.8 mg/kg/ 日）やメシル酸ガベキサート（20～39 mg/kg/ 日）など.
- 作用時間は短いため持続静注が基本.

d）トロンボモジュリン α

- トロンビンと結合しトロンビン阻害すると同時に，その複合体がプロテイン C を活性化させることで抗凝固活性が生じる.

3）抗線溶療法

a）トラネキサム酸，イプシロンアミノカプロン酸

- 急性前骨髄性白血病などの線溶亢進状態には有効と考えられるが，血栓などの副作用もあるため使用には留意する.
- 特に線溶抑制病態である感染症に合併した DIC などでは抗線溶治療は絶対禁忌.

参考文献

1）日本血液学会, 編. 血液専門医テキスト. 改訂第 3 版. 東京: 南江堂; 2019. p.378-81.
2）日本血栓止血学会学術標準化委員会 DIC 部会. 科学的根拠に基づいた感染症に伴う DIC 治療のエキスパートコンセンサス. 血栓止血誌. 2009; 20: 77-113.
3）日本血栓止血学会. DIC 診断基準 2017 年度版. https://www.jsth.org/guideline/dic 診断基準 2017 年度版 /
4）朝倉英策. DIC ―診療の最前線―. 臨床血液. 2019; 60: 659-66.

〈得平道英〉

27 血友病

まとめ

・血友病は伴性劣性遺伝形式をとる，発生頻度の最も高い先天性出血性疾患であり，原則として患者は男性，女性は保因者となる．
・第Ⅷ因子（血友病 A）または第Ⅸ因子（血友病 B）の先天的な欠乏により，主に関節内・筋肉内など深部出血を呈し，APTT の高度延長および第Ⅷ因子または第Ⅸ因子の活性低下により診断する．
・出血時には第Ⅷ因子製剤の静注を行うが，第Ⅷ因子または第Ⅸ因子活性が 1%未満の重症型患者は，出血予防のための定期輸注療法を行うこともある．

血友病とは

- 血友病は，凝固第Ⅷ因子（血友病 A）または第Ⅸ因子（血友病 B）の先天的欠乏により，幼少期からさまざまな出血症状を反復する，先天性出血性疾患である．
- 遺伝形式は伴性劣性遺伝であり，原則として患者は男性，女性は保因者となる 図1．

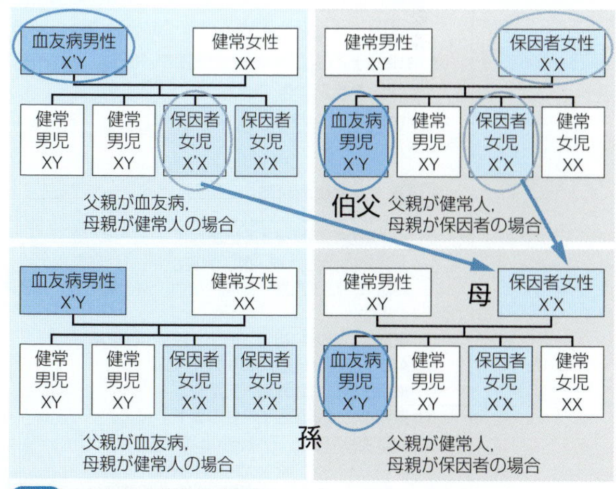

図1 血友病の伴性劣性遺伝

- 発生頻度は，男性 5,000〜1 万人にひとりとされ，わが国での患者数は約 6,000 人（血友病 A：約 5,000 人，血友病 B：約 1,000 人）といわれている．
- 遺伝歴のある患者は約 7 割であり，残りの 3 割はまったく家系内発症のない孤発例である．

出血症状

- 特徴的なのは関節内出血であり，中でも多いのは膝，足首，肘の関節での出血で，患者は出血部位の腫脹，疼痛を訴え，関節の可動域は著しく制限される．
- 一度出血が起こると同じ部位にて出血を繰り返すことが多く，標的関節となって関節機能が損なわれる．
- 血友病性関節症とは，繰り返す出血による関節滑膜の変性や炎症➡慢性滑膜炎➡関節軟骨の減少と関節裂隙の狭小化➡不可逆的な骨の変形および破壊（関節としての機能喪失＝人工関節置換術の適応），に至る変化である．
- そのほか，筋肉内出血（殿筋，腸腰筋，大腿筋，腓腹筋，ヒラメ筋などに起こりやすい），皮下出血，血尿，口腔内出血，消化管出血，脳出血（特に新生児期）をきたすことがある．

血友病の診断 表 1

- 凝固スクリーニング検査にて APTT 値の延長（多くは 40〜70 秒台）を認め，補正試験（クロスミキシング試験）にて凝固因子欠乏型であれば，第Ⅷ因子および第Ⅸ因子活性を測定する（多くの施設では外注検査）．
- 第Ⅷ因子および第Ⅸ因子活性が 40%以下であれば，ほぼ血友病と診断できる．
- 第Ⅷ因子および第Ⅸ因子の活性により，重症型（1%

表 1 血友病の診断

① 幼少時からの反復する出血症状
　・関節内出血（膝，肘，足首が多い），筋肉内出血，血尿，皮下血腫，口腔内出血，消化管出血，頭蓋内出血
② 家族歴：母方の祖父，伯父・叔父，従兄弟
③ APTT 値のみ延長（40〜70 秒台）
④ 補正試験にて凝固因子欠乏型
⑤ 第Ⅷまたは第Ⅸ因子活性の低下
　a 重症＜1%……日常的に出血あり
　b 中等症 1〜5%……年に数回の自然出血
　c 軽症 5〜40%……外傷・観血的処置時の止血不全

JCOPY 498-22507

表 2　血友病と間違いやすい疾患

患者	鑑別ポイント
◎小児	
①フォン・ヴィルブランド病	→粘膜出血，性別，家族歴
②アレルギー性紫斑病（シェーンライン・ヘノッホ紫斑病）	→表在出血，APTT 正常
③第XIII因子欠乏症	→頭蓋内出血，後出血，APTT 正常
④無フィブリノゲン血症	→臍帯脱落部での出血，過多月経
⑤第VおよびX因子欠乏症	→軽度の出血症状，PT 延長
⑥第XIおよびXII因子欠乏症	→日本人には稀，自然出血少ない
◎成人	
①担がん患者での紫斑	→ DIC マーカー上昇
②抗凝固薬内服者の出血	→心疾患の既往，服薬歴
③後天性血友病	→広範な皮下出血，補正試験でインヒビター型

未満)，中等症型（1～5%)，軽症型（5～40%）と分類される．後二者では自然出血をきたすことはまれであり，特に軽症型では成人になるまで診断されていないケースも見受けられる．

血友病の鑑別診断 表2

- von Willebrand 病は，家系内での女性患者の存在や，鼻出血などの粘膜出血が主体である出血症状，第VIII因子活性と同程度に von Willebrand 因子活性が低下していることなどから鑑別可能である．
- アレルギー性（シェーンライン・ヘノッホ）紫斑病では，主として下腿に出現する皮下の出血斑が特徴的である．
- 先天性第XIII因子欠乏症では血友病と同様，新生児期に脳出血をきたすことがあるが，PT，APTT 値が正常であることから鑑別できる．
- 先天性無フィブリノゲン血症や，第V因子欠乏症，第X因子欠乏症などでも出血症状を呈するが，出血症状の違いや PT 値の延長，当該因子量の低下などから鑑別可能である．

表3 血友病の補充療法

出血時の補充療法	（予防的）定期補充療法
主に，中等症～軽症患者が対象	主に，小児患者および重症患者が対象
・2000～4000単位をone shot静注する ・抗線溶薬（トランサミン®）の併用	・原則，家庭内自己注射 ・週に2~3回の定期投与 ・長時間作用型製剤の場合 第Ⅷ因子：1回/5~7日 第Ⅸ因子：1回/10~14日

血友病の治療

- 治療の原則は，第Ⅷ因子および第Ⅸ因子製剤の補充療法である[1]．補充療法には，出血時にそのつど製剤を投与するオンデマンド療法と，あらかじめ定期的に製剤を投与して出血を予防する予防的定期補充療法がある 表3．
- 出血時の製剤投与量は，第Ⅷ因子製剤の場合，「体重(kg)×目標因子活性レベル（%)×0.5」（第Ⅸ因子製剤では0.5ではなく0.75~1.0を乗じる）で算出する．一般的には，相応の症状をともなう関節内出血，筋肉内出血の場合，第Ⅷ因子活性の目標レベルを100%前後に設定する（体重60~70 kgの成人であれば3,000~4,000単位をone shot静注）．
- 製剤投与後，第Ⅷ因子の血中濃度は10~15分でピークに達すると考えられ，止血が得られるはずである．ただし局所での止血が達成されても，腫脹や疼痛などの自覚症状はすぐには消失せずタイムラグがあるので，投与効果の的確な判断が要求される．
- 外科手術などの際には，製剤を静脈ルートから持続的に投与する方法も用いられる．
- 予防的定期補充療法は，主に出血頻度の高い重症型の患者で行われる．定期補充療法ではトラフ値(最低値)を1%以上に保つことが原則とされ，通常は30~40単位/kg（トータルで2,000~3,000単位）を週2~3回投与する．なお，第Ⅷ因子および第Ⅸ因子の血中半減期は，前者が8~10時間，後者が16~24時間である．
- 最近では半減期のやや長い製剤が開発され，血友病Aでは5~7日に1回，血友病Bでは10~21日に1回の定期補充で出血予防が可能となってきている．

血友病の予後

- 血友病患者の生命予後を左右するのは，頭蓋内，消化管など重要臓器での出血と，（非加熱の血液製剤が感染源となった）B 型および C 型（最多）の慢性肝炎～肝硬変～肝がん，それに HIV 感染症である．
- HIV 感染症については，以前は日和見感染症で亡くなる患者もあったが，最近は抗 HIV 薬の改良と服用の徹底によって，血中に HIV が検出されなくなる患者が増えており，HIV 関連で亡くなる患者は珍しくなった．
- 血友病患者の予後に大きく影響するのは，第Ⅷ因子および第Ⅸ因子に対するインヒビター発生（全患者の 5～20%）の有無である．
- インヒビター保有血友病では自然出血の頻度や重症度が増し，止血管理がきわめて困難となる．活性型第Ⅶ因子製剤や活性化プロトロンビン複合体製剤などバイパス製剤の投与を余儀なくされるが[2]，その止血効果は不完全であり，重篤な出血により生命の危機に瀕するケースや，長期入院が必要となるケースもある．

参考文献

1）日本血栓止血学会 インヒビターのない血友病患者に対する止血治療ガイドライン作成委員会．インヒビターのない血友病患者に対する止血治療ガイドライン 2013 年改訂版．〈http://www.jsth.org/wordpress/wp-content/uploads/2015/04/03_inhibitor_H1_B.pdf〉

2）日本血栓止血学会 インヒビターのない血友病患者に対する止血治療ガイドライン作成委員会．インヒビター保有 先天性血友病患者に対する止血治療ガイドライン 2013 年改訂版．〈http://www.jsth.org/wordpress/wp-content/uploads/2015/04/03_inhibitor_H1_A.pdf〉

3）Leissinger C, Gringeri A, Antmen B, et al. Anti-inhibitor coagulant complex prophylaxis in hemophilia with inhibitors. N Engl J Med. 2011; 365: 1684-92.

〈山本晃士〉

28 ビタミンK欠乏症

まとめ

- ビタミンK欠乏症は，新生児～乳児，閉塞性肝胆道疾患，長期間の絶食と抗菌薬投与時，などに認められ，肝臓で産生される4つのビタミンK依存性凝固因子（プロトロンビン，第Ⅶ因子，第Ⅸ因子，第Ⅹ因子）の活性が低下することにより，さまざまな出血症状を呈する病態である．
- 軽度～中等度のビタミンK欠乏症ではPT値のみが延長するが，高度なビタミンK欠乏症ではPT, APTT値ともに高度に延長し，PIVKA-Ⅱが増加する．
- ビタミンK欠乏症に対しては10～20 mg（新生児～乳児では1～2 mg）のビタミンK_2製剤（ケイツー®）を静脈内投与（筋注も可）すれば1時間程度で止血効果が表れると期待されるが，不十分な場合には複数回投与する．

ビタミンK欠乏症とは

- ビタミンK欠乏症は主として，生後1週以内の新生児，生後半年くらいまでの乳児，高度なビタミンK吸収不全を起こす基礎疾患（胆汁流出障害，吸収不良症候群）を有する患者，長期間の抗菌薬（主にセフェム系）投与患者などに発症する出血性の病態である[1]．
- ビタミンKが欠乏すると，肝臓特異的に産生されるプロトロンビン，第Ⅶ因子，第Ⅸ因子，第Ⅹ因子の前駆体におけるグルタミン酸残基のγ-カルボキシル化が進まず（→凝固活性化に必須なCa^{2+}イオンと結合できなくなる），これらの凝固因子の活性が低下して出血症状を呈することになる．
- ビタミンK欠乏が軽度～中等度の場合は，凝固因子の中で半減期がもっとも短い第Ⅶ因子の活性がまず下がるため，凝固検査ではPT値のみが延長する．ビタミンK欠乏が高度になると，PT, APTT値のいずれもが延長する．なお，抗凝固因子であるプロテインCとプロテインSもビタミンK依存性に肝臓で産生されるため，ビタミンKが欠乏するとその活性が低下する．

出血症状

- 多いのは消化管出血であり，吐血や下血が高頻度にみられる．重篤な出血により危機的となるのは，手術後やカテーテル操作後における頭蓋内出血，後腹膜出血などである．
- その他，皮下出血，鼻出血，血尿などが認められるが，注射や採血部位，小手術創部の止血不良（紫斑）などもみられることがある．ただし，PTのみの延長を認める軽度～中等度のビタミンK欠乏症では，まったく出血傾向がみられないこともある．
- 乳児ビタミンK欠乏症では頭蓋内出血の頻度がきわめて高く，初発症状として不機嫌，嘔吐，痙攣，発熱，哺乳力低下，大泉門膨隆などが表れる．

ビタミンK欠乏症の診断

- ビタミンKが欠乏する条件を有し，凝固スクリーニング検査にてPT値およびAPTT値の高度な延長（例：PT INRは2～3以上，APTTは80秒以上の延長）を認めた場合，ビタミンK欠乏症の可能性が高い．PIVKA-IIの高値も参考にする．
- 診断的治療としてビタミンK 10 mgを非経口的に投与し，2～4時間後にPT値およびAPTT値が正常化もしくは著明に短縮すればビタミンK欠乏症と診断できる．

ビタミンK欠乏症の鑑別診断

- 凝固スクリーニング検査でPT値およびAPTT値ともに延長していることから，慢性肝疾患やDICなどとの鑑別が必要になる場合もあるが，基礎疾患の存在や，他の凝固検査値（FDP，D-ダイマー，可溶性フィブリンなど）から鑑別可能である．
- 新生児～乳児での頭蓋内出血を診た場合，血友病や先天性第XIII因子欠乏症との鑑別が必要になるが，血友病ではAPTT値のみの延長でPT値は正常，第XIII因子欠乏症ではPT，APTT値ともに正常であることから鑑別可能である．

ビタミンK欠乏症の治療と予防

- 10～20 mg（新生児～乳児では1～2 mg）のビタミンK_2製剤（ケイツー®）を静脈内投与（筋注も可）すれば1時間程度で止血効果が表れると期待されるが，不十分な場合には週1～2回の投与を継続する．
- 新生児～乳児でのビタミンK欠乏性出血症を予防するため，ビタミンK_2シロップ1 mL（2 mg）の投与が一般的に行われている[2].

- 腹部手術後などで絶食期間が 1 週間以上となり，同時にセフェム系抗菌薬を投与しているような患者に対しては，経静脈的にビタミン K_2 製剤を投与してビタミン K が欠乏しないようにする.
- 高度なビタミン K 欠乏があって危機的な頭蓋内出血をきたした患者に対しては，緊急でプロトロンビン複合体製剤（ケイセントラ®；保険適用外）25～50 単位/kg を静注してビタミン K 依存性凝固因子の活性を一気に上げ，すみやかな止血を図る[3].
- ビタミン K 欠乏症による消化管出血に対しては（複数部位からのウージングであるため）内視鏡的な止血処置は不可能であり，かえって出血を助長しかねない．重篤で緊急性のある場合には，やはりプロトロンビン複合体製剤の投与を行う.

ビタミン K 欠乏症の予後

- ビタミン K 欠乏症の予後は随伴疾患が重篤でない限り一般に良好である．しかし，乳児ビタミン K 欠乏症は高頻度で頭蓋内出血を起こすため予後が悪く，過半数が死亡するか後遺症を残してしまう.
- PT, APTT 値の高度な延長を認めるにもかかわらずビタミン K 欠乏症を疑わずにビタミン K の補充を怠り，新鮮凍結血漿輸血のみで治療した場合，重篤な出血をきたして予後不良となる場合もある.

参考文献

1）白幡　聡．ビタミン K 欠乏症の臨床．日血栓止血会誌．2007; 18: 584-7.
2）日本小児科学会新生児委員会ビタミン K 投与法の見直し小委員会．新生児・乳児ビタミン K 欠乏性出血症に対するビタミン K 製剤投与の改訂ガイドライン（修正版）．https://www.jpeds.or.jp/uploads/files/saisin_110131.pdf
3）佐藤哲司. ビタミン K 欠乏症の診断と治療. 日血栓止血会誌. 2018; 29: 727-30.

〈山本晃士〉

29 von Willebrand 病

まとめ

・von Willebrand 病は常染色体優性遺伝形式をとる，血友病に次いで多い先天性出血性疾患であり，主に皮膚・粘膜出血を呈する．
・幼少時からの反復する出血症状（鼻出血，皮下出血，過多月経など）と APTT の中等度延長から本疾患を疑い，von Willebrand 因子の抗原・活性低下により診断する．
・出血症状は血友病と比べて軽症のことが多いが，出血時にはデスモプレシン（DDAVP）の静注もしくは von Willebrand 因子含有第Ⅷ因子製剤（コンファクト®F）の静注を行う．

von Willebrand 因子とは 表1

• von Willebrand 因子は血管内皮細胞や骨髄巨核球で産生される，高分子の糖蛋白である．
• 血管内皮細胞の Weibel-Palade 小体や血小板の α 顆粒内に蓄えられており，トロンビンの刺激などにより血中に放出される．
• 血管が傷害されて露出した内皮下組織（コラーゲン）に結合し，そこに血小板が粘着・凝集する際の橋渡し役をはたす．
• von Willebrand 因子は血中で第Ⅷ因子と結合して存在し，第Ⅷ因子の安定化にも働いている．

表1 von Willebrand 因子（VWF）とは

・血管内皮細胞や骨髄巨核球で産生される
・モノマー分子が重合して高分子量の重合体（マルチマー）を形成，血管内皮細胞の Weibel-Palade 小体や血小板 α 顆粒内に貯蔵され，種々の刺激に応じて血中に放出される
・血中では VWF 切断酵素（ADAMTS13）により切断されている（活性が低下すると TTP を発症）
・止血機構の初期にて，血小板膜糖蛋白やコラーゲンに結合し，血管傷害局所に血小板を粘着・凝集させる
・血中では第Ⅷ因子と複合体を形成して循環し，第Ⅷ因子を保護する

- von Willebrand 因子の高分子多量体（マルチマー）はコラーゲンへの結合力が強く，一次止血にとって重要である．高分子多量体は血中で ADAMTS13 により切断され，分子量約 2,000 万の多量体として循環している．
- ADAMTS13 の欠乏またはインヒビターによって血中に高活性の高分子多量体が増加すると，血栓性血小板減少性紫斑病（TTP）を発症する．

von Willebrand 病とは

表 2

- von Willebrand 病は，von Willebrand 因子の先天的な欠乏により，幼少時から反復する出血症状を呈する先天性出血性疾患である．
- 常染色体優性遺伝形式をとり，男女ともに患者となりうる．
- 発生頻度は約 18 万人にひとりとされ，わが国での患者数は約 1,200 人といわれている．しかし von Willebrand 病の出血症状は比較的軽いため，診断されていない潜在的な無症候性～軽症の患者も相当数いると考えられている．

表 2　von Willebrand 病とは

・血友病に次いで多い先天性出血性疾患である（わが国での患者数は 1,000 人強）
・常染色体優性遺伝形式（10 万人に 0.56 人）
・von Willebrand 因子（VWF）の先天的欠乏
・出血症状：幼少時からの粘膜出血，加齢とともに軽減
・診断　APTT のみ延長（30 秒台後半～40 秒台），VWF 活性（リストセチン・コファクター活性）の低下
・治療　VWF 含有第Ⅷ因子製剤（コンファクト®F）の静注
　　　　軽症型には酢酸デスモプレシン製剤（DDAVP）の静注または点鼻

von Willebrand 病の出血症状

- 皮下出血，鼻出血，歯肉・口腔内出血，過多月経，排卵時の腹腔内出血，血尿などがよく見られる出血症状である．年齢とともに軽快することが多い．
- 自然出血は比較的軽症のことが多く，致命的な出血をきたすことは稀である．
- 抜歯などの観血的処置時や，手術，外傷などでは，著明な止血不良を呈する．

von Willebrand 病の診断
表3，表4，図1

- 上記の出血症状と家系内患者の有無，APTT 値の中等度延長，von Willebrand 因子活性（リストセチン・コファクター）の低下（5～40%）により診断する．
- von Willebrand 病では第Ⅷ因子活性も低下するので，男性患者の場合は血友病と誤診しないよう注意が必要である．
- 血液型 O 型では他の血液型と比べて von Willebrand 因子活性が 20～30%低下している人が多いので，なんらかの出血症状のある O 型では，臨床症状の推移と複数回の凝固系検査を行って本疾患かどうか鑑別する．
- von Willebrand 病には 表5 のような病型が存在する[1]．

表3 von Willebrand 病を疑うポイント

鼻出血	幼稚園～小学校低学年から何度も繰り返す 一度出るとなかなか止まらない 成長するにつれ，軽減する傾向となる
歯肉出血	幼少期から何度も繰り返す 一度出るとなかなか止まらない
怪我，外傷	小さな切り傷でもなかなか血が止まらない 一度止血しても，また出血してくる 内出血（青あざ）ができやすい
血尿	原因なく突然起こる 排尿痛など他の症状を伴わない
過多月経	初潮時から出血量が多い 生理出血が重い 不正性器出血がある

表4 von Willebrand 病診断のポイント

- 幼少時からの反復する出血症状（血友病に比べて出血症状は軽症）
  - ✓ 鼻出血，皮下出血，歯肉出血，過多月経，血尿
- 女性患者の家族歴
- APTT 値のみ軽度延長（30 秒台後半～40 秒台）
- von Willebrand 因子活性の低下（5～40%）
  - ✓ 重症型（<10%）は全患者の 1 割程度
  - ✓ 血液型 O 型の VWF 活性は他の血液型より 30%前後低い
  - ✓ （➡ O 型では APTT が延長することがある）
  - ✓ 第Ⅷ因子活性も下がるので，血友病と誤診しない！

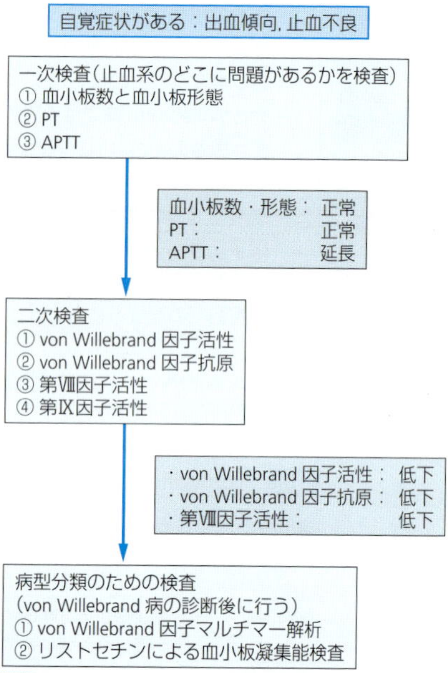

自覚症状がある：出血傾向，止血不良

一次検査（止血系のどこに問題があるかを検査）
① 血小板数と血小板形態
② PT
③ APTT

↓

血小板数・形態：	正常
PT：	正常
APTT：	延長

二次検査
① von Willebrand 因子活性
② von Willebrand 因子抗原
③ 第Ⅷ因子活性
④ 第Ⅸ因子活性

↓

・von Willebrand 因子活性：	低下
・von Willebrand 因子抗原：	低下
・第Ⅷ因子活性：	低下

病型分類のための検査
（von Willebrand 病の診断後に行う）
① von Willebrand 因子マルチマー解析
② リストセチンによる血小板凝集能検査

図 1 von Willebrand 病の診断の流れ

表 5 von Willebrand 病の病型

・1 型：von Willebrand 因子が量的に減少している（全患者の 60～70%）.
・2 型：von Willebrand 因子の機能が不十分である（全患者の 20～30%）．さらに 2 型には亜型が存在する 表 6.
　✓ 2A 型：von Willebrand 因子の高分子および中間サイズの多量体がない.
　✓ 2B 型：von Willebrand 因子と血小板との結合が強く（血小板凝集の亢進），高分子多量体が減少する.
　✓ 2M 型：von Willebrand 因子の高分子多量体があっても血小板やコラーゲンとうまく結合できない.
　✓ 2N 型：von Willebrand 因子が第Ⅷ因子と結合できない.
・3 型：von Willebrand 因子がほぼ完全に欠損している（全患者の 10%，劣性遺伝形式）.

von Willebrand 病の治療

• 1 型では酢酸デスモプレッシン製剤（DDAVP）の静脈内投与を行う．DDAVP は血管内皮細胞に蓄えられている von Willebrand 因子を血中に放出させる働きをもっている．通常，0.3～0.4 μg/kg を生食 20 mL ほどに希釈して緩徐に静注する.

表6　von Willebrand 病の各病型の特徴

	1型	2A型	2B型	2M型	2N型	3型
von Willebrand 因子活性	低下	低下	低下〜正常	低下	低下〜正常	欠如
von Willebrand 因子抗原	低下	低下〜正常	低下〜正常	低下〜正常	低下〜正常	欠如
第Ⅷ因子活性	低下	低下〜正常	低下〜正常	低下〜正常	低下	著減
リストセチンによる血小板凝集能	低下〜正常	低下〜著減	亢進	低下	正常	欠如
von Willebrand 因子高分子多量体						
血漿中	存在	欠如	欠如	存在	存在	欠如
血小板内	存在	欠如〜存在	存在	存在	存在	欠如
出血の重症度	軽症〜中等症	重症	中等症〜重症	中等症〜重症	中等症〜重症 関節内・筋肉内出血も見られる	最も重症

- DDAVP は何度も使用していると効果が表れにくくなる．副作用として，動悸，顔のほてり，排尿困難，むくみなどが起こることがある．
- 2型および3型には von Willebrand 因子を含有する第Ⅷ因子製剤（コンファクト F®）の投与による補充療法を行うのが一般的である[2)]．
- 補充療法では，von Willebrand 因子活性を 30%以上（重篤な出血や手術では 50%以上）に上げる必要があり，そのためには 30〜50 単位/kg（約 2,000〜3,000 単位）を 1〜2 回/日ほど投与する．投与した von Willebrand 因子の血中半減期は約 12〜20 時間である．
- 出血時には抗線溶剤であるトランサミン® を併用する場合もある．トランサミン® は出血予防にも効果があると言われている．

後天性 von Willebrand 症候群

- 後天性 von Willebrand 症候群とは，自己免疫疾患やリンパ増殖性疾患などの基礎疾患にともなって後天的に von Willebrand 因子活性が低下し，出血症状を呈する疾患群である[3]．
- 原因は，von Willebrand 因子の産生低下，von Willebrand 因子に対する自己抗体の産生，von Willebrand 因子の高分子多量体の分解亢進などである．
- なかでも免疫異常にともなって von Willebrand 因子に対する自己抗体（インヒビター）が産生された症例では比較的重篤な出血症状を呈することがあり，補充療法の止血効果は激減～消失する．通常は原疾患の治療により自己抗体の力価が低下すれば出血症状も軽快するが，治療抵抗性で出血症状がひどい症例では血漿交換や免疫抑制治療を必要とする場合もある．
- 大動脈弁狭窄症の患者に後天的な 2A 型の後天性 von Willebrand 症候群（Heyde 症候群）を発症することがある．

参考文献

1）Gadisseur A, van Vliet HH, Berneman Z, et al. Managing patients with von Willebrand disease type 1, 2 and 3 with desmopressin and von Willebrand factor-factor VIII concentrate in surgical settings. Acta Haematol. 2009；121：71-84.
2）Curnow J, Pasalic L, Favaloro EJ. Treatment of von Willebrand Disease. Semin Thromb Hemost. 2016；42：133-46.
3）Federici AB, Budde U, Castaman G, et al. Current diagnostic and therapeutic approaches to patients with acquired von Willebrand syndrome：a 2013 update. Semin Thromb Hemost. 2013；39：191-201.

〈山本晃士〉

30 現場で役に立つ血栓症の診断と対応

まとめ

- 血栓症患者の診療には，血液内科，神経内科，循環器内科，血管外科，放射線科などとの相互連携が重要である．
- 50歳以下の若年で原因不明の血栓症を診た場合には，先天性血栓性素因の可能性を念頭に置き，基礎疾患の有無，反復性，家族歴などにつき詳細な問診を行う．
- 先天性血栓性素因の確定診断および家系内診断には，専門施設での遺伝子解析が助けとなる．

血栓症を診たら

- 血栓症を診た場合，まずその原因が先天性のもの（先天性血栓性素因）か，後天的なものかについて考える表1．動脈血栓症と静脈血栓症では血栓形成の機序が異なるため，病態生理や原因に違いがみられる．

表1 血栓症を発症する代表的な疾患

先天性	後天性
1 アンチトロンビン欠乏症	1 抗リン脂質抗体症候群
2 プロテインC欠乏症	2 心房細動
3 プロテインS欠乏症	3 悪性腫瘍（Trousseau症候群）

- 動脈血栓症は血小板血栓が主体であり，多くの場合，後天的なもので，動脈硬化病変を基礎に発症することが多い．喫煙，高血圧，高脂血症，糖尿病，高ホモシステイン血症などが危険因子である．
- 動脈血栓症をきたしやすい基礎疾患には，多血症，本態性血小板血症，血栓性血小板減少性紫斑病（TTP），過粘度症候群（マクログロブリン血症）などがある．全身性エリテマトーデス（SLE）に合併しやすい抗リン脂質抗体症候群（後述）では，特に血栓症リスクが高い．
- 静脈血栓症はフィブリン血栓が主体であり，血液凝固因子の活性化，凝固阻害物質の作用低下，ならびに血栓溶解機能の低下が関係していることが多い．

- 静脈血栓症の原因としては先天性血栓性素因のほか，肥満，ロングフライト，悪性腫瘍（Trousseau 症候群）などがある．
- 血栓症の診断は自覚症状に加え，画像診断および血液学的検査が主体となる．脳梗塞では神経学的所見，心筋梗塞では胸痛と心電図所見，肺梗塞では胸痛と呼吸困難，下肢静脈血栓症では局所の腫脹と疼痛があれば血栓症を疑って，造影 CT や MRI，血管造影検査，肺血流シンチグラフィなどを行う．
- 同時に血液凝固検査にて，フィブリン分解産物である D-ダイマーを測定する．D-ダイマー値上昇の程度が，おおむね血栓症自体の重症度を反映すると考えてよい．なお PT，APTT 値の変動は血栓傾向の目安とはなりえず，抗リン脂質抗体症候群の診断のきっかけとなるぐらいである．
- 血栓症の診療には血液内科だけでなく，神経内科や膠原病内科，循環器内科，血管外科，放射線科などと連携しながらあたることが重要である．

先天性血栓性素因の診断

- 若年者（50 歳未満）において原因不明の血栓症を診た場合，先天性血栓性素因の鑑別が必要となる．
- 先天性血栓性素因は，生理的抗凝固因子（図1）であるアンチトロンビン（AT），プロテイン C（PC），プロテイン S（PS）の欠乏によることが多く，その他に線溶異常（プラスミノゲン異常症など）やフィブリノゲン異常症がある．
- 臨床的には 20〜40 歳代以降に深部静脈血栓症として発症することが多いが，なかには肺梗塞や脳梗塞，心筋梗塞，腸管膜静脈血栓症などを起こす症例もある．ただし，一般的にヘテロ接合体者（1 アレルの遺伝子異常によって当該因子が 50%程度に低下）では，欠乏症だけで血栓症を発症することは少なく，静脈うっ滞や長期臥床，妊娠，手術，外傷，感染などの後天的要因が加わった際に血栓症を発症しやすい．
- 先天性血栓性素因を疑ったら，まず上記の凝固線溶関連因子の活性を測定する．これらの因子は主たる産生臓器が肝臓であるため，慢性肝炎や肝硬変などの肝障害時には血中濃度が低下することに注意する．
- 患者があらかじめワルファリンなどの抗凝固薬を服用

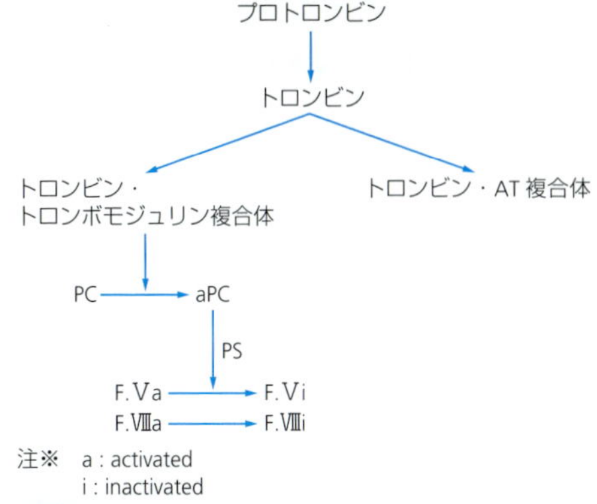

図1 アンチトロンビン（AT），**プロテイン C**（PC），**プロテイン S**（PS）**の抗凝固作用**

している場合にも，ビタミン K 依存性因子である PC，PS の活性は低下する．

- PT, APTT 検査はまったく診断的価値をもたない．
- 他に原因がなく各因子の活性が特異的に 50〜60%以下に低下している場合，患者は先天性の欠乏症あるいは分子異常症（ヘテロ接合体者）である可能性がある．家族内に血栓症の既往（原因不明の死亡を含む）をもつ者がいないかどうか，詳細な問診を行う．
- 新生児〜乳児期に「電撃性紫斑病」（後述）といわれる広範な紫斑と DIC（播種性血管内凝固症候群）徴候を呈する患児を診た場合は，救命および重篤な後遺症を防ぐために早期の診断・治療が求められる．
- 先天性血栓性素因の確定診断，家系内診断は，ヘパリン血から抽出した本人および家族の遺伝子を解析し，遺伝子多型の家系内伝播を証明することによって可能となる場合がある[1]．

代表的な先天性血栓性素因〜各論〜

a）アンチトロンビン欠乏症

- 先天性 AT 欠乏症は原因不明の静脈血栓症の約 2%を占めるとされ，健常人の 0.05〜0.1%に存在するといわれている．
- 先天性抗凝固因子欠乏症のなかで最も高率に血栓症を発症するのは AT 欠乏症であり，血栓症の発症率は健常者の 10〜20 倍といわれている．
- AT 欠乏症の妊婦では，PC 欠乏症や PS 欠乏症の妊婦と比較しても血栓症発症の危険性が高いと考えられており，血栓症既往の有無にかかわらずAT欠乏症患者で妊娠が判明した場合には，抗凝固療法としてヘパリン製剤の皮下投与を始めることが推奨されている[2)].

- 先天性AT欠乏症は，抗原量と活性がともに約50%に低下するI型と，AT分子の異常により抗原量は正常で活性だけが低下するII型とに分類される.

b）プロテインC欠乏症

- プロテインC（PC）は，血液凝固反応の過程で生成されたトロンビンと血管内皮細胞上のトロンボモジュリンとの複合体により活性化され，活性型PC（activated PC：APC）となる．APCはPSを補酵素として活性化第V，第VIII因子を不活化するnegative feedback機構により，抗凝固活性を発揮する.
- PCはビタミンK依存性に肝臓で合成されるが，同じく肝臓で合成される他のビタミンK依存性凝固因子（第II，第VII，第IX，第X因子）と比較して半減期が短いことを認識しておく必要がある.
- 先天性PC欠乏症のヘテロ接合体者は一般人口の0.3%に認められるとされ，健常人より7倍も血栓症のリスクが高いといわれている.
- きわめてまれ（50万〜70万人に1人）ではあるが，PC活性が5%以下に低下するホモ接合体患者およびダブルヘテロ接合体患者が存在する．彼らは新生児期に，全身，特に四肢末端の紫斑や壊死，多発性微小血栓による多臓器不全をきたす特殊な病態（電撃性紫斑病：neonatal purpura fulminans)[2)]を呈することがある.
- PC欠乏症は，抗原量と活性がともに低下するI型と，分子異常のため抗原量は正常で活性だけが低下するII型とに分類される.

c）プロテインS欠乏症

- プロテインS（PS）は，血漿中で遊離型だけでなく補体系のC4b結合蛋白と結合したC4BP結合型として存在し，遊離型のみがAPCの補酵素として働いて抗凝固活性を発揮する.
- PS欠乏症での血栓症発症率は健常者の10倍程度である．また，妊娠中にはPSが低下することが知られており，妊婦ではPSが低値であってもただちにPS欠乏症とは診断できない.

- 常染色体優性遺伝であり，欧米人では 0.03〜0.13% でみられるのに対して，日本人では 1.12%程度（大部分はⅡ型の PS 欠損症）にみられ，日本人の抗凝固因子欠乏症のなかでは最も多い．先天性 PS 欠乏症は PC 欠乏症と比較して，血栓症発症のリスクが高いといわれている．
- PS 欠乏症は，抗原量と活性がともに低下するⅠ型，分子異常のため抗原量は正常だが活性が低下するⅡ型，活性を有する遊離型の PS のみが減少するⅢ型に分類される．

先天性血栓性素因に対する治療

- 急性期には点滴静注および皮下注でヘパリンもしくは低分子ヘパリン，慢性期（予防）には内服でワルファリン，クマリンなどの抗凝固薬を投与する．AT 欠乏症に対しては AT 製剤の経静脈的投与が有効である．
- 血栓症の発症予防には，弾性ストッキングを着用させたり，下大静脈にフィルターを留置することも行う．わが国の最新の「肺血栓塞栓症 / 深部静脈血栓症（静脈血栓塞栓症）予防ガイドライン」はインターネット上で閲覧可能である〈http://www.medicalfront.biz/html/06_books/01_guideline/〉.
- ヘパリンによる抗凝固療法は投与過剰による出血リスクが大きいのが難点である．AT 欠乏症患者の血栓症にヘパリンを投与すると，さらに AT の消費をまねいて血栓症が増悪する恐れがあるので，AT 濃縮製剤の併用もしくはワルファリンを用いる．
- 欧米では血栓症の発症予防に低分子ヘパリンの皮下注を推奨している[3)]．低分子ヘパリンは未分画ヘパリンに比して抗トロンビン活性より抗Ⅹa 因子活性が強く，出血性副作用が出にくいという利点があるが，わが国では保険適用がない．
- 先天性 PC 欠乏症に対しては，それ自体が酵素活性をもった，血漿由来の活性化プロテイン C 製剤も使用できる．電撃性紫斑病に対しては，第Ⅱ，第Ⅶ，第Ⅸ，第Ⅹ因子が濃縮されているプロトンビン複合体製剤の投与（適応外使用）が著効する．
- ワルファリンはビタミン K 依存性凝固因子だけでなく，PC，PS の産生も低下させる．PC の血中半減期は 5〜8 時間と，他のビタミン K 依存性凝固因子に比べて短い．したがってワルファリンをいきなり高用量で投与すると，PC の血中濃度が凝固因子より先に低下して一時的に血栓傾向が増悪し，微小血栓が生じて皮膚壊死（warfarin induced skin necrosis）が起こることがある[4].

- ワルファリンの投与量は少量（1～2 mg/日）から徐々に治療域へと増加させる．維持量は PT INR（international normalized ratio）で 2.0～3.0 となるように決定するが，月に 1 回は数値をチェックして，投与量を調整したほうがよい．
- 血栓症（特に動脈血栓症）を繰り返すような症例における再発予防には，INR≧3.0 の強力な抗凝固療法やアスピリン経口投与（50～150 mg/日）の併用が必要となる．
- 先天性血栓性素因を有する女性の妊娠・出産は，重篤な血栓症を発症する大きなリスクをともなう．ワルファリン内服中の患者が妊娠した場合には，その催奇形性のため中絶を余儀なくされる場合もある．妊娠の継続を希望される場合には，ワルファリンを漸減・中止しながらヘパリンもしくは低分子ヘパリンの皮下注に切り替え[5]，必要に応じて少量（81～100 mg/日）のアスピリンを併用する．

《処方例》

（例 1）：バイアスピリン®（100 mg） 1 錠 分 1 朝食後
（例 2）：ワーファリン®（1 mg） 3 錠 分 1 朝食後
（例 3）：ヘパリンカルシウム皮下注（5000 単位）シリンジ「モチダ」® 1 日 2 回

抗リン脂質抗体症候群

- 抗リン脂質抗体症候群とは，血中に存在する，リン脂質に対する抗体のために，後天的に血栓症を発症する疾患である．
- 基礎疾患として SLE を有している患者に発症することが多く，男女比は約 2:8 である．平均発症年齢も 40 歳代前半と若い．
- 代表的な抗リン脂質抗体には，抗カルジオリピン抗体，抗グリコプロテイン I 抗体，ループスアンチコアグラントなどがあるが，前二者は ELISA 法で検出するのに対し，ループスアンチコアグラントはリン脂質依存性の凝固時間法で同定する．
- いずれの抗リン脂質抗体も，血管内皮細胞の表面に存在するリン脂質に結合して血管内皮を傷害し，本来，血管内皮細胞が持っている抗血栓性を 180 度反対の方向へ変えて血栓形成を促進すると考えられている．

- 血栓症状は多彩であり，動脈血栓症では脳梗塞，一過性脳虚血発作が多く，静脈血栓症では深部静脈血栓症や肺血栓塞栓症などが多い．
- 妊娠女性における習慣性流産（不育症）も特徴的な合併症であり，原因は胎盤における微小血栓形成～循環不全によると考えられている．
- 診断のポイントは，出血症状のない APTT の延長（50～60 秒以上），クロスミキシング試験にて APTT の延長が補正されないインヒビター型を呈することである．さらに抗リン脂質抗体を直接検出する検査を行い，最初と 3 カ月後の 2 回陽性であれば確定診断できる．
- APTT の延長から本疾患を疑い抗リン脂質抗体が検出されても，血栓症を発症しない症例もかなりある．ただし無症候性の血栓症がある場合もあるので，抗リン脂質抗体が検出されたら念のため脳 MRI や下肢血管エコー，心エコーなどを行う．
- 血栓症を発症した症例での再発予防には，抗血小板薬を単剤あるいは複数投与し，適宜ワルファリンを併用する．不育症に対しては，妊娠初期からヘパリンの皮下注と少量アスピリンの内服を併用する．

参考文献

1) Yamamoto K, Tanimoto M, Matsushita T, et al. Genotype establishments for protein C deficiency by use of a DNA polymorphism in the gene. Blood. 1991; 77: 2633-36.
2) Seligsohn U, Berger A, Abend M, et al. Homozygous protein C deficiency manifested by massive venous thrombosis in the newborn. N Engl J Med. 1984; 310: 559-62.
3) Koopman MM, Prandoni P, Piovella F, et al. Treatment of venous thrombosis with intravenous unfractionated heparin administered in the hospital as compared with subcutaneous low-molecular-weight heparin administered at home. The Tasman Study Group. N Engl J Med. 1996; 334: 682-7.
4) Harrison L, Johnston M, Massicotte MP, et al. Comparison of 5-mg and 10-mg loading doses in initiation of warfarin therapy. Ann Intern Med. 1997; 126: 123-32.
5) Sanson B-J, Lensing AW, Prins MH, et al. Safety of low-molecular-weight heparin in pregnancy: a systematic review. Thromb Haemost. 1999; 81: 668-72.

〈山本晃士〉

VIII

実践に役立つ
造血器腫瘍治療レジメン

1 急性骨髄性白血病（AML）

まとめ

- 急性骨髄性白血病（acute myeloid leukemia：AML）における化学療法は，寛解導入療法（induction therapy）と，それにつづく，地固め療法（consolidation therapy）または，寛解後療法 post-remission therapy）からなる.
- 寛解導入療法として，シタラビン（cytarabine：AraC）の7日間持続静注とイダルビシン（idarubicin：IDR）3日間投与による IDR/AraC 療法，あるいは AraC の7日間持続静注とダウノルビシン（daunorubicin：DNR）5日間投与による DNR/AraC 療法が広く用いられる.
- 地固め療法として，2 g/m^2 の AraC を 12 時間ごと 8〜12 回投与するシタラビン大量療法があり通常 3〜4 サイクル行う[1].
- シタラビン大量療法以外の地固め療法では，標準量シタラビンとアントラサイクリン（イダルビシン，ダウノルビシン，ミトキサントロン）の併用療法があり予後中間群や予後不良群ではシタラビン大量療法と同等の成績が報告されている.
- 維持療法による予後改善効果のエビデンスがないため AML では維持療法は施行しない.
- 高齢者 AML や合併症を有する AML では低用量シタラビン療法や，シタラビン / アクラシノン / G-CSF の 3 剤を併用する CAG 療法も有効である.
- 再発または難治性の AML の治療としての標準治療はないが，MEC 療法（ミトキサントロン，エトポシド，シタラビン）の有効性が報告されている[2]．移植適応があれば移植を考慮する. FLT3 遺伝子変異陽性であれば FLT3 阻害薬（キザルチニブあるいはギルテリチニブ）が有効である[3, 4]．白血病細胞表面に CD33 が発現していればゲムツズマブオゾガマイシンの投与も選択肢となるが，移植前後での使用で重篤な肝中心静脈閉塞症（VOD/SOS）の報告があり注意を要する.

JCOPY 498-22507

レジメンの説明 表1

1）IDR/AraC 療法

- 65 歳未満の AML の標準的寛解導入療法である．
- 寛解率は約 80%である．
- 65〜74 歳，PS1 以下，併存症を有しない場合には当療法は可能である．しかし患者ごとに IDR の減量も考慮する．
- 75 歳以上，あるいは 65〜74 歳までの患者であっても重篤な併存症や PS2 以上の場合には治療関連死亡の危険性が高いため，低用量シタラビン療法など他の治療強度の低い治療法または best supportive care を選択すべきである．

2）DNR/AraC 療法（ダウノルビシン，シタラビン療法）

- 65 歳未満の AML の標準的寛解導入療法である．
- 寛解率および生存割合ともにと IDR/AraC 療法と同等性が示されている．

3）AraC 大量療法（シタラビン大量療法）

- 標準的地固め療法の一つである．
- inv(16)，t(16;16)，t(8;21)，t(15;17) の染色体異常を有する，いわゆる core binding factor（CBF）白血病に有効性が示されており，3 コース以上の施行が推奨されている．
- 通常，2 g/m^2 のシタラビン（2〜3 時間点滴静注）を 12 時間ごと 8〜12 回投与する．
- 60 歳以上ではシタラビンの投与量を 1.5 g/m^2 に減量することが望ましい．
- 有害事象として発熱，結膜炎，皮疹，中枢神経症状などに注意する．発熱と皮疹予防としてシタラビン投与前にメチルプレドニゾロンなどの副腎皮質ホルモンの投与を考慮し，治療中は結膜炎予防として副腎皮質ホルモンの点眼を行う．

4）低用量シタラビン療法

- 標準的寛解導入療法の適応とならない高齢者に用いられることが多い．

5）CAG 療法

- 低用量シタラビンにアクラシノンと G-CSF を併用する治療であり QOL 維持重視することを目標とした高齢者に用いられる．

6）MEC 療法	・再発時の再寛解導入療法としても用いられる．
7）GO（ゲムツズマブオゾガマイシン）療法	・移植前後での使用で重篤な肝中心静脈閉塞症（VOD/SOS）の報告があり注意を要する．
8）Azacitidine and Venetoclax 療法	・腫瘍崩壊症候群が表れることがあるため，治療前に白血球数が 25×10³/μL 未満になるよう調整を行い，高尿酸血症治療薬の投与を行う．
9）キザルチニブ	・再発または難治性の FLT3-ITD 変異陽性の AML に対して 1 日 1 回経口投与する． ・QT 間隔延長が表れることがあり定期的に心電図検査を行い QT 間隔延長が認められた場合には休薬あるいは減量などの処置を行う．
10）ギルテリチニブ	・再発または難治性の FLT3 遺伝子変異陽性の AML に対して 1 日 1 回経口投与する． ・QT 間隔延長が表れることがあり定期的に心電図検査を行い QT 間隔延長が認められた場合には休薬あるいは減量などの処置を行う．

表 1　急性骨髄性白血病の治療レジメン

IDR/AraC			
IDR	12 mg/m²	30 分で点滴静注	day 1〜3
AraC	100 mg/m²	24 時間，持続点滴	day 1〜7
DNR/AraC			
DNR	50 mg/m²	30 分で点滴静注	day 1〜3
AraC	100 mg/m²	24 時間，持続点滴	day 1〜7
High-dose cytarabine（AraC）			
AraC	2 g/m²	3 時間で点滴静注，12 時間ごと	1 日 2 回，day 1〜5
3 コース繰り返す．60 歳以上は 1 回投与量を 1,500 g/m² に減量			
MIT/AraC			
MIT	7 mg/m²	30 分で点滴静注	day 1〜3
AraC	200 mg/m²	24 時間，持続点滴	day 1〜5

表1　つづき

DNR/AraC			
DNR	50 mg/m^2	30分で点滴静注	day 1〜3
AraC	200 mg/m^2	24時間，持続点滴	day 1〜5
ACR/AraC			
ACR	20 mg/m^2	30分で点滴静注	day 1〜3
AraC	200 mg/m^2	24時間，持続点滴	day 1〜5
A tripleV			
VP-16	100 mg/m^2	1時間で点滴静注	day 1〜5
AraC	200 mg/m^2	24時間，持続点滴	day 1〜5
VCR	0.8 mg/m^2（最大2 mg）	静注	day 8
VDS	2 mg/m^2	静注	day 10
MEC			
MIT	8 mg/m^2	30分で点滴静注	day 1〜6
VP-16	80 mg/m^2	1時間で点滴静注	day 1〜6
AraC	1 g/m^2	3時間で点滴静注	day 1〜6
Gemtuzmab Ozogamicin　14日あけて2回まで			
GO	9 mg/m^2	2時間で点滴静注	day 1, 15
Low-dose cytarabine（AraC）			
AraC*	10 mg/m^2	皮下注，12時間ごと	1日2回，day 1〜7
＊ AraCは，20 mg/m^2/dayを24時間の持続静注でもよい．			
CAG			
AraC*	10 mg/m^2	皮下注，12時間ごと	1日2回，day 1〜14
ACR	14 mg/m^2	30分で点滴静注	day 1〜4
G-CSF		皮下注	day 1〜14
＊ AraCは，20 mg/m^2/dayを24時間の持続静注でもよい．			
Azacitidine and Venetoclax　28日ごと，PDまで継続			
Azacitidine	75 mg/m^2	皮下注または10分で点滴静注	day 1〜7
Venetoclax*	400 mg/body	1日1回，経口投与	
＊ 用量漸増期は1日目に100 mg，2日目に200 mg，3日目に400 mgをそれぞれ1日1回，食後に経口投与する．			

表1 つづき

FLAGM			
G-CSF (filgrastim)	300 μg/m²	皮下注	day 1〜3
AraC*	2 g/m²	3時間で点滴静注，12時間ごと	1日2回，day 2〜5（計8回）
Fludarabine**	15 mg/m²	30分で点滴静注，2時間ごと	day 1〜5（12時間ごと計8回）
MIT	10 mg/m²	30分で点滴静注	day 3〜5
* AraCは，G-CSF投与開始から24時間後に投与開始し，12時間ごと8回投与する． ** Fludarabineは，G-CSF投与開始から20時間後に投与開始し，12時間ごと8回投与する．			
キザルチニブ			
Quizartinib	26.5 mg/body 53 mg/body	1日1回，経口投与	開始から2週間 2週間以降
ギルテリチニブ			
Giltertinib	120 mg/body（200 mg/bodyを超えないこと）	1日1回，経口投与	連日

参考文献

1) Miyawaki S, Ohtake S, Fujisawa S, et al. A randomized comparison of 4 courses of standard-dose multiagent chemotherapy versus 3 courses of high-dose cytarabine alone in postremission therapy for acute myeloid leukemia in adults. Blood. 2011; 117: 2366-72.
2) Greenberg PL, Lee SJ, Advani R,et al. Mitoxantrone, etoposide, and cytarabine with or without valspodar in patients with relapsed or refractory acute myeloid leukemia and high-risk myelodysplastic syndrome: a phase III trial (E2995). J Clin Oncol. 2004; 22: 1078-86.
3) Cortes JE, Khaled S, Martinelli G, et al. Quizartinib versus salvage chemotherapy in relapsed or refractory FLT3-ITD acute myeloid leukaemia (QuANTUM-R): a multicentre, randomised, controlled, open-label, phase 3 trial. Lancet Oncol. 2019; 20: 984-97.
4) Perl AE, Martinelli G, Cortes JE, et al. Gilteritinib or Chemotherapy for Relapsed or Refractory FLT3-Mutated AML. N Engl J Med. 2019; 381: 1728-40.

〈多林孝之〉

JCOPY 498-22507

2 急性前骨髄球性白血病（APL）

まとめ

- 急性前骨髄球性白血病（acute promyelocytic leukemia：APL）は，他の AML と治療が異なる．
- APL における化学療法は，寛解導入療法（induction therapy）と，それにつづく，地固め療法（consolidation therapy），維持療法（maintenance therapy）からなる．
- 本邦における標準的な寛解療法は全トランス型レチノイン酸（ATRA）による分化誘導療法と化学療法の併用であるが，海外の臨床試験では ATRA と三酸化ヒ素（arsenic trioxide：ATO）の併用療法の有効性が報告されている．
- 寛解導入療法時には，DIC と APL 分化誘導症候群の発症に注意する．
- DIC による重篤な出血予防として，血小板輸血（血小板数 50,000/μL 以上を目標）と FFP 輸血（フィブリノーゲン 150 mg/dL 以上を目標）を行う．
- APL 分化誘導症候群を発症した際には，ATRA の中止とともにデキサメタゾン（40 mg/ 日，3 日間），あるいは，メチルプレドニゾロン（500～1000 mg/ 日，3 日間）の投与を行う．
- タミバロテン（Am80）による維持療法の有効性が報告されている．
- 再発または難治性の APL に対しては三酸化ヒ素（arsenic trioxide：ATO）が有効である．
- ATO の重篤な副作用として QT 延長症候群の報告がある．投与に際しては心電図モニタリングを行い，QTc≧500 msec では休薬を考慮する．

レジメンの説明 表 1 表 2

1）JALSG APL 204 寛解導入療法，AIDA 2000 寛解導入療法

- 治療前の白血球数によって層別化を行い，寛解導入療法を開始する．
- ATRA は完全寛解に至るまで（最長 60 日）投与を続ける．

2）JALSG APL 204 地固め療法

・MRD 陰性を獲得するためにアントラサイクリン単独または AraC との併用による地固め療法を行う.

3）JALSG APL 204 維持療法

・地固め療法後に ATRA による維持療法の有効性が報告されている.
・Am80 による維持療法は ATRA と同等であり皮膚障害が少ない[1].

4）AIDA 地固め療法

・地固め療法時のレジメンを，APL 診断時の白血球数によるリスク分類で決定する[2].

5）JALSG APL 205R 再寛解導入療法・地固め療法

・ATRA 投与終了後 1 年以内の再発は ATRA 抵抗性である.
・亜ヒ酸は再発 APL に高い寛解率をもたらし，亜ヒ酸を地固め療法に用いると MRD が高率に陰性化することが報告されている[3].

表 1　未治療 APL のレジメン

・AIDA-2000 プロトコール					
寛解導入療法					
IDR		12 mg/m²	30 分で点滴静注	day 2, 4, 6, 8	
ATRA		45 mg/m²	経口投与，1 日 3 回	CR まで内服	
地固め療法					
High risk	Low/Interm risk	IDR	5 mg/m²	30 分で点滴静注	day 1〜4
		ATRA	45 mg/m²	経口投与，1 日 3 回	day 1〜15
		AraC	1 g/m²	2 時間で点滴静注	day 1〜4
High risk	Low/Interm risk	MIT	10 mg/m²	30 分で点滴静注	day 1〜5
		ATRA	45 mg/m²	経口投与，1 日 3 回	day 1〜15
		VP-16	100 mg/m²	1 時間で点滴静注	day 1〜5
High risk	Low/Interm risk	IDR	12 mg/m²	30 分で点滴静注	day 1
		ATRA	45 mg/m²	経口投与，1 日 3 回	day 1〜15
		AraC	150 mg/m²	1 時間で点滴静注，8 時間ごと	1 日 3 回，day 1〜5

再発または難治の APL のレジメン

• JALSG APL 204 プロトコール			
寛解導入療法			
• A 群）WBC<3,000/μL and APL 細胞＜1,000/μL			
ATRA	45 mg/m²	経口，分 3	地固め第 1 サイクル前日まで内服（最長 60 日）
• B 群）3,000≦WBC＜3,000/μL or APL 細胞≧1,000/μL			
IDR	12 mg/m²	30 分で点滴静注	day 1, 2
AraC	100 mg/m²	24 時間，持続点滴	day 1～5
ATRA	45 mg/m²	経口投与，1 日 3 回	A 群と同じ
• C 群）WBC≧10,000/μL			
IDR	12 mg/m²	30 分で点滴静注	day 1～3
AraC	100 mg/m²	24 時間，持続点滴	day 1～7
ATRA	45 mg/m²	経口投与，1 日 3 回	A 群と同じ
• 寛解導入療法中に APL 細胞≧1,000/μL で追加投与			
IDR	12 mg/m²	30 分で点滴静注	A 群　day 1～3 B 群　day 1 C 群　day 1
AraC	100 mg/m²	24 時間，持続点滴	A 群　day 1～7 B 群　day 1, 2
地固め療法			
• 第 1 サイクル（MIT/AraC 療法）			
MIT	7 mg/m²	30 分で点滴静注	day 1～3
AraC	200 mg/m²	24 時間，持続点滴	day 1～5
• 第 2 サイクル（DNR/AraC 療法）			
DNR	50 mg/m²	30 分で点滴静注	day 1～3
AraC	200 mg/m²	24 時間，持続点滴	day 1～5
• 髄腔内注入（IT）			
MTX 15 mg, AraC 40 mg, PSL10 mg		髄腔内注入	第 2 サイクル終了後．PLT≧10 万 /μL
• 第 3 サイクル（IDR/AraC 療法）			
IDR	12 mg/m²	30 分で点滴静注	day 1～3
AraC	140 mg/m²	24 時間，持続点滴	day 1～5
維持療法			
Am80	6 mg/m²	経口，分 2	day 1～14（3 カ月ごと．2 年間）

表 2 つづき

再寛解導入療法				
ATO	0.15 mg/kg	点滴静注	1 時間で点滴静注	day 1〜CR まで
ATO の投与回数は最大 60 回まで				
地固め療法				
ATO	0.15 mg/kg	点滴静注	1 時間で点滴静注	day 1〜25
地固め療法は 2 サイクル行う．ATO の投与回数は 1 サイクル 25 回				

参考文献

1) Shinagawa K, Yanada M, Naoe T, et al. Tamibarotene as maintenance therapy for acute promyelocytic leukemia: results from a randomized controlled trial. J Clin Oncol. 2014; 32: 3729-35.
2) Lo-Coco F, Avvisati G, Mandelli F, et al. Front-line treatment of acute promyelocytic leukemia with AIDA induction followed by risk-adapted consolidation for adults younger than 61 years: results of the AIDA-2000 trial of the GIMEMA Group. Blood. 2010; 116: 3171-9.
3) Lengfelder E, Lo-Coco F, Sanz M, et al. Arsenic trioxide-based therapy of relapsed acute promyelocytic leukemia: registry results from the European LeukemiaNet. Leukemia. 2015; 29: 1084-91.

〈多林孝之〉

3　急性リンパ性白血病（ALL）

まとめ

・急性リンパ性白血病（acute lymphoblastic leukemia: ALL）の化学療法は，寛解導入療法，地固め療法，中枢神経系への転移予防，強化維持療法からなる複雑な治療法が複数存在する．成人のうち 15 歳から 25 歳までのいわゆる AYA 世代の治療成績向上のため，小児レジメンに準じてキードラッグであるビンクリスチンと L- アスパラギナーゼを増量した治療の試みがなされている[1,2]．
・フィラデルフィア染色体（Ph）の有無により治療法が異なり，Ph 陽性 ALL ではチロシンキナーゼ阻害薬（TKI）と殺細胞性抗がん薬の併用が有効である．

1）Ph 陰性 ALL の治療

- シクロホスファミド，ドキソルビシン，ビンクリスチン，プレドニゾロン，L-アスパラギナーゼ（L-ASP），中枢神経系への移行が良いメトトレキサート（MTX）とシタラビン（AraC）を用いた多剤併用療法を行う[2) 表1]．
- L-ASP による重篤な有害事象として肝機能障害，膵炎，凝固異常（ATIII 活性の低下，フィブリノーゲン減少など），高血糖，高アンモニア血症，アナフィラキシーショックなどがあり注意が必要である．
- 寛解導入療時には腫瘍崩壊症候群の発症に注意が必要である．治療前から尿酸生成抑制薬を投与し，治療前の白血球数が多い場合にはラスプリカーゼの投与も考慮する．

2）Ph 陽性 ALL の治療

- Ph 陽性 ALL では，TKI と殺細胞性抗がん薬との併用が有効である[3,4) 表2]．
- 移植適応のない患者や高齢者では，TKI の単剤治療や TKI と副腎皮質ホルモン剤との併用療法など，QOL を重視した治療の選択肢もある[3-5]．

3）再発または難治性 ALL の治療

- 再発または難治性の T 細胞 ALL に対してネララビンの有効性が示されているが，傾眠，末梢性ニューロパシーなどの神経系障害の有害事象が報告されており注意が必要である[6]．
- 再発または難治性の CD22 陽性の ALL に対して抗体薬物複合体としてイノツズマブオゾガマイシンの有効性が示されているが，有害事象として VOD/SOS があるため，造血幹細胞移植を予定している場合にはその使用を慎重に判断する必要がある[7]．
- ブリナツモマブは，CD3 および CD19 に対する 2 種のマウスモノクローナル抗体の可変領域を結合させた遺伝子組換えタンパクであり，再発または難治性 B 細胞 ALL に対する有効性が示されている．使用に際しては，脳症，痙攣発作などの神経学的事象やサイトカイン放出症候群などに注意を要する[8]．

表 1　Ph 陰性 ALL（25 歳以上）のレジメン

• Ph 陰性（GRAALL-2005）			
Prephase			
PSL	60 mg/m^2	経口投与	day −7 ～ −1
IT	MTX 15 mg	髄腔内注入	day −7 ～ −1 の間に 1 回
寛解導入療法			
VCR	2 mg/body	静注	day 1, 8, 15, 22
CPA	750 mg/m^2	3 時間で点滴静注	day 1, 15
PSL	60 mg/m^2	経口投与	day 1～14
DNR	50 mg/m^2	1 時間で点滴静注	day 1, 2, 3
DNR	30 mg/m^2	1 時間で点滴静注	day 15, 16
L-ASP	6,000 U/m^2	1 時間で点滴静注	day 8, 10, 12, 20, 22, 24, 26, 28
G-CSF		皮下注 / 点滴静注	day18～
地固め療法			
ブロック 1			
AraC	2,000 mg/m^2	3 時間で点滴静注，12 時間ごと	1 日 2 回，day 1, 2
DEX	10 mg/body	経口投与，12 時間ごと	1 日 2 回，day 1, 2
L-ASP	10,000 U/m^2	1 時間で点滴静注	day 3
G-CSF		皮下注 / 点滴静注	day 9～16

表1 つづき

ブロック 2			
VCR	2 mg	静注	day 15
MTX	3,000 mg/m²	24 時間，持続点滴	day 15
L-ASP	10,000 U/m²	1 時間で点滴静注	day 16
G-CSF		皮下注 / 点滴静注	day 23〜27
ブロック 3			
CPA	500 mg/m²	3 時間で点滴静注	day 29, 30
MTX	25 mg/m²	点滴静注	day 15
VP-16	75 mg/m²	1 時間で点滴静注	day 29, 30
G-CSF		皮下注 / 点滴静注	day 31〜
寛解導入療法後にブロック 1, 2, 3 を 2 サイクル． 後期強化療法後にブロック 1, 2, 3 を 1 サイクル			
後期強化療法			
VCR	2 mg/body	静注	day 1, 8, 15, 22
CPA	750 mg/m²	3 時間で点滴静注	day 1, 15,
PSL	60 mg/m²	経口投与	day 1〜14
DNR	30 mg/m²	点滴静注	day1, 2, 3, 15, 16
L-ASP	6,000 U/m²	1 時間で点滴静注	day 8, 10, 12, 20, 22, 24, 26, 28
G-CSF		皮下注 / 点滴静注	day18〜
維持療法			
VCR	2 mg	静注	day 1，月 1 回，12 カ月
PSL	40 mg/m²	経口投与	day 1〜7，月 1 回，12 カ月
6-MP	60 mg/m²	経口投与	24 カ月間
MTX	25 mg/m²/ 週	経口投与	24 カ月間
髄注			
MTX 15 mg, mPSL 40 mg, AraC 40 mg		髄腔内注入	寛解導入療法の day 1, 8 地固療法 1，2 サイクルの day29 後期強化療法の day 1, 8

表 2　Ph 陽性 ALL のレジメン

• Ph 陽性（JALSG Ph＋ ALL 202）			
寛解導入療法			
VCR	1.3 mg/m^2（最大 2 mg/body）	静注	day 1, 8, 15, 22
CPA*	1.2 g/m^2	3 時間で点滴静注	day 1
PSL*	60 mg/m^2	経口投与	day 1〜21
DNR*	60 mg/m^2	1 時間で点滴静注	day 1,2,3
imatinib	600 mg/body	経口投与	day 8〜63
髄注	MTX 15 mg, Dex 4 mg, AraC 40 mg	髄腔内注入	day 29
＊60 歳以上では CPA 800 mg/m^2, DNR 30 mg/m^2 に減量し，PSL の投与日数を day 1〜7 にする．			
地固め療法（C1）			
MTX	1 g/m^2	24 時間，持続点滴	day 1
AraC*	2 g/m^2	3 時間で点滴静注，12 時間ごと	1 日 2 回，day 2, 3
mPSL	50 mg/body	静注，12 時間ごと	1 日 3 回，day 1〜3
髄注	MTX 15 mg, Dex 4 mg, AraC 40 mg	髄腔内注入	day 1
＊60 歳以上では AraC を 1 g/m^2 に減量する．			
地固め療法（C2）			
imatinib	600 mg/body	経口投与	day 1〜28
髄注	MTX 15 mg, Dex 4 mg, AraC 40 mg		day 1
C1/C2 を 1 サイクルとして 4 サイクル繰り返す．			
維持療法　寛解到達日より 2 年まで 4 週間ごと繰り返す．			
VCR	1.3 mg/m^2（最大 2 mg/body）	静注	day 1
PSL*	60 mg/m^2	経口投与	day 1〜5
imatinib	600 mg/body	経口投与	day 1〜28
• Ph 陽性（dasatinib ＋ hyper-CVAD）			
寛解導入療法			
hyper- CVAD	1, 3, 5, 7 サイクル	非ホジキンリンパ腫の項を参照	
high-dose MA	2, 4, 6, 8 サイクル		
dasatinib	100 mg/body	1 日 1 回，経口投与	各サイクルの day 1〜14
髄注	MTX 12 mg	髄腔内注入	各サイクルの day 2
髄注	AraC 100 mg	髄腔内注入	各サイクルの day 7

表2 つづき

維持療法（C1） 寛解到達日より2年まで4週間ごと繰り返す．			
VCR	2 mg/body	静注	day 1
PSL	200 mg/body	経口投与	day 1〜5
dasatinib	100 mg/body	1日1回，経口投与	day 1〜28
• 再発または難治性のALL			
ネララビン 21日ごと，PDまで継続			
Nelarabine	成人：1,500 mg/m^2	2時間以上で点滴静注	day 1, 3, 5
	小児：650 mg/m^2	1時間以上で点滴静注	5日間連日
クロファラビン 14日ごと，PDまで継続			
Clofarabine	52 mg/m^2	2時間以上で点滴静注	5日間連日
イノツズマブオゾガマイシン 1サイクル目：21〜28日ごと，2サイクル目以降：28日ごと，PDまで継続			
Inotuzumab ozogamicin	day1：0.8 mg/m^2 day 8, 15：0.5 mg/m^2	1時間以上で点滴静注	day 1, 8, 15
ブリナツモマブ 42日ごと，最大5サイクル その後84日ごと，最大4サイクル			
Blinatumomab 体重45 kg以上	1サイクル目の1〜7日目：9μgそれ以降：28μg	24時間，持続点滴	1〜5サイクル：28日間投与，14日間休薬 6サイクル以降：28日間投与，56日間休薬
Blinatumomab 体重45 kg未満	1サイクル目の1〜7日目：5μg/m^{2}それ以降：15μg/m^2	24時間，持続点滴	1〜5サイクル：28日間投与，14日間休薬 6サイクル以降：28日間投与，56日間休薬

参考文献

1）Hayakawa F, Sakura T, Naoe T, et al. Markedly improved outcomes and acceptable toxicity in adolescents and young adults with acute lymphoblastic leukemia following treatment with a pediatric protocol: a phase II study by the Japan Adult Leukemia Study Group. Blood Cancer J. 2014; 4: e252.

2）Huguet F, Chevret S, Leguay T,et al. Intensified therapy of acute lymphoblastic Leukemia in Adults: Report of the Randomized GRAALL-2005 Clinical Trial. .J Clin Oncol. 2018; 36: 2514-23.

3）Hatta Y, Mizuta S, Matsuo K, et al. Final analysis of the JALSG Ph$^+$ALL202 study: tyrosine kinase inhibitor-combined chemotherapy for Ph$^+$ALL. .Ann Hematol. 2018;

97: 1535-45.

4) Chalandon Y, Thomas X, Dombret H, et al. Randomized study of reduced-intensity chemotherapy combined with imatinib in adults with Ph-positive acute lymphoblastic leukemia. Blood. 2015; 125: 3711-9.

5) Foà R, Vitale A, Baccarani M, et al. Dasatinib as first-line treatment for adult patients with Philadelphia chromosome-positive acute lymphoblastic leukemia. Blood. 2011; 118: 6521-8.

6) Gökbuget N, Basara N, Baurmann H, et al. High single-drug activity of nelarabine in relapsed T-lymphoblastic leukemia/lymphoma offers curative option with subsequent stem cell transplantation. Blood. 2011; 118: 3504-11.

7) Kantarjian H, DeAngelo D, Stelljes M, et al. Inotuzumab ozogamicin versus standard therapy for acute lymphoblastic leukemia. N Engl J Med. 2016; 375: 740-53.

8) Kantarjian H, Stein A, Gökbuget N, et al. Blinatumomab versus chemotherapy for advanced acute lymphoblastic leukemia. N Engl J Med. 2017; 376: 836-47.

〈多林孝之〉

JCOPY 498-22507

4 慢性リンパ性白血病（CLL）とヘアリー細胞白血病

まとめ

- 慢性リンパ性白血病（chronic lymphocytic leukemia: CLL）の治療方針の決定には Rai 病期分類や Binet 病期分類が用いられ，貧血（Hb≦10 g/dL）や血小板減少（≦10 万/μL）が出現した際（Rai 分類病期Ⅲ期，Binet 病期分類 C 期以上）に治療を開始する．
- 染色体 17p 欠失や p53 遺伝子異常を有すると予後不良である．
- 臨床試験によって分子標的薬であるブルトン型チロシンキナーゼ（BTK）阻害薬の有効性が示され，ibrutinib（イブルチニブ）は未治療および再発または難治性の CLL（小リンパ球性リンパ腫を含む）に推奨される治療薬である[1, 2]．

レジメンの説明 表 1

1）Ibrutinib（イブルチニブ）

- 未治療および再発または難治性の CLL に適応．
- 主な有害事象として骨髄抑制，感染症，下痢，一過性のリンパ球増多，不整脈（心房細動）がある．

2）FCR（フルダラビン，シクロホスファミド，リツキシマブ療法）[3)]

- 65 歳以下の若年者に用いられる．
- 染色体 17p 欠失や p53 遺伝子異常を有する CLL には有効性は乏しい．
- 主な有害事象として好中球減少，リンパ球減少，低ガンマグロブリン血症，感染症がある．

3）BR（ベンダムスチン，リツキシマブ療法）[4)]

- 65 歳以上の未治療 CLL に対する有効な治療法である．
- Grade3 以上の好中球減少やリンパ球減少が FCR 療法より少ない．
- 染色体 17p 欠失や p53 遺伝子異常を有する CLL には有効性は乏しい．

4）Venetoclax（ベネトクラクス）[5]

- 再発または難治性の CD20 陽性 CLL に適応.
- イブルチニブ治療治療歴や p53 遺伝子異常を有する CLL にも有効である.
- 40%にグレード 3 以上の好中球減少を認め注意を要する.
- 腫瘍崩壊症候群の発症に注意を要する.

5）Ofatumumab（オファツムマブ）[6]

- 再発または難治性の CD20 陽性 CLL に適応.
- CD20 に対する完全ヒト化抗体であり，rituximab とは認識するエピトープとは異なるため補体依存性細胞傷害（CDC）活性が高いとされている.
- Rituximab 抵抗性の症例でも有効性が報告されている.
- インフュージョンリアクションは高頻度に発症するため注意を要する.

6）Alemtuzumab（アレムツズマブ）

- 再発または難治性の CLL に適応.
- CD52 に対するヒト化抗体である.
- フルダラビン抵抗性，染色体 17p 欠失，p53 遺伝子異常を有する場合にも有効性が報告されている.
- 重大な有害事象として血球減少，インフュージョンリアクション，免疫抑制作用による日和見感染（サイトメガロウイルス再活性化など）がある.

7）Cladribine（クラドリビン）

- 未治療および再発または難治性のヘアリー細胞白血病に用いられる.
- 骨髄抑制と重症日和見感染症に注意が必要である.

表1 CLL と Hairy cell leukemia のレジメン

・CLL の治療レジメン			
イブルチニブ　PD まで継続			
Ibrutinib	420 mg	1 日 1 回，経口投与	連日
FCR　28 日ごと，6 サイクル			
Rituximab	375 mg/m^2	点滴静注	day 1
Fludarabine	25 mg/m^2	30 分で点滴静注	day 1〜3
CPA	250 mg/m^2	1 時間で点滴静注	day 1-3
ベンダムスチン単剤　21 日ごと，6 サイクル			
Bendamustine*	100 mg/m^2	1 時間で点滴静注	day 1-2
＊ 再発または難治性の非ホジキンリンパ腫での投与量（120 mg/m^2）と異なることに注意			
BR　28 日ごと，6 サイクル			
Rituximab	375 mg/m^2	点滴静注	day 1
Bendamustine	90 mg/m^2	1 時間で点滴静注	day 1〜2
オファツムマブ　最大 12 回			
Ofatumumab	300 mg/body	点滴静注	day1
Ofatumumab	2 g/body	点滴静注	day8 以降　週 1 回
＊ 8 回目の投与 4〜5 週間後から，4 週間に 1 回 2 g/body を点滴投与し，12 回目まで繰り返す.			
アレムツズマブ　投与開始から最大 12 週			
Alemtuzumab*	30 mg	点滴静注	day 1, 3, 5
＊ 3 mg 連日→ 10 mg 連日→ 30 mg 週 3 回と増量する.			
ベネトクラクス　投与開始から最大 12 週			
Venetoclax*	400 mg（維持投与期）	1 日 1 回，食後に経口投与	day 1, 3, 5
＊ 用量漸増期は第 1 週目　20 mg → 第 2 週目　50 mg → 第 3 週目　100 mg → 第 4 週目　200 mg → 第 5 週目　400 mg と増量する.			
・ヘアリー細胞白血病の治療レジメン			
クラドリビン　28 日ごと，PD まで継続			
Cladribine	0.12 mg/kg	2 時間で点滴静注	day 1〜5
クラドリビン　28〜42 日ごと，PD まで継続			
Cladribine	0.09 mg/kg	24 時間，持続点滴	day 1〜7

参考文献

1) Burger JA, Tedeschi A, Barr PM, et al. Ibrutinib as initial therapy for patients with chronic lymphocytic leukemia. N Engl J Med. 2015; 373: 2425-37.
2) Byrd JC, Brown JR, O'Brien S,et al. Ibrutinib versus ofatumumab in previously treated chronic lymphoid leukemia. N Engl J Med. 2014; 371: 213-23.
3) Fischer K, Bahlo J, Cramer P, et al. Long-term remissions after FCR chemoimmunotherapy in previously untreated patients with CLL: Updated results of the CLL8 trial. Blood. 2016; 127: 208-15.
4) Eichhorst B, Fink AM, Hallek M, et.al. First-line chemoimmunotherapy with bendamustine and rituximab versus fludarabine, cyclophosphamide, and rituximab in patients with advanced chronic lymphocytic leukaemia (CLL10): an international, open-label, randomised, phase 3, non-inferiority trial. Lancet Oncol. 2016; 17: 928-42.
5) Stilgenbauer S, Eichhorst B, Schetelig J, et al. Venetoclax for patients with chronic lymphocytic leukemia with 17p deletion: results from the full population of a phase II pivotal trial. J Clin Oncol. 2018; 36: 1973-80.
6) Byrd JC, Brown JR, Hillmen P, et al. Ibrutinib versus ofatumumab in previously treated chronic lymphoid leukemia. N Eng J Med. 2014; 371: 213-23.

〈多林孝之〉

5 非ホジキンリンパ腫（NHL）

まとめ

- 未治療のB細胞リンパ腫に対する標準治療はR-CHOP療法であるが，低悪性度非ホジキンリンパ腫およびマントル細胞リンパ腫に対してはリツキシマブとベンダムスチンによるBR療法も選択肢となる.
- CD20陽性の濾胞性リンパ腫に対しては，オビヌツズマブ（obinutuzumab）とCHOP療法あるいはベンダムスチンとの併用も選択肢となる.
- マントル細胞リンパ腫に対してはR-CHOP療法とBR療法以外に，ボルテゾミブを用いるVR-CAP療法が，再発または難治性マントル細胞リンパ腫に対してはイブルチニブが選択肢となりうる.
- 再発または難治性の濾胞性リンパ腫および辺縁帯リンパ腫に対してはリツキシマブとレナリドミドによるR^2療法も選択肢となる.
- 再発または難治性のびまん性大細胞型B細胞リンパ腫（DLBCL）に対しては，抗CD79b抗体薬物複合体であるポラツズマブ ベドチンを用いるpola-BR療法も選択肢となる.
- 末梢性T細胞リンパ腫に対して抗CD30抗体薬物複合体であるブレンツキシマブ ベドチンを用いるBV-CHP（A-CHP）の有効性が臨床試験で示されている.
- 再発または難治性のT細胞リンパ腫に対してロミデプシン，フォロデシン，プララトレキサートを用いることができる.

各レジメンの解説 表1

A. 未治療のB細胞リンパ腫に対する治療レジメン

1）R-CHOP

- ドキソルビシンによる心毒性の予防のため，総投与量が450 mg/m^2（9サイクル分）を超えないように注意する.
- ドキソルビシンとビンクリスチンの血管外漏出に注意し，ドキソルビシンの血管外漏出時には，6時間以内にデクスラゾキサンの静脈内投与（1～2日目 1000 mg/m^2，3日目 500 mg/m^2）を行う.
- リツキシマブ使用時にはHBV再活性化の危険性があ

るため，投与前に必ずHBs抗原，HBs抗体，HBc抗体検査を行い，陽性であれば定期的にHBV-DNAの定量を行うなどガイドラインに沿った対応を行う．

2）BR[1)]

- 低悪性度非ホジキンリンパ腫及びマントル細胞リンパ腫，再発または難治性のDLBCLに用いられる．
- 脱毛が少ない．
- 免疫抑制による日和見感染に注意が必要である．

3）Obinutuzumab plus CHOP（G-CHOP），Obinutuzumab plus bendamustine（BG/OB）

- オビヌツズマブはCD20陽性の濾胞性リンパ腫に適応があり，単剤で維持療法にも用いられる．インフュージョンリアクションとB型肝炎ウイルスの再活性化に注意が必要である．

4）dose-adjusted EPOCH

- Primary mediastinal large B-cell lymphomaで有効であることが臨床試験で示されている．
- 予後不良である進行期未治療CD5陽性DLBCLに対し2サイクルの大量メトトレキサート療法とともに使用することで有効である可能性が示唆されている[2)]．

5）R-CODOX-M / IVAC

- バーキットリンパ腫に対して用いられる．

B．再発または難治性の非ホジキンリンパ腫に対する治療レジメン

1）ESHAP, DHAP

- 末梢血造血幹細胞採取が可能．
- シスプラチンによる嘔吐，腎機能障害に注意が必要．

2）ICE, CHASE

- 末梢血造血幹細胞採取が可能．
- イホスファミドによる出血性膀胱炎に注意する．

3）CEPP療法

- 外来治療が可能であり，高齢者にも使用できる．

4）GEM単剤

- 外来治療が可能であり，高齢者にも使用できる．

5）GDP療法[3)]，GCD療法

- 末梢血造血幹細胞採取が可能．
- 外来治療が可能．
- シスプラチンやカルボプラチンによる嘔吐，腎機能障害に注意が必要．

6）R^2（リツキシマブ+レナリドミド）
・再発または難治性の濾胞性リンパ腫および辺縁帯リンパ腫に対して用いられる.

7）pola-BR
・再発または難治性の DLBCL に用いられる.

C. マントル細胞リンパ腫に対する治療レジメン

1）VR-CAP 療法[4)]
・ボルテゾミブによる下痢などの消化器症状，末梢神経障害，起立性低血圧に注意.

2）Hyper-CVAD / High-dose MA
・マントル細胞リンパ腫以外にリンパ芽球性リンパ腫，急性リンパ性白血病に対しても用いられる.
・MTX 投与時には MTX 排泄遅延に注意し，MTX 血中濃度の測定およびロイコボリンレスキューを行う.

3）ベンダムスチン単剤，BR
・外来治療が可能である.

4）イブルチニブ
・再発または難治性のマントル細胞リンパ腫に用いられる.
・ケトコナゾール，イトラコナゾール，クラリスロマイシンを投与中の患者には禁忌である.
・心房細動などの不整脈発症に注意.

D. 中枢神経系原発リンパ腫に対する治療レジメン

1）R-MVP
・中枢神経系原発リンパ腫に対して用いられる.
・5 サイクル後に完全寛解（CR）に到達していれば全脳照射 23.4 Gy を，CR でなければ R-MPV 療法を 2 サイクル追加する. CR 到達なら全脳照射 23.4 Gy, CR でなければ 45 Gy を施行する.
・全脳照射後に，シタラビン大量療法を 2 サイクル行う.

2）HD-AraC（シタラビン大量療法）
・投与中および投与直後に中枢神経系障害，結膜炎，皮膚症状などが発症することがあり注意が必要.
・60 歳以上では中枢神経系障害が起こりやすいため 1 回投与量と 1.5 g/m^2 に減量することを考慮する.
・高度の骨髄機能抑制が抑制と重篤な感染症発症に注意.

3）チラブルチニブ
・再発または難治性の中枢神経系原発リンパ腫と原発性マクログロブリン血症及びリンパ形質細胞リンパ腫に

用いられる.
- 内服薬であり外来治療が可能.
- 日和見感染症（ニューモシスチス肺炎，帯状疱疹）の発症や，B 型肝炎ウイルスの再活性化に注意.

E. NK/T 細胞リンパ腫に対する治療レジメン

1）RT 併用 2/3 dose DeVIC
- NK/T 細胞リンパ腫，鼻型に対して局所 RT と併用して用いられる.
- DeVIC 療法は再発または難治性の悪性リンパ腫にも用いられる.

2）SMILE
- NK/T 細胞リンパ腫，鼻型に対して用いられる．L- アスパラギナーゼによる急性膵炎，凝固機能異常（ATIII 減少，フィブリノーゲン減少）に注意する.

F. T 細胞リンパ腫に対する治療レジメン

1）BV-CHP（A-CHP）
- 未治療の CD30 陽性の末梢性 T 細胞リンパ腫に用いられる.
- 末梢神経障害に注意.

2）ブレンツキシマブ ベドチン
- 再発または難治性の CD30 陽性の末梢性 T 細胞リンパ腫に用いられる.

3）ロミデプシン
- 再発または難治性の末梢性 T 細胞リンパ腫に用いられる.
- 骨髄抑制（とくに血小板減少）に注意.
- QT 間隔の延長が表れることがあり，500 ms 以上では休薬などの処置を考慮.

4）フォロデシン
- 再発または難治性の末梢性 T 細胞リンパ腫に用いられる.
- 骨髄抑制と感染症（日和見感染症）に注意.

5）プララトレキサート
- 口内炎と骨髄抑制に注意.
- プロベネシドとの併用で本剤の血中濃度が上昇することがあるため併用注意.

6）モガムリズマブ単剤
- 再発または難治性の CCR4 陽性の末梢性 T 細胞リンパ腫と皮膚 T 細胞性リンパ腫に用いられる.

JCOPY 498-22507

7）アレクチニブ

- 再発または難治性の ALK 融合遺伝子陽性の未分化大細胞リンパ腫に用いられる.
- 重大な副作用として間質性肺炎があり注意を要する.

8）ベキサロテン

- 皮膚 T 細胞リンパ腫に対して用いられる.
- 催奇形性があるため，妊娠する可能性のある婦人に対する投与は慎重に検討する.
- ビタミン A と同じレチノイドでありビタミン A 製剤との併用は禁忌である.
- 膵炎が発現することがあり，膵炎の既往または危険因子を有する患者には慎重に投与する.
- 脂質異常症（高トリグリセリド血症，高コレステロール血症），下垂体性甲状腺機能低下症，低血糖，骨髄抑制，光線過敏症の発現に注意する.

9）ボリノスタット

- 皮膚 T 細胞リンパ腫に対して用いられる.
- 肺塞栓症，高血糖が表れることがあり，静脈血栓塞栓症（既往も）や糖尿病の患者には慎重に投与する.
- ワルファリンで PT 延長，バルプロ酸で消化管出血や血小板減少が表れることがあり併用注意.

G. 自家末梢血幹細胞移植に用いられる治療レジメン

1）MCVAC

- 高度の骨髄機能抑制が予想される.
- 60 歳以上では減量（3 分の 2）も考慮する.

2）MCEC

- 高度の骨髄機能抑制が予想される.

3）LEED

- MCVAC, MCEC に比して骨髄機能抑制は少ない.

4）MEAM

- BEAM に用いられる BCNU に代わり MCNU を使用した方法である.

5）BuTT

- 中枢神経系原発リンパ腫に対して用いられる.

表 1 非ホジキンリンパ腫に対する代表的な治療レジメン

・未治療の B 細胞リンパ腫に対する治療レジメン			
R-CHOP 21 日ごと，6~8 サイクル			
Rituximab	375 mg/m²	点滴静注	day 1
CPA	750 mg/m²	1~2 時間で点滴静注	day 1
DXR	50 mg/m²	静注 /30 分で点滴静注	day 1
VCR	1.4 mg/m²（最大 2 mg）	静注 /30 分で点滴静注	day 1
PSL	100 mg/body あるいは 60 mg/m²	経口投与	day 1~5
BR 28 日ごと，6 サイクル			
Rituximab	375 mg/m²	点滴静注	day 1
Benda	90 mg/m²	1 時間で点滴静注	day 1~2
Obinutuzumab plus CHOP（G-CHOP） 21 日ごと，8 サイクル			
Obinutuzumab	1 g/body	点滴静注	day 1（1 サイクルのみ day 1, 8, 15）
CPA	750 mg/m²	1~2 時間で点滴静注	day 1
DXR	50 mg/m²	静注 /30 分で点滴静注	day 1
VCR	1.4 mg/m²（最大 2 mg）	静注 /30 分で点滴静注	day 1
PSL	40~60 mg/m²	経口投与	day 1~5
Obinutuzumab plus Bendamustine（G-Benda） 28 日ごと，6 サイクル			
Obinutuzumab	1 g/body	点滴静注	day 1（1 サイクルのみ day 1, 8, 15）
Benda	90 mg/m²	1 時間で点滴静注	day 1~2
オビヌツズマブ 維持療法 2 カ月に 1 回，最長 2 年			
Obinutuzumab	1 g/body	点滴静注	day 1
dose-adjusted EPOCH 21 日ごと，6~8 サイクル			
VCR	0.4 mg/m²	24 時間，持続点滴	day 1~4
DXR	10 mg/m²		
VP-16	50 mg/m²		
CPA	750 mg/m²	1~2 時間で点滴静注	day 5
PSL	60 mg/m²	経口投与	day 1~5
R-CODOX-M/IVAC 計 4 サイクル，レジメン A → B → A → B と繰り返す			
CODOX-M（レジメン A）			
Rituximab	375 mg/m²	点滴静注	day 1, 11

JCOPY 498-22507

表1 つづき

CPA	800 mg/m^2	1〜2 時間で点滴静注	day 1
DXR	40 mg/m^2	静注 /30 分で点滴静注	day 1
VCR	1.5 mg/m^2（最大 2mg）	静注 /30 分で点滴静注	day 1, 8
CPA	200 mg/m^2	1〜2 時間で点滴静注	day 2〜5
MTX*	300 mg/m^2	1 時間で点滴静注	day 10
MTX*	2.7 g/m^2	23 時間，持続点滴	day 10
AraC	70 mg	髄注	day 2, 4（day 6 は CNS 浸潤ある場合に実施）
MTX	12 mg	髄注	day 15,17（day 17 は CNS 浸潤ある場合に実施）
＊ 65 歳以上では MTX 100 mg/m^2，1 時間点滴，900 mg/m^2，23 時間点滴に減量．MTX 終了 12 時間後よりロイコボリン 15 mg/m^2 を 6 時間ごと投与			
IVAC（レジメン B）			
Rituximab	375 mg/m^2	点滴静注	day 1
VP-16	60 mg/m^2	1〜2 時間で点滴静注	day 1〜5
IFM	1.5 g/m2	1〜2 時間で点滴静注	day 1〜5
mesna	300 mg/m^2	30 分で点滴静注，IFM 投与 0,4,8h 後	1 日 3 回，day 1〜5
AraC*	2 g/m^2	3 時間で点滴静注，12 時間ごと	1 日 2 回，day 1〜2
MTX	12 mg	髄注	day 5
AraC	70 mg	髄注	day 7, 9（CNS 浸潤ある場合）
＊ 65 歳以上では AraC 1,000 mg/m^2 に減量			
• 再発または難治性の B 細胞リンパ腫対する治療レジメン			
ESHAP　21 日ごと，3 サイクル			
CDDP	25 mg/m^2	24 時間，持続点滴	day 1〜4
VP-16	50 mg/m^2	1〜2 時間で点滴静注	day 1〜4
AraC	2 g/m^2	3 時間で点滴静注	day 5
mPSL	500 mg/body	点滴静注	day 1-5
DHAP　21 日ごと，3 サイクル			
CDDP	100 mg/m^2	24 時間，持続点滴	day 1
AraC	2 g/m^2	3 時間で点滴静注，12 時間ごと	1 日 2 回，day 2
DEX	40 mg/body	経口投与	day 1〜4

表 1 つづき

ICE 21 日ごと，3 サイクル			
CBDCA	AUC＝5（最 大 800 mg）	1 時間以上かけて点滴静注	day 1〜3
VP-16	100 mg/m^2	2 時間で点滴静注	day 1〜3
IFM*	1.7 g/m^2	2 時間で点滴静注	day 1〜3
＊ IFM による出血性膀胱炎予防のため，IFM 投与時，4 時間後，8 時間後に IFM 投与量の 20%にあたる mesna を点滴投与する．			
CHASE 21 日ごと，5 サイクル			
CPA	1.2 g/m^2	3 時間で点滴静注	day 1
VP-16	100 mg/m^2	2 時間で点滴静注	day 1〜3
AraC	2 g/m^2	3 時間で点滴静注	day 2〜3
DEX	40 mg/body	点滴静注	day 1〜3
CEPP 28 日ごと，PD まで継続			
CPA	500 mg/m^2	1〜2 時間で点滴静注	day 1, 8
VP-16	50 mg/m^2	1 時間で点滴静注/経口投与	day 1〜3
PSL	50 mg/m^2	経口投与	day 1〜10
PCZ	50 mg/m^2	経口投与	day 1〜10
GEM 28 日ごと，PD まで継続			
GEM	1 g/m^2	30 分で点滴静注	day 1, 8, 15
GDP 21 日ごと，6 サイクル			
GEM	1 g/m^2	30 分で点滴静注	day 1, 8
DEX	40 mg/body	経口投与	day 1〜4
CDDP	75 mg/m^2	1 時間以上かけて点滴静注	day 1
GCD 21 日ごと，6 サイクル			
GEM	1 g/m^2	30 分で点滴静注	day 1, 8
DEX	40 mg/body	経口投与	day 1〜4
CBDCA	AUC＝5	1 時間以上かけて点滴静注	day 1
R^2（リツキシマブ+レナリドミド） 28 日ごと，最大 12 サイクル			
Rituximab	375 mg/m^2	点滴静注	（1 サイクル）day 1, 8, 15, 22 （2〜5 サイクル）day 1 （6 サイクル以降）なし
Lenalidomide	20 mg/body	1 日 1 回，経口投与	day 1〜21

表1 つづき

pola-BR 21日ごと，6サイクル			
Rituximab	375 mg/m^2	点滴静注	day 1
Bendamustine	90 mg/m^2	1時間で点滴静注	（1サイクル） day 2, 3 （2〜6サイクル） day 1,2
Polatuzumab vendotin*	1.8 mg/kg	点滴静注	（1サイクル） day 2 （2〜6サイクル） day 1
＊初回投与時は90分かけて投与し，忍容性が良好であれば2回目以降の投与時間は30分間まで短縮できる．			
・マントル細胞リンパ腫に対する治療レジメン			
hyper-CVAD/high-dise MA 21日ごと，8サイクル			
hyper-CVAD（1,3,5,7サイクル）			
CPA	300 mg/m^2	2時間で点滴静注，12時間ごと	1日2回，day1〜3
DXR	50 mg/m^2	24時間，持続点滴	day 4
VCR	2 mg/body	静注/30分で点滴静注	day 4, 11
DEX	40 mg/body	点滴静注/経口投与	day 1〜4
high-dose MA （2, 4, 6, 8サイクル）			
MTX	200 mg/m^2	2時間で点滴静注	day 1
MTX	800 mg/m^2	22時間，持続点滴	day 1
AraC*	3 g/m^2	2時間で点滴静注，12時間ごと	1日2回，day 2〜3
＊60歳以上and/orクレアチニン1.5 mg/dL以上でAraCを1 g/m^{2}に減量する．ロイコボリンレスキューとして，MTX終了12時間後に，ロイコボリン50 mg/bodyを投与し，その後15 mg/bodyを6時間ごと8回投与．			
VR-CAP 21日ごと，6〜8サイクル			
Rituximab	375 mg/m^2	点滴静注	day 1
CPA	750 mg/m^2	1〜2時間で点滴静注	day 1
DXR	50 mg/m^2	静注/30分で点滴静注	day 1
Bortezomib	1.3 mg/m^2	皮下注/静注	day 1, 4, 8, 11
PSL	100 mg/body	経口投与	day 1〜5
ベンダムスチン単剤 21日ごと，PDまで継続			
Bendamustine	120 mg/m^2	1時間で点滴静注	day 1〜2

表 1　つづき

BR　28 日ごと，PD まで継続			
Rituximab	375 mg/m^2	点滴静注	day 1
Bendamustine	90 mg/m^2	1 時間で点滴静注	day 1～2
イブルチニブ　PD まで服用			
Ibrutinib	560 mg	1 日 1 回，経口投与	連日
• 中枢神経系原発リンパ腫に対する治療レジメン			
R-MPV　14 日ごと，5～7 サイクル			
Rituximab	375 mg/m^2	点滴静注	day 1
VCR	1.4 mg/m^2（最大 2 mg）	静注 /30 分で点滴静注	day 2
MTX	3.5 g/m^2	2 時間以上で点滴静注	day 2
PCZ	100 mg/m^2	経口投与，奇数サイクルのみ	day 1～7
MTX 終了後にロイコボリンレスキューを行う． MTX 投与開始 48 時間，72 時間後の MTX 濃度を測定し，それぞれ 1，0.1 μmol/L 以上の場合にはロイコボリンの投与量および間隔を増やすなどの対応を行う．			
HD-AraC　21 日ごと，2 サイクル			
AraC*	3 g/m^2	2～3 時間で点滴静注	day 1, 2
* 60 歳以上では 1 g/m^2 への減量を考慮する．			
チラブルチニブ　PD まで継続			
Tirabrutinib	1 回 480 mg	1 日 1 回，空腹時に経口投与	連日
• NK/T 細胞リンパ腫に対する治療レジメン			
RT-2/3 dose DeVIC　放射線治療（RT）併用，21 日ごと，3 サイクル			
DEX	40 mg	点滴静注	day 1～3
CBDCA	200 mg/m^2	1 時間で点滴静注	day 1～3
VP-16	67 mg/m^2	1 時間で点滴静注	day 1～3
IFM*	1 g/m^2	2 時間で点滴静注	day 1～3
RT 総量 50～50.4 Gy（1.8～2 Gy/ 回）			5～6 週
* IFM による出血性膀胱炎予防のため，IFM 投与時，4 時間後，8 時間後に IFM 投与量の 20%にあたる mesna を点滴投与する．			
SMILE　28 日ごと，2～6 サイクル			
MTX	2 g/m^2	6 時間以上で点滴静注	day 1
Leucovorin	15 mg/body	点滴静注 / 経口投与，6 時間ごと	MTX 終了 24 時間後から 4 回投与

表1 つづき

VP-16	100 mg/m^2	2時間以上で点滴静注	day 2〜4
IFM	1.5 g/m^2	6時間以上で点滴静注	day 2〜4
mesna	300 mg/m^2	点滴静注，IFM投与0, 4, 8時間後	1日3回，day 2〜4
Dex	40 mg/body	点滴静注	day 2〜4
L-ASP	6,000 U/m^2	2時間以上で点滴静注	day 8, 10, 12, 14, 16,18, 20
• T細胞リンパ腫に対する治療レジメン			
BV-CHP（A-CHP） 21日ごと，6〜8サイクル			
BV	1.8 mg/kg	30分で点滴静注	day 1
CPA	750 mg/m^2	1〜2時間で点滴静注	day 1
DXR	50 mg/m^2	静注/30分で点滴静注	day 1
PSL	100 mg/body	経口投与	day 1〜5
ブレンツキシマブ ベドチン 21日ごと，最大16サイクル			
Brentuximab vedotin	1.8 mg/kg	30分で点滴静注（0.4〜1.2 mg/mL）	day 1
ロミデプシン 28日ごと，PDまで継続			
Romidepsin	14 mg/m^2	4時間で点滴静注	day 1, 8, 15
フォロデシン PDまで継続			
Forodesine	1回300 mg	1日2回，経口投与	連日
プララトレキサート 49日ごと，PDまで継続			
Pralatrexate	30 mg/m^2	3〜5分かけて静注	day 1, 8, 15, 22, 29, 36
モガムリズマブ単剤 1週間ごと8回			
Mogamulizumab	1 mg/kg	2時間で点滴静注	day 1
30分〜1時間前にヒドロコルチゾン100 mgを静注，アセトアミノフェン300〜500 mg，ジフェンヒドラミン30〜50 mgを経口投与．			
アレクチニブ PDまで継続			
Alectinib	1回300 mg（体重35 kg未満の場合は1回150 mg）	1日2回，経口投与	連日
ベキサロテン PDまで継続			
Bexatotene	1回300 mg/m^2	1日1回，食後に経口投与	連日

表1 つづき

ボリノスタット　PDまで継続			
Vorinostat	1回 400 mg/body	1日1回，食後に経口投与	連日
・自家末梢血幹細胞移植に用いられる治療レジメン			
MCVAC			
MCNU	250 mg/m²	2時間で点滴静注	day -9
MCNU	200 mg/m²	2時間で点滴静注	day -4
AraC	2 g/m²	2時間で点滴静注	1日2回，day -8，-7，-6，-5
VP-16	200 mg/m²	2時間で点滴静注	1日2回，day -8，-7，-6，-5
CPA	50 mg/kg	2～3時間で点滴静注	day -3，-2
mesna	300 mg/m² / 回	点滴静注，CPM投与0,4,8時間後	1日3回，day -3，-2
MCEC			
MCNU	200 mg/m²	1時間で点滴静注	day -8，-3
CBDCA	300 mg/m²	1.5時間で点滴静注	day -7，-6 -5，-4
VP-16	250 mg/m²/回	2時間で点滴静注	1日2回，day -6，-5，-4
CPA	50 mg/kg	2～3時間で点滴静注	day -3，-2
mesna	300 mg/m² / 回	点滴静注，CPM投与0,4,8時間後	1日3回，day -3，-2
LEED			
L-PAM	130 mg/m²	1時間で点滴静注	day -1
DEX	40 mg/body	点滴静注	day -4，-1
VP-16	250 mg/m²	2時間で点滴静注	1日2回，day -4，-3，-2
CPA	60 mg/kg	2～3時間で点滴静注	day -4，-3
mesna	300 mg/m² / 回	点滴静注，CPM投与0,4,8時間後	1日3回，day -4，-3
MEAM			
MCNU	300 mg/m²	1時間で点滴静注	day -7
VP-16	100 mg/m²/回	2時間で点滴，12時間ごと	1日2回，day -7，-6，-5，-4
AraC	200 mg/m²/回	2時間で点滴，12時間ごと	1日2回，day -7，-6，-5，-4
L-PAM	70 mg/m²	30分で点滴静注	day -3，-2

BuTT			
thiotepa	5 mg/kg	2 時間で点滴静注	day -4, -3
BU	（経口投与）4 mg/kg/day あるいは （点滴静注）3.2 mg/kg/day	経口投与 あるいは 3 時間で点滴静注	day -8, -7, -6, -5

参考文献

1）Rummel MJ, Niederle N, Maschmeyer G, et al. Bendamustine plus rituximab versus CHOP plus rituximab as first-line treatment for patients with indolent and mantle-cell lymphomas: an open-label, multicentre, randomised, phase 3 non-inferiority trial. Lancet. 2013; 381: 1203-10.

2）Miyazaki K, Asano N, Yamada T, et al. DA-EPOCH-R combined with high-dose methotrexate in patients with newly diagnosed stage II-IV CD5-positive diffuse large B-cell lymphoma: a single-arm, open-label, phase II study. Haematologica. 2020; 105: 2308-15.

3）Kuruvilla J, MacDonald DA, Kouroukis CT, et al. Salvage chemotherapy and autologous stem cell transplantation for transformed indolent lymphoma: a subset analysis of NCIC CTG LY12. Blood. 2015; 126: 733-8.

4）Robak T, Huang H, Jin J, et al. Bortezomib-based therapy for newly diagnosed mantle-cell lymphoma. N Engl J Med. 2015; 372: 944-53.

〈多林孝之〉

Ⅰ 血液内科を目指す若い先生方へ
Ⅱ 造血の仕組みと造血因子の基本
Ⅲ 血液疾患の診断に必要な形態アトラス
Ⅳ 血液診療に必要な検査とその解釈
Ⅴ 主要な徴候の鑑別診断
Ⅵ 造血器腫瘍に対して必要な治療総論
Ⅶ 疾患各論
Ⅷ 実践に役立つ造血器腫瘍治療レジメン

6 ホジキンリンパ腫（HL）

まとめ

- ホジキンリンパ腫（Hodgkin lymphoma）の治療は，古典型ホジキンリンパ腫（classical Hodgkin lymphoma：CHL）と，結節性リンパ球優位型ホジキンリンパ腫（nodular lymphocyte-predominant Hodgkin lymphoma：NHPHL）では治療法が異なる．
- ホジキンリンパ腫では化学療法と放射線療法によって長期生存が期待できる一方で，これらの治療による二次性がんなどの晩期副作用も問題になる．そのために治療途中に interim PET 検査で評価を行い，その後の治療方針の決定を行う試みがなされている．
- 古典的ホジキンリンパ腫（CHL）の治療では従来，ドキソルビシン，ブレオマイシン，ビンブラスチン，ダカルバジンによるABVD 療法が標準療法であったが，III 期以上の進行期に対してBV＋AVD（A＋AVD）療法の有効性が臨床試験で示された．
- 結節性リンパ球優位型ホジキンリンパ腫（NLPHL）の治療．
- 限局期では放射線治療単独（involved-field radiotherapy：IFRT）が推奨される．

各レジメンの説明 表1

1）ABVD 療法

- ブレオマイシンによる間質性肺炎は，60 歳以上において 10%以上に認められるため，総投与量は 300 mg を超えないようにする．
- ブレオマイシンによる一過性の発熱に対しては予防的にメチルプレドニゾロン投与（ソル・コーテフ®あるいはサクシゾン® 100 mg）を行うとよい．
- ダカルバジンの光分解物により血管痛が生じやすいため点滴バッグとルートを遮光する．また，高度催吐性のため制吐薬として 5-HT3 受容体拮抗薬，デキサメタゾン，アプレピタントの投与を考慮する．

2）BV-AVD（A+AVD）療法

- Ⅲ期以上の古典的ホジキンリンパ腫において，BV-AVD（A+AVD）療法がABVD療法よりPFSを延長することが臨床試験で示された[1]．
- 主な有害事象として末梢神経障害と好中球減少がある．

3）ブレンツキシマブ ベドチン単剤療法

- 再発または難治症のホジキンリンパ腫に用いられる．
- CD30抗体にMMAE（monomethyl auristatin E）をリンカーで結合させた抗体薬物複合体であり，主な有害事象として末梢神経障害と好中球減少がある．

4）Escalated BEACOPP療法

- 進行期ホジキンリンパ腫に対してABVD2サイクル後にPET/CT検査を行い残存病変を認めた場合に，本治療を行う試みがなされており有効性も報告されている[2]．
- 3週間ごと6〜8サイクル施行する．
- 有害事象として血球減少と感染症（約半数に発症）に留意が必要である．
- 続発性無月経と無精子症が高率に発症する．

5）Nivolmab療法，Pembrolizumab療法

- ホジキンリンパ腫に対する自家造血幹細胞移植後の再発，あるいは地固め療法としての抗PD-1抗体の有効性が示されているが免疫関連有害事象（irAE）の発症に留意が必要である[3,4]．
- 同種造血幹細胞移植後の再発に対して有効性も示されている一方で重症GVHDの危険性も報告されている[5]．

表 1 ホジキンリンパ腫における代表的な治療レジメン

ABVD　28 日ごと，6 サイクル			
DXR	25 mg/m^2	30 分で点滴静注	day 1, 15
BLM	9 mg/m^2（最大 15 mg/body）	30 分で点滴静注	day 1, 15
VBR	6 mg/m^2（最大 10 mg/body）	静注	day 1, 15
DTIC	375 mg/m^2	30〜60 分で点滴静注	day 1, 15
BV＋AVD（A＋AVD）　28 日ごと，6 サイクル			
BV	1.2 mg/kg	30 分で点滴静注	day 1, 15
DXR	25 mg/m^2	30 分で点滴静注	day 1, 15
VBR	6 mg/m^2（最大 10 mg/body）	静注	day 1, 15
DTIC	375 mg/m^2	30〜60 分で点滴静注	day 1, 15
ブレンツキシマブ ベドチン　21 日ごと，最大 16 サイクル			
Brentuximab vedotin	1.8 mg/kg	30 分で点滴静注（0.4〜1.2 mg/mL）	day 1
ニボルマブ　14 日ごと，PD まで継続			
Nivolumab	3 mg/kg	1 時間で点滴静注	day 1
ペムブロリズマブ　1 回 200 mg のとき 21 日ごと，1 回 400 mg のとき 42 日ごと，PD まで継続			
Pembrolizumab	200 mg または 400 mg	30 分で点滴静注	day 1
Escalated BEACOPP　21 日ごと，6 サイクル			
CPA	1,250 mg/m^2	1 時間で点滴静注	day 1
DXR	35 mg/m^2	30 分で点滴静注	day 1
VP-16	200 mg/m^2	4 時間で点滴静注	day 1〜3
VCR	1.4 mg/m^2（最大 2mg）	静注	day 8
BLM	10 mg/m^2	30 分で点滴静注	day 8
PCZ	100 mg/m^2	経口投与	day 1〜7
PSL	40 mg/m^2	経口投与	day 1〜14
G-CSF		皮下注	day 4〜
白血球＜1,000/μL あるいは好中球＜500/μL が 4 日以上，血小板＜2.5 万/μL，グレード 4 の感染あるいは有害事象の合併で次サイクル CPA, DXR, VP-16 は減量			

JCOPY 498-22507

参考文献

1) Connors JM, Jurczak W, Straus DJ, et al. Brentuximab vedotin with chemotherapy for stage III or IV Hodgkin's lymphoma. N Engl J Med. 2018; 378: 331-44.
2) Gallamini A, Tarella C, Viviani S, et al. Early chemotherapy intensification with escalated BEACOPP in patients with advanced-stage Hodgkin lymphoma with a positive interim positron emission tomography/computed tomography scan after two ABVD cycles: long-term results of the GITIL/FIL HD 0607 trial. J Clin Oncol. 2018; 36: 454-62.
3) Armand P, Engert A, Younes A, et al. Nivolumab for Relapsed/refractory classic Hodgkin lymphoma after failure of autologous hematopoietic cell transplantation: extended follow-up of the multicohort single-arm phase II checkMate 205 Trial. J Clin Oncol. 2018; 36: 1428-39.
4) Armand P, Chen YB, Redd RA, et al. PD-1 blockade with pembrolizumab for classical Hodgkin lymphoma after autologous stem cell transplantation. Blood. 2019; 134: 22-9.
5) Herbaux C, Gauthier J, Brice P, et al. Efficacy and tolerability of nivolumab after allogeneic transplantation for relapsed Hodgkin lymphoma. Blood. 2017; 129: 2471-8.

〈多林孝之〉

7 成人T細胞白血病・リンパ腫（ATLL）

まとめ

- 成人T細胞白血病・リンパ腫（adult T-cell leukemia-lymphoma: ATLL）に対して G-CSF 併用の多剤化学療法である VCAP-AMP-VECP（mLSG15 レジメン）の有効性が臨床試験で示されている一方で好中球減少が高度であり注意が必要である[1].
- 急性型，リンパ腫型，予後不良因子（LDH，アルブミン，BUN のいずれか 1 つ以上が異常値）を有する慢性型に対しては多剤併用化学療法を施行する.
- ATLL の 90%以上でケモカイン受容体の CCR4 が発現しており，ヒト化抗 CCR4 抗体である mogamulizumab（モガムリズマブ）の有効性が報告されている[2].
- 化学療法に感受性のある ATLL では同種造血幹細胞移植が長期生存や治癒が期待できる治療法である.
- 再発または難治性症例に対してレナリドミドの有効性が報告されているが効果持続期間は短い[3].

レジメンの説明 表1

VCAP-AMP-VECP（mLSG15 レジメン）

- 70 歳以下に用いられる.
- 最大 6 サイクルまで施行する.
- グレード 3 以上の好中球減少はほぼ必発であり，90%に発熱性好中球減少が発症するため注意が必要である.
- 他の主な有害事象として好中球減少，リンパ球減少，貧血，血小板減少がある.

Mogamulizumab（モガムリズマブ）

- CCR4 陽性の ATLL に対して用いられる.
- 再発 ATLL を対象にした臨床試験では ORR は 50%（CR 31%），PFS 中央値は 5.2 カ月であった.
- 約 60%に皮疹が出現するが，グレード 2 以上の皮疹が出現したほうが奏効率が高い.

 JCOPY 498-22507

表1　ATLLのレジメン

•mLSG15プロトコール（VCAP-AMP-VECP療法）　28日ごと，最大6サイクル			
VCAP			
CPM	350 mg/m²	1時間で点滴静注	day 1
DXR	40 mg/m²	静注/30分で点滴静注	day 1
VCR	1 mg/m²（最大2 mg）	静注/30分で点滴静注	day 1
PSL	40 mg/m²	経口投与	day 1
AMP			
MCNU	60 mg/m²	30分で点滴静注	day 8
DXR	60 mg/m²	静注/30分で点滴静注	day 8
PSL	40 mg/m²	経口投与	day 8
VECP			
VDS	2.4 mg/m²	静注/30分で点滴静注	day 15
VP-16	100 mg/m²	2時間で点滴静注	day 15～17
CBDCA	250 mg/m²	2時間で点滴静注	day 15
PSL	40 mg/m²	経口投与	day 15～17
IT			
IT	AraC 40 mg, MTX 15 mg, PSL 10 mg	髄腔内注入	2, 4サイクルの開始前
Mogamulizumab	1 mg/kg	2時間で点滴静注	1サイクル目のVCAP後（day 2～5の間），2～4サイクル目のVCAPの前，1～4サイクル目のVECP前
モガムリズマブ単剤　1週間ごと8回			
Moga,ulizumab	1 mg/kg	2時間で点滴静注	day 1
30分～1時間前にヒドロコルチゾン100 mgを静注，アセトアミノフェン300～500mg，ジフェンヒドラミン30～50 mgを経口投与．			
レナリドミド			
Lenalidomide	25 mg/body	経口投与	連日投与

• モガムリズマブ治療後に同種末梢血幹細胞移植を受けた症例では重症の急性移植片対宿主病（graft versus host disease: GVHD）が発症する危険性があるため，移植予定の場合は投与の是非は慎重に検討する．

Lenalidomide（レナリドミド）

・再発または難治性の症例に用いられる.

・主な有害事象として好中球減少，リンパ球減少，血小板減少，皮疹がある.

参考文献

1）Tsukasaki K, Utsunomiya A, Fukuda H, et al. VCAP-AMP-VECP compared with biweekly CHOP for adult T-cell leukemia lymphoma: japan clinical oncology group study JCOG9801. J Clin Oncol. 2007; 25: 5458-64.

2）Ishida T, Joh T, Ueda R, et al. Defucosylated anti-CCR4 monoclonal antibody（KW-0761）for relapsed adult T-cell leukemia-lymphoma: a multicenter phase II study. J Clin Oncol. 2012; 30: 837-42.

3）Ishida T, Fujiwara H, Nosaka K, et al. Multicenter phase II study of lenalidomide in relapsed or recurrent Adult T-cellLeukemia/lymphoma: ATLL-002. J Clin Oncol. 2016; 34: 4086-93.

〈多林孝之〉

8 多発性骨髄腫（MM）

まとめ

- 多発性骨髄腫（multiple myeloma：MM）では，自家末梢血造血幹細胞移植（自家移植）適応か否かで治療方針が異なる．一般に重篤な臓器障害を有しない 65～70 歳以下が自家移植の適応となる．
- 未治療，再発または難治性 MM のいずれにおいてもプロテアソーム阻害薬，免疫調節薬（IMiDs），抗体製剤，副腎皮質ホルモン，がキードラッグである．
- レジメンは大きく分けて，1）プロテアソーム阻害薬中心のレジメン，2）IMiDs 中心のレジメン，3）その両方を使用するレジメン，4）抗体製剤を使用したレジメン，5）殺細胞性抗がん薬中心のレジメンがある．
- 未治療 MM に対する治療は，IMiDs，プレテアソーム阻害薬，ダラツムマブのいずれか 2 種類と副腎皮質ホルモンの 3 種類を使用したレジメン（triplet）が一般的である．
- 再発または難治 MM に対する治療は，一度使用した製剤を用いる，リトリーメントも選択肢となる．
- POEMS 症候群の治療薬としてサリドマイドが承認された．

レジメンの説明 表1

1）プロテアソーム阻害薬を使用するレジメン

- 帯状疱疹予防としてアシクロビルなどによる予防内服を行う．
- 骨芽細胞への作用を介して骨形成を促進するため骨折や骨痛など骨事象を有する症例に有効である．
- ボルテゾミブの使用に際して末梢神経障害，消化器症状（下痢や便秘など），起立性低血圧の発症などに注意する．
- ボルテゾミブの皮下注射は，静脈注射と効果は同等で末梢神経障害の発症頻度は少ない．
- カルフィルゾミブの使用に際しては高血圧，急性腎不全，心不全などの心臓血管系の合併症に注意を要する．

- カルフィルゾミブ 70 mg/m² 週 1 回投与とデキサメタゾン併用療法である once weekly Cd（Kd）は第 III 相臨床試験でカルフィルゾミブ週 2 回投与の Cd（Kd）より治療効果が上回り有害事象も同等であることが示された[1].
- イキサゾミブでは悪心，嘔吐，下痢などの消化器症状に留意し，発現した際には制吐薬や整腸薬などで対応する.

2）IMiDs を使用するレジメン

- 血栓症の発症が報告されており，リスクのある患者にはバイアスピリンなどの抗血小板薬の服用を考慮する.
- 血球減少（好中球減少，貧血，血小板減少）に留意し，発現した際には休薬や減量などの対処を行う.
- 治療開始初期に発疹を生じることがあるが，休薬の後に副腎皮質ホルモンを併用し少量より再開することにより克服できることが多い.
- サリドマイドが 2021 年 2 月に POEMS 症候群の治療薬として承認された.

3）プロテアソーム阻害薬と IMiDs の両方を使用するレジメン

- BLd（VRd）の ORR は 82%（16%が CR 以上），PFS 中央値は 43 カ月であり移植適応未治療 MM の寛解導入療法としても使用される[2].
- 自家移植非適応の高齢者に対してボルテゾミブが週 1 回投与である BLd lite（RVd lite）も有効である[3].
- ILd（IRd）は内服のみのレジメンであり頻回の通院が困難な症例にも有用である.

4）抗体製剤を使用したレジメン

- 未治療 MM に対してダラツムマブを使用する DMPB（D-VMP）や DLd（D-Rd），再発または難治性 MM に対してイサツキシマブやエロツヅマブを使用する Isa-Pd，E-Pd は PFS の延長に寄与する[4, 5].
- 有害事象としてインフュージョンリアクションに注意する.
- 抗 CD38 抗体製剤であるダラツムマブとイサツキシマブでは，治療中および最終投与から 6 カ月以内で輸血を実施する場合に間接クームス試験や交差適合試験（クロスマッチ）において偽陽性になることがあるため，治療前には間接クームス試験や不規則抗体の有無などの輸血前検査の実施が必要である．また，赤血球輸血を行う際にはクロスマッチへの干渉を防ぐためにジチオスレイトール（DTT）処理などを行う必要があるため輸血検査担当部署と情報を共有する必要がある.

表1 多発性骨髄腫の主なレジメン

	レジメン	未治療	再発または難治	抗がん薬
殺細胞性抗がん薬中心のレジメン	MP	○	○	MEL, PSL
	VAD	○	○	DOX,VCR, DEX
	High-dose MEL	○	○	MEL
プロテアソーム阻害薬中心のレジメン	MPB（VMP）	○	○	BOR, MEL, PSL
	Bd	○	○	BOR, DEX
	Cd, weekly Cd（Kd）		○	CFZ, DEX
	Ixazomib	自家造血幹細胞移植後の維持療法		IXA
	CyBorD	○	○	CPA, BOR, DEX
	PAd（BAd）	○	○	BOR, DOX, DEX
	Panobinostat + Bd（FVd）		○	PAN, BOR, DEX
IMiDs中心のレジメン	Ld	○	○	LEN, DEX
	PomDex		○	POM, DEX
	PomCyDex（PCD）		○	POM, CPA, DEX
	MPT	○	○	MEL, PSL, THAL
プロテアソーム阻害薬+IMiDsのレジメン	BLd（VRd, RVd lite）	○	○	LEN, BOR, DEX
	Pomaliidomide + Bd（PVd）		○	POM, BOR, DEX
	CLd（KRd）		○	CFZ, LEN, DEX
	ILd		○	IXA, LEN, DEX

表 1 つづき

	レジメン	未治療	再発または難治	抗がん薬
抗体治療薬を使用したレジメン	DLd	○	○	DARA, LEN, DEX
	DMPB	○		DARA, BOR, MEL, PSL
	DBd		○	DARA, BOR, DEX
	DCd		○	DARA, CFZ, DEX
	ELd		○	ELO, LEN, DEX
	EPd		○	ELO, POM, DEX
	IsaPd		○	ISA, POM, DEX

BOR: bortezomib, CFZ: carfilzomib, IXA: ixazomib, DOX: doxorubicin, CPA: cyclophosphamide, ELO: elotuzumab, DARA: daratumumab, ISA: isatuximab, LEN: lenalidomide, THAL: thalidomide, POM: pomalidomide, PAN: panobinostat, PSL: prednisone, DEX: dexamethasone

• 未治療多発性骨髄腫に対するレジメン					
Bd　1～7 サイクル 21 日ごと，8 サイクル以降 35 日ごと，PD まで継続					
			1～7 サイクル	8 サイクル以降	
BOR	1.3 mg/m²	皮下注 / 静注	day 1, 4, 8, 11	day 1, 8,15, 22	
DEX	20 mg/body	経口投与	day 1, 2, 4, 5, 8, 9, 11,12	day 1, 2, 8, 9, 15,16, 22, 23	
Ld（Rd）　28 日ごと，PD まで継続					
LEN	25 mg/body	経口投与		day 1～21	
DEX	40 mg/body	経口投与		day1, 8, 15, 22	
BLd（VRd）　21 日ごと，最大 12 サイクル					
			1～4 サイクル	5～8 サイクル	9～12 サイクル
BOR	1.3 mg/m²	皮下注 / 静注	day 1, 4, 8, 11		day 1, 8
LEN	25 mg/body	経口投与	day 1～14		
DEX	20 mg/body	経口投与	day 1, 2, 4, 5, 8, 9, 11,12		
DEX	10 mg/body	経口投与		day 1, 2, 4, 5, 8, 9, 11,12	day 1, 2, 8, 9
BLd lite（RVD lite）　35 日ごと，最大 15 サイクル					
BOR	1.3 mg/m²	皮下注 / 静注	day 1, 8, 15, 22		
LEN	15 mg/body	経口投与	day 1～21		
DEX	20 mg/body	経口投与	（1-9 サイクル）day 1, 2, 8, 9, 15,16, 22, 23	（10 サイクル以降）中止	

表1　つづき

DLd　28日ごと，PDまで継続					
			1〜2サイクル	3〜6サイクル	7サイクル以降
DARA	16 mg/kg	点滴静注	day 1, 8, 15, 22	day 1, 15	day 1
DEX	40 mg/body	経口投与/静注	day 1, 8, 15, 22		
LEN*	25 mg/body	経口投与	day 1〜21		
＊LENは腎機能障害（クレアチニンクリアランス：30〜50 mL/min）の患者では10 mgに減量を考慮.					

DMPB　1〜9サイクル：42日ごと，10サイクル以降：28日ごと，PDまで継続					
			1サイクル	2〜9サイクル	10サイクル以降
DARA	16 mg/kg	点滴静注	day 1, 8, 15, 22, 29, 36	day 1, 22	day 1
DEX	20 mg/body	経口投与/静注	day 1, 8, 15, 22, 29, 36	day 1, 22	day 1
MEL	9 mg/m^2	経口投与	day 1〜4		
PSL	60 mg/m^2	経口投与	day 2〜4		
BOR	1.3 mg/m^2	皮下注	day 1, 4, 8, 11, 22, 25, 29, 32	day 1, 8, 22, 29	
DARA投与1〜3時間前にアセトアミノフェン650〜1000 mgおよびジフェンヒドラミン25〜50 mgを投与. DEXはDARA投与1〜3時間前に投与.					

MP　28〜42日ごと，PDまで継続			
MEL	6 mg/m^2，または0.25 mg/kg	経口投与	day 1〜4
PSL	40 mg/m^2，または2 mg/kg	経口投与	day 1〜4

VAD　28日ごと，最大4サイクル			
DOX	10 mg/m^2	24時間持続点滴	day 1〜4
VCR	0.4 mg/m^2	24時間持続点滴	day 1〜4
DEX	40 mg/body	経口投与/静注	day 1〜4, 9〜12, 17〜20

MPB（VMP）　21日ごと，最大18サイクル				
			1〜2サイクル	3〜18サイクル
MEL	6〜9 mg/m^2	経口投与	day 1〜4	
PSL	60 mg/m^2	経口投与	day 1〜4	
BOR	1.3 mg/m^2	皮下注/静注	day 1, 4, 8, 11	day 1, 8

表1 つづき

・再発または難治多発性骨髄腫に対するレジメン				
PomDex（Pd） 28日ごと，PDまで継続				
POM	4 mg/body	経口投与		day 1～21
DEX	40 mg/body	経口投与		day 1, 8, 15, 22
PomCyDex 28日ごと，最大6サイクル				
POM	4 mg/body	経口投与		day 1～21
DEX	40 mg/body（75歳以上で20 mg）	経口投与		day 1, 8, 15, 22
CPA	400 mg/body	経口投与		day 1, 8, 15
Pomalidomide/bortezomib/dexamethasone（PVd） 21日ごと，PDまで継続				
			1～8サイクル	9サイクル以降
BOR	1.3 mg/m^2	皮下注/静注	day 1, 4, 8, 11	day 1, 8
POM	4 mg/body	経口投与	day 1～14	
DEX	20 mg/body（75歳以上で10 mg）	経口投与	day 1, 2, 4, 5, 8, 9, 11,12	
Cd（Kd）週2回投与 28日ごと，PDまで継続				
CFZ*	56 mg/m^2	30分かけて点滴静注		day 1, 2, 8, 9, 15, 16
DEX	20 mg/body	経口投与/点滴静注		day 1, 2, 8, 9, 15, 16, 22, 23
＊1サイクルのday 1, 2のCFZは20 mg/m^{2}で投与する				
Cd（Kd）週1回投与 28日ごと，PDまで継続				
			1～8サイクル	9サイクル以降
CFZ*	70 mg/m^2	30分かけて点滴静注	day 1, 8, 15	
DEX	40 mg/body	経口投与	day 1, 8, 15, 22	day 1, 8, 15
＊1サイクルのday 1, 2のCFZは20 mg/m^{2}で投与する				
CLd（KRd） 28日ごと，PDまで継続				
			1～12サイクル	13～18サイクル
CFZ*	27 mg/m^2	10分かけて点滴静注	day 1, 2, 8, 9, 15, 16	day 1, 2, 15, 16
LEN	25 mg/body	経口投与	day 1～21	
DEX	40 mg/body	経口投与	day 1, 8, 15, 22	
＊1サイクルのday 1, 2のCFZは20 mg/m^{2}で投与する				
ILd 28日ごと，PDまで継続				
IXA	4 mg/body	経口投与		day 1, 8, 15

表 1　つづき

LEN	25 mg/body	経口投与		day 1〜21	
DEX	40 mg/body	経口投与		day 1, 8, 15, 22	
DBd　1〜8 サイクル：21 日ごと，9 サイクル以降：28 日ごと，PD まで継続					
			1〜3 サイクル	4〜8 サイクル	9 サイクル以降
DARA	16 mg/kg	点滴静注	day 1, 8, 15	day 1	day 1
BOR	1.3 mg/m²	皮下注	day 1, 4, 8, 11		
DEX	20 mg/body	経口投与 / 静注	day 1, 2, 4, 5, 8, 9, 11, 12		day 1（医師判断で投与）
DCd　28 日ごと，PD まで継続					
			1〜2 サイクル	3〜6 サイクル	7 サイクル以降
DARA*	16 mg/kg	点滴静注	day 1, 8, 15, 22	day 1, 15	day 1
CFZ**	56 mg/m²	30 分かけて点滴静注	day 1, 2, 8, 9, 15, 16		
DEX	40 mg/ 週	経口投与 / 静注	day 1, 2, 8, 9, 15, 16, 22		
＊ 1 サイクルの DARA は，day 1, 2 に分けて 8 mg/kg/day ずつ投与する． ＊＊ 1 サイクル day 1, 2 の CFZ は 20 mg/m² で投与する． DARA 投与 1〜3 時間前にアセトアミノフェン 650〜1000 mg およびジフェンヒドラミン 25〜50 mg を投与． DEX は DARA 投与 1〜3 時間前に投与．75 歳以上あるいはまたは過小体重（BMI: 18.5 kg/m²）の患者では 20 mg/ 週に減量を考慮．					
DLd　28 日ごと，PD まで継続					
未治療時と同じ					
IsaPd　28 日ごと，PD まで継続					
			1 サイクル	2 サイクル以降	
Isa	10 mg/kg	点滴静注	day 1, 8, 15, 22	day 1, 15	
POM	4 mg/body	経口投与	day 1〜21		
DEX	40 mg/body	経口投与 / 静注	day 1, 8, 15, 22		
Isa 投与 15〜30 分前に前投薬としてアセトアミノフェン 650〜1000 mg を経口，ジフェンヒドラミン 25〜50 mg およびラニチジン 50 mg を静注． DEX は 75 歳以上の患者では 20 mg に減量を考慮．経口では前投薬の前，静注では前投薬の後に投与．					
ELd　28 日ごと，PD まで継続					
			1〜2 サイクル	3 サイクル以降	
ELO	10 mg/kg	点滴静注	day 1, 8, 15, 22	day 1, 15	
DEX*	8 mg/body	静注	day 1, 8, 15, 22	day 1, 15	

表1　つづき

DEX**	28 mg/body	経口投与	day 1, 8, 15, 22	day 1, 15
DEX	40 mg/body	経口投与		day 8, 22
LEN	25 mg/body	経口投与	day 1〜21	
EPd　28 日ごと，PD まで継続				
			1〜2 サイクル	3 サイクル以降
ELO	10 mg/kg	点滴静注	day 1, 8, 15, 22	
ELO	20 mg/kg	点滴静注		day 1
DEX*	8 mg/body	静注	day 1, 8, 15, 22	day 1
DEX**	28 mg/body	経口投与（75 歳以上で 8 mg）	day 1, 8, 15, 22	day 1
DEX	40 mg/body	経口投与（75 歳以上で 20 mg）		day 8, 15, 22
POM	4 mg/body	経口投与	day 1〜21	
ELO 投与 45〜90 分前に前投薬としてアセトアミノフェン 300〜1000 mg を経口投与，ジフェンヒドラミン 25〜50 mg およびラニチジン 50 mg を静注. * ELO 投与 45〜90 分前に静注. ** ELO 投与 3〜24 時間前に経口投与.				
Panobinostat plus Bd（FVd）　サイクル 1〜8：21 日ごと，サイクル 9 以降：42 日ごと，PD まで継続				
			1〜8 サイクル	9 サイクル以降
PAN	20 mg/body	経口投与	day 1, 3, 5, 8,10, 12	day 1, 3, 5, 8,10, 12, 22, 24, 26, 29, 31, 33
BOR	1.3 mg/m^2	皮下注 / 静注	day 1, 4, 8, 11	day 1, 8, 22, 29
DEX	20 mg/body	経口投与	day 1, 2, 4, 5, 8, 9, 11,12	day 1, 2, 8, 9, 22, 23, 29, 30
PAd　28 日ごと，最大 3 サイクル				
BOR	1.3 mg/m^2	皮下注 / 静注		day 1, 4, 8, 11
DXR	9 mg/m^2	点滴静注		day 1〜4
DEX	20 mg/body	経口投与		day 1〜4, 9〜12, 17〜20
CyBorD　28 日ごと，最大 4 サイクル				
BOR	1.3 mg/m^2	皮下注 / 静注		day 1, 4, 8, 11
CPA	300 mg/m^2	経口投与		day 1, 8, 15, 22
DEX	40 mg/body	経口投与		day 1〜4, 9〜12, 17〜20

参考文献

1) Moreau P, Mateos MV, Berenson JR, et al. Once weekly versus twice weekly carfilzomib dosing in patients with relapsed and refractory multiple myeloma (A.R.R.O.W.): interim analysis results of a randomised, phase 3 study. Lancet Oncol. 2018; 19: 953-64.
2) Durie BG, Hoering A, Dispenzieri A, et al. Bortezomib with lenalidomide and dexamethasone versus lenalidomide and dexamethasone alone in patients with newly diagnosed myeloma without intent for immediate autologous stem-cell transplant (SWOG S0777): a randomised, open-label, phase 3 trial. Lancet. 2017; 389: 519-27.
3) O'Donnell EK, Laubach JP, Yee AJ, et al. A phase 2 study of modified lenalidomide, bortezomib and dexamethasone in transplant-ineligible multiple myeloma. Br J Haematol. 2018; 182: 222-30.
4) Mateos MV, Cavo M, Blade J, et al. Overall survival with daratumumab, bortezomib, melphalan, and prednisone in newly diagnosed multiple myeloma (ALCYONE): a randomised, open-label, phase 3 trial. Lancet. 2020; 395: 132-41.
5) Attal M, Richardson PG, Rajkumar SV, et al. Isatuximab plus pomalidomide and low-dose dexamethasone versus pomalidomide and low-dose dexamethasone in patients with relapsed and refractory multiple myeloma (ICARIA-MM): a randomised, multicentre, open-label, phase 3 study. Lancet. 2019; 394: 2096-107.

〈多林孝之〉

9 腎障害，肝障害の際の抗がん薬減量規定

腎障害時の調節

薬剤	CCr			透析（腹膜透析，血液透析）
	>50 mL/min	10〜50 mL/min	<10 mL/min	
ダウノルビシン	血清 Cr>3 mg/dL では 50%に減量			
ドキソルビシン	調節不要		75%に減量	
イダルビシン	調節不要	2/3 に減量	禁忌	
シタラビン	調節不要			
ゲムシタビン	調節不要	用量調節不要だが慎重投与		
シクロホスファミド	調節不要		50〜75%に減量	
イホスファミド	調節不要	75%に減量	50%に減量	透析後に投与
メルファラン	調節不要	75%に減量	50%に減量	
フルダラビン	調節不要	CCr 30〜50 mL/min 60〜70 % に減量	CCr<30 mL/min 以下は禁忌	
ビンクリスチン ビンブラスチン	調節不要			
エトポシド	調節不要	75%に減量	50%に減量	
メトトレキサート	調節不要	50%に減量	禁忌	
シスプラチン	調節不要	CCr 46〜60 mL/min 75%に減量	CCr 31〜45 L/min 50%に減量	CCr<30 mL/min 禁忌

肝障害時の調節

薬剤	肝代謝	排泄	肝機能	用量
ダウノルビシン	＋	肝	Bil ＜3	100%
			Bil 3～4.9	75%
			Bil ＞5	25%
ドキソルビシン	＋	肝	Bil 2～3	50%
			Bil 3.1～5	25%
			Bil 2～3	0%
イダルビシン	＋	肝，腎	調節必要なし	
シタラビン	＋	腎	データなし	
ゲムシタビン	＋	腎	軽度～中等度	80%
シクロホスファミド	＋	腎	調節必要なし	
イホスファミド	＋	腎	データなし	
ビンクリスチン ビンブラスチン	＋	肝	Bil 1.5～3	50%
			Bil ＞3	0%
エトポシド	＋	肝，腎	Bil 1.5～3	50%
			Bil ＞3	0%
メトトレキサート	＋	腎	データなし	

〈多林孝之〉

付録 1　体表面積換算表

身長 ＼ 体重 (単位：m^2)	30	31	32	33	34	35	36	37	38	39	40	41	42	43	44	45	46
140	1.10	1.11	1.13	1.14	1.16	1.17	1.19	1.20	1.21	1.23	1.24	1.25	1.27	1.28	1.29	1.30	1.32
141	1.10	1.12	1.13	1.15	1.16	1.18	1.19	1.21	1.22	1.23	1.25	1.26	1.27	1.28	1.30	1.29	1.32
142	1.11	1.12	1.14	1.15	1.17	1.18	1.20	1.21	1.23	1.24	1.25	1.27	1.28	1.29	1.30	1.30	1.33
143	1.11	1.13	1.14	1.16	1.17	1.19	1.20	1.22	1.23	1.25	1.26	1.27	1.28	1.30	1.31	1.30	1.34
144	1.12	1.14	1.15	1.17	1.18	1.20	1.21	1.22	1.24	1.25	1.26	1.28	1.29	1.30	1.32	1.31	1.34
145	1.12	1.14	1.16	1.17	1.19	1.20	1.22	1.23	1.24	1.26	1.27	1.28	1.30	1.31	1.32	1.32	1.35
146	1.13	1.15	1.16	1.18	1.19	1.21	1.22	1.24	1.25	1.26	1.28	1.29	1.30	1.32	1.33	1.32	1.36
147	1.14	1.15	1.17	1.18	1.20	1.21	1.23	1.24	1.26	1.27	1.28	1.30	1.31	1.32	1.34	1.33	1.36
148	1.14	1.16	1.17	1.19	1.20	1.22	1.23	1.25	1.26	1.28	1.29	1.30	1.32	1.33	1.34	1.34	1.37
149	1.15	1.16	1.18	1.19	1.21	1.23	1.24	1.25	1.27	1.28	1.30	1.31	1.32	1.34	1.35	1.34	1.38
150	1.15	1.17	1.19	1.20	1.22	1.23	1.25	1.26	1.27	1.29	1.30	1.32	1.33	1.34	1.36	1.35	1.38
151	1.16	1.17	1.19	1.21	1.22	1.24	1.25	1.27	1.28	1.30	1.31	1.32	1.34	1.35	1.36	1.36	1.39
152	1.16	1.18	1.20	1.21	1.23	1.24	1.26	1.27	1.29	1.30	1.32	1.33	1.34	1.36	1.37	1.36	1.40
153	1.17	1.19	1.20	1.22	1.23	1.25	1.26	1.28	1.29	1.31	1.32	1.34	1.35	1.36	1.38	1.37	1.40
154	1.18	1.19	1.21	1.22	1.24	1.25	1.27	1.28	1.30	1.31	1.33	1.34	1.36	1.37	1.38	1.38	1.41
155	1.18	1.20	1.21	1.23	1.25	1.26	1.28	1.29	1.31	1.32	1.33	1.35	1.36	1.38	1.39	1.38	1.42
156	1.19	1.20	1.22	1.24	1.25	1.27	1.28	1.30	1.31	1.33	1.34	1.35	1.37	1.38	1.40	1.39	1.42
157	1.19	1.21	1.22	1.24	1.26	1.27	1.29	1.30	1.32	1.33	1.35	1.36	1.37	1.39	1.40	1.40	1.43
158	1.20	1.21	1.23	1.25	1.26	1.28	1.29	1.31	1.32	1.34	1.35	1.37	1.38	1.40	1.41	1.40	1.44
159	1.20	1.22	1.24	1.25	1.27	1.28	1.30	1.31	1.33	1.34	1.36	1.37	1.39	1.40	1.42	1.41	1.44
160	1.21	1.23	1.24	1.26	1.27	1.29	1.31	1.32	1.34	1.35	1.37	1.38	1.39	1.41	1.42	1.42	1.45
161	1.21	1.23	1.25	1.26	1.28	1.30	1.31	1.33	1.34	1.36	1.37	1.39	1.40	1.41	1.43	1.42	1.46
162	1.22	1.24	1.25	1.27	1.29	1.30	1.32	1.33	1.35	1.36	1.38	1.39	1.41	1.42	1.43	1.43	1.46
163	1.22	1.24	1.26	1.28	1.29	1.31	1.32	1.34	1.35	1.37	1.38	1.40	1.41	1.43	1.44	1.43	1.47
164	1.23	1.25	1.26	1.28	1.30	1.31	1.33	1.34	1.36	1.38	1.39	1.40	1.42	1.43	1.45	1.44	1.48
165	1.24	1.25	1.27	1.29	1.30	1.32	1.33	1.35	1.37	1.38	1.40	1.41	1.43	1.44	1.45	1.45	1.48
166	1.24	1.26	1.28	1.29	1.31	1.32	1.34	1.36	1.37	1.39	1.40	1.42	1.43	1.45	1.46	1.45	1.49
167	1.25	1.26	1.28	1.30	1.31	1.33	1.35	1.36	1.38	1.39	1.41	1.42	1.44	1.45	1.47	1.46	1.49
168	1.25	1.27	1.29	1.30	1.32	1.34	1.35	1.37	1.38	1.40	1.41	1.43	1.44	1.46	1.47	1.47	1.50
169	1.26	1.27	1.29	1.31	1.33	1.34	1.36	1.37	1.39	1.41	1.42	1.44	1.45	1.46	1.48	1.47	1.51
170	1.26	1.28	1.30	1.31	1.33	1.35	1.36	1.38	1.40	1.41	1.43	1.44	1.46	1.47	1.49	1.48	1.51
171	1.27	1.29	1.30	1.32	1.34	1.35	1.37	1.39	1.40	1.42	1.43	1.45	1.46	1.48	1.49	1.49	1.52
172	1.27	1.29	1.31	1.33	1.34	1.36	1.38	1.39	1.41	1.42	1.44	1.45	1.47	1.48	1.50	1.49	1.53
173	1.28	1.30	1.31	1.33	1.35	1.37	1.38	1.40	1.41	1.43	1.44	1.46	1.48	1.49	1.50	1.50	1.53
174	1.28	1.30	1.32	1.34	1.35	1.37	1.39	1.40	1.42	1.44	1.45	1.47	1.48	1.50	1.51	1.50	1.54
175	1.29	1.31	1.33	1.34	1.36	1.38	1.39	1.41	1.43	1.44	1.46	1.47	1.49	1.50	1.52	1.51	1.55
176	1.29	1.31	1.33	1.35	1.37	1.38	1.40	1.42	1.43	1.45	1.46	1.48	1.49	1.51	1.52	1.52	1.55
177	1.30	1.32	1.34	1.35	1.37	1.39	1.40	1.42	1.44	1.45	1.47	1.48	1.50	1.51	1.53	1.52	1.56
178	1.31	1.32	1.34	1.36	1.38	1.39	1.41	1.43	1.44	1.46	1.48	1.49	1.51	1.52	1.54	1.53	1.57
179	1.31	1.33	1.35	1.36	1.38	1.40	1.42	1.43	1.45	1.47	1.48	1.50	1.51	1.53	1.54	1.54	1.57
180	1.32	1.33	1.35	1.37	1.39	1.40	1.42	1.44	1.45	1.47	1.49	1.50	1.52	1.53	1.55	1.54	1.58
181	1.32	1.34	1.36	1.38	1.39	1.41	1.43	1.44	1.46	1.48	1.49	1.51	1.52	1.54	1.55	1.55	1.58
182	1.33	1.35	1.36	1.38	1.40	1.42	1.43	1.45	1.47	1.48	1.50	1.51	1.53	1.55	1.56	1.55	1.59
183	1.33	1.35	1.37	1.39	1.40	1.42	1.44	1.46	1.47	1.49	1.50	1.52	1.54	1.55	1.57	1.56	1.60
184	1.34	1.36	1.37	1.39	1.41	1.43	1.44	1.46	1.48	1.49	1.51	1.53	1.54	1.56	1.57	1.57	1.60
185	1.34	1.36	1.38	1.40	1.42	1.43	1.45	1.47	1.48	1.50	1.52	1.53	1.55	1.56	1.58	1.57	1.61

※　$S = M^{0.425} \times H^{0.725} \times 71.84$
S＝体表面積（m^2），M＝体重（kg），H＝身長（cm）
DuBlos および DuBios の公式．Arch Intern Med 1916；17：863（1916）

体重																	(単位：m^2)
47	48	49	50	51	52	53	54	55	56	57	58	59	60	61	62	63	64
1.33	1.34	1.35	1.36	1.37	1.39	1.40	1.41	1.42	1.43	1.44	1.45	1.46	1.47	1.48	1.49	1.50	1.51
1.33	1.35	1.36	1.37	1.38	1.39	1.40	1.42	1.43	1.44	1.45	1.46	1.47	1.48	1.49	1.50	1.51	1.52
1.34	1.35	1.36	1.38	1.39	1.40	1.41	1.42	1.43	1.44	1.46	1.47	1.48	1.49	1.50	1.51	1.52	1.53
1.35	1.36	1.37	1.38	1.40	1.41	1.42	1.43	1.44	1.45	1.46	1.47	1.48	1.50	1.51	1.52	1.53	1.54
1.35	1.37	1.38	1.39	1.40	1.41	1.43	1.44	1.45	1.46	1.47	1.48	1.49	1.50	1.51	1.52	1.53	1.54
1.36	1.37	1.39	1.40	1.41	1.42	1.43	1.44	1.46	1.47	1.48	1.49	1.50	1.51	1.52	1.53	1.54	1.55
1.37	1.38	1.39	1.40	1.42	1.43	1.44	1.45	1.46	1.47	1.49	1.50	1.51	1.52	1.53	1.54	1.55	1.56
1.38	1.39	1.40	1.41	1.42	1.44	1.45	1.46	1.47	1.48	1.49	1.50	1.51	1.53	1.54	1.55	1.56	1.57
1.38	1.39	1.41	1.42	1.43	1.44	1.45	1.47	1.48	1.49	1.50	1.51	1.52	1.53	1.54	1.55	1.57	1.58
1.39	1.40	1.41	1.43	1.44	1.45	1.46	1.47	1.48	1.50	1.51	1.52	1.53	1.54	1.55	1.56	1.57	1.58
1.40	1.41	1.42	1.43	1.44	1.46	1.47	1.48	1.49	1.50	1.51	1.53	1.54	1.55	1.56	1.57	1.58	1.59
1.40	1.41	1.43	1.44	1.45	1.46	1.48	1.49	1.50	1.51	1.52	1.53	1.54	1.56	1.57	1.58	1.59	1.60
1.41	1.42	1.43	1.45	1.46	1.47	1.48	1.49	1.51	1.52	1.53	1.54	1.55	1.56	1.57	1.58	1.60	1.61
1.42	1.43	1.44	1.45	1.47	1.48	1.49	1.50	1.51	1.52	1.54	1.55	1.56	1.57	1.58	1.59	1.60	1.61
1.42	1.43	1.45	1.46	1.47	1.48	1.50	1.51	1.52	1.53	1.54	1.56	1.57	1.58	1.59	1.60	1.61	1.62
1.43	1.44	1.45	1.47	1.48	1.49	1.50	1.52	1.53	1.54	1.55	1.56	1.57	1.59	1.60	1.61	1.62	1.63
1.44	1.45	1.46	1.47	1.49	1.50	1.51	1.52	1.53	1.55	1.56	1.57	1.58	1.59	1.60	1.61	1.63	1.64
1.44	1.46	1.47	1.48	1.49	1.51	1.52	1.53	1.54	1.55	1.57	1.58	1.59	1.60	1.61	1.62	1.63	1.64
1.45	1.46	1.47	1.49	1.50	1.51	1.52	1.54	1.55	1.56	1.57	1.58	1.60	1.61	1.62	1.63	1.64	1.65
1.46	1.47	1.48	1.49	1.51	1.52	1.53	1.54	1.56	1.57	1.58	1.59	1.60	1.61	1.63	1.64	1.65	1.66
1.46	1.48	1.49	1.50	1.51	1.53	1.54	1.55	1.56	1.58	1.59	1.60	1.61	1.62	1.63	1.64	1.66	1.67
1.47	1.48	1.50	1.51	1.52	1.53	1.55	1.56	1.57	1.58	1.59	1.61	1.62	1.63	1.64	1.65	1.66	1.67
1.48	1.49	1.50	1.51	1.53	1.54	1.55	1.57	1.58	1.59	1.60	1.61	1.63	1.64	1.65	1.66	1.67	1.68
1.48	1.50	1.51	1.52	1.53	1.55	1.56	1.57	1.58	1.60	1.61	1.62	1.63	1.64	1.66	1.67	1.68	1.69
1.49	1.50	1.52	1.53	1.54	1.55	1.57	1.58	1.59	1.60	1.62	1.63	1.64	1.65	1.66	1.67	1.69	1.70
1.50	1.51	1.52	1.53	1.55	1.56	1.57	1.59	1.60	1.61	1.62	1.63	1.65	1.66	1.67	1.68	1.69	1.70
1.50	1.52	1.53	1.54	1.55	1.57	1.58	1.59	1.61	1.62	1.63	1.64	1.65	1.67	1.68	1.69	1.70	1.71
1.51	1.52	1.54	1.55	1.56	1.57	1.59	1.60	1.61	1.62	1.64	1.65	1.66	1.67	1.69	1.70	1.71	1.72
1.51	1.53	1.54	1.56	1.57	1.58	1.59	1.61	1.62	1.63	1.64	1.66	1.67	1.68	1.69	1.70	1.72	1.73
1.52	1.54	1.55	1.56	1.58	1.59	1.60	1.61	1.63	1.64	1.65	1.66	1.68	1.69	1.70	1.71	1.72	1.73
1.53	1.54	1.56	1.57	1.58	1.59	1.61	1.62	1.63	1.65	1.66	1.67	1.68	1.69	1.71	1.72	1.73	1.74
1.53	1.55	1.56	1.58	1.59	1.60	1.61	1.63	1.64	1.65	1.67	1.68	1.69	1.70	1.71	1.73	1.74	1.75
1.54	1.55	1.57	1.58	1.60	1.61	1.62	1.63	1.65	1.66	1.67	1.68	1.70	1.71	1.72	1.73	1.75	1.76
1.55	1.56	1.58	1.59	1.60	1.62	1.63	1.64	1.65	1.67	1.68	1.69	1.70	1.72	1.73	1.74	1.75	1.76
1.55	1.57	1.58	1.60	1.61	1.62	1.64	1.65	1.66	1.67	1.69	1.70	1.71	1.72	1.74	1.75	1.76	1.77
1.56	1.57	1.59	1.60	1.62	1.63	1.64	1.66	1.67	1.68	1.69	1.71	1.72	1.73	1.74	1.76	1.77	1.78
1.57	1.58	1.59	1.61	1.62	1.64	1.65	1.66	1.68	1.69	1.70	1.71	1.73	1.74	1.75	1.76	1.77	1.79
1.57	1.59	1.60	1.62	1.63	1.64	1.66	1.67	1.68	1.69	1.71	1.72	1.73	1.75	1.76	1.77	1.78	1.79
1.58	1.59	1.61	1.62	1.64	1.65	1.66	1.68	1.69	1.70	1.71	1.73	1.74	1.75	1.76	1.78	1.79	1.80
1.59	1.60	1.61	1.63	1.64	1.66	1.67	1.68	1.70	1.71	1.72	1.73	1.75	1.76	1.77	1.78	1.80	1.81
1.59	1.61	1.62	1.63	1.65	1.66	1.68	1.69	1.70	1.72	1.73	1.74	1.75	1.77	1.78	1.79	1.80	1.82
1.60	1.61	1.63	1.64	1.66	1.67	1.68	1.70	1.71	1.72	1.74	1.75	1.76	1.77	1.79	1.80	1.81	1.82
1.61	1.62	1.63	1.65	1.66	1.68	1.69	1.70	1.72	1.73	1.74	1.76	1.77	1.78	1.79	1.81	1.82	1.83
1.61	1.63	1.64	1.65	1.67	1.68	1.70	1.71	1.72	1.74	1.75	1.76	1.78	1.79	1.80	1.81	1.83	1.84
1.62	1.63	1.65	1.66	1.68	1.69	1.70	1.72	1.73	1.74	1.76	1.77	1.78	1.80	1.81	1.82	1.83	1.84
1.62	1.64	1.65	1.67	1.68	1.70	1.71	1.72	1.74	1.75	1.76	1.78	1.79	1.80	1.81	1.83	1.84	1.85

体重 (単位; m^2)

身長	65	66	67	68	69	70	71	72	73	74	75	76	77	78	79	80	81	82
	1.52	1.53	1.54	1.55	1.56	1.57	1.58	1.59	1.60	1.61	1.62	1.63	1.64	1.65	1.66	1.66	1.67	1.68
	1.53	1.54	1.55	1.56	1.57	1.58	1.59	1.60	1.61	1.62	1.63	1.64	1.65	1.65	1.66	1.67	1.67	1.69
	1.54	1.55	1.56	1.57	1.58	1.59	1.60	1.61	1.62	1.63	1.64	1.64	1.65	1.66	1.67	1.68	1.69	1.70
	1.55	1.56	1.57	1.58	1.59	1.60	1.61	1.62	1.63	1.63	1.64	1.65	1.66	1.67	1.68	1.69	1.70	1.71
	1.55	1.56	1.57	1.58	1.59	1.60	1.61	1.62	1.63	1.64	1.65	1.66	1.67	1.68	1.69	1.70	1.71	1.72
	1.56	1.57	1.58	1.59	1.60	1.61	1.62	1.63	1.64	1.65	1.66	1.67	1.68	1.69	1.70	1.71	1.72	1.72
	1.57	1.58	1.59	1.60	1.61	1.62	1.63	1.64	1.65	1.66	1.67	1.68	1.69	1.70	1.71	1.72	1.72	1.73
	1.58	1.59	1.60	1.61	1.62	1.63	1.64	1.65	1.66	1.67	1.68	1.69	1.70	1.71	1.71	1.72	1.73	1.74
	1.59	1.60	1.61	1.62	1.63	1.64	1.65	1.66	1.67	1.68	1.69	1.69	1.70	1.71	1.72	1.73	1.74	1.75
	1.59	1.60	1.61	1.62	1.63	1.64	1.65	1.66	1.67	1.68	1.69	1.70	1.71	1.72	1.73	1.74	1.75	1.76
	1.60	1.61	1.62	1.63	1.64	1.65	1.66	1.67	1.68	1.69	1.70	1.71	1.72	1.73	1.74	1.75	1.76	1.77
	1.61	1.62	1.63	1.64	1.65	1.66	1.67	1.68	1.69	1.70	1.71	1.72	1.73	1.74	1.75	1.76	1.77	1.78
	1.62	1.63	1.64	1.65	1.66	1.67	1.68	1.69	1.70	1.71	1.72	1.73	1.74	1.75	1.76	1.77	1.78	1.78
	1.62	1.64	1.65	1.66	1.67	1.68	1.69	1.70	1.71	1.72	1.73	1.74	1.75	1.76	1.77	1.77	1.78	1.79
	1.63	1.64	1.65	1.66	1.67	1.68	1.69	1.70	1.71	1.72	1.73	1.74	1.75	1.76	1.77	1.78	1.79	1.80
	1.64	1.65	1.66	1.67	1.68	1.69	1.70	1.71	1.72	1.73	1.74	1.75	1.76	1.77	1.78	1.79	1.80	1.81
	1.65	1.66	1.67	1.68	1.69	1.70	1.71	1.72	1.73	1.74	1.75	1.76	1.77	1.78	1.79	1.80	1.81	1.82
	1.66	1.67	1.68	1.69	1.70	1.71	1.72	1.73	1.74	1.75	1.76	1.77	1.78	1.79	1.80	1.81	1.82	1.83
	1.66	1.67	1.68	1.70	1.71	1.72	1.73	1.74	1.75	1.76	1.77	1.78	1.79	1.80	1.81	1.82	1.83	1.84
	1.67	1.68	1.69	1.70	1.71	1.72	1.73	1.74	1.76	1.77	1.78	1.79	1.80	1.81	1.81	1.82	1.83	1.84
	1.68	1.69	1.70	1.71	1.72	1.73	1.74	1.75	1.76	1.77	1.78	1.79	1.80	1.81	1.82	1.83	1.84	1.85
	1.69	1.70	1.71	1.72	1.73	1.74	1.75	1.76	1.77	1.78	1.79	1.80	1.81	1.82	1.83	1.84	1.85	1.86
	1.69	1.70	1.72	1.73	1.74	1.75	1.76	1.77	1.78	1.79	1.80	1.81	1.82	1.83	1.84	1.85	1.86	1.87
	1.70	1.71	1.72	1.73	1.74	1.76	1.77	1.78	1.79	1.80	1.81	1.82	1.83	1.84	1.85	1.86	1.87	1.88
	1.71	1.72	1.73	1.74	1.75	1.76	1.77	1.78	1.79	1.81	1.82	1.83	1.84	1.85	1.86	1.87	1.88	1.89
	1.72	1.73	1.74	1.75	1.76	1.77	1.78	1.79	1.80	1.81	1.82	1.83	1.84	1.85	1.86	1.87	1.88	1.89
	1.72	1.73	1.75	1.76	1.77	1.78	1.79	1.80	1.81	1.82	1.83	1.84	1.85	1.86	1.87	1.88	1.89	1.90
	1.73	1.74	1.75	1.76	1.78	1.79	1.80	1.81	1.82	1.83	1.84	1.85	1.86	1.87	1.88	1.89	1.90	1.91
	1.74	1.75	1.76	1.77	1.78	1.79	1.81	1.82	1.83	1.84	1.85	1.86	1.87	1.88	1.89	1.90	1.91	1.92
	1.75	1.76	1.77	1.78	1.79	1.80	1.81	1.82	1.83	1.85	1.86	1.87	1.88	1.89	1.90	1.91	1.92	1.93
	1.75	1.77	1.78	1.79	1.80	1.81	1.82	1.83	1.84	1.85	1.86	1.87	1.88	1.89	1.91	1.92	1.93	1.94
	1.76	1.77	1.78	1.80	1.81	1.82	1.83	1.84	1.85	1.86	1.87	1.88	1.89	1.90	1.91	1.92	1.93	1.94
	1.77	1.78	1.79	1.80	1.81	1.83	1.84	1.85	1.86	1.87	1.88	1.89	1.90	1.91	1.92	1.93	1.94	1.95
	1.78	1.79	1.80	1.81	1.82	1.83	1.84	1.85	1.87	1.88	1.89	1.90	1.91	1.92	1.93	1.94	1.95	1.96
	1.78	1.80	1.81	1.82	1.83	1.84	1.85	1.86	1.87	1.88	1.90	1.91	1.92	1.93	1.94	1.95	1.96	1.97
	1.79	1.80	1.81	1.83	1.84	1.85	1.86	1.87	1.88	1.89	1.90	1.91	1.92	1.94	1.95	1.96	1.97	1.98
	1.80	1.81	1.82	1.83	1.84	1.86	1.87	1.88	1.89	1.90	1.91	1.92	1.93	1.94	1.95	1.96	1.97	1.98
	1.81	1.82	1.83	1.84	1.85	1.86	1.87	1.89	1.90	1.91	1.92	1.93	1.94	1.95	1.96	1.97	1.98	1.99
	1.81	1.82	1.84	1.85	1.86	1.87	1.88	1.89	1.90	1.92	1.93	1.94	1.95	1.96	1.97	1.98	1.99	2.00
	1.82	1.83	1.84	1.86	1.87	1.88	1.89	1.90	1.91	1.92	1.93	1.95	1.96	1.97	1.98	1.99	2.00	2.01
	1.83	1.84	1.85	1.86	1.87	1.89	1.90	1.91	1.92	1.93	1.94	1.95	1.96	1.98	1.99	2.00	2.01	2.02
	1.84	1.85	1.86	1.87	1.88	1.89	1.91	1.92	1.93	1.94	1.95	1.96	1.97	1.98	1.99	2.00	2.02	2.03
	1.84	1.85	1.87	1.88	1.89	1.90	1.91	1.92	1.94	1.95	1.96	1.97	1.98	1.99	2.00	2.01	2.02	2.03
	1.85	1.86	1.87	1.89	1.90	1.91	1.92	1.93	1.94	1.95	1.97	1.98	1.99	2.00	2.01	2.02	2.03	2.04
	1.86	1.87	1.88	1.89	1.90	1.92	1.93	1.94	1.95	1.96	1.97	1.98	2.00	2.01	2.02	2.03	2.04	2.05
	1.86	1.88	1.89	1.90	1.91	1.92	1.94	1.95	1.96	1.97	1.98	1.99	2.00	2.01	2.03	2.04	2.05	2.06

付録1

体重 （単位：m^2）

83	84	85	86	87	88	89	90	91	92	93	94	95	96	97	98	99	100
1.69	1.70	1.71	1.72	1.72	1.73	1.74	1.75	1.76	1.77	1.77	1.78	1.79	1.80	1.81	1.81	1.82	1.83
1.70	1.71	1.72	1.72	1.73	1.74	1.75	1.76	1.77	1.77	1.78	1.79	1.80	1.81	1.82	1.82	1.83	1.84
1.71	1.72	1.72	1.73	1.74	1.75	1.76	1.77	1.78	1.78	1.79	1.80	1.81	1.82	1.82	1.83	1.84	1.85
1.72	1.73	1.73	1.74	1.75	1.76	1.77	1.78	1.78	1.79	1.80	1.81	1.82	1.83	1.83	1.84	1.85	1.86
1.72	1.73	1.74	1.75	1.76	1.77	1.78	1.79	1.79	1.80	1.81	1.82	1.83	1.84	1.84	1.85	1.86	1.87
1.73	1.74	1.75	1.76	1.77	1.78	1.79	1.79	1.80	1.81	1.82	1.83	1.84	1.84	1.85	1.86	1.87	1.88
1.74	1.75	1.76	1.77	1.78	1.79	1.79	1.80	1.81	1.82	1.83	1.84	1.85	1.85	1.86	1.87	1.88	1.89
1.75	1.76	1.77	1.78	1.79	1.80	1.80	1.81	1.82	1.83	1.84	1.85	1.85	1.86	1.87	1.88	1.89	1.90
1.76	1.77	1.78	1.79	1.80	1.80	1.81	1.82	1.83	1.84	1.85	1.86	1.86	1.87	1.88	1.89	1.90	1.90
1.77	1.78	1.79	1.80	1.80	1.81	1.82	1.83	1.84	1.85	1.86	1.86	1.87	1.88	1.89	1.90	1.91	1.91
1.78	1.79	1.79	1.80	1.81	1.82	1.83	1.84	1.85	1.86	1.86	1.87	1.88	1.89	1.90	1.91	1.92	1.92
1.79	1.79	1.80	1.81	1.82	1.83	1.84	1.85	1.86	1.87	1.87	1.88	1.89	1.90	1.91	1.92	1.92	1.93
1.79	1.80	1.81	1.82	1.83	1.84	1.85	1.86	1.87	1.87	1.88	1.89	1.90	1.91	1.92	1.93	1.93	1.94
1.80	1.81	1.82	1.83	1.84	1.85	1.86	1.87	1.87	1.88	1.89	1.90	1.91	1.92	1.93	1.93	1.94	1.95
1.81	1.82	1.83	1.84	1.85	1.86	1.87	1.87	1.88	1.89	1.90	1.91	1.92	1.93	1.94	1.94	1.95	1.96
1.82	1.83	1.84	1.85	1.86	1.87	1.87	1.88	1.89	1.90	1.91	1.92	1.93	1.94	1.94	1.95	1.96	1.97
1.83	1.84	1.85	1.86	1.86	1.87	1.88	1.89	1.90	1.91	1.92	1.93	1.94	1.94	1.95	1.96	1.97	1.98
1.84	1.85	1.86	1.86	1.87	1.88	1.89	1.90	1.91	1.92	1.93	1.94	1.95	1.95	1.96	1.97	1.98	1.99
1.85	1.85	1.86	1.87	1.88	1.89	1.90	1.91	1.92	1.93	1.94	1.95	1.95	1.96	1.97	1.98	1.99	2.00
1.85	1.86	1.87	1.88	1.89	1.90	1.91	1.92	1.93	1.94	1.95	1.95	1.96	1.97	1.98	1.99	2.00	2.01
1.86	1.87	1.88	1.89	1.90	1.91	1.92	1.93	1.94	1.95	1.95	1.96	1.97	1.98	1.99	2.00	2.01	2.02
1.87	1.88	1.89	1.90	1.91	1.92	1.93	1.94	1.94	1.95	1.96	1.97	1.98	1.99	2.00	2.01	2.02	2.02
1.88	1.89	1.90	1.91	1.92	1.93	1.94	1.94	1.95	1.96	1.97	1.98	1.99	2.00	2.01	2.02	2.02	2.03
1.89	1.90	1.91	1.92	1.93	1.93	1.94	1.95	1.96	1.97	1.98	1.99	2.00	2.01	2.02	2.03	2.03	2.04
1.90	1.91	1.91	1.92	1.93	1.94	1.95	1.96	1.97	1.98	1.99	2.00	2.01	2.02	2.03	2.03	2.04	2.05
1.90	1.91	1.92	1.93	1.94	1.95	1.96	1.97	1.98	1.99	2.00	2.01	2.02	2.03	2.03	2.04	2.05	2.06
1.91	1.92	1.93	1.94	1.95	1.96	1.97	1.98	1.99	2.00	2.01	2.02	2.03	2.03	2.04	2.05	2.06	2.07
1.92	1.93	1.94	1.95	1.96	1.97	1.98	1.99	2.00	2.01	2.02	2.02	2.03	2.04	2.05	2.06	2.07	2.08
1.93	1.94	1.95	1.96	1.97	1.98	1.99	2.00	2.01	2.02	2.02	2.03	2.04	2.05	2.06	2.07	2.08	2.09
1.94	1.95	1.96	1.97	1.98	1.99	2.00	2.01	2.01	2.02	2.03	2.04	2.05	2.06	2.07	2.08	2.09	2.10
1.95	1.96	1.97	1.98	1.98	1.99	2.00	2.01	2.02	2.03	2.04	2.05	2.06	2.07	2.08	2.09	2.10	2.11
1.95	1.96	1.97	1.98	1.99	2.00	2.01	2.02	2.03	2.04	2.05	2.06	2.07	2.08	2.09	2.10	2.11	2.11
1.96	1.97	1.98	1.99	2.00	2.01	2.02	2.03	2.04	2.05	2.06	2.07	2.08	2.09	2.10	2.11	2.11	2.12
1.97	1.98	1.99	2.00	2.01	2.02	2.03	2.04	2.05	2.06	2.07	2.08	2.09	2.10	2.11	2.11	2.12	2.13
1.98	1.99	2.00	2.01	2.02	2.03	2.04	2.05	2.06	2.07	2.08	2.09	2.10	2.10	2.11	2.12	2.13	2.14
1.99	2.00	2.01	2.02	2.03	2.04	2.05	2.06	2.07	2.08	2.09	2.09	2.10	2.11	2.12	2.13	2.14	2.15
2.00	2.01	2.02	2.03	2.04	2.05	2.06	2.06	2.07	2.08	2.09	2.10	2.11	2.12	2.13	2.14	2.15	2.16
2.00	2.01	2.02	2.03	2.04	2.05	2.06	2.07	2.08	2.09	2.10	2.11	2.12	2.13	2.14	2.15	2.16	2.17
2.01	2.02	2.03	2.04	2.05	2.06	2.07	2.08	2.09	2.10	2.11	2.12	2.13	2.14	2.15	2.16	2.17	2.18
2.02	2.03	2.04	2.05	2.06	2.07	2.08	2.09	2.10	2.11	2.12	2.13	2.14	2.15	2.16	2.17	2.18	2.19
2.03	2.04	2.05	2.06	2.07	2.08	2.09	2.10	2.11	2.12	2.13	2.14	2.15	2.16	2.17	2.18	2.19	2.20
2.04	2.05	2.06	2.07	2.08	2.09	2.10	2.11	2.12	2.13	2.14	2.15	2.16	2.17	2.18	2.19	2.19	2.20
2.04	2.05	2.07	2.08	2.09	2.10	2.11	2.12	2.13	2.14	2.15	2.16	2.16	2.17	2.18	2.19	2.20	2.21
2.05	2.06	2.07	2.08	2.09	2.10	2.11	2.12	2.13	2.14	2.15	2.16	2.17	2.18	2.19	2.20	2.21	2.22
2.06	2.07	2.08	2.09	2.10	2.11	2.12	2.13	2.14	2.15	2.16	2.17	2.18	2.19	2.20	2.21	2.22	2.23
2.07	2.08	2.09	2.10	2.11	2.12	2.13	2.14	2.15	2.16	2.17	2.18	2.19	2.20	2.21	2.22	2.23	2.24

身長 \ 体重 (単位: m^2)	5	6	7	8	9	10	11	12	13	14	15	16	17	18	19	20	21
50	0.24	0.26	0.28	0.30	0.31	0.33	0.34	0.35	0.36	0.38	0.39	0.40	0.41	0.42	0.43	0.44	0.45
52	0.25	0.27	0.29	0.30	0.32	0.34	0.35	0.36	0.37	0.39	0.40	0.41	0.42	0.43	0.44	0.45	0.46
54	0.26	0.28	0.30	0.31	0.33	0.34	0.36	0.37	0.39	0.40	0.41	0.42	0.43	0.44	0.45	0.46	0.47
56	0.26	0.28	0.30	0.32	0.34	0.35	0.37	0.38	0.40	0.41	0.42	0.43	0.44	0.45	0.46	0.48	0.49
58	0.27	0.29	0.31	0.33	0.35	0.36	0.38	0.39	0.41	0.42	0.43	0.44	0.45	0.47	0.48	0.49	0.50
60	0.28	0.30	0.32	0.34	0.36	0.37	0.39	0.40	0.42	0.43	0.44	0.45	0.47	0.48	0.49	0.50	0.51
62	0.28	0.31	0.33	0.35	0.36	0.38	0.40	0.41	0.43	0.44	0.45	0.47	0.48	0.49	0.50	0.51	0.52
64	0.29	0.31	0.33	0.35	0.37	0.39	0.41	0.42	0.44	0.45	0.46	0.48	0.49	0.50	0.51	0.52	0.53
66	0.30	0.32	0.34	0.36	0.38	0.40	0.42	0.43	0.45	0.46	0.47	0.49	0.50	0.51	0.52	0.54	0.55
68	0.30	0.33	0.35	0.37	0.39	0.41	0.42	0.44	0.46	0.47	0.48	0.50	0.51	0.52	0.54	0.55	0.56
70	0.31	0.33	0.36	0.38	0.40	0.42	0.43	0.45	0.47	0.48	0.49	0.51	0.52	0.53	0.55	0.56	0.57
72	0.32	0.34	0.36	0.39	0.41	0.42	0.44	0.46	0.47	0.49	0.50	0.52	0.53	0.55	0.56	0.57	0.58
74	0.32	0.35	0.37	0.39	0.41	0.43	0.45	0.47	0.48	0.50	0.51	0.53	0.54	0.56	0.57	0.58	0.59
76	0.33	0.36	0.38	0.40	0.42	0.44	0.46	0.48	0.49	0.51	0.52	0.54	0.55	0.57	0.58	0.59	0.61
78	0.34	0.36	0.39	0.41	0.43	0.45	0.47	0.49	0.50	0.52	0.53	0.55	0.56	0.58	0.59	0.60	0.62
80	0.34	0.37	0.39	0.42	0.44	0.46	0.48	0.50	0.51	0.53	0.54	0.56	0.57	0.59	0.60	0.62	0.63
82	0.35	0.38	0.40	0.42	0.45	0.47	0.49	0.50	0.52	0.54	0.55	0.57	0.58	0.60	0.61	0.63	0.64
84	0.35	0.38	0.41	0.43	0.45	0.47	0.49	0.51	0.53	0.55	0.56	0.58	0.59	0.61	0.62	0.64	0.65
86	0.36	0.39	0.41	0.44	0.46	0.48	0.50	0.52	0.54	0.56	0.57	0.59	0.61	0.62	0.63	0.65	0.66
88	0.37	0.40	0.42	0.45	0.47	0.49	0.51	0.53	0.55	0.57	0.58	0.60	0.62	0.63	0.65	0.66	0.67
90	0.37	0.40	0.43	0.45	0.48	0.50	0.52	0.54	0.56	0.58	0.59	0.61	0.63	0.64	0.66	0.67	0.68
92	0.38	0.41	0.44	0.46	0.48	0.51	0.53	0.55	0.57	0.59	0.60	0.62	0.64	0.65	0.67	0.68	0.70
94	0.38	0.41	0.44	0.47	0.49	0.52	0.54	0.56	0.58	0.59	0.61	0.63	0.65	0.66	0.68	0.69	0.71
96	0.39	0.42	0.45	0.48	0.50	0.52	0.54	0.57	0.58	0.60	0.62	0.64	0.66	0.67	0.69	0.70	0.72
98	0.40	0.43	0.46	0.48	0.51	0.53	0.55	0.57	0.59	0.61	0.63	0.65	0.67	0.68	0.70	0.71	0.73
100	0.40	0.43	0.46	0.49	0.52	0.54	0.56	0.58	0.60	0.62	0.64	0.66	0.68	0.69	0.71	0.72	0.74
102	0.41	0.44	0.47	0.50	0.52	0.55	0.57	0.59	0.61	0.63	0.65	0.67	0.68	0.70	0.72	0.73	0.75
104	0.41	0.45	0.48	0.50	0.53	0.55	0.58	0.60	0.62	0.64	0.66	0.68	0.69	0.71	0.73	0.74	0.76
106	0.42	0.45	0.48	0.51	0.54	0.56	0.59	0.61	0.63	0.65	0.67	0.69	0.70	0.72	0.74	0.75	0.77
108	0.42	0.46	0.49	0.52	0.54	0.57	0.59	0.62	0.64	0.66	0.68	0.70	0.71	0.73	0.75	0.76	0.78
110	0.43	0.46	0.50	0.53	0.55	0.58	0.60	0.62	0.65	0.67	0.69	0.70	0.72	0.74	0.76	0.78	0.79
112	0.44	0.47	0.50	0.53	0.56	0.58	0.61	0.63	0.65	0.67	0.69	0.71	0.73	0.75	0.77	0.79	0.80
114	0.44	0.48	0.51	0.54	0.57	0.59	0.62	0.64	0.66	0.68	0.70	0.72	0.74	0.76	0.78	0.80	0.81
116	0.45	0.48	0.52	0.55	0.57	0.60	0.62	0.65	0.67	0.69	0.71	0.73	0.75	0.77	0.79	0.81	0.82
118	0.45	0.49	0.52	0.55	0.58	0.61	0.63	0.66	0.68	0.70	0.72	0.74	0.76	0.78	0.80	0.82	0.83
120	0.46	0.49	0.53	0.56	0.59	0.61	0.64	0.66	0.69	0.71	0.73	0.75	0.77	0.79	0.81	0.83	0.84
122	0.46	0.50	0.53	0.57	0.60	0.62	0.65	0.67	0.70	0.72	0.74	0.76	0.78	0.80	0.82	0.84	0.85
124	0.47	0.51	0.54	0.57	0.60	0.63	0.66	0.68	0.70	0.73	0.75	0.77	0.79	0.81	0.83	0.85	0.86
126	0.47	0.51	0.55	0.58	0.61	0.64	0.66	0.69	0.71	0.73	0.76	0.78	0.80	0.82	0.84	0.86	0.87
128	0.48	0.52	0.55	0.59	0.62	0.64	0.67	0.70	0.72	0.74	0.77	0.79	0.81	0.83	0.85	0.87	0.88
130	0.49	0.52	0.56	0.59	0.62	0.65	0.68	0.70	0.73	0.75	0.77	0.80	0.82	0.84	0.86	0.87	0.89
132	0.49	0.53	0.57	0.60	0.63	0.66	0.69	0.71	0.74	0.76	0.78	0.80	0.83	0.85	0.87	0.88	0.90
134	0.50	0.54	0.57	0.61	0.64	0.67	0.69	0.72	0.74	0.77	0.79	0.81	0.83	0.86	0.87	0.89	0.91
136	0.50	0.54	0.58	0.61	0.64	0.67	0.70	0.73	0.75	0.78	0.80	0.82	0.84	0.86	0.88	0.90	0.92
138	0.51	0.55	0.58	0.62	0.65	0.68	0.71	0.74	0.76	0.79	0.81	0.83	0.85	0.87	0.89	0.91	0.93
140	0.51	0.55	0.59	0.63	0.66	0.69	0.72	0.74	0.77	0.79	0.82	0.84	0.86	0.88	0.90	0.92	0.94

体重																		(単位：m^2)
22	23	24	25	26	27	28	29	30	31	32	33	34	35	36	37	38	39	40
0.46	0.46	0.47	0.48	0.49	0.50	0.50	0.51	0.52	0.53	0.53	0.54	0.55	0.56	0.56	0.57	0.57	0.58	0.59
0.47	0.48	0.49	0.49	0.50	0.51	0.52	0.53	0.53	0.54	0.55	0.56	0.56	0.57	0.58	0.58	0.59	0.60	0.60
0.48	0.49	0.50	0.51	0.52	0.53	0.53	0.54	0.55	0.56	0.56	0.57	0.58	0.59	0.59	0.60	0.61	0.61	0.62
0.49	0.50	0.51	0.52	0.53	0.54	0.55	0.56	0.56	0.57	0.58	0.59	0.60	0.60	0.61	0.62	0.62	0.63	0.64
0.51	0.52	0.53	0.54	0.54	0.55	0.56	0.57	0.58	0.59	0.60	0.60	0.61	0.62	0.63	0.63	0.64	0.65	0.65
0.52	0.53	0.54	0.55	0.56	0.57	0.58	0.58	0.59	0.60	0.61	0.62	0.63	0.63	0.64	0.65	0.66	0.66	0.67
0.53	0.54	0.55	0.56	0.57	0.58	0.59	0.60	0.61	0.62	0.62	0.63	0.64	0.65	0.66	0.66	0.67	0.68	0.69
0.54	0.56	0.57	0.58	0.59	0.59	0.60	0.61	0.62	0.63	0.64	0.65	0.66	0.66	0.67	0.68	0.69	0.70	0.70
0.56	0.57	0.58	0.59	0.60	0.61	0.62	0.63	0.64	0.64	0.65	0.66	0.67	0.68	0.69	0.70	0.70	0.71	0.72
0.57	0.58	0.59	0.60	0.61	0.62	0.63	0.64	0.65	0.66	0.67	0.68	0.69	0.69	0.70	0.71	0.72	0.73	0.73
0.58	0.59	0.60	0.61	0.62	0.63	0.64	0.65	0.66	0.67	0.68	0.69	0.70	0.71	0.72	0.73	0.73	0.74	0.75
0.59	0.60	0.62	0.63	0.64	0.65	0.66	0.67	0.68	0.69	0.70	0.71	0.71	0.72	0.73	0.74	0.75	0.76	0.77
0.61	0.62	0.63	0.64	0.65	0.66	0.67	0.68	0.69	0.70	0.71	0.72	0.73	0.74	0.75	0.76	0.76	0.77	0.78
0.62	0.63	0.64	0.65	0.66	0.67	0.68	0.69	0.70	0.71	0.72	0.73	0.74	0.75	0.76	0.77	0.78	0.79	0.80
0.63	0.64	0.65	0.66	0.68	0.69	0.70	0.71	0.72	0.73	0.74	0.75	0.76	0.77	0.78	0.78	0.79	0.80	0.81
0.64	0.65	0.66	0.68	0.69	0.70	0.71	0.72	0.73	0.74	0.75	0.76	0.77	0.78	0.79	0.80	0.81	0.82	0.83
0.65	0.66	0.68	0.69	0.70	0.71	0.72	0.73	0.74	0.75	0.76	0.77	0.78	0.79	0.80	0.81	0.82	0.83	0.84
0.66	0.68	0.69	0.70	0.71	0.72	0.74	0.75	0.76	0.77	0.78	0.79	0.80	0.81	0.82	0.83	0.84	0.85	0.86
0.68	0.69	0.70	0.71	0.72	0.74	0.75	0.76	0.77	0.78	0.79	0.80	0.81	0.82	0.83	0.84	0.85	0.86	0.87
0.69	0.70	0.71	0.72	0.74	0.75	0.76	0.77	0.78	0.79	0.81	0.82	0.83	0.84	0.85	0.86	0.87	0.88	0.89
0.70	0.71	0.72	0.74	0.75	0.76	0.77	0.78	0.80	0.81	0.82	0.83	0.84	0.85	0.86	0.87	0.88	0.89	0.90
0.71	0.72	0.74	0.75	0.76	0.77	0.79	0.80	0.81	0.82	0.83	0.84	0.85	0.86	0.87	0.88	0.89	0.90	0.91
0.72	0.73	0.75	0.76	0.77	0.79	0.80	0.81	0.82	0.83	0.84	0.86	0.87	0.88	0.89	0.90	0.91	0.92	0.93
0.73	0.75	0.76	0.77	0.79	0.80	0.81	0.82	0.83	0.85	0.86	0.87	0.88	0.89	0.90	0.91	0.92	0.93	0.94
0.74	0.76	0.77	0.78	0.80	0.81	0.82	0.83	0.85	0.86	0.87	0.88	0.89	0.90	0.92	0.93	0.94	0.95	0.96
0.75	0.77	0.78	0.80	0.81	0.82	0.83	0.85	0.86	0.87	0.88	0.89	0.91	0.92	0.93	0.94	0.95	0.96	0.97
0.76	0.78	0.79	0.81	0.82	0.83	0.85	0.86	0.87	0.88	0.90	0.91	0.92	0.93	0.94	0.95	0.96	0.97	0.99
0.77	0.79	0.80	0.82	0.83	0.85	0.86	0.87	0.88	0.90	0.91	0.92	0.93	0.94	0.96	0.97	0.98	0.99	1.00
0.79	0.80	0.82	0.83	0.84	0.86	0.87	0.88	0.90	0.91	0.92	0.93	0.95	0.96	0.97	0.98	0.99	1.00	1.01
0.80	0.81	0.83	0.84	0.85	0.87	0.88	0.90	0.91	0.92	0.93	0.95	0.96	0.97	0.98	0.99	1.00	1.02	1.03
0.81	0.82	0.84	0.85	0.87	0.88	0.89	0.91	0.92	0.93	0.95	0.96	0.97	0.98	0.99	1.01	1.02	1.03	1.04
0.82	0.83	0.85	0.86	0.88	0.89	0.91	0.92	0.93	0.95	0.96	0.97	0.98	1.00	1.01	1.02	1.03	1.04	1.05
0.83	0.84	0.86	0.87	0.89	0.90	0.92	0.93	0.94	0.96	0.97	0.98	1.00	1.01	1.02	1.03	1.04	1.06	1.07
0.84	0.85	0.87	0.89	0.90	0.92	0.93	0.94	0.96	0.97	0.98	1.00	1.01	1.02	1.03	1.05	1.06	1.07	1.08
0.85	0.87	0.88	0.90	0.91	0.93	0.94	0.95	0.97	0.98	1.00	1.01	1.02	1.03	1.05	1.06	1.07	1.08	1.09
0.86	0.88	0.89	0.91	0.92	0.94	0.95	0.97	0.98	0.99	1.01	1.02	1.03	1.05	1.06	1.07	1.08	1.10	1.11
0.87	0.89	0.90	0.92	0.93	0.95	0.96	0.98	0.99	1.01	1.02	1.03	1.05	1.06	1.07	1.09	1.10	1.11	1.12
0.88	0.90	0.91	0.93	0.95	0.96	0.98	0.99	1.00	1.02	1.03	1.05	1.06	1.07	1.09	1.10	1.11	1.12	1.13
0.89	0.91	0.92	0.94	0.96	0.97	0.99	1.00	1.02	1.03	1.04	1.06	1.07	1.08	1.10	1.11	1.12	1.14	1.15
0.90	0.92	0.93	0.95	0.97	0.98	1.00	1.01	1.03	1.04	1.06	1.07	1.08	1.10	1.11	1.12	1.14	1.15	1.16
0.91	0.93	0.95	0.96	0.98	0.99	1.01	1.02	1.04	1.05	1.07	1.08	1.10	1.11	1.12	1.14	1.15	1.16	1.17
0.92	0.94	0.96	0.97	0.99	1.00	1.02	1.04	1.05	1.07	1.08	1.09	1.11	1.12	1.14	1.15	1.16	1.17	1.19
0.93	0.95	0.97	0.98	1.00	1.02	1.03	1.05	1.06	1.08	1.09	1.11	1.12	1.13	1.15	1.16	1.17	1.19	1.20
0.94	0.96	0.98	0.99	1.01	1.03	1.04	1.06	1.07	1.09	1.10	1.12	1.13	1.15	1.16	1.17	1.19	1.20	1.21
0.95	0.97	0.99	1.00	1.02	1.04	1.05	1.07	1.09	1.10	1.12	1.13	1.14	1.16	1.17	1.19	1.20	1.21	1.23
0.96	0.98	1.00	1.01	1.03	1.05	1.07	1.08	1.10	1.11	1.13	1.14	1.16	1.17	1.19	1.20	1.21	1.23	1.24

付録2　血液診療に役立つアプリ集

- **Read by QxMD**
  興味のあるカテゴリーやジャーナルを設定できるため，興味のある内容の文献を横断的に読むことができる.

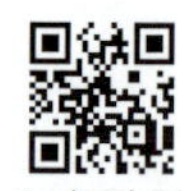

iOS　Android OS

- **Calculate by QxMD**
  各種疾患の予後指数等を計算することができる.

iOS　Android OS

- **NCCN　Guidelines®**
  NCCN ガイドラインを手軽に見ることができる.

iOS　Android OS

- **MEDVISOR**
  ガイドラインや薬剤添付文書を検索できる.

iOS　Android OS

- **ASH Pocket Guides**
  とくに血栓・凝固関連の内容が手軽に閲覧できる.

iOS　Android OS

- **ASCO Guidelines**
  各種がんのガイドラインを閲覧できる.

iOS　Android OS

- **ESMO Interactive Guidelines**
  各種がんのガイドラインを閲覧できる．とくにリンパ腫のガイドラインが充実している.

iOS　Android OS

● Transplant Guidelines

移植後フォローアップにも役立つ.

iOS　Android OS

● IDSA Practice Guidelines

感染症のガイドラインを検索できる.

iOS　Android OS

● CTCAE plus

CTCAE グレードを検索できる. よく使用する項目をタグ（Flagged）設定すると使いやすい.

iOS　Android OS

● CD Antigens Information Finder

CD 抗原を検索できる.

iOS　Android OS

● ImmGen

遺伝子名を入力することで細胞ごとに発現強度を調べることができる.

iOS　Android OS

〈多林孝之〉

CTCAE 最新版の利用の仕方

まとめ

- 有害事象共通用語規準 v5.0 日本語訳 JCOG 版（略称：CTCAE v5.0-JCOG）は，有害事象（AE）の評価や報告に用いることができる記述的用語集である．臨床試験（治験を含む）の有害事象判定規準として用いるなどの非営利目的に限り，PDF ファイル，Excel ファイルを JCOG ウェブサイト（http://www.jcog.jp）からダウンロードして利用可能である．
- Grade は AE の重症度を意味する．CTCAE では Grade1～5 を表1の原則に従って定義しており，各 AE の重症度の説明を個別に記載している．
- 観察された有害事象が複数の Grade の定義に該当するような場合には，総合的に判断してもっとも近い Grade に分類する．
- CTCAE は多岐にわたって分類されているため，膨大な情報量であるためアプリを活用すると便利である．本書では血液内科診療で頻用するものを表2にまとめるため参照いただきたい．

表1　CTCAE の Grade 分類

Grade	症状・所見
1	軽症；症状がない，または軽度の症状がある；臨床所見または検査所見のみ；治療を要さない
2	中等症；最小限/局所的/非侵襲的治療を要する；年齢相応の身の回り以外の日常生活動作の制限
3	重症または医学的に重大であるが，ただちに生命を脅かすものではない；入院または入院期間の延長を要する；身の回りの日常生活動作の制限
4	生命を脅かす；緊急処置を要する
5	AE による死亡

表2 CTCAE

有害事象	Grade	
	1	2
血液およびリンパ系障害		
貧血	ヘモグロビン<LLN-10.0 g/dL；<LLN-6.2 mmol/L；<LLN-100 g/L	ヘモグロビン<10.0-8.0 g/dL；<6.2-4.9 mmol/L；<100-80g/L
播種性血管内凝固	—	検査値異常はあるが出血なし
溶血	溶血検査で認められる溶血のみ（例：直接抗グロブリン試験；DAT；Coomb's；破砕赤血球；ハプトグロビン減少）	溶血があり，かつ≧2 g/dLのヘモグロビン低下
白血球増加症	—	—
心臓障害		
心房細動	心房細動症状がなく，治療を要さない	内科的治療を要するが緊急性はない
心不全	心不全症状はないが，検査値〔例：BNP（脳性ナトリウム利尿ペプチド）〕や画像検査にて心臓の異常がある	中等度の活動や労作で症状がある
左室収縮機能障害	—	—
心筋梗塞	—	症状がなく，心筋酵素の軽微な異常があるが，心電図上の虚血性変化はない
動悸	軽度の症状；治療を要さない	治療を要する
心嚢液貯留	—	症状がない少量から中等量の心嚢液貯留
眼障害		
白内障	症状がない；臨床所見または検査所見のみ；治療を要さない	症状があり，中等度の視力の低下を伴う（最高矯正視力0.5以上または既知のベースラインから3段階以下の視力低下）；グレア症状が身の回り以外の日常生活動作に影響がある

3	4	5
ヘモグロビン<8.0 g/dL；<4.9 mmol/L；<80 g/L；輸血を要する	生命を脅かす；緊急処置を要する	死亡
検査値異常および出血	生命を脅かす；緊急処置を要する	死亡
輸血または内科的治療を要する（例：副腎皮質ステロイド）	生命を脅かす；緊急処置を要する	死亡
>100,000/mm^3	臨床的に確認された白血球停滞；緊急処置を要する	死亡
症状があり，緊急処置を要する；機器（例：ペースメーカー）を要する；アブレーションを要する；新規発症	生命を脅かす；緊急処置を要する塞栓	死亡
安静時またはわずかな活動や労作でも症状がある；入院を要する；症状の新規発症	生命を脅かす；緊急処置を要する（例：持続的静注療法や機械的な循環動態の補助）	死亡
心拍出量の低下により症状があるが治療に反応する	心拍出量の低下による心不全が治療に反応しないまたはコントロール不良；心室補助装置や静脈内昇圧剤のサポートまたは心臓移植を要する	死亡
高度の症状；心筋酵素の異常；循環動態は安定；心電図変化は梗塞を示す	生命を脅かす；循環動態が不安定	死亡
—	—	—
生理機能に影響する心嚢液貯留	生命を脅かす；緊急処置を要する	死亡
症状があり，顕著な視力の低下を伴う（最高矯正視力0.5未満，0.1を超える，または既知のベースラインから3段階を超える視力低下）；身の回りの日常生活動作の制限	罹患眼の最高矯正視力0.1以下	—

表2 つづき

有害事象	Grade	
	1	2
ドライアイ	症状がない；臨床所見または検査所見のみ；潤滑剤で改善する症状	症状があり，中等度の視力の低下を伴う（最高矯正視力0.5以上または既知のベースラインから3段階以下の視力低下）
緑内障	8 mmHg未満の眼圧上昇；視野欠損はない	外用薬で21 mmHg以下に低下する眼圧上昇があるが視野欠損はない
角膜炎	症状がない；臨床所見または検査所見のみ；治療を要さない	症状があり，中等度の視力の低下を伴う（最高矯正視力0.5以上または既知のベースラインから3段階以下の視力低下）
胃腸障害		
腹部膨満	腹部膨満症状がない；臨床所見または検査所見のみ；治療を要さない	症状がある；身の回り以外の日常生活動作の制限
腹痛	軽度の疼痛	中等度の疼痛；身の回り以外の日常生活動作の制限
腹水	症状がない；臨床所見または検査所見のみ；治療を要さない	症状がある；内科的治療を要する
便秘	不定期または間欠的な症状；便軟化薬/緩下薬/食事の工夫/浣腸を不定期に使用	緩下薬または浣腸の定期的使用を要する持続的症状；身の回り以外の日常生活動作の制限
下痢	ベースラインと比べて<4回/日の排便回数増加；ベースラインと比べて人工肛門からの排泄量が軽度に増加	ベースラインと比べて4~6回/日の排便回数増加；ベースラインと比べて人工肛門からの排泄量の中等度増加；身の回り以外の日常生活動作の制限
口腔内	症状があるが（例：口内乾燥や唾液の濃縮），顕著な摂食習慣の変化がない；刺激のない状態での唾液分泌が>0.2 mL/min	中等度の症状；経口摂取の変化（例：多量の水，潤滑剤，ピューレ状および/または軟らかく水分の多い食物に限られる）；刺激のない状態での唾液分泌量が0.1~0.2 mL/min

3	4	5
症状があり，顕著な視力の低下を伴う（最高矯正視力0.5未満，0.1を超える，または既知のベースラインから3段階を超える視力低下）；身の回りの日常生活動作の制限	—	—
眼圧上昇による視野欠損	罹患眼の中心部10°以内の視野欠損	—
症状があり，顕著な視力の低下を伴う（最高矯正視力0.5未満，0.1を超える，または既知のベースラインから3段階を超える視力低下）；角膜潰瘍；身の回りの日常生活動作の制限	罹患眼の穿孔；最高矯正視力0.1以下	—
高度の不快感；身の回りの日常生活動作の制限	—	—
高度の疼痛；身の回りの日常生活動作の制限	—	—
高度の症状；侵襲的治療を要する	生命を脅かす；緊急の外科的処置を要する	—
摘便を要する頑固な便秘；身の回りの日常生活動作の制限	生命を脅かす；緊急処置を要する	死亡
ベースラインと比べて7回以上/日の排便回数増加；入院を要する；ベースラインと比べて人工肛門からの排泄量の高度増加；身の回りの日常生活動作の制限	生命を脅かす；緊急処置を要する	死亡
十分な経口摂取が不可能；経管栄養またはTPNを要する；刺激のない状態での唾液分泌量が<0.1 mL/min	—	—

付録3

表2 つづき

有害事象	Grade	
	1	2
胃潰瘍	症状がない；臨床所見または検査所見のみ；治療を要さない	症状がある；消化管機能の変化；内科的治療を要する；身の回り以外の日常生活動作の制限
イレウス	症状がなく画像所見のみ	症状がある；消化管機能の変化；消化管の安静を要する
下部消化管出血	軽度の症状；治療を要さない	中等度の症状；治療を要する
悪心	摂食習慣に影響のない食欲低下	顕著な体重減少，脱水または栄養失調を伴わない経口摂取量の減少
膵炎	—	酵素の上昇；画像所見のみ
上部消化管出血	軽度の症状；治療を要さない	中等度の症状；治療を要する
嘔吐	治療を要さない	外来での静脈内輸液を要する；内科的治療を要する
一般・全身障害および投与部位の状態		
四肢浮腫	四肢間の差が最も大きく見える部分で，体積または周長の差が5〜10%；腫脹または四肢の解剖学的構造が不明瞭になっていることが注意深い診察でわかる	四肢間の差が最も大きく見える部分で，体積または周長の差が>10〜30%；腫脹または四肢の解剖学的構造が不明瞭になっていることが診察で容易にわかる；解剖学的な輪郭の異常が容易にわかる；身の回り以外の日常生活動作の制限
注入部位血管外漏出	疼痛を伴わない浮腫	症状を伴う紅斑（例：浮腫，疼痛，硬結，静脈炎）
注射部位反応	関連症状（例：熱感，紅斑，そう痒）を伴う/伴わない圧痛	疼痛；脂肪変性；浮腫；静脈炎
免疫系障害		
アレルギー反応	全身的治療を要さない	内服治療を要する
アナフィラキシー	—	—

3	4	5
消化管機能の高度の変化；TPN を要する；待機的侵襲的治療を要する；身の回りの日常生活動作の制限	生命を脅かす；緊急の外科的処置を要する	死亡
消化管機能の高度の変化；TPN を要する；チューブ挿入を要する	生命を脅かす；緊急処置を要する	死亡
輸血を要する；侵襲的治療を要する；入院を要する	生命を脅かす；緊急処置を要する	死亡
カロリーや水分の経口摂取が不十分；経管栄養 /TPN/ 入院を要する	—	—
高度の疼痛；嘔吐；内科的治療を要する（例：除痛や栄養の支持）	生命を脅かす；緊急処置を要する	死亡
輸血を要する；侵襲的治療を要する；入院を要する	生命を脅かす；緊急処置を要する	死亡
経管栄養 /TPN/ 入院を要する	生命を脅かす	死亡
四肢間の体積の差が＞30%；解剖学的な輪郭の異常が著明である；身の回りの日常生活動作の制限	—	—
潰瘍または壊死；高度の組織損傷；外科的処置を要する	生命を脅かす；緊急処置を要する	死亡
潰瘍または壊死；高度の組織損傷；外科的処置を要する	生命を脅かす；緊急処置を要する	死亡
気管支痙攣；続発症により入院を要する；静脈内投与による治療を要する	生命を脅かす；緊急処置を要する	死亡
蕁麻疹の有無によらず症状のある気管支痙攣；非経口的治療を要する；アレルギーによる浮腫 / 血管性浮腫；血圧低下	生命を脅かす；緊急処置を要する	死亡

表2　つづき

有害事象	Grade	
	1	2
自己免疫障害	症状がない；臓器機能は正常で，血清検査などで確認されている自己免疫反応；治療を要さない	生命維持に必須ではない臓器や機能に対する自己免疫反応（例：甲状腺機能低下症）
サイトカイン放出症候群	全身症状の有無は問わない発熱	輸液に反応する低血圧；<40%の酸素投与に反応する低酸素症
血清病	症状がない；臨床所見または検査所見のみ；治療を要さない	中等度の関節痛；発熱，皮疹，蕁麻疹；抗ヒスタミン薬を要する
感染症および寄生虫症		
菌血症	—	血液培養陽性で徴候や症状がない
カテーテル関連感染	—	限局性；局所的治療を要する；内服治療を要する（例：抗菌薬/抗真菌薬/抗ウイルス薬）
結膜炎	症状がない，または軽度の症状；治療を要さない	症状があり，中等度の視力の低下を伴う（最高矯正視力0.5以上または既知のベースラインから3段階以下の視力低下）
サイトメガロウイルス感染再燃	症状がない，または軽度の症状；臨床所見または検査所見のみ；治療を要さない	症状がない，または軽度の症状；臨床所見または検査所見のみ；治療を要さない
医療機器関連感染	—	内服治療を要する（例：抗菌薬/抗真菌薬）
真菌血症	—	中等度の症状；内科的治療を要する
B型肝炎再活性化	症状がない，または軽度の症状；臨床所見または検査所見のみ；治療を要さない	中等度の症状；内科的治療を要する
敗血症	—	—

3	4	5
主要臓器の機能に関わる自己免疫反応（例：大腸炎，貧血，心筋炎，腎炎）	生命を脅かす；緊急処置を要する	死亡
昇圧剤単剤で管理できる低血圧；≧40%の酸素投与を要する低酸素症	生命を脅かす；緊急処置を要する	死亡
高度の関節痛または関節炎；広範な皮疹；副腎皮質ステロイドや静脈内輸液を要する	生命を脅かす；陽圧呼吸または人工呼吸を要する	死亡
—	—	—
抗菌薬/抗真菌薬/抗ウイルス薬の静脈内投与による治療を要する；侵襲的治療を要する	生命を脅かす；緊急処置を要する	死亡
症状があり，顕著な視力の低下を伴う（最高矯正視力0.5未満，0.1を超える，または既知のベースラインから3段階を超える視力低下）；身の回りの日常生活動作の制限	罹患眼の最高矯正視力0.1以下	—
重症または医学的に重大であるが，ただちに生命を脅かすものではない；入院または入院期間の延長を要する；静脈内投与による治療を要する	生命を脅かす；緊急処置を要する；失明	死亡
抗菌薬/抗真菌薬/抗ウイルス薬の静脈内投与による治療を要する；侵襲的治療を要する	生命を脅かす；緊急処置を要する	死亡
重症または医学的に重大であるが，ただちに生命を脅かすものではない；入院または入院期間の延長を要する	—	—
重症または医学的に重大であるが，ただちに生命を脅かすものではない；入院または入院期間の延長を要する；静脈内投与による治療を要する	生命を脅かす；緊急処置を要する；重症の非代償性肝硬変（例：凝固能異常，脳症，昏睡）	死亡
血液培養陽性で徴候や症状がある；治療を要する	生命を脅かす；緊急処置を要する	死亡

表2 つづき

有害事象	Grade	
	1	2
帯状疱疹	限局性；局所的治療を要する	中等度の症状を伴う局所の感染；内服治療を要する；年齢相応の身の回り以外の日常生活動作の制限
傷害，中毒および処置合併症		
放射線照射リコール反応（皮膚科的）	わずかな紅斑や乾性落屑	中等度から高度の紅斑；まだらな湿性落屑．ただしほとんどが皺や襞に限局している；中等度の浮腫
臨床検査		
活性化部分トロンボプラスチン時間延長	>ULN-1.5×ULN	>1.5-2.5×ULN
アラニンアミノトランスフェラーゼ増加	>ベースラインが基準範囲内の場合>ULN-3.0×ULN；ベースラインが異常値の場合>1.5-3.0×ベースライン	ベースラインが基準範囲内の場合>3.0-5.0×ULN；ベースラインが異常値の場合>3.0-5.0×ベースライン
アルカリホスファターゼ増加	ベースラインが基準範囲内の場合>ULN-2.5×ULN；ベースラインが異常値の場合>2.0-2.5×ベースライン	ベースラインが基準範囲内の場合>2.5-5.0×ULN；ベースラインが異常値の場合>2.5-5.0×ベースライン
アスパラギン酸アミノトランスフェラーゼ増加	ベースラインが基準範囲内の場合>ULN-3.0×ULN；ベースラインが異常値の場合>1.5-3.0×ベースライン	ベースラインが基準範囲内の場合>3.0-5.0×ULN；ベースラインが異常値の場合>3.0-5.0×ベースライン
血中ビリルビン増加	ベースラインが基準範囲内の場合>ULN-1.5×ULN；ベースラインが異常値の場合>1.0-1.5×ベースライン	ベースラインが基準範囲内の場合>1.5-3.0×ULN；ベースラインが異常値の場合>1.5-3.0×ベースライン
クレアチニン増加	>ULN-1.5×ULN	>1.5-3.0×ULN
リンパ球数減少	<LLN-800/mm^3；<LLN-0.8×10e9/L	<800-500 mm^3；<0.8-0.5×10e9/L
好中球数減少	<LLN-1,500/mm^3；<LLN-1.5×10e9/L	<1,500-1,000/mm^3；<1.5-1.0×10e9/L
血小板数減少	<LLN-75,000/mm^3；<LLN-75.0×10e9/L	<75,000-50,000/mm^3；<75.0-50.0×10e9/L
白血球減少	<LLN-3,000/mm^3；<LLN-3.0×10e9/L	<3,000-2,000/mm^3；<3.0-2.0×10e9/L

3	4	5
重症または医学的に重大であるが，ただちに生命を脅かすものではない；入院または入院期間の延長を要する；静脈内投与による治療を要する；身の回りの日常生活動作の制限	生命を脅かす；緊急処置を要する	死亡
皺や襞以外の部位の湿性落屑；軽度の外傷や擦過により出血する	生命を脅かす；皮膚全層の壊死や潰瘍；病変部より自然に出血する；皮膚移植を要する	死亡
>2.5×ULN；出血	—	—
ベースラインが基準範囲内の場合>5.0-20.0×ULN；ベースラインが異常値の場合>5.0-20.0×ベースライン	ベースラインが基準範囲内の場合>20.0×ULN；ベースラインが異常値の場合>20.0×ベースライン	—
ベースラインが基準範囲内の場合>5.0-20.0×ULN；ベースラインが異常値の場合>5.0-20.0×ベースライン	ベースラインが基準範囲内の場合>20.0×ULN；ベースラインが異常値の場合>20.0×ベースライン—	—
ベースラインが基準範囲内の場合>5.0-20.0×ULN；ベースラインが異常値の場合>5.0-20.0×ベースライン	ベースラインが基準範囲内の場合>20.0×ULN；ベースラインが異常値の場合>20.0×ベースライン	—
ベースラインが基準範囲内の場合>3.0-10.0×ULN；ベースラインが異常値の場合>3.0-10.0×ベースライン	ベースラインが基準範囲内の場合>10.0×ULN；ベースラインが異常値の場合>10.0×ベースライン	—
>3.0-6.0×ULN	>6.0×ULN-	—
<500-200/mm^3；<0.5-0.2×10e9/L	<200/mm^3；<0.2×10e9/L	—
<1,000-500/mm^3；<1.0-0.5×10e9/L	<500/mm^3；<0.5×10e9/L	—
<50,000-25,000/mm^3；<50.0-25.0×10e9/L	<25,000/mm^3；<25.0×10e9/L	—
<2,000−1,000/mm^3；<2.0-1.0×10e9/L	<1,000/mm^3；<1.0×10e9/L	—

表2　つづき

有害事象	Grade	
	1	2
代謝および栄養障害		
高カルシウム血症	補正血清カルシウム＞ULN-11.5 mg/dL；＞ULN-2.9 mmol/L；イオン化カルシウム＞ULN-1.5 mmol/L	補正血清カルシウム＞11.5-12.5 mg/dL；＞2.9-3.1 mmol/L；イオン化カルシウム＞1.5-1.6 mmol/L；症状がある
高血糖	血糖値がベースラインを超える，内科的治療を要さない	糖尿病に対する日常管理の変更を要する；経口血糖降下薬を要する；糖尿病の精密検査を要する
高カリウム血症	＞ULN-5.5 mmol/L	＞5.5-6.0 mmol/L；治療を要する
高ナトリウム血症	＞ULN-150 mmol/L	＞150-155 mmol/L；治療を要する
低アルブミン血症	＜LLN-3 g/dL；＜LLN-30 g/L	＜3-2 g/dL；＜30-20 g/L
低カルシウム血症	補正血清カルシウム＜LLN-8.0 mg/dL；＜LLN-2.0 mmol/L；イオン化カルシウム＜LLN-1.0 mmol/L	補正血清カルシウム＜8.0-7.0 mg/dL；＜2.0-1.75 mmol/L；イオン化カルシウム＜1.0-0.9 mmol/L；症状がある
低血糖	＜LLN-55 mg/dL；＜LLN-3.0 mmol/L	＜55-40 mg/dL；＜3.0-2.2 mmol/L
低カリウム血症	＜LLN-3.0 mmol/L で症状がない	＜LLN-3.0 mmol/L で症状がある；治療を要する
低ナトリウム血症	＜LLN-130 mmol/L	125-129 mmol/L で症状がない
鉄過剰	—	中等度の症状；治療を要さない
筋骨格系および結合組織障害		
顎骨壊死	症状がない；臨床所見または検査所見のみ；治療を要さない	症状がある；内科的治療を要する（例：外用薬）；身の回り以外の日常生活動作の制限

3	4	5
補正血清カルシウム＞12.5–13.5 mg/dL；＞3.1–3.4 mmol/L；イオン化カルシウム＞1.6–1.8 mmol/L；入院を要する	補正血清カルシウム＞13.5 mg/dL；＞3.4 mmol/L；イオン化カルシウム＞1.8 mmol/L；生命を脅かす	死亡
インスリン療法を要する；入院を要する	生命を脅かす；緊急処置を要する	死亡
＞6.0–7.0 mmol/L；入院を要する	＞7.0 mmol/L；生命を脅かす	死亡
＞155–160 mmol/L；入院を要する	＞160 mmol/L；生命を脅かす	死亡
＜2 g/dL；＜20 g/L	生命を脅かす；緊急処置を要する	死亡
補正血清カルシウム＜7.0–6.0 mg/dL；＜1.75–1.5 mmol/L；イオン化カルシウム＜0.9–0.8 mmol/L；入院を要する	補正血清カルシウム＜6.0 mg/dL；＜1.5 mmol/L；イオン化カルシウム＜0.8 mmol/L；生命を脅かす	死亡
＜40–30 mg/dL；＜2.2–1.7 mmol/L	＜30 mg/dL；＜1.7 mmol/L；生命を脅かす；発作	死亡
＜3.0–2.5 mmol/L；入院を要する	＜2.5 mmol/L；生命を脅かす	死亡
125–129 mmol/L で症状がある；120–124 mmol/L で症状の有無は問わない	＜120 mmol/L；生命を脅かす	死亡
高度の症状；治療を要する	生命を脅かす；緊急処置を要する	死亡
高度の症状；身の回りの日常生活動作の制限；待機的外科的処置を要する	生命を脅かす；緊急処置を要する	死亡

表 2 つづき

有害事象	Grade	
	1	2
骨粗鬆症	成人：画像で骨粗鬆症の所見あり，または骨塩密度（BMD）t スコア -1 から -2.5（骨量減少）； 小児：画像で z スコア≦-2.0 を伴う BMD 低値があり，明らかな骨折の既往がない	成人：BMD t スコア<-2.5；身長低下が<2 cm；BMD を改善する治療を要する；身の回り以外の日常生活動作の制限； 小児：BMD 低値（z スコア≦-2.0）で，明らかな骨折の既往がある（下肢の長骨骨折，脊椎圧迫，上肢の長骨の 2 カ所以上の骨折）；BMD を改善する治療を要する
神経系障害		
脳浮腫	—	—
頭痛	軽度の疼痛	中等度の疼痛；身の回り以外の日常生活動作の制限
頭蓋内出血	症状がない；臨床所見または検査所見のみ；治療を要さない	中等度の症状；治療を要する
白質脳症	症状がない；T2/FLAIR 強調像での小さな高信号域；脳室周囲白質，または<1/3 の大脳白質を含む；軽度のくも膜下腔拡大；軽度の脳室拡大	中等度の症状；半卵円中心に至る脳室周囲白質または 1/3 から 2/3 の大脳白質を含んだ T2/FLAIR 強調像の高信号域；中等度のくも膜下腔拡大；中等度の脳室拡大
神経痛	軽度の疼痛	中等度の疼痛；身の回り以外の日常生活動作の制限
末梢性運動ニューロパチー	症状がない；臨床所見または検査所見のみ	中等度の症状；身の回り以外の日常生活動作の制限
末梢性感覚ニューロパチー	症状がない	中等度の症状；身の回り以外の日常生活動作の制限
腎および尿路障害		
急性腎障害	—	—
排尿障害	あり	—
蛋白尿	蛋白尿 1+；尿蛋白≧ULN-<1.0 g/24 時間	成人：蛋白尿 2+～3+；尿蛋白 1.0-<3.5 g/24 時間； 小児：尿蛋白/クレアチニン比 0.5-1.9
頻尿	あり	身の回り以外の日常生活動作の制限；内科的治療を要する

3	4	5
成人：身長低下が≧2 cm；入院を要する；身の回りの日常生活動作の制限； 小児：身の回りの日常生活動作の制限	—	—
新規発症；ベースラインから悪化	生命を脅かす；緊急処置を要する	死亡
高度の疼痛；身の回りの日常生活動作の制限	—	—
脳室開窓術/頭蓋内圧モニタリング/脳室内血栓溶解/侵襲的治療を要する；入院を要する	生命を脅かす；緊急処置を要する	—
高度の症状；脳室周囲白質，2/3を超えて大脳白質を含んだT2/FLAIR強調像の広い高信号域；中等度から高度のくも膜下腔拡大；中等度から高度の脳室拡大	生命を脅かす；脳室周囲白質，ほとんどの大脳白質を含むT2/FLAIR強調像の広い高信号域；高度のくも膜下腔拡大；高度の脳室拡大	死亡
高度の疼痛；身の回りの日常生活動作の制限	—	—
高度の症状；身の回りの日常生活動作の制限	生命を脅かす；緊急処置を要する	死亡
高度の症状；身の回りの日常生活動作の制限	生命を脅かす；緊急処置を要する	—
入院を要する	生命を脅かす；人工透析を要する	死亡
—	—	—
成人：尿蛋白≧3.5 g/24時間；蛋白尿4+ 小児：尿蛋白/クレアチニン比>1.9	—	—
—	—	—

表2 つづき

有害事象	Grade	
	1	2
尿閉	尿路カテーテル/恥骨上カテーテル/間欠的カテーテルの留置を要さない；多少の残尿があるが排尿できる	尿路カテーテル/恥骨上カテーテル/間欠的カテーテルの留置を要する；薬物治療を要する
呼吸器，胸郭および縦隔障害		
成人呼吸窮迫症候群	—	—
呼吸困難	中等度の労作に伴う息切れ	極めて軽度の労作に伴う息切れ；身の回り以外の日常生活動作の制限
鼻出血	軽度の症状；治療を要さない	中等度の症状；内科的治療を要する（例：鼻タンポン，焼灼術，外用血管収縮薬）
しゃっくり	軽度の症状；治療を要さない	中等度の症状；内科的治療を要する；身の回り以外の日常生活動作の制限
低酸素症	—	労作時の酸素飽和度の低下（例：パルスオキシメーターで<88%）；間欠的な酸素投与を要する
胸水	症状がない；臨床所見または検査所見のみ；治療を要さない	症状がある；治療を要する（例：利尿薬/胸腔穿刺を要する）
肺水腫	画像所見のみ；労作に伴う軽微な呼吸困難	労作に伴う中等度の呼吸困難；内科的治療を要する；身の回り以外の日常生活動作の制限
肺高血圧症	軽微な呼吸困難；理学的/他の検査による所見	中等度の呼吸困難，咳；心臓カテーテル検査と内科的治療を要する
皮膚および皮下組織障害		
脱毛症	遠くからではわからないが近くで見るとわかる50%未満の脱毛；脱毛を隠すために，かつらやヘアピースは必要ないが，通常と異なる髪形が必要となる	他人にも容易にわかる50%以上の脱毛；患者が脱毛を完全に隠したいと望めば，かつらやヘアピースが必要；社会心理学的な影響を伴う

3	4	5
待機的侵襲的治療を要する；罹患腎の腎機能または腎体積の大幅な低下	生命を脅かす；臓器不全；緊急の外科的処置を要する	死亡
画像所見がある；気管内挿管を要さない	生命を脅かす呼吸障害/循環動態の悪化；気管内挿管や緊急処置を要する	死亡
安静時の息切れ；身の回りの日常生活動作の制限	生命を脅かす；緊急処置を要する	死亡
輸血を要する；侵襲的治療を要する（例：出血部位の止血）	生命を脅かす；緊急処置を要する	死亡
高度の症状；睡眠に支障がある；身の回りの日常生活動作の制限	—	—
安静時の酸素飽和度の低下（例：パルスオキシメーターで＜88%またはPaO_2≦55 mmHg）	生命を脅かす気道障害；緊急処置を要する（例：気管切開や気管内挿管）	死亡
症状があり呼吸障害と低酸素症を伴う；外科的処置を要する（胸腔ドレナージ/胸膜癒着術）	生命を脅かす呼吸障害/循環動態の悪化；気管内挿管や緊急処置を要する	死亡
高度の呼吸困難/安静時呼吸困難；酸素投与を要する；身の回りの日常生活動作の制限	生命を脅かす；緊急処置や気管内挿管と人工呼吸を要する	死亡
低酸素症や右心不全を伴う高度の症状；酸素投与を要する	生命を脅かす気道障害；緊急処置を要する（例：気管切開や気管内挿管）	死亡
—	—	—

表 2 つづき

有害事象	Grade	
	1	2
湿疹	症状がない，または軽度の症状；ベースラインを超える内科的治療の追加を要さない	中等度：外用薬または内服治療を要する；ベースラインを超える内科的治療の追加を要する
紫斑	病変部の合計が体表面積の<10%を占める	病変部の合計が体表面積の10-30%を占める；外傷による出血
スティーヴンス・ジョンソン症候群	—	—
蕁麻疹	体表面積の<10%を占める蕁麻疹；局所治療を要する	体表面積の 10-30%を占める蕁麻疹；内服治療を要する
血管障害		
動脈血栓塞栓症	—	—
高血圧	成人：収縮期血圧 120-139 mmHg または拡張期血圧 80-89 mmHg； 小児：収縮期/拡張期血圧>90 パーセンタイルかつ<95 パーセンタイル； 青年：<95 パーセンタイルであっても，血圧≧120/80	成人：ベースラインが正常範囲の場合は収縮期血圧 140-159 mmHg または拡張期血圧 90-99 mmHg；ベースラインで行っていた内科的治療の変更を要する；再発性または持続性（≧24 時間）；症状を伴う>20 mmHg（拡張期血圧）の上昇または以前正常であった場合は>140/90 mmHg への上昇；単剤の薬物治療を要する； 小児および青年：再発性または持続性（≧24 時間）の>ULN の血圧上昇；単剤の薬物治療を要する；収縮期/拡張期血圧が>95 パーセンタイルと 99 パーセンタイルの 5 mmHg 上の間； 青年：<95 パーセンタイルであっても，収縮期血圧 130-139 mmHg または拡張期血圧 80-89

3	4	5
重症または医学的に重大であるが，ただちに生命を脅かすものではない；静脈内投与による治療を要する	—	—
病変部の合計が体表面積の>30%を占める；自然出血	—	—
体表面積の<10%を占める表皮壊死による症状（例：紅斑，紫斑，表皮剥離，粘膜剥離）	体表面積の 10-30%を占める表皮壊死による症状（例：紅斑，紫斑，表皮剥離，粘膜剥離）	死亡
体表面積の>30%を占める蕁麻疹；静脈内投与による治療を要する	—	—
緊急処置を要する	生命を脅かす；循環動態が不安定または神経学的に不安定；臓器障害；四肢の喪失	死亡
成人：収縮期血圧≧160 mmHg または拡張期血圧≧100 mmHg；内科的治療を要する；2 種類以上の薬物治療または以前よりも強い治療を要する； 小児および青年：収縮期/拡張期血圧が99パーセンタイルより5 mmHg 上回る	成人および小児：生命を脅かす（例：悪性高血圧，一過性または恒久的な神経障害，高血圧クリーゼ）；緊急処置を要する	死亡

（有害事象共通用語規準 v5.0 日本語訳 JCOG 版より引用，改変）

〈髙橋康之〉

索　引

あ行

か行

■さ行

■た行

■な行

■は行

■ま行

■や行

■ら・わ行

■数字・その他

■A

■B

■C

■ D

■ E

■ F

■ G

■ H

■ I

■ J・K・L

■ M

■ N

■ P

■ Q・R

■ S

■ T

■ U・V・W

血液内科グリーンノート 第2版 ©

発　行　2017年10月30日　初版1刷
　　　　2021年9月10日　2版1刷

編著者　木崎昌弘

発行者　株式会社　中外医学社
　　　　代表取締役　青木　滋
　　　　〒162-0805　東京都新宿区矢来町62
　　　　電　話　(03) 3268-2701 (代)
　　　　振替口座　00190-1-98814番

印刷・製本/横山印刷㈱　〈HI・YS〉
ISBN978-4-498-22507-7　Printed in Japan